Cartografía hidráulica del Estado de México

Cartografía hidráulica del Estado de México

Diana Birrichaga Gardida
María del Carmen Salinas Sandoval
Coordinadoras

FOEM
FONDO EDITORIAL ESTADO DE MÉXICO

EL COLEGIO DE MICHOACÁN, A.C.

EL COLEGIO MEXIQUENSE A.C.

912.7252 C378

Cartografía hidráulica del Estado de México / Diana Birrichaga Gardida y María del Carmen Salinas Sandoval, coords. — Zamora, Michoacán: El Colegio de Michoacán, A.C.; El Colegio Mexiquense, A.C.; Gobierno del Estado de México, 2016

350 p.: il.; 27 cm. — (Colección Cartografía Hidráulica de México)
ISBN: 978-607-9470-32-6

1. Cartografía – México (Estado). 2. Hidráulica – México (Estado). 3. Geografía Histórica – México (Estado). 4. Mapas – México (Estado). I. Birrichaga Gardida, Diana, coord. II. Salinas Sandoval, María del Carmen, coord.

Imagen de portada: *Plano ignográfico del terreno por donde discurre el Río del Desagüe*, 1797. AGN, 977/0051. Desagüe, vol. 32, exp. 2, f. 241.

Cartografía hidraúlica del Estado de México
© Primera edición: Secretaría de Educación Pública del Estado de México / El Colegio Mexiquense, A.C. / El Colegio de Michoacán, A.C., 2016

DR © Gobierno del Estado de México
Palacio del Poder Ejecutivo
Lerdo poniente núm. 300,
colonia Centro, C.P. 50000,
Toluca de Lerdo, Estado de México.

DR © El Colegio de Michoacán, A.C.
Centro Público de Investigación
Martínez de Navarrete núm. 505,
colonia Las Fuentes, C.P. 59699,
Zamora, Michoacán, México.
Correo electrónico: publica@colmich.edu.mx

DR © El Colegio Mexiquense, A.C.
Ex hacienda Santa Cruz de los Patos s/n,
colonia Cerro del Murciélago, C.P. 51350,
Zinacantepec, Estado de México.
Correo electrónico: ventas@cmq.edu.mx
www.cmq.edu.mx

ISBN (GEM | FOEM): 978-607-495-477-7
ISBN (COLMICH): 978-607-9470-32-6
ISBN (CMQ): 978-607-7761-86-0

Consejo Editorial de la Administración Pública Estatal
www.edomex.gob.mx/consejoeditorial
Número de autorización del Consejo Editorial
de la Administración Pública Estatal CE: 205/01/04/16

Impreso y hecho en México / *Printed and made in Mexico*

Sehallaran 25Vꝺ Areas. conforme a Ordenanza
Termino dela medida por baſo delas Seſas del llano en
el Centro del Rio de Meyuca
Hazª dela Cercada
Rancheria dela Cercada
Camino q̃ baſa de Coatepec, a Maninaltel
Serro alto de Sⁿ Pedro
Citio de Meyuca pertenecien
e alos Albara
os hasta el
no del
Molino
ica
VENTA
N-20- Varranca y
Rio de Meyuca.
N-21- Rio q̃ baſa de Almoloya y sigue
pʳ la profunda Varranca de Ma
ninaltenango. Junto ya Con el de
Meyuca.
N-22- Camino q̃ ba, oy de Zaqualpa
N-24- Varranca Chiquita, nombra
Aleſo.
N-25- Hazª de San Aleſo.

Presentación

En el año 2005 El Colegio de Michoacán publicó el primer tomo de la colección Cartografía Hidráulica de México en lo correspondiente al estado de Michoacán. En ese momento se consideró que el equipo encabezado por la doctora Brigitte Bohem Schoendube (†) debería poner a la disposición del público los documentos cartográficos de los estados por donde pasan las corrientes que dan curso a la cuenca Lerma-Chapala-Santiago. Cinco años después se publicó la *Cartografía hidráulica de Guanajuato,* y hoy presentamos la *Cartografía hidráulica del Estado de México.*

Debido a la riqueza de información que se complementa con la profusión gráfica de los documentos cartográficos sobre los usos sociales del agua, consideramos que este proyecto tratará de cubrir todo el territorio nacional y dotar de un instrumento de consulta y de opción a los académicos y a los planeadores de políticas públicas. Por esta razón, en El Colegio de Michoacán creamos la colección Cartografía Hidráulica de México que por su amplio objetivo requiere de otros académicos y grupos de investigación para participar en este proyecto.

Para esta edición, la buena disposición de la Secretaría de Educación del Estado de México y el apoyo de los doctores José Alejandro Vargas Castro y Víctor Humberto Benítez Treviño, expresidente y actual presidente de El Colegio Mexiquense, A.C., nos permitió que un grupo de académicos liderados por las doctoras Diana Birrichaga Gardida y María del Carmen Salinas Sandoval participaran en este tercer tomo que, además de los diferentes estudios, contiene material cartográfico del Archivo General de la Nación, la Mapoteca Histórica del Agua, el Archivo Histórico del Agua y la Mapoteca Manuel Orozco y Berra a quienes agradecemos la posibilidad de publicar parte de su acervo.

Dr. Martín Sánchez Rodríguez
El Colegio de Michoacán
Coordinador de la colección

Índice

Introducción

La *Cartografía hidráulica del Estado de México* forma parte del proyecto "Cartografía hidráulica de México" que preside El Colegio de Michoacán. Este proyecto tiene como objetivo principal fomentar el conocimiento multidisciplinario e interinstitucional de los usos del agua en las diversas entidades federativas. En esta ocasión, la presente obra cuenta con la importante participación de dos instituciones: El Colegio Mexiquense, A.C. y el Consejo Editorial del Gobierno del Estado de México.

Durante las últimas dos décadas se ha suscitado un interés nacional por recuperar la cartografía hidráulica antigua y moderna de México; impulsada en parte por el proyecto "Cartografía hidráulica de México". Por esta razón se han incrementado diversas líneas de investigación de la historia del agua relacionada con el medio ambiente, con la diversidad de usos y la infraestructura, así como con la participación de las autoridades para proporcionar el vital líquido y el drenaje a la sociedad, entre otras.

La finalidad de *Cartografía hidráulica del Estado de México* es brindar un instrumento de consulta para la generación de nuevos conocimientos científicos, para profundizar e innovar líneas de investigación así como para integrar una fuente de información que se utilice en el diseño de políticas públicas de planeación y conservación de infraestructura hidráulica en la entidad.

La obra está conformada por diez ensayos en su primera parte y por material cartográfico en su segunda parte; en cada una de ellas queda representado el elemento hídrico para favorecer la lectura del paisaje como herramienta metodológica. En las distintas temáticas de los ensayos el punto común ha sido el análisis de la relación sociedad-naturaleza a través de su dimensión espacial histórica, que ha utilizado la cartografía como una herramienta de información analítica.

La *Cartografía hidráulica del Estado de México* concede como beneficio conocer e identificar la problemática generada en cuanto a los usos del agua en el pasado y en la actualidad, y ayuda a plantear soluciones para frenar el deterioro de los cuerpos de agua. El tema del agua es uno de los más controvertidos en el presente y necesita de una actuación responsable por parte de todos los actores, de las autoridades gubernamentales, de las universidades e instituciones de educación superior y, en general, de todos los habitantes que conformamos el sector social de la entidad.

Consideramos que la cartografía permite apreciar en mapas, planos y atlas complejas construcciones sociales que posibilitan el conocimiento histórico político-cultural de las sociedades, individuos e instituciones que los elaboraron. Las producciones cartográficas se concibieron originalmente, a lo largo de los siglos, con propósitos utilitarios. La finalidad buscada en casi todos los mapas y planos ha sido dar a conocer determinados rasgos de un territorio.

El valor científico de los ensayos y del material cartográfico de esta obra radica en las fuentes de información que pudieron reunirse sobre los usos del agua a

Mezquic, Xochimilco, Ayotzingo y Chalco [página opuesta]

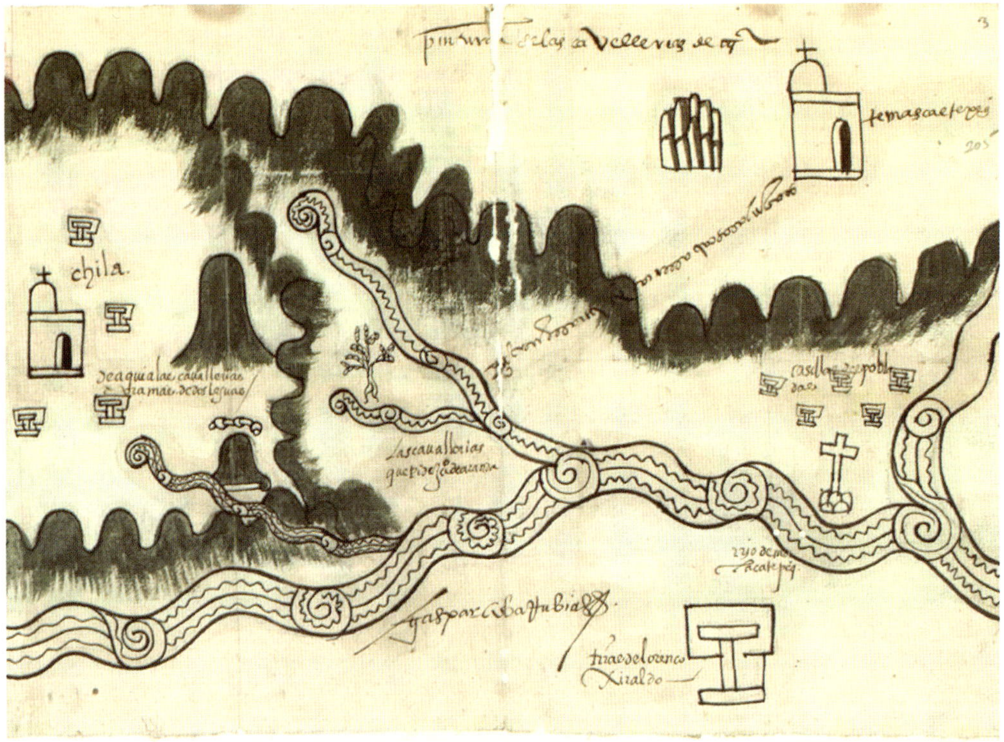

La cartografía hidráulica es un testimonio de ciencia y arte de una época

través del tiempo; básicamente, estas fuentes provienen de quienes realizaron los reconocimientos de las regiones, litorales y acciones hídricas, y que se encuentran en diversos repositorios: el Archivo Histórico del Agua, el Archivo General de la Nación y la Mapoteca Manuel Orozco y Berra. Los materiales aportados son fruto de observaciones llevadas a cabo con el rigor y la precisión que los conocimientos e instrumentos correspondientes a la época de elaboración permitieron.

Aquí se presentan estudios e imágenes cartográficas tanto de la entidad federativa, como de una ciudad o de determinadas tierras comunales, de haciendas o de pueblos. Pero además de estas diferencias en el espacio territorial, fue importante señalar los propósitos utilitarios y distinguir los diversos géneros que inciden en las producciones de cartografía hidráulica; entre ellos los mapas hidrográficos, climatológicos, de cuencas hidrológicas, de conflicto por el control de los recursos naturales, de infraestructura hidráulica, de introducción de agua potable y drenaje, de regulación urbanística, de sistemas de comunicación, de señalamientos etnológicos, lingüísticos o demográficos de tales o cuales regiones.

La cartografía hidráulica es un testimonio de ciencia y arte de una época, y refleja a la vez aconteceres, historia y cultura del agua. Se perciben en numerosos mapas la expresión artística y los logros en el grabado y en su realización tipográfica. Por medio de los mapas y cartas presentados en este libro se expone lo que ha sido el desarrollo de diversas ramas del saber en las distintas etapas de la historia del agua en el Estado de México: desde el periodo prehispánico o en los siglos novohispanos, durante los cuales se realizaron importantes trabajos cartográficos, hasta los tiempos de su vida independiente. Atender mapas, planos y otras producciones afines desde la historia lleva a tomar conciencia de la cartografía como patrimonio cultural.

La cartografía hidráulica del Estado de México es el espejo de las notables diferencias de sus características fisiográficas e hidráulicas entre las cuencas del Valle de México, del río Lerma y del río Balsas, en lo correspondiente al territorio estatal, y de su relación con las demandas de la población. En cada rincón de las cuencas se reflejan imágenes que son huella y testimonio de la historia, lo que puede ser también un medio para que se tome conciencia de los problemas de contaminación a causa de la concentración de población y las descargas industriales y domésticas, y se valoren los logros de las obras para el abastecimiento de agua y sus capacidades.

Entre lo que se expone de las producciones prehispánicas del imperio mexica y las indígenas coloniales hay una articulación de formas de representación. Ante la supervivencia de un buen número de antiguas formas como el glifo del agua y el monte, las huellas de pies para señalar los caminos, los glifos toponímicos y el trazo de las corrientes de agua, destacan con frecuencia los símbolos cristianos: iglesias, cruces, presencia de frailes y nuevas formas de cultivo, plantas y animales antes no

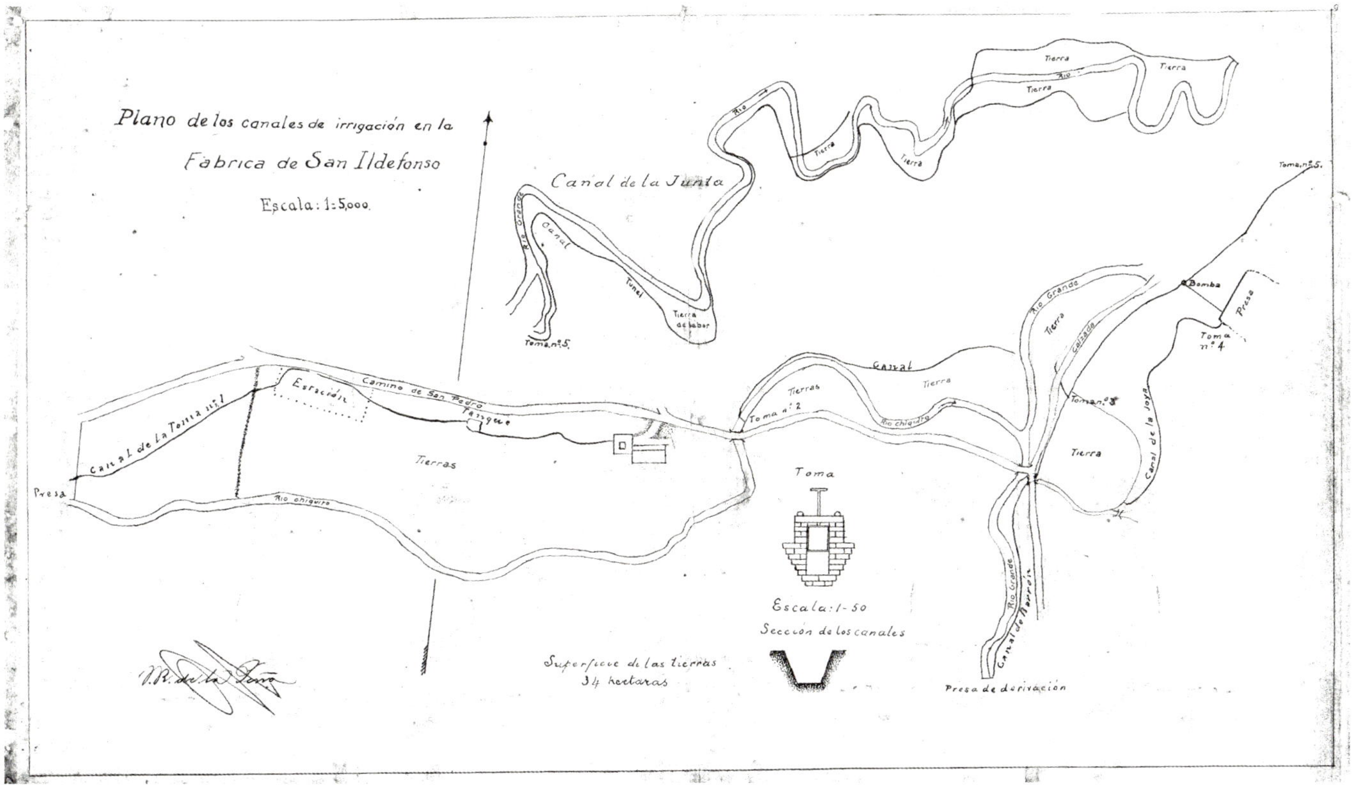

Tecnología hidráulica aplicada para actividades industriales

conocidos; destaca la diferencia en el modo de concebir el espacio.

A lo largo de la época prehispánica, durante la colonia y los siglos XIX, XX e inicios del XXI, se han analizado estudios de caso de la historia de las tecnologías hidráulicas aplicadas en actividades agrícolas e industriales, y las diversas reacciones de la sociedad mexiquense. La intención es mostrar algo de la riqueza de muchas de estas producciones hídricas donde quedaron reflejadas las observaciones y toma de conciencia de los habitantes respecto de un vasto territorio en el que la naturaleza y la cultura experimentaron intensos procesos de cambio.

La reflexión es un quehacer constante de las instituciones de educación superior, y es una tarea que se hace presente en esta obra acerca de las formas de representación del paisaje natural y social a partir de estudios de caso, de mapas, planos y croquis con asuntos y problemáticas hídricos. En las páginas de este libro se impulsa al lector a analizar el papel de la cartografía hidráulica en los procesos de apropiación del territorio mexiquense y su relación con los poderes políticos –Estados, gobiernos, imperios–, los grupos de interés y los actores que demandan el uso del agua.

Los diez ensayos que conforman la primera parte de la obra se dividen en tres temáticas: la introducción a la cartografía mexicana, la revisión historiográfica y las obras hidráulicas realizadas por el gobierno y los cambios en las acciones sociales que se produjeron.

En el primer tema, José Antonio Álvarez Lobato presenta *La cartografía mexicana, del arte a la ciencia*, donde hace un recuento breve de la cartografía mexicana, su evolución y la adopción paulatina de los estándares cartográficos internacionales en los siglos XIX y XX. Particulariza en los conceptos esenciales de un mapa: escala, proyección y coordenadas y en los diferentes elementos cartográficos que permiten obtener información espacial. Asimismo realiza una taxonomía

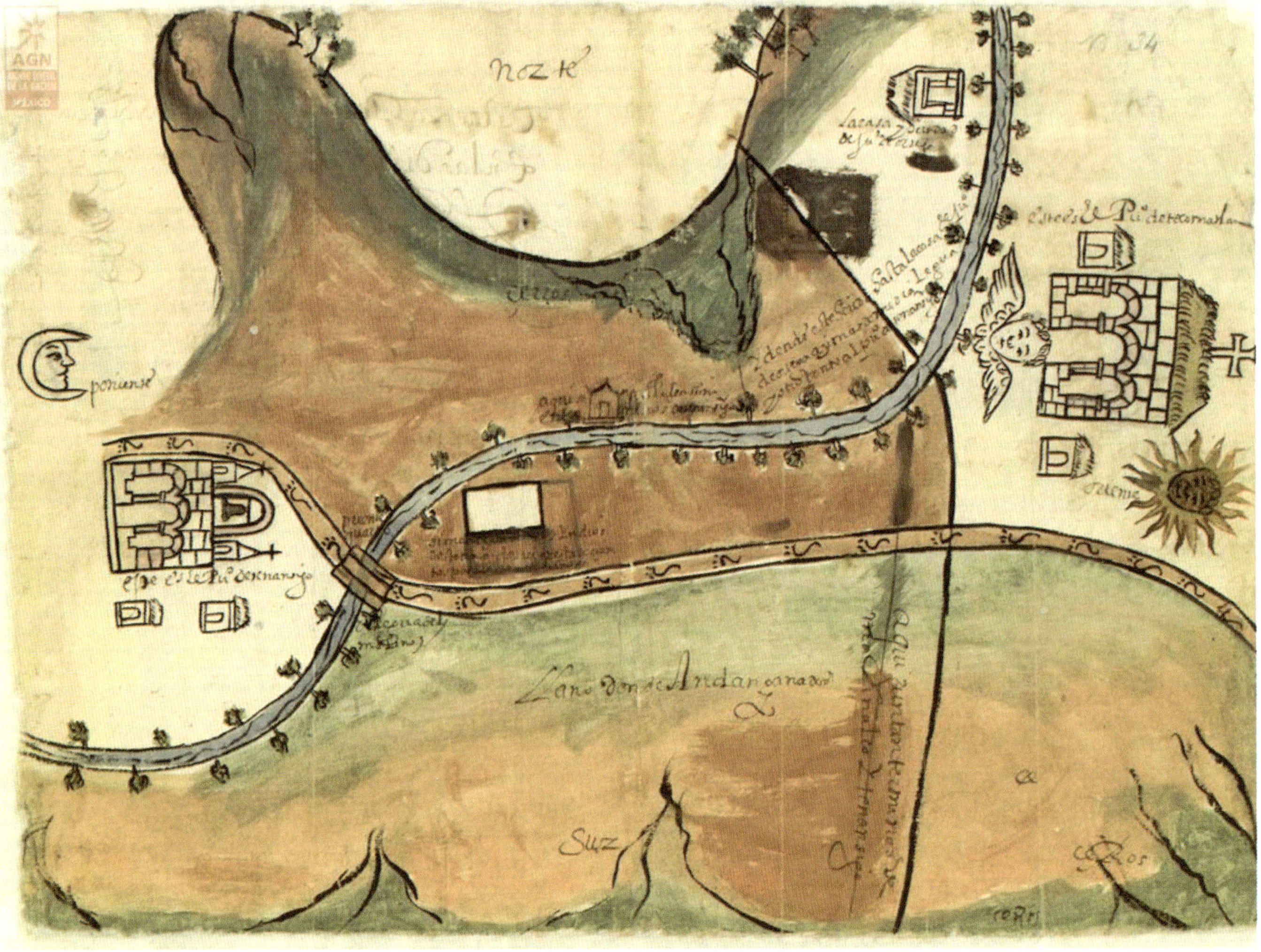

Estándares cartográficos de los tlacuilos del siglo XVI

de los diferentes tipos de mapas usados en nuestro país, de los objetos geográficos que pueden representarse y de los diferentes niveles de lectura que pueden obtenerse.

Dentro de la segunda temática se presentan dos textos: *La cartografía y la historia en el Estado de México*, de Javier González Morán y Carlos Alfonso Ledesma Ibarra, y *Estudios sobre los recursos hídricos en el Estado de México*, de María del Carmen Salinas Sandoval. En el primero se realiza un breve recuento de las obras que se han acercado al estudio de la cartografía en el Estado de México. En este sentido, los autores analizan los diferentes escritos históricos que han hecho uso de la cartografía con la intención de identificar y explicar los cambios más trascendentes de ésta y sus investigaciones en nuestra entidad, además de la utilidad de dichos trabajos para los actuales investigadores.

Por su parte, Carmen Salinas muestra la diversidad de enfoques que desde las ciencias sociales se han plasmado en textos publicados que estudian la cuestión del agua en las tres cuencas (Valle de México-Pánuco, río Lerma y río Balsas) que cruzan el Estado de México. Así, en estos dos temas, los autores analizan el agua como el hilo conductor que permite acercarse a la complejidad social, a los cambios en la relación sociedad-naturaleza y a los diferentes papeles que desempeñan los actores sociales y políticos; además, estos trabajos son una invitación

Patrones en los usos del agua que nacieron del mestizaje tecnológico de los intercambios culturales [página opuesta]

para reflexionar acerca de la importancia sociocultural y política que ha tenido el agua desde la época prehispánica hasta el cambio global y deterioro ambiental de nuestros días.

La tercera temática la conforman siete estudios. Diana Birrichaga Gardida, Paola Sánchez Esquivel y Ariel Sánchez Espinoza analizan en su texto *Sistemas de riego de pueblos y haciendas en los valles de México y Toluca,* la historia de las obras hidráulicas que permitieron la explotación de las tierras por parte de pueblos y haciendas en los siglos XVIII y XIX. La construcción de sistemas hidráulicos en el actual territorio del Estado de México permite detectar patrones en los usos del agua que nacen con el mestizaje tecnológico de los intercambios culturales entre españoles e indígenas. Es de destacarse que en el Valle de México y en el Valle de Toluca se presentaba una unidad hidráulica sustentada en un sistema de lagos que permitió obras como los sistemas de riego, canales de riego, zanjas, presas y otras construcciones.

Gloria Camacho Pichardo, por su parte, en su ensayo *Los proyectos hidráulicos liberales y porfirianos de desecación de las lagunas del Alto río Lerma, 1856-1910,* expone un recuento de los proyectos de desecación de las lagunas del Alto río Lerma impulsados entre 1850 y 1910. El trabajo aborda las diversas respuestas que se generaron por parte de los actores involucrados (pueblos, haciendas y gobiernos estatal y federal), respuestas vinculadas en particular con el rechazo de proyectos que intentaron modificar y alterar el modo de vida de los principales actores: los pueblos lacustres.

Beatriz Albores Zárate continúa estudiando el tema en su trabajo *La cultura lacustre en el Alto Lerma mexiquense,* para destacar los aspectos relativos al modo de vida lacustre en la etapa final de la laguna de Lerma, que fuera el principal depósito acuático de aquella jurisdicción; etapa que se sitúa de 1900 a 1970. Se enfoca en los años de 1940 a 1970, etapa en la cual la laguna de Lerma fue casi totalmente desecada, haciendo hincapié en San Mateo Atenco, Texcalyacac, San Pedro Tultepec

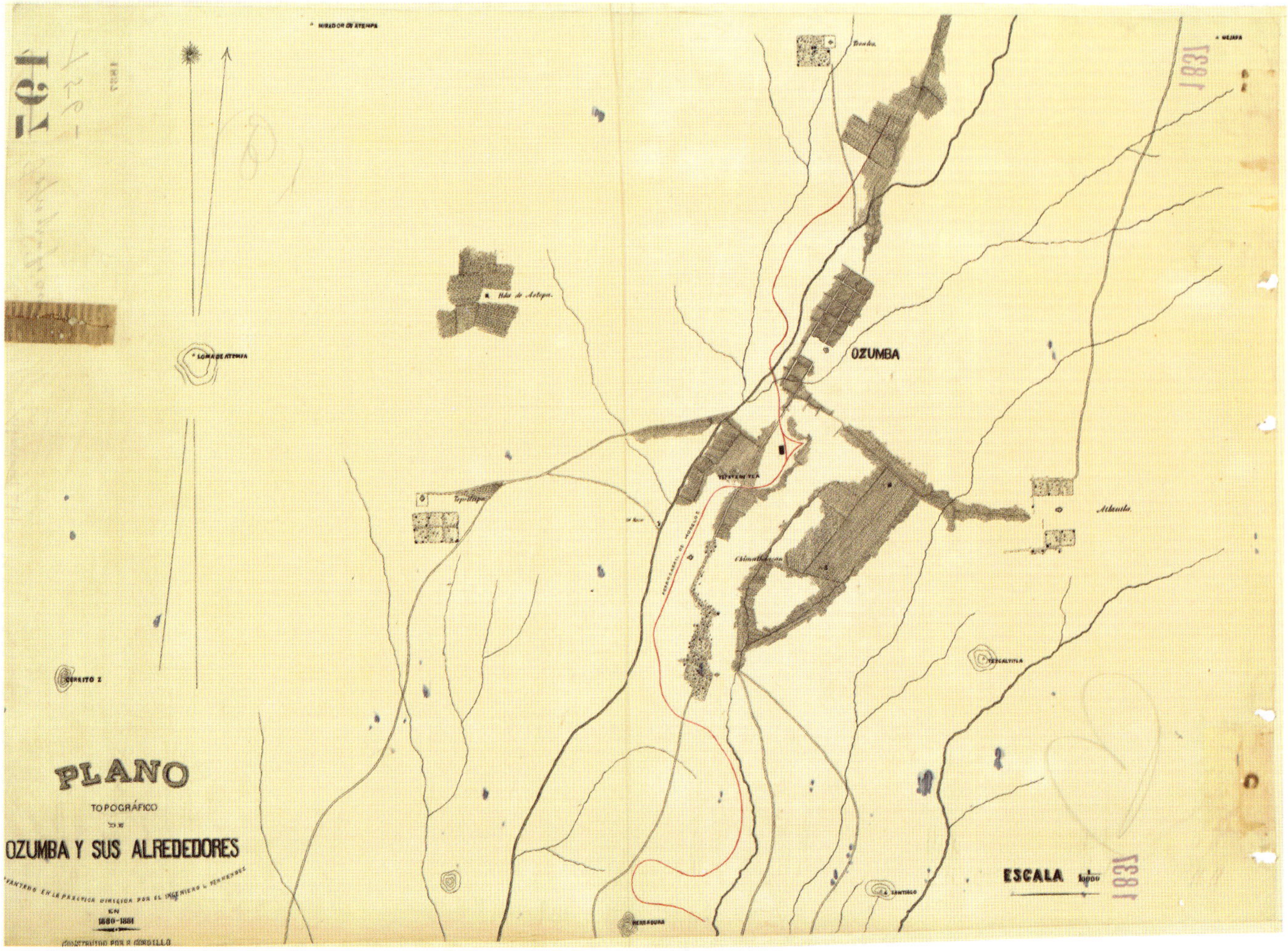

Plano topográfico del pueblo de Ozumba

(municipio de Lerma), Techuchulco (municipio de Joquicingo) y Almoloya del Río.

La irrigación en el Estado de México, 1900-1940 la analiza Gabriela Medina González. El trabajo aborda las políticas que el Estado mexicano propuso para impulsar el desarrollo agrícola del territorio nacional; en especial las aplicadas en el caso particular del Estado de México entre 1900 y 1950. A pesar del auge logrado en casi todos los restantes sectores de la economía nacional hacia finales del siglo XIX, la producción agrícola de abasto en México era escasa, se trató de solventar a través de la irrigación. Para usar más libremente el agua para riego era necesario que el Estado mexicano se erigiera como la principal autoridad en la materia.

Para continuar con la explicación de los motivos que generaron la construcción de obras hidráulicas, Acela Montes de Oca Hernández realiza su texto *Distritos de Riego en el Estado de México, 1946-1992.* La construcción de obra hidráulica para la generación de energía eléctrica, irrigación, uso público y control de avenidas, dio nacimiento en México a los distritos de riego. En el Estado de México se concentran, en la parte noroeste, cinco de los 85 distritos de riego registrados por la Comisión Nacional del Agua. Como áreas geográficas, éstos, comparten una infraestructura hidráulica común, con una o varias fuentes (presa, río, manantial). Cada distrito de riego tiene singularidades históricas, socioculturales, económicas y políticas, que aquí se exponen.

Dentro de las investigaciones acerca de las grandes obras hidráulicas se presenta el trabajo de María del Pilar Iracheta Cenecorta, titulado *El Sistema Cutzamala. Origen, auge y ocaso de un sistema de abasto de agua.* Este texto gira en torno del origen de la construcción del Sistema Cutzamala erigido en el marco del proceso de urbanización de la Zona Metropolitana de la Ciudad de México, que dependió, y depende aún, del crecimiento de servicios como transporte, energía eléctrica y suministro de agua asequible para incentivar la actividad industrial. Aporta, asimismo, los datos técnicos del proyecto (estructura, instalaciones, capacidad, volumen de agua, etc.), así como la dimensión ambiental de este sistema. También se aborda el problema del deterioro ecológico de la cuenca del Cutzamala. Otra dimensión tratada será la social: las características de la urbanización e industrialización han traído problemas que reflejan la asimetría política económica y social entre las regiones abastecedoras y la receptora, de manera especial la manifestada en las disímiles formas de acceso, aprovechamiento y control del agua. Esta problemática ha motivado varias luchas y movimientos sociales, entre las que destaca la del movimiento mazahua que también se aborda.

El trabajo de César Fernando Escudero Martínez, titulado *La industrialización y el nuevo paisaje hidráulico,* cierra el conjunto de ensayos. En este trabajo se estudia cómo el crecimiento del sector industrial, en el siglo XX, obligó al Estado mexicano a redefinir las políticas públicas en torno de los usos del agua, ya que el recurso hídrico era un recurso estratégico para expansión industrial. El cambio de las políticas permitió la transformación de la administración, planeación, exploración y explotación de las fuentes hídricas. En el siglo XX existe una transformación del paisaje por la construcción de la "gran hidráulica" que derivó en la desecación de los grandes lagos y en la construcción de presas embalses destinadas para la generación de energía eléctrica. Temática que se aborda en este trabajo con la construcción del Sistema Miguel Alemán en Valle de Bravo.

Con estos diez capítulos damos un panorama general de los usos del agua en los siglos XIX y XX en el Estado de México. La cartografía que acompaña los textos complementa la información necesaria para la toma de decisiones y la solución de problemas, como la escasez y contaminación del recurso hídrico.

Agradecimientos

La publicación de *Cartografía hidráulica del Estado de México* es un esfuerzo que se hizo posible gracias al apoyo de tres instituciones y en particular de las personas que las dirigen. Agradecemos al doctor Víctor Humberto Benítez Treviño, presidente de El Colegio Mexiquense, A.C., y a su anterior titular, el doctor José Alejandro Vargas; asimismo al doctor Antonio Serrano Ortega, presidente de El Colegio de Michoacán y al doctor Martín Sánchez Rodríguez, expresidente del mismo; al ingeniero Ismael Ordóñez Mancilla, Secretario Técnico del Consejo Editorial de la Administración Pública Estatal del Gobierno del Estado de México. Nuestro especial reconocimiento al doctor Martín Sánchez, quien nos invitó a planear y desarrollar esta obra, producto del proyecto "Cartografía hidráulica de México", impulsado por El Colegio de Michoacán y al doctor Antonio Escobar Ohmstede, por sus valiosos comentarios y aportaciones que coadyuvaron ampliamente en la versión final de este volumen.

Primera parte

1.

La cartografía mexicana, del arte a la ciencia

José Antonio Álvarez Lobato

¿Qué es un mapa? Paradójicamente, esta sencilla pregunta no tiene una respuesta única, aunque cualquier persona podría definir lo que es un mapa sin grandes complicaciones. Existen varios cientos de definiciones formales del concepto, que se han usado, al menos, en los últimos trescientos años (Andrews 1998), y que aún son objeto de debates interminables entre los especialistas. No obstante, todo el mundo estará de acuerdo con que, en su término más amplio, un mapa no es más que una representación convencional de la superficie terrestre, el cual, de manera gráfica, puede comunicar formas, ideas y procesos que ocurren en un espacio (Moncada 2009); es decir, un gráfico que puede mostrar relaciones espaciales (Tyner 2010).

Los más ortodoxos afirmarán que esta representación de la superficie terrestre es reducida y generalizada, pero matemáticamente determinada sobre un plano, en el cual se interpretan la distribución, el estado y las relaciones entre diversos fenómenos naturales y socioeconómicos seleccionados y caracterizados de acuerdo con el propósito del mapa (Salitchev 1979) por medio de ciertos signos, símbolos y convencionalismos adoptados en un lenguaje propio. Esto diferenciaría al mapa geográfico de los planos arquitectónicos o ingenieriles, croquis, modelos tridimensionales, imágenes satelitales, fotografías o dibujos que muestran algún fenómeno de algún lugar sobre la Tierra. Los más osados, sobre todo desde una perspectiva histórica, preferirán ver al mapa como una construcción social manifestada a través del medio cartográfico (Harley 2005) que describe y recrea una visión del mundo en términos de relaciones de poder y cultura a partir del contexto de quien lo elaboró, de quien lo mandó construir o de la sociedad que lo usó.

La cartografía, así, es la disciplina encargada de concebir, producir, distribuir y estudiar los mapas; conjunta ciencia, arte y tecnología para su hechura; desarrolla métodos y procesos para su confección y uso; y los analiza como documentos científicos o técnicos, o incluso como obras de arte.

La percepción usual es ver a la cartografía como una ciencia exacta y precisa donde la objetividad, la independencia y la transparencia están aseguradas. Un mejor mapa será aquél que sea más preciso, puesto que garantiza una mayor semejanza con la realidad que pretende representar auxiliado de la matemática, la topografía, geología, geofísica, geodesia y demás ciencias de la Tierra; y si además usa el lenguaje cartográfico adecuado y estandarizado, la interpretación del mapa estará libre de ambigüedad. El análisis cartográfico podría comenzar por la "lectura" del mapa, por la descripción de su contenido y la evaluación de su exactitud y su simbología. Pero esto no siempre fue así, y ciertamente no es así, en particular desde los actuales enfoques de la cartografía histórica. Esta visión de la cartografía como ciencia positivista debe complementarse con otro tipo de análisis que vean al mapa como un objeto cultural que tiene un mensaje, muestra un discurso y que no está desvinculado de otros documentos o fuentes de la época de su elaboración. Es

Un mapa es una representación convencional de la superficie terrestre el cual puede comunicar formas, ideas y procesos [página opuesta]

decir, el mapa "no puede ser abordado como si hubiera sido pensado, diseñado, producido y circulado dentro de una burbuja" (Mendoza y Lois 2009: 10), sino como un producto de su tiempo, su geografía y su sociedad.

Cartografía de tradición indígena

Al pensar en la evolución de la cartografía, ésta no se puede abstraer del desarrollo y perfeccionamiento de las técnicas y procesos de elaboración de mapas de corte europeo que dieron origen a la cartografía actual; sin embargo, no hay que olvidar que la representación gráfica de los rasgos de la superficie terrestre ha estado presente en buena parte de las culturas del orbe, incluso en el hombre prehistórico.

En Mesoamérica no hay duda de que los conocimientos geográficos de las culturas prehispánicas podían representarse gráficamente

Para el caso de Mesoamérica, no hay duda de que los conocimientos geográficos de las culturas prehispánicas podían representarse gráficamente. No obstante, es poco lo que se conserva de la cartografía prehispánica de México, debido a la destrucción de los documentos prehispánicos (códices y lienzos) al momento de la conquista; aunque se tiene noticia de que Hernán Cortés y otros conquistadores los conocieron (León Portilla 2005) y los usaron regularmente para completar su misión, ya que, por ejemplo, se sabe que los mexicas contaban con verdaderas mapotecas que les servían de instrumento para controlar el imperio. El mismo Códice Florentino incluye en una de sus láminas el uso práctico de la cartografía prehispánica: muestra a dos nobles (uno de ellos Motecuhzoma Ilhuicamina) en una junta de guerra alrededor de un mapa, planteando la estrategia para una batalla (Aguilera 1992).

De entre los códices prehispánicos conservados, sólo en los de procedencia mixteca, como el Vindobonense y el Nuttall, hay elementos que pueden calificarse de escenas geográficas, puesto que incluyen el registro de montañas, caminos, ríos y pueblos donde se ubicaron ciertos aconteceres históricos (León Portilla 2005). Sin embargo, son más abundantes los testimonios de códices coloniales, que combinan la tradición indígena con la europea.

La elaboración de documentos pictográficos de tradición indígena, o códices, fue muy importante en la cultura mesoamericana y se continuaron realizando en fechas posteriores a la conquista. Si bien se han estudiado como un método de escritura adecuado a necesidades particulares, su característica de sistema de comunicación eminentemente visual los hizo susceptibles de incluir aspectos que se pueden considerar cartográficos. Un gran número de estos códices se refieren a temas históricos, en ocasiones en combinación con elementos religiosos o económicos, pero también con aspectos claramente geográficos (Noguez 2002). Según algunos autores, existen poco más de cincuenta códices que pueden catalogarse como geográficos y más de 130 si se incluye a los códices con una temática histórico-geográfica (Moncada 2009).

Podemos decir que quizá el Códice Xólotl y el Mapa de Sigüenza, son los mejores ejemplos de la unión de la historia con la cartografía.

Especial interés para el Estado de México tiene el Códice Xólotl, que consta de varias láminas de papel amate que narran los sucesos de la historia texcocana, desde la llegada de los chichimecas (1224) hasta la guerra con Azcapotzalco en el Valle de México (1428). En él se encuentran un par de mapas, donde el segundo y mejor conservado, que representa al Valle de México, sirve de escenario para un relato de índole histórica, el cual combina algunos elementos europeos con elementos indígenas como en la manera de representar las figuras humanas, los glifos toponímicos y los elementos geográficos, con una distribución y exactitud (sin estar a escala) que se acerca mucho al tipo de paisaje que se puede percibir en los mapas actuales (Aguilera 1992).

El Mapa de Sigüenza o Pintura de la Peregrinación de los culhuaque-mexitin, elaborado sobre tres piezas de papel amate que forman un solo rectángulo, narra el recorrido de los mexicas desde su salida de Aztlan-Teoculhuacan hasta la fundación de Tenochtitlan (Castañeda 2006), dentro de un marco no solamente histórico sino cartográfico, donde aparecen diversas formas geográficas con mayores influencias europeas, pero conservando todavía elementos indígenas como la lectura del relato histórico (de derecha a izquierda), la forma de representar los caminos o los glifos toponímicos (Aguilera 1992).

En la medida en que se va avanzando en el proceso de mestizaje cultural indígena-española aparecen mapas más elaborados –en el sentido más estricto del concepto–, como el mapa de México-Tenochtitlan y sus contornos hacia 1550 (o Mapa de Uppsala), que pintado sobre piel curtida de animal describe las ciudades de Tlatelolco y Tenochtitlan así como los territorios aledaños; éste ya tiene un estilo muy europeo, pero que aún conserva elementos nativos como los glifos de los lugares tradicionales. El conjunto más extenso de mapas de este tipo son las llamadas *Relaciones geográficas,* recopiladas entre 1579 y 1586, producto de una orden real de Felipe II que a manera de cuestionario solicitaba la recopilación de información sobre las tierras conquistadas. Como respuesta a este cuestionario se elaboraron 92 mapas, algunos de los cuales incluían una fuerte tradición indígena, otros una fusión europea y nativa, y otros más eran totalmente al estilo del viejo mundo (Noguez 2002).

Cuando se habla de un mapa de tradición indígena, no sólo se refiere a un estilo más o menos definido de elaboración de una pictografía (desde el punto de vista estético o plástico, de materiales o técnicas empleadas), sino de la concepción del espacio, la orientación, la ubicación e identificación de los elementos geográficos que implican, quizá de manera más evidente, el desarrollo de una serie de símbolos o signos que forman parte de un lenguaje cartográfico. Así, por ejemplo, la identificación de cerros y montañas con una forma de campana o vasija invertida, al que se le podía asociar un glifo toponímico, se pueden considerar como verdaderos nomenclátores geográficos de una región. Los cuerpos de agua

A pesar del avance en el proceso de mestizaje cultural aún se conservaron glifos de los lugares tradicionales

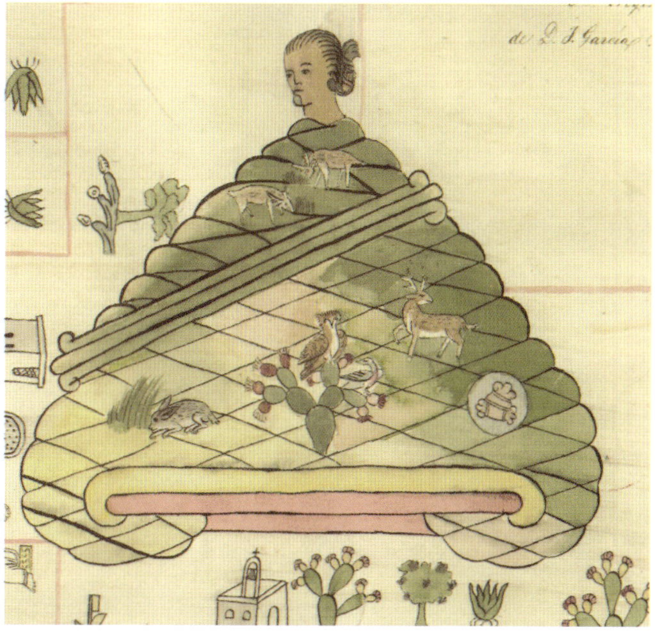

La importancia de las poblaciones se representaba con imágenes simplificadas de templos y casas

se representaban de color azul, con pequeños círculos y caracoles blancos, alternados sobre las olas; los ríos como líneas paralelas con ondas y remolinos, para simular la corriente; en ocasiones con dibujos de peces o canoas. Los caminos se expresaban como líneas paralelas con huellas de pies desnudos en su interior; la importancia de las poblaciones con imágenes simplificadas de templos o casas; los cultivos con representaciones de cañas, magueyes o mazorcas o plantas de maíz; los volcanes como conos truncos con lenguas de fuego, etc. El uso del color, verde para indicar un cerro con vegetación, amarillo si el monte estaba desnudo, azul para el agua, señalar cierta estandarización naturalista de la representación del paisaje, no exento de la adición de otros signos y colores que siguen siendo objeto de estudio de los especialistas. Los puntos cardinales, producto del conocimiento astronómico mesoamericano, se identificaban con un dios en particular, un signo o glifo de año (combinado tiempo y espacio) y un color; así, el oriente se podía señalar con el signo caña y el color rojo; el norte con un pedernal y el color amarillo; el oeste con el signo de casa y el color azul; y el sur con un conejo y el color verde. También podía identificarse el oriente con un sol (que además identificaba la orientación del mapa, en la parte superior) y, con una luna, el occidente (en la parte inferior).

Todo esto implicó un conocimiento geográfico significativo de las culturas indígenas y la utilidad de la cartografía como vehículo de comunicación de estos pueblos.

Cartografía novohispana

Las *Relaciones geográficas* constituyeron una fuente de información sustancial para la América española del siglo XVI. La inmediata destrucción de los documentos prehispánicos en el centro de México y la rápida y continua expansión a nuevos territorios obligaron a generar una original cartografía mestiza, como se ha mencionado, aunque bastante pragmática que diera cuenta de la disponibilidad de recursos en las nuevas tierras a un nivel más bien local. Se caracterizaba por ser elaborada por autores desconocidos (pero conocedores de la zona), o en todo caso avalados por corregidores, alcaldes mayores o escribanos; se circunscribían a espacios relativamente pequeños, como de pueblos y regiones; se destacaba la ubicación de elementos que permitían puntualizar delimitaciones y linderos y las actividades que

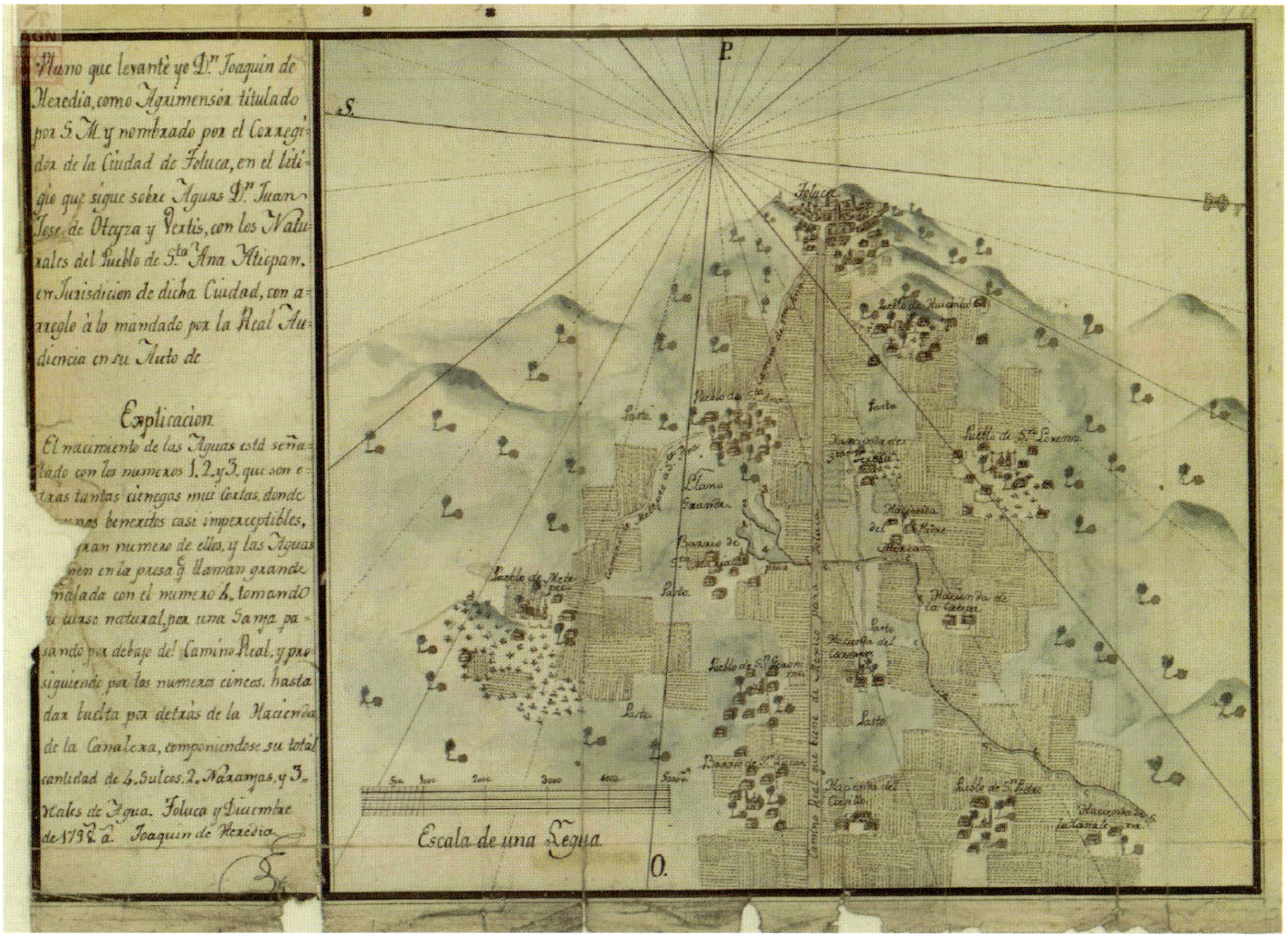

ahí se desarrollaban: iglesias, molinos, parcelas, minas, estancias de ganado, ríos, caminos y rasgos orográficos relevantes. La proporción o escala era prácticamente inexistente. Este tipo de planos y mapas (de cobertura limitada) tenían propósitos utilitarios más concretos: limitar propiedades, reclamar invasión de tierras, usufructuar agua, trazar caminos, emplazar pueblos y ciudades, reconocer provincias o fijar límites jurisdiccionales civiles o religiosos, además servían para ilustrar y acompañar gruesos expedientes virreinales (INEGI 1992). El actual Estado de México es prolijo en este tipo de mapas y planos.

Caso distinto fue la cartografía marítima, sustentada en el reconocimiento de las costas por parte de los navegantes y exploradores. Los primeros mapas, evidentemente al estilo europeo, eran aquellos que mostraban los litorales atlánticos (caribe y el golfo), como el de 1519, consecuencia de la expedición realizada por Alonso Álvarez de Pineda, seguidas rápidamente por las exploraciones del Mar del Sur, las costas del Pacífico, que Hernán Cortés y los primeros conquistadores tenían gran interés en reclamar para la Corona española con las expectativas de encontrar las míticas ciudades e islas de riqueza incalculable, o por lo menos la anhelada ruta a las Indias. Cada nueva expedición producía nuevos mapas de los territorios descubiertos, no exento de las exageraciones de los conquistadores, por un lado, y al desconocimiento de la geografía por el otro (como por

Toluca

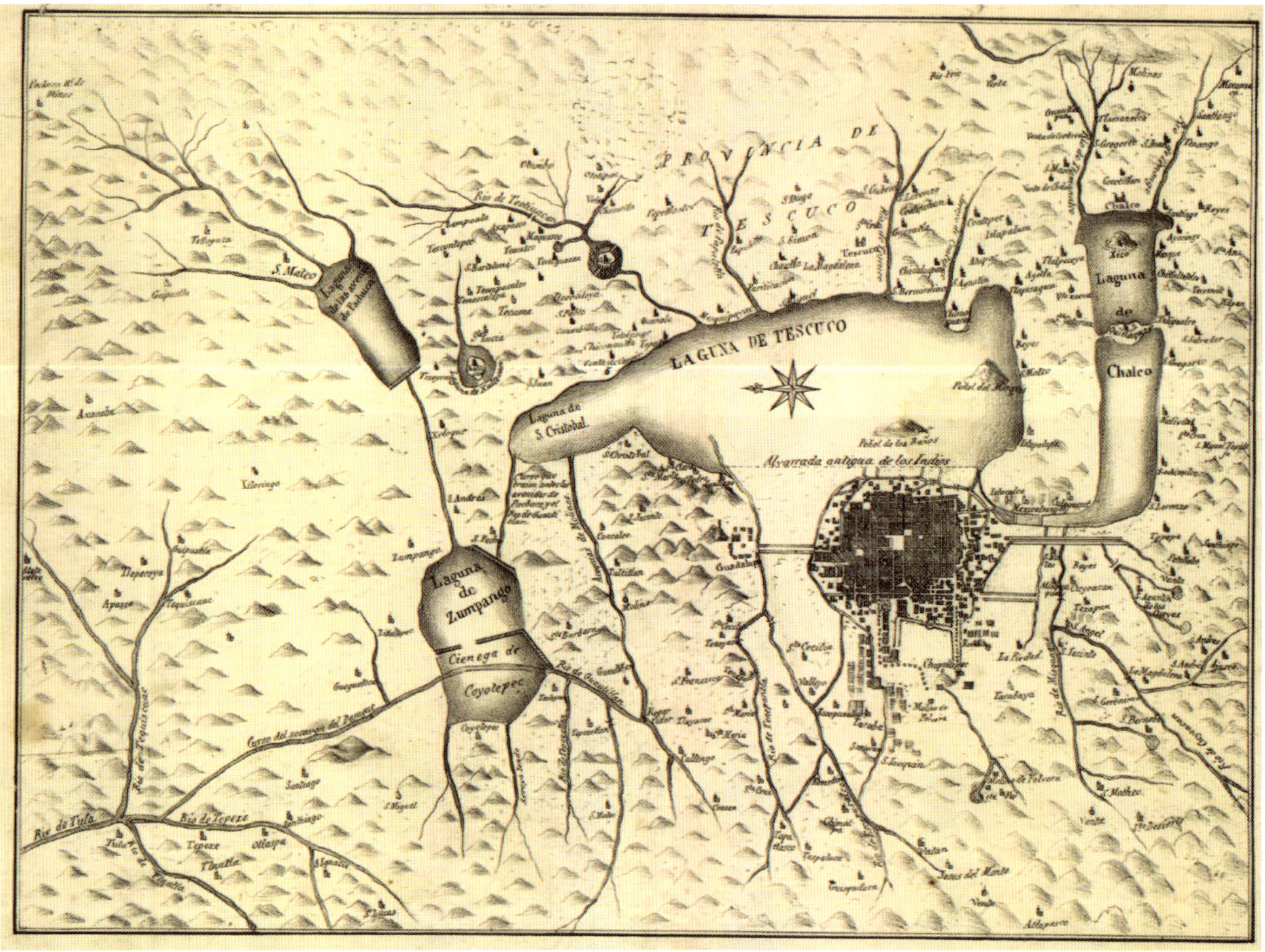

Durante la colonia, la cartografía fue una disciplina muy cultivada

ejemplo considerar en un principio que Yucatán y Baja California eran islas y no penínsulas, o de extensiones desproporcionadamente grandes o pequeñas). Estos mapas se caracterizan por cubrir amplias extensiones geográficas, y representaban en particular el litoral, con pocos detalles tierra adentro, al destacar desembocaduras de ríos y poblaciones costeras y algún otro accidente geográfico que pudiera servir de referencia al navegante. La toponimia era señalada de manera perpendicular a la línea de costa, para facilitar la lectura si se giraba el mapa. No obstante, ya incluían avances científicos de la época como meridianos y paralelos, manejo de distancias y un entramado de líneas de rumbo de brújula o "vientos". Algunos ejemplos de este estilo cartográfico son el Mapamundi de Juan Vespucio de 1526, el Mondo Novo e Oceano Pacifico de Batista Agnese de 1542, o la Carta de ambas costas de Centroamérica de Alonso de Santa Cruz de 1542.

Por otra parte, la cartografía desarrollada posteriormente, tierra adentro y más allá del centro de México, tuvo dos propósitos específicos: el descubrimiento de yacimientos de oro y plata (y la fundación de los reales de minas) y la conquista espiritual por las distintas órdenes religiosas (con la consecuente fundación de misiones), que implicó la elaboración de mapas para ubicarlos y poder llegar a ellos (Moncada 2009).

Durante la colonia, la cartografía fue una disciplina muy cultivada, que permitió incorporar los avances que se daban en la disciplina. Estos mapas tenían diferentes usos y lo mismo podían ser elaborados por matemáticos como Carlos de Sigüenza y Góngora o Enrico Martínez, que por naturalistas, como el padre José Antonio de Alzate y Ramírez; marinos como Sebastián Vizcaíno; o bien por religiosos como el sacerdote jesuita Eusebio Francisco Kino; o militares como Carlos de Urrutia, Agustín Mascaró o Miguel Constanzó. En el ámbito de las instituciones, estos dos últimos, los religiosos y los militares, fueron los más importantes para desarrollar la cartografía novohispana. En particular los ingenieros militares tenían como parte fundamental en sus actividades la elaboración de estos mapas, con unas bases técnico-científicas más sólidas, producto de su formación matemática, lo cual generó mayor confiabilidad, puesto que, como ya Orozco y Berra criticaba en su obra de 1881, la cartografía de esta época adolecía de base científica y precisión (Orozco y Berra 1881: 335).

No obstante, el siglo XVIII da entrada al pensamiento ilustrado en la sociedad novohispana, donde el racionalismo, el uso de la matemática y las observaciones astronómicas se generalizan para desarrollar una cartografía más moderna. Los ríos y montañas ya no se representan como objetos de igual densidad, o como adornos referenciales de un paisaje naturalista, sino como elementos de localización y forma más exactas; la ubicación errónea de objetos geográficos es ajustada por medio de observaciones astronómicas y topográficas, que permiten definir con mayor precisión la ubicación de lugares (en coordenadas de longitud y latitud); se extendió el uso de escalas en millas, leguas o varas, para indicar distancias; se generalizó el empleo de meridianos base para referenciar los mapas (que variaban dependiendo del autor), y se aplicó una simbología cartográfica más convencional.

De especial interés son los mapas y planos topográficos, pero sobre todo hidrográficos, del Valle de México, que durante los tres siglos de la colonia se realizaron periódicamente para obtener información más confiable y dar cuenta de los progresos de desecación del Valle y evitar las continuas inundaciones de la capital virreinal. Fueron elaborados por los mejores científicos de la época y retomados y reelaborados por los más destacados ingenieros y cartógrafos novohispanos. El mismo Enrico Martínez dirigió las primeras obras de desagüe de la ciudad de México a principios del siglo XVII, el Tajo de Nochistongo, que Humbolt catalogó 200 años después como una de las obras de ingeniería hidráulica más importante del mundo, la cual implicó, en más de 200 años de trabajo, la remoción de no menos de 16 millones de metros cúbicos de material, una obra comparable al canal de Suez o Panamá, pero sin la tecnología que las hicieron posibles (Ramírez de Alba 1991). De igual manera es relevante mencionar los levantamientos cartográficos de las Provincias Internas iniciadas por los jesuitas a finales del siglo XVII hasta su expulsión en 1767 y los importantes trabajos, por sus aportaciones más científicas, de los ingenieros militares como Constanzó y Mascaró en diversos lugares a finales del siglo XVIII.

Menos abundantes, sin embargo, son los mapas generales que se produjeron en el virreinato. De hecho no es sino hasta después de la segunda mitad del siglo XVII cuando ya comienza a representarse de manera integrada el territorio completo de la Nueva España. Las escuelas cartográficas francesa e inglesa elaboraron cartas más o menos detalladas como la de Nicolás Sansòn d'Abbeville, John Seller, Guil de L'Isle, Baptista Homanno o Tomaso Kitchin. No obstante, fue Antonio Isarti el que realizó el primer plano que llegó a imprimirse en la Nueva España, en 1682, que comprendía la parte central del virreinato y que representa la transición entre la cartografía más local y la primera carta más general, misma que fuera construida posteriormente por Carlos de Sigüenza y Góngora entre 1681y 1689. Aunque no se llegó a imprimir circuló en copias manuscritas modificadas al gusto de los copistas. José Antonio de Villaseñor y Sánchez elaboró en 1746 una carta con el título "Yconismo hidrotérreo o Mapa

Mapa del Estado de México de 1852

Geográphico de la América Septentrional…" con información más completa que la de Sigüenza. José Antonio de Alzate consultó el mapa de Sigüenza y varias cartas parciales y regionales con el fin de realizar su "Plano geographico de la mayor parte de la América española…", el cual fue impreso en 1775, pero del que ya se conocía una versión manuscrita de 1767; éste puede considerarse como uno de los mejores mapas generales de la colonia.

Mención aparte merece el trabajo del erudito alemán Alexander von Humboldt, quien con su *Ensayo político del virreinato de la Nueva España y Atlas geográfico y físico del virreinato de la Nueva España*, publicado en 1811, resume todos los adelantos geográficos y cartográficos de la colonia (Ruiz 1993). Como sabio de su época, las cartas de su *Atlas* estaban basadas en detalladas observaciones astronómicas, topográficas, trigonométricas y barométricas que validaron la calidad de su trabajo (Moncada 2009). La *Carta General del Reino de la Nueva España* es la más importante de su obra; incluye además, la nueva división territorial, producto de las reformas borbónicas, que regionalizó a la Nueva España en intendencias. Fueron numerosas las fuentes bibliográficas y cartográficas que consultó Humboldt, más allá de sus propias observaciones, sintetizando muy bien el conocimiento geográfico que se tenía del territorio novohispano que fue la fuente de información del México independiente en los años siguientes.

Cartografía del siglo XIX (México independiente)

El gobierno de la naciente nación mexicana debía hacer viable su proyecto político, lo que implicaba entre otras cosas delimitar y controlar una inmensa superficie territorial y motivar su desarrollo económico. No era de extrañar que el Congreso mexicano planteara en 1823 nuevas especialidades educativas entre las que se encontraba la ingeniería geográfica que aseguraría la medición exacta, homogénea e impersonal del territorio nacional (Mendoza 2000a). Pero mientras esto podía darse, Guadalupe Victoria, primer presidente de México, dispuso la elaboración de una serie de materiales geográficos que ayudaría a anticipar los escenarios de incertidumbre y riesgo que enfrentaría la joven nación. Ante la escasez de tiempo y recursos, en 1825 se imprimió por orden del presidente el *Atlas y Portulano de la América Septentrional*, que era, en realidad, una recopilación de los levantamientos hidrográficos y costeros realizados por la marina española a finales del siglo XVIII y principios del XIX, paradójicamente, para defenderse de amenazas del exterior y garantizar el libre flujo de mercancías por vía marítima, y que ahora México usaba con los mismos propósitos.

Se tenía que resolver el planteamiento de una división territorial a partir de un sistema federal integrado por estados, que no fueran tan ricos y extensos que pudieran aspirar a constituirse en naciones independientes, o bien que por falta de población y recursos fueran insostenibles. Esto fue particularmente importante para el Estado de México, heredero de la provincia e intendencia de México, y que desde el siglo XVI fue la región más rica y poblada, y que quería seguir siéndolo. No es de extrañar que desde 1827 el Congreso estatal planteara como prioridad la generación de la estadística y del plano topográfico del estado. Fue a través de la Comisión de Geografía y Estadística del Estado de México, que se asignaron recursos para realizar esta tarea, dirigido por Tomás Ramón del Moral minero, agrimensor, habilitado posteriormente como ingeniero militar (Ruiz 1993).

Del Moral partió de los trabajos de Humboldt y constató la precisión de las coordenadas geográficas correspondientes al centro de México, pero resaltó las deficiencias de esas cartas. Elaboró el Mapa General del Estado de México y los mapas particulares de los distritos que entonces comprendía el Estado de México como las de Texcoco, Cuernavaca, Sultepec, Toluca, Tulancingo, Acapulco, entre otros, antes de las desmembraciones de las que fue objeto el estado durante el siglo XIX, generando un trabajo importante para la cartografía mexicana ya que fue de los precursores en el uso de la triangulación geodésica.

Actividades similares se realizaron localmente en Querétaro, Chihuahua y Yucatán, pero aún faltaba una cartografía de toda la república, por ello el Gobierno dio origen al Instituto Nacional de Estadística y Geografía, que se transformó en la Comisión de Estadística Militar para finalmente constituir la Sociedad Mexicana de Geografía y Estadística (Somege), la cual de 1833 a 1850 se encargó de desarrollar la primera Carta General de la República. Como consecuencia de la intervención norteamericana, la Comisión de Límites mexicana acordada en los Tratados de Guadalupe-Hidalgo de 1848, realizó una medición y delimitación bastante exacta de la nueva frontera norte, en condiciones muy difíciles, lo que les valió el respeto y reconocimiento de su contraparte norteamericana, ya que fueron aportaciones muy significativas para el conocimiento geográfico de esa zona (Rebert 2000, Tamayo y Moncada 2001)

Años después, el ingeniero Antonio García Cubas, que trabajaba para el Ministerio de Fomento, comenzó a reunir entre 1856 y 1858 materiales geográficos para elaborar una nueva Carta General de la República Mexicana que culminó con la entrega del *Atlas Geográfico e Histórico de la República Mexicana*, el cual mostraba las particularidades de cada estado e integraba los trabajos tanto de la Somege como los de Humboldt, de Del Moral, la Comisión de Límites, entre otros muchos estudios. En 1863 presentó una nueva carta general a escala 1:2 000 000 que con la ayuda del ingeniero geógrafo Francisco Díaz Covarrubias integraba nueva información y se corregían errores de la carta anterior.

De manera simultánea a la labor de García Cubas, se elaboró la Carta Hidrográfica del Valle de México comenzada por Francisco Díaz Covarrubias que, a diferencia de las cartografías de la primera mitad del siglo, fueron solicitadas por el Ministerio de Fomento y no por los ingenieros militares.

Durante el imperio de Maximiliano los trabajos geográficos continuaron realizándose. Manuel Orozco y Berra desarrolló la Carta General del Imperio Mexicano de 1864, que planteaba un interesante ordenamiento territorial, organizado en 50 departamentos que permitiría equilibrar la población y la producción (Commons 2002). Desde Francia fue organizada la Comisión Científica de México, que realizó un conjunto de investigaciones mineralógicas, geográficas, estadísticas y botánicas del

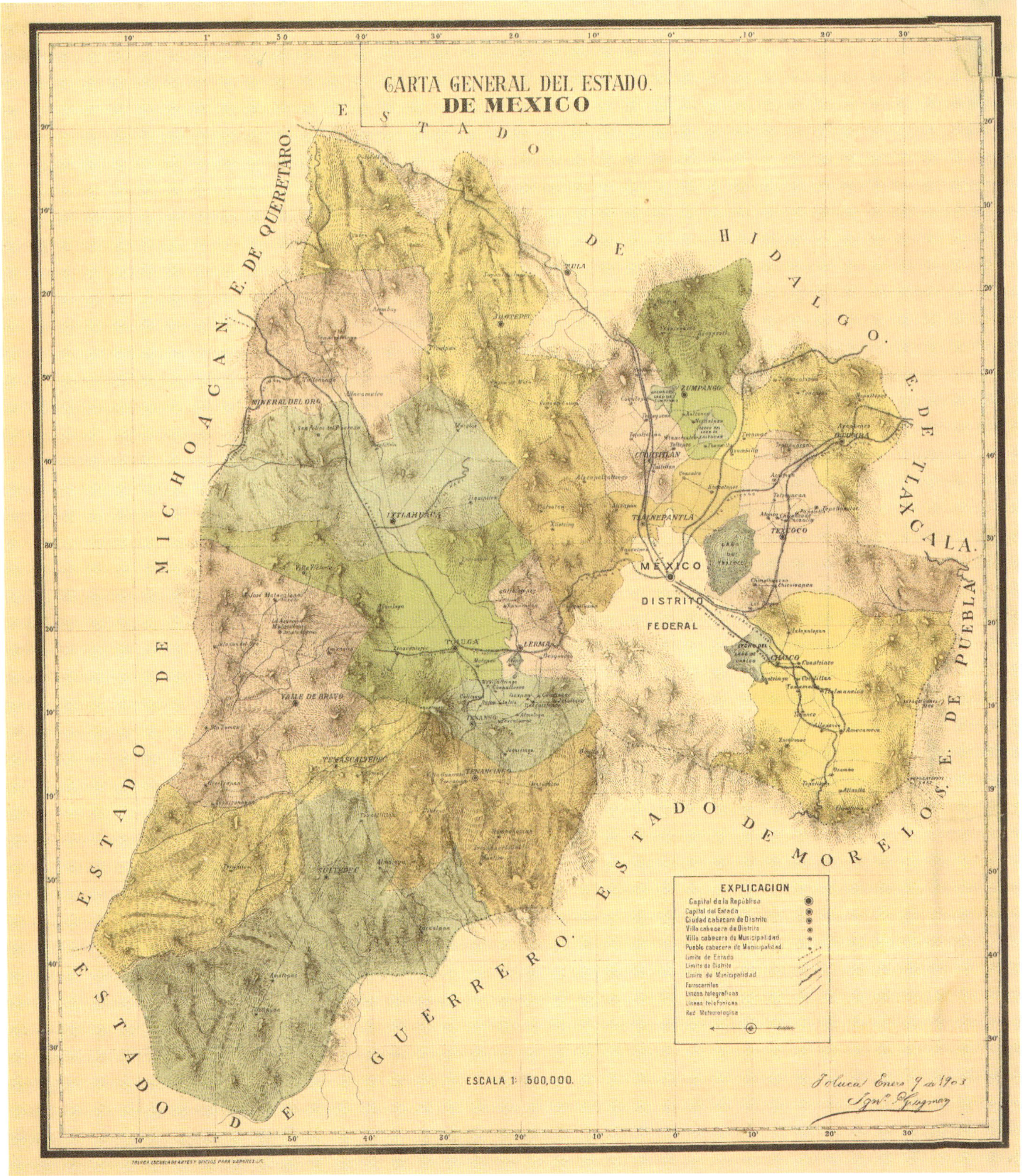

Carta general del Estado
de México a finales del porfiriato

país. Se emplearon nuevos métodos para la determinación de coordenadas del territorio, la publicación de un extenso catálogo de las posiciones geográficas del imperio y la reunión de datos en el sistema métrico decimal.

A la caída del imperio, el proyecto de división territorial fue ignorado. En 1869 se levantó un nuevo plano de la ciudad de México y en 1880 se actualizó. En 1877, ya en la etapa porfirista, el Ministerio de Fomento, con el general Riva Palacio como titular, crea la Comisión de Cartografía, que inmediatamente se convierte, con mayor autonomía y asignación de recursos (y presencia de ingenieros militares) en la Comisión Geográfico-Exploradora, con la intención de promover la exploración de todo el territorio nacional y el levantamiento de una carta general fraccionada en hojas de gran escala, lo más precisa y confiable posible; y que hasta su desaparición en 1914, elaboró más de 200 cartas a escala 1:100 000. Se fundó en 1898 la Comisión Geodésica Mexicana, primera en su tipo en Latinoamérica, que colabora con sus contrapartes en Estados Unidos y Canadá para medir el arco del meridiano 98°W que pasa por los tres países, para tener una idea más precisa de la forma y dimensión de la Tierra.

La cartografía del siglo XIX se caracteriza por la continua adopción de los avances técnico-científicos: mayor detalle y exactitud, logrados en las grandes escalas; mejora en la representación del relieve; el apoyo en redes geodésicas homologadas; y la adopción del sistema métrico decimal. Los mapas van usando proyecciones cartográficas más estandarizadas y una simbología internacionalmente aceptada. Muchas de las imprecisiones que los cartógrafos criticaban en sus antecesores se debían a los métodos e instrumentos usados para el cálculo de ubicaciones geográficas y distancias. Por ejemplo, el uso de observaciones astronómicas *versus* geodésicas, o bien el uso de leguas, millas o varas como unidades de medida, que se utilizaron en buena parte del siglo, y que dependía de un patrón de referencia más bien arbitrario, lo que produjo diferencias notables entre diversos autores (McGowan 1990). Las divisiones territoriales y los problemas de límites fueron un tema recurrente debido a los azarosos vaivenes político-administrativos característicos de la época; y la urgencia de conocer el territorio continental apenas permitió establecer una incipiente cartografía insular. Pero quizá lo más importante fue que comenzó a profesionalizarse la actividad cartográfica, transformándose de un interés militar a un instrumento de la administración pública; de tareas individuales de sabios y eruditos a empresas institucionales.

Cartografía contemporánea

Para el gobierno posrevolucionario era una necesidad imperante el control de la información geográfica, por lo que integró en una sola institución todo el trabajo que se desarrollaba en el país. En 1915 se formó la Dirección de Estudios Geográficos y Climatológicos que, si bien era la heredera de la Comisión Geográfica-Exploradora, incluyó a la Comisión Geodésica Mexicana, y los observatorios astronómico, meteorológico y sismológico, además del Departamento de Cartografía de la Secretaría de Fomento. En 1926 cambió de nombre por el de Dirección de Geografía, Meteorología e Hidrología para posteriormente adoptar el nombre de Dirección de Geografía y Meteorología. Esta dependencia produjo el *Atlas Geográfico de la República Mexicana*, la Carta General de la República Mexicana a escala 1:2 000 000, las cartas estatales, la carta del Valle de México a 1:50 000 y los mapas urbanos de las capitales estatales (Gómez Moreno 2004), además de continuar con los trabajos de construcción de una red geodésica. Producto de sus nuevas funciones, la cartografía temática sobre cuestiones hidrológicas y climáticas fueron relevantes. La buena reputación de la geografía y cartografía mexicanas en el contexto internacional permitió la creación del Instituto Panamericano de Geografía e Historia, con sede en México, que facilitó la capacitación técnica cartográfica entre los estados asociados y motivó la estandarización de los mapas de la región; sin embargo, no exenta del escepticismo hacia el panamericanismo fomentado por los estadounidenses y los ámbitos de competencia nacionales (Mendoza 2000b). El reparto de tierras, uno de los logros de la lucha armada, hace que durante los años treinta, el Departamento Agrario realizara gran cantidad de estudios topográficos con el propósito de deslindar más de 11 mil ejidos.

En 1938 fue creada la Comisión Geográfica Militar para formar la Carta General Militar del país y perfeccionar lo que le correspondía a México de la Carta Aeronáutica Mundial, así como cartas tácticas a escalas más grandes como 1:25 000. Se utilizó fotogrametría y se adoptó el sistema de coordenadas y proyección universal transversal de Mercator (UTM), que después se convertiría en el estándar para las escalas grandes y medias, y que fue desarrollado por el ejército estadounidense. Estos elementos sirvieron para generar la Carta de los Estados Unidos Mexicanos en escala 1:100 000. El uso de la fotografía aérea (generalizada durante la segunda guerra mundial) permitió generar y actualizar cartografía de manera mucho más económica y rápida.

En 1945 se constituye un comité coordinador para levantar una nueva carta de la república mexicana a escala 1:500 000 desde la proyección Cónica Conforme de Lambert (que se convierte en el estándar para escalas pequeñas), comité que en 1956 fue sustituido por una comisión intersecretarial liderada por la Secretaría de la Defensa Nacional y en la que se incluían diversas secretarías de Estado de los ramos de comunicaciones y transportes, educación, agricultura; instituciones públicas como Pemex y el Banco de México, y también la UNAM y la Somege.

A partir de la segunda mitad del siglo XX se genera una gran actividad de cartográfica temática de diferentes organismos públicos, privados y académicos. Se inicia con los trabajos de la Secretaría de Comunicaciones y Obras Públicas que realiza, a partir de los años treinta, mapas temáticos como la Carta General de Comunicaciones de los Estados Unidos Mexicanos y diversas cartas aéreas. La cartografía de las regiones hidrológicas fue muy importante a partir de los años cincuenta, producto de las grandes obras hidráulicas emprendidas (obras de irrigación, presas, canales, vasos de almacenamiento); la Secretaría de Recursos Hidráulicos publica en 1958 la *Carta Nacional de Regiones Hidrológicas*, y en los años sesenta *Inventarios de aprovechamientos superficiales y subterráneos para riego* y la *Carta de División Hidrológica de la República Mexicana*. La Secretaría de Marina produce su *Carta de Regiones Navales* y el *Atlas Oceanográfico del Golfo de México y Mar Caribe*. La Secretaría de la Reforma Agraria, la *Carta Agraria Nacional*, que da cuenta de más de 25 000 núcleos agrarios que continuó en los años noventa, con un nuevo esfuerzo de levantamiento catastral, el Programa de Certificación de Derechos Ejidales y Titulación de Solares Urbanos (Procede). La UNAM, por su parte, publicó el *Atlas Nacional de México* (1990-1992). Lo mismo hicieron, en sus áreas de competencia, Pemex y la Comisión Federal de Electricidad. En el ámbito regional, algunos gobiernos estatales crean instituciones específicas que generan sus propios productos cartográficos, como es el caso en el Estado de México, con el actual Instituto de Información e Investigación Geográfica, Estadística y Catastral.

La cartografía se convierte además en un instrumento esencial para la planeación y el ordenamiento territorial. Por ejemplo, baste mencionar la *División Económica Regional de México* (Bassols 1967), los planes municipales, estatales y regionales promovidos por la Secretaría de Asentamientos Humanos y Obras Públicas (SAHOP), el *Atlas Urbano de los Centros de Población* (1980) con escalas de 1:25 000; las *Cartas de Ordenamiento Territorial* (1981), que usaron imágenes de satélite; o el *Atlas de Desarrollo Urbano en México* (1982).

En 1968 se creó un nuevo organismo federal encargado de elaborar la cartografía del país: la Comisión de Estudios del Territorio Nacional y Planeación (Cetenap), adscrita directamente a la Secretaría de la Presidencia, a la que dos años más tarde se le quitó su función de

Carta Táctica de Jaltenco. Servicio Geográfico Militar

planeación para denominarse Comisión de Estudios del Territorio Nacional (Cetenal), para en 1980 convertirse en la Dirección General de Estudios del Territorio Nacional y en 1982 en la Dirección General de Geografía del Territorio Nacional, que fueron los antecedentes directos del área geográfica del Instituto Nacional de Estadística y Geografía Informática (INEGI), que se constituyó en 1983, y que fue el responsable de desarrollar el Sistema Nacional de Información Geográfica; dotado de mayor autonomía y amparado bajo la Ley de Información Estadística y Geográfica (INEGI 2000) y que a partir de 2008 se convirtió en un organismo público autónomo como Instituto Nacional de Estadística y Geografía.

Durante veinte años, los trabajos iniciados por la Cetenap (y concluidos por INEGI), a quien se dotó de los mejores instrumentos técnicos de la época, permitieron desarrollar el mapa topográfico a escala 1:50 000 de todo el territorio nacional (2 292 cartas), así como diversos mapas temáticos como la carta geológica, la edafológica, la de usos de suelo y la de uso potencial, o incluso más especializadas como la Carta de Evapotranspiración y Déficit de Agua, la Carta Batimétrica (relieve submarino de la zona económica exclusiva), entre otros.

La cartografía mexicana del siglo XX se caracteriza por el creciente uso de información cartográfica en los ámbitos local y nacional, de entidades públicas y privadas, por el rápido uso de nuevos métodos y técnicas y la adopción de estándares internacionales producto de la revolución tecnológica que comienza no sólo con el uso de la fotografía aérea y el perfeccionamiento de los instrumentos de medición, sino con la evolución de las tecnologías de información y comunicaciones que hicieron posible la percepción remota (el uso de satélites para obtener información de la superficie de la Tierra), los Sistemas de Información Geográfica (diseño cartográfico asistido por computadora, base de datos georreferenciadas, análisis espacial), sistemas de posicionamiento global (GPS, localización precisa de objetos a través de satélites) o la evolución de los sistemas geodésicos de referencia (de sistemas regionales como el NAD27, a globales como el ITRF92), que han logrado la tan anhelada precisión, incluso a niveles submétricos. La información geográfica es ahora más abundante que nunca y su representación cartográfica, más sencilla de elaborar.

Lenguaje cartográfico e interpretación de un mapa

Como se ha visto, la cartografía mexicana ha desarrollado una gran diversidad de mapas, pero en general se pueden agrupar en dos grandes conjuntos: los mapas o cartas topográficas y los mapas o cartas temáticas.

La cartografía topográfica desarrolla mapas que representan en forma detallada y exacta la superficie terrestre, la altimetría y los accidentes de la superficie y se apoyan en fotografías aéreas, levantamientos geodésicos, astronómicos, topográficos. Obtienen en forma precisa medidas de ángulos, distancias, áreas y desniveles; procuran la localización exacta, posiciones, altitudes, identificación de los accidentes del terreno y los elementos hidrológicos; o bien de los objetos materiales y culturales que existen de manera visible y permanente en los lugares: poblaciones, infraestructura vial, puentes, escuelas, hospitales, etc. Es decir, es un inventario de los elementos naturales y humanos que existen en el territorio y son los mapas básicos o generales (Gómez 2004).

Por otro lado, la cartografía temática, mucho más abundante en el siglo XX, es más especializada, ya que representa hechos o fenómenos geográficos de manera monográfica. Le interesan los elementos, ideas o relaciones de las características de los objetos geográficos en uno o varios temas particulares. Los temas que aborda son numerosos y variados, puesto que abarcan tanto aspectos de la geografía física (geología, vegetación, suelos, hidrología, climas) como humana (turismo, transporte, industria, comercio, cultura, agricultura, seguridad, demografía, política). Se apoya en la cartografía topográfica, ya que toma como base los mapas generales para ubicar los temas de su interés, pero además le interesa la precisión de la representación de los atributos de los objetos geográficos. Su lenguaje gráfico suele ser más libre.

Emblema religioso en un mapa colonial

Son tres los elementos esenciales que permiten identificar un mapa de cualquier otra imagen que no lo es, y que tienen que ver, en primer lugar, con su base matemática: la proyección cartográfica, el sistema de coordenadas y la escala. Y en un segundo lugar con un lenguaje gráfico que tiene sus propios códigos que facilitan la comunicación de la información.

Un primer problema a resolver al elaborar un mapa es la determinación de cómo trasladar a un plano bidimensional (como una hoja de papel) la superficie terrestre que tiene una forma esférica. De hecho, ni siquiera es esférica, está más achatada en los polos y su forma y tamaño es más bien irregular, lo que es llamado el geoide (y que es el objeto de estudio de la geodesia). La proyección cartográfica intentará trazar en un espacio de dos dimensiones, la superficie del geoide (o más correctamente la de un elipsoide de referencia más fácil de calcular matemáticamente) con la menor distorsión posible, o por lo menos sabiendo qué tipo de propiedades se pueden sacrificar. Así, las proyecciones *conformes* mantienen la forma de la superficie terrestre; las proyecciones *equivalentes* minimizan las distorsiones de áreas; y las *equidistantes* preservan las distancias. Por las superficies de proyección se pueden clasificar, entre otras, como *azimutales*, *cilíndricas* o *cónicas*, según sea la relación del elipsoide con el plano. El cartógrafo puede definir cuál es la proyección que se adapta mejor de acuerdo con los propósitos del mapa, aunque cada país suele definir sus estándares en función de las superficies que se quieren representar y su ubicación dentro del globo terráqueo. En México el estándar es utilizar una proyección cónica conforme (como la de Lambert) para representar el territorio a escala nacional y una proyección cilíndrica conforme con la variante transversal de Mercator (como UTM) para escalas medias y grandes.

Ubicar con precisión cualquier elemento geográfico es un segundo problema a resolver. Las coordenadas geográficas son un sistema angular que divide la Tierra en meridianos y paralelos. La latitud mide el ángulo entre cualquier punto y el paralelo origen, al norte o al sur, del ecuador. La longitud es el ángulo a lo largo del ecuador desde cualquier punto al este o al oeste del meridiano de referencia que es aquel que pasa por el observatorio de Greenwich en Londres, Inglaterra. Se suele expresar con un par de coordenadas en grados sexagesimales. Debido a la dificultad que tienen los sistemas de coordenadas angulares para medir distancias constantes, se suele usar en escalas grandes, un sistema de coordenadas rectangulares, como las UTM, donde la superficie terrestre es dividida en zonas y dentro de cada zona ubica cualquier objeto como un par de números que representan una distancia en metros a un punto de referencia. Menos usados son los sistemas de coordenadas basados en distancias y azimuts (como los sistemas polares o esféricos) o en identificadores de retículas de divisiones sucesivas de meridianos y paralelos (como el Georef o el Maidenhead Locator System).

La escala es la relación que existe entre la distancia gráfica lineal que hay entre dos puntos en el mapa y la distancia real que existe entre dichos puntos en la superficie terrestre, es decir, una unidad de longitud en el mapa que debe representar las mismas unidades sobre la superficie terrestre. Así, por ejemplo, un mapa de escala 1:2 000 000 (o uno 1/2 000 000 si se expresa como cociente) implicaría que un centímetro en el mapa sería equivalente a dos millones de centímetros en la superficie terrestre, o lo que es lo mismo, 20 km; un centímetro cuadrado en el mapa equivaldría a 400 km^2 en la realidad. La escala es un número abstracto y se puede expresar de manera numérica o de manera gráfica. Es más fácil ubicar la escala gráfica como una barra divida en partes iguales donde se indican las unidades entre las medidas del mapa y las de la superficie terrestre. En los mapas la escala también implica el nivel de detalle que

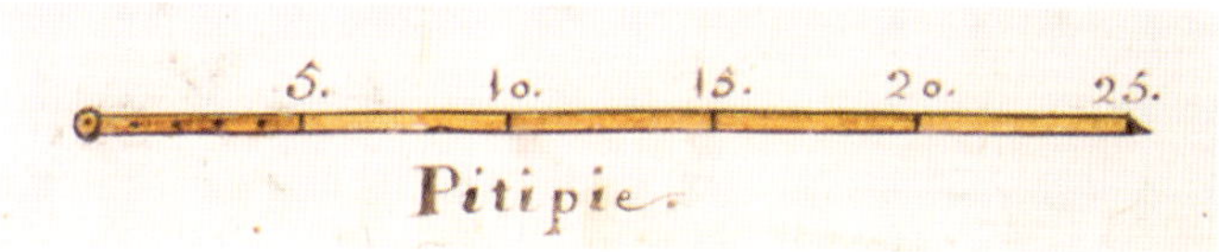

Escala en leguas en un mapa colonial

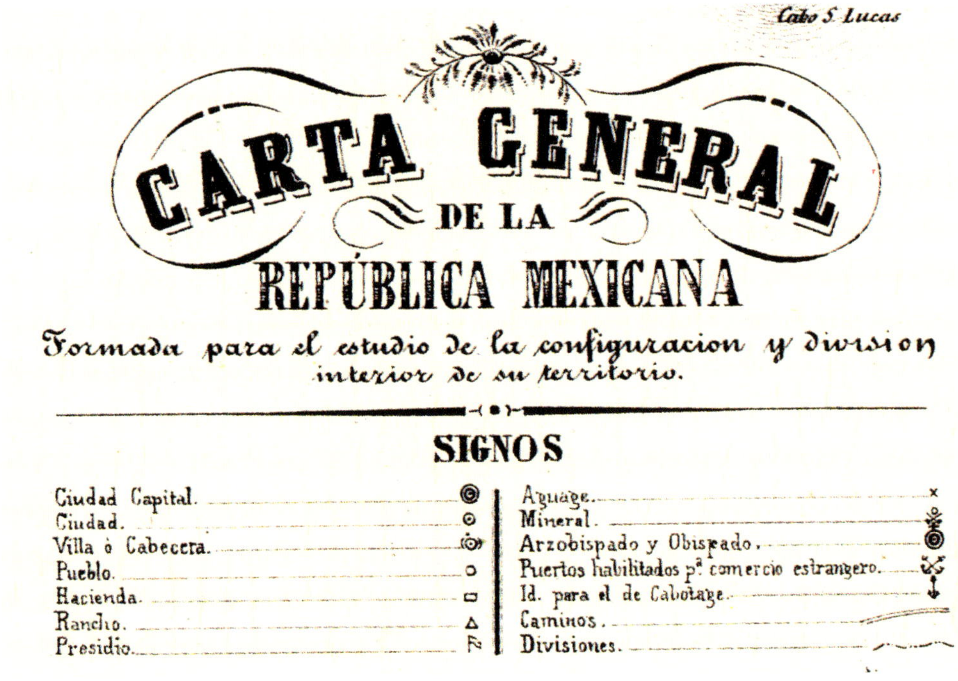

La necesidad de una representación simbólica ha desarrollado una semiótica gráfica

se puede obtener, así las escalas grandes (números pequeños como 1:25 000) muestran mayores elementos que las escalas pequeñas (números grandes como 1:1 000 000), donde lo que se puede mostrar tiene menos detalle.

Cualquier objeto geográfico puede ser representado y ubicado en un mapa, con esa base matemática, tomando la forma de un punto, una línea o un polígono. El punto tiene una ubicación pero es adimensional (por ejemplo para señalar localidades o equipamiento urbano); la línea tiene, además, longitud (ríos, canales, carreteras, vías férreas, gasoductos, líneas telefónicas), y el polígono, área (la delimitación de un país, estado o municipio, colonias en una ciudad, superficies de cultivo, manzanas o predios). Cada objeto georreferenciable (ubicable sin ambigüedad en el sistema de coordenadas), tiene asociado uno o muchos atributos cuantitativos o cualitativos que le permiten su caracterización (población de una localidad, tipo de cultivo en una parcela, número de empleados en un establecimiento, nivel socioeconómico de una colonia). El uso de símbolos y signos combinados con las variables visuales y su forma de implantación gráfica, según el tipo de objeto, permiten transmitir la ubicación, las relaciones espaciales y los atributos de los hechos o fenómenos geográficos de interés (Gómez 2004).

La necesidad de una representación simbólica de los objetos y atributos geográficos ha desarrollado a lo largo de la historia una semiótica gráfica, con su propia sintaxis y semántica, que transmite en forma lógica la información concreta de un mapa. Así, el uso de símbolos convencionales para diferenciar la capital de un estado de una localidad menor, un hospital de un templo, una autopista de una carretera o vía férrea, un límite internacional de uno estatal, son fácilmente identificables. El uso de signos evidentes, pictogramas o ideogramas (por ejemplo un avión para indicar un aeropuerto, la figura esquemática de un hombre y una mujer para representar género, una cruz para representar cristianismo, un engrane para representar industria manufacturera), de entramados, colores, símbolos alfanuméricos o bien flechas para indicar movimiento, forman parte de estos códigos de comunicación. Si además estos signos se ubican donde se encuentra el objeto geográfico, se adecuan a él y se combinan con la variabilidad de tamaño, forma, color, orientación o textura, según las categorías o magnitudes de sus atributos, que permitan ver las relaciones, jerarquía, diferencias, semejanzas o proporcionalidad entre ellos, el mapa se convierte en una copiosa fuente de información.

Aun cuando se considere que el lenguaje cartográfico pudiera ser más o menos universal, un mapa debe contener explícitamente una leyenda que indique el propósito del mapa y guíe a su contenido básico. Ésta debe estar organizada de manera lógica y jerarquizada, incluyendo la simbología empleada, fuentes, escala y proyección, para facilitar su lectura.

Leer un mapa va más allá de simplemente "verlo", ya que implica una serie de procesos y operaciones que dependen también del tipo de mapa. Hay mapas más simples, que sólo ubican y distribuyen ciertos objetos, otros que son muy sintéticos y aglutinan gran cantidad de datos, o bien que son más dinámicos y muestran la evolución en el tiempo de ciertos fenómenos. Muchos usuarios de mapas podrían no encontrar la información que buscan o entender algo distinto a lo que su constructor plasmó, que si bien puede deberse a una falta de comprensión del lenguaje cartográfico, también lo es que un mapa tiene diferentes niveles de lectura, de los que al menos se reconocen tres: uno elemental, otro medio y uno de conjunto (Carrascal 2007).

El primer nivel se caracteriza por la observación de cada signo en particular respondiendo a las preguntas ¿qué?, ¿dónde?, ¿cuándo? y ¿cómo?, es decir; qué elementos se encuentran representados en el mapa, dónde se encuentran localizados los objetos y el momento o periodo en que fue registrado ese hecho geográfico en el documento cartográfico. La temporalidad complementa el binomio espacio y tiempo necesario para explicar la causalidad de los objetos tratados en el mapa. El cómo se refiere a la forma en que están tipificadas las categorías de los objetos cartográficos o bien a los valores de los atributos. Para ello la lectura cuidadosa de la leyenda es fundamental, puesto que el lector aprecia los distintos tipos de objetos, puntos, líneas o polígonos, y la simbología empleada, así como la variabilidad de los atributos que el autor quiso mostrar. Este primer nivel tiene la categoría de inventario.

El nivel medio trata de vislumbrar las relaciones existentes entre los objetos y sus atributos, estableciendo semejanzas y diferencias, zonas homogéneas, concentraciones, dispersiones, o correlaciones entre sus variables; denota un tratamiento de la información que trata de descubrir las relaciones causa-efecto o las estructuras y formas de organización espacial de los fenómenos geográficos. No es una interpretación tan directa ya que se infiere información a partir de los datos plasmados en el mapa.

El último nivel, el de conjunto, trata de sintetizar y verificar si el mapa responde a la pregunta enunciada en su título, pero también de develar el contexto en el que fue desarrollado y que finalmente le dará utilidad al mapa como instrumento de transmisión de conocimiento.

La tradición cartográfica mexicana ha sido amplia y competente. Desde los desconocidos tlacuilos y escribanos que alguna vez plasmaron el territorio de lo que hoy es México, hasta las instituciones del Estado, pasando por los sabios, los religiosos y los militares, éstos han querido plasmar, con su propia visión, las riquezas naturales y la multiplicidad de actividades del amplio y variado espacio geográfico que les ha tocado vivir. Se ha perfeccionado su técnica de elaboración hasta alcanzar grados de sofisticación y precisión que no se imaginaban apenas hace unos cuantos años. El poder utilitario de la cartografía ha sido determinante en cada periodo de la historia, ha sido fuente de información científica, documento histórico, instrumento de planeación y política y objeto de arte. El mapa es el medio natural de expresión del geógrafo, es el objeto de estudio del cartógrafo, y el instrumento de trabajo de muchas otras disciplinas. La cartografía temática, como lo es la cartografía hidráulica, ha sido, a lo largo de la historia, una herramienta invaluable para el mejor control y aprovechamiento de un recurso natural indispensable para la vida humana: el agua. No obstante, no hay que olvidar que cualquier mapa que se ha construido ha sido producto de un laborioso proceso de investigación que sintetiza una gran cantidad de datos, que tiene un sujeto o un destinatario, pero también un autor que ha querido transmitir un mensaje, un discurso, un punto de vista de su tiempo y su espacio.

CHIVO GENERAL
LA NACION
MÉXICO

La cartografía y la historia en el Estado de México

Javier González Morán
Carlos Alfonso Ledesma Ibarra

Desde que el historiador griego Herodoto (siglo V a. C.) escribió sus relatos incluyó en éstos algunas descripciones geográficas al considerarlas como una parte importante de la narración. No obstante, los cultivadores de Clío que le siguieron tendieron a omitir las descripciones geográficas o reducirlas al mínimo, pero no por ello desapareció esta literatura. En los siglos siguientes fueron los viajeros, cronistas, marineros, militares y comerciantes quienes se encargaron de cultivar la cartografía y las descripciones geográficas. El siglo XVIII y las ideas ilustradas alrededor del determinismo geográfico trajeron de regreso la unión entre la geografía y la historia. En la centuria siguiente los métodos científicos, junto con la filosofía positivista, alimentaron esta provechosa relación. Cabe destacar los significativos avances descriptivos de la cartografía del siglo XIX que hicieron del mapa una herramienta imprescindible para varias de las disciplinas sociales y naturales del conocimiento. Sin embargo, los mayores frutos de esta unión entre geografía e historia pueden observarse en la centuria pasada gracias a los historiadores franceses de la revista *Annales*, en particular Fernand Braudel y su libro *El Mediterráneo en la época de Felipe II* (1949). En esta obra el autor francés estableció que las dos categorías fundamentales del análisis y la explicación del conocimiento histórico son el tiempo y el espacio. En consecuencia, las investigaciones históricas multiplicaron el uso, la discusión y la inclusión de todo tipo de mapas entre sus páginas. El mapa era una herramienta imprescindible de la explicación histórica. Más aún, comenzaron a aparecer libros cuyo objeto de estudio eran las representaciones del espacio, su explicación y análisis gráfico.

La cartografía, en particular, es la disciplina, ciencia o arte que estudia y traza las cartas geográficas que describen un territorio o espacio. En otras palabras, estamos refiriendo que estos documentos nos cuentan de su naturaleza: el cómo y para qué fueron creados. Los hombres que trazaron éstos contaron con una serie de conceptos visuales para la representación del espacio que se ajustaron a sus necesidades históricas de descripción. Desde etapas tempranas de la historia puede observarse este tipo de representación visual, la cual, dependiendo de la cultura, adquirió características visuales particulares. No obstante, la época de la expansión europea por el mundo, entre los siglos XVI y XVIII, trajeron un importante desarrollo de estos documentos, que coincidían con la llamada revolución científica de la Edad Moderna.

Por ello, es conveniente entender que el mapa no sólo es una forma de representar un lugar o territorio; también evidencia la creatividad del hombre y su concepción del mundo: cada cultura produce documentos novedosos; por esta razón se deben rescatar, difundir y analizar estas fuentes documentales que poco han sido utilizadas en la explicación de la cultura visual de una época. Indudablemente, la cartografía representa mediante imágenes parte de la historia de un país, estado o región: su pensamiento, conceptos visuales e instrumentos de descripción. En consecuencia, es menester

Quautlalpan
[página opuesta]

La producción de mapas por lo regular tiene un fin utilitario y práctico

conservar los mapas como patrimonio cultural. La necesidad de cuidarlos y protegerlos reside en que son huellas y testimonios de otra época; es decir, reflejan el arte, la ciencia, la cultura e historia de un país (León Portilla 1997: 292-294).

No obstante, la producción de mapas, por lo común, tiene un fin utilitario y práctico: conocer determinados rasgos de un territorio para satisfacer elementos prácticos de la vida pública como el comercio, la administración o la milicia. Sin embargo, la creación del cartógrafo tiene de fondo una representación de la realidad, que a la vez retrata el saber científico de su tiempo, ya que tiene conocimientos astronómicos, geográficos, matemáticos, entre otros, y, sin saberlo, el mapa trasciende su propósito de elaboración al presentarnos su visión del mundo.

Para la historiografía mexicana es imprescindible la figura de Miguel León Portilla, quien afirma que fueron dos razones esencialmente las causas de la producción de los mapas: *a)* los exploradores, navegantes, comerciantes y viajeros que mediante la observación tuvieron el propósito de "registrar plásticamente lo que ellos mismos reconocieron" y su importancia queda en la precisión que tuvieron al delinearlos; *b)* por otro lado, se encuentran los cartógrafos de profesión, quienes tuvieron la información de lo que se produjo alrededor de los mapas, esto les permitió confrontar los mapas conocidos que se difundían y, en efecto, su valor científico dependía de las fuentes de información que pudieron reunir y contrastar (León Portilla 1997: 290).

**

Ha sido un deseo implícito en el hombre, desde sus etapas más primitivas, conocer y plasmar los territorios y, así, darle forma y sentido a su realidad y organización social. Reiteramos, los mapas no solamente expresan la geografía, sino que también han representado y dado sentido a la historia de un país, estado o región. Hoy los habitantes de los países del mundo identifican el perfil de su territorio como parte de la identidad nacional.

Los primeros mapas en México fueron los realizados en el México antiguo: códices, donde se describían los lugares mediante glifos topónimos, que designaron desde los nombres de pueblos y ciudades, hasta algunos accidentes geográficos; Miguel León Portilla dice: "acerca de las representaciones geográficas de códices como *Nuttall* y el *Vindobonense* [...] puede decirse que fueron concebidas como 'escenarios' en los que se desarrolla una serie de aconteceres" (León Portilla 1997: 296). En otras palabras, la función de los códices no sólo era representar el espacio geográfico y los asentamientos humanos como los conocemos actualmente, también tenían connotaciones genealógicas, históricas, sociales, políticas y hasta religiosas.

De hecho, los mapas, o códices, dieron testimonio de una intensión distinta a lo que conocemos, ya que señalaron linderos de los señoríos, o *altepeme*; ubicaron montes, poblados y ríos por glifos; indicaron caminos mediante huellas; usaron colores a manera de convenciones y utilizaron materiales diversos como papel de amate, tela de algodón, pieles y fibras de maguey. Por otra parte, los españoles y portugueses, en el siglo XV, mostraron una concepción distinta al realizar trazos de zonas y países más extensos, divisiones por climas, meridianos y paralelos para facilitar la navegación, y hasta escenas de sucesos o personajes (Vargas 2000: 15-16).

Advierte, Ruiz Naufal que "la abundancia de testimonios escritos contrasta con la carencia que hoy se advierte de mapas o planos realizados con anterioridad a 1521" (2000: 37). Por lo tanto, hace suponer que durante el México antiguo básicamente tuvieron un sentido histórico por los asuntos que narraron, dándole menor aprecio a la descripción geográfica. Tal planteamiento toma vigor al considerar que cuando Hernán Cortés solicitó información a Moctezuma acerca de los tributarios, éste le entregó una nómina en la que aparecían los pueblos sometidos representados con un glifo y no un mapa (Ruiz 2000: 38). Al mismo tiempo, los soportes que utilizaron fueron principalmente el papel de maguey (Ruiz 2000: 39-40), las hojas de amate, las mantas y lienzos tejidos en algodón, henequén, agave y las pieles (Ruiz 2000: 39), esto se recogió a partir de las referencias de los cronistas de aquella época. Incluso,

> el formato de los mapas variaba de acuerdo con las funciones para las que eran creados [...] tiras y bandas, ya fueran enrolladas o dobladas en forma de biombo, se utilizaban generalmente para narrar acontecimientos genealógicos, históricos o mitológicos, en los que ciertos puntos geográficos daban secuencia al discurso. Los lienzos de grandes dimensiones y los paneles elaborados con hojas de maguey o amate unidas en sus bordes, también servían para tratar dichos temas (Ruiz 2000: 40).

Posteriormente, la cartografía novohispana, entre los siglos XVI y XVIII, tuvo varias particularidades que deben establecerse, por ejemplo, si fueron elaborados en Nueva España o en el extranjero (entre 1525 y 1545, cartógrafos profesionales elaboraron mapas en España, Portugal, Italia y Francia que, por primera vez, incluyeron a la Nueva España o parte de ella) (León Portilla 1997: 303); asimismo, si los realizaron durante expediciones marítimas y terrestres o hechos posteriormente en otras circunstancias. Por otra parte, existieron causas cartográficas localistas y regionales debido al problema que significó la posesión de tierra y, de hecho, tratar de disminuir o dirimir los conflictos que se derivaron por la propiedad comunal y privada, ya que la expansión de los latifundios provocó abusos y fraudes contra la nobleza local, los barrios, las estancias y los pueblos indígenas. El sentido práctico de mapas y planos, sin duda, fue resolver esta disputa durante las últimas décadas del siglo XVI y primeras de la siguiente centuria (León Portilla 1997: 303, 306). Además del sentido práctico, durante la segunda mitad del siglo XVI, las autoridades españolas estuvieron interesadas en conocer y registrar las tierras que les estaban ya sometidas. Sin embargo, los trazos cartográficos perdieron su esencia primigenia y se comenzó a percibir un arte cartográfico mestizo, ya que los elementos pictográficos e ideográficos perdieron su sentido de transmisor de historias (Ruiz 2000: 55-57). En otras palabras,

Cuando Hernán Cortés solicitó información a Moctezuma acerca de los tributarios, éste entregó una nómina en la que aparecían los pueblos sometidos

durante el periodo colonial, la cartografía indígena representó un escenario de acontecer (los indígenas plasmaron contenido histórico y genealógico; por consiguiente, se dice que manifestaron, además de lo propiamente cartográfico, escenarios de diversos aconteceres) mediante los mismos glifos que indicaron toponímicos y, de pronto, se incluyeron elementos nuevos, como dibujos de templos, capillas y conventos para señalar poblaciones, o glosas y pequeños textos con el alfabeto en lengua castellana o indígena (León Portilla 1997: 298-299).

Por tal circunstancia, la cartografía mestiza, entre los siglos XVI y primera mitad del XVII, trazó esencialmente la ubicación y uso de molinos, parcelaciones de terrenos y parajes, corregimientos y mercedes, zonas mineras y caballerías, poblados y tierras comunales. La razón y sentido para plasmar solamente una parte del terreno, y no ocuparse de la totalidad, fue para satisfacer necesidades específicas. Por ejemplo:

> los reclamos por invasiones de tierras, limitación de propiedades, usufructo de agua, títulos fundamentales de los pueblos, trazo de caminos, emplazamiento de pueblos y ciudades, reconocimiento de provincias o fijación de jurisdicciones civiles y religiosas (Ruiz 2000: 58).

Durante el siglo XVI los trazos cartográficos fueron elaborados por autores desconocidos y realizados al carbón o tinta, hechos en papel europeo, y las proporciones fueron, casi siempre, nulas y sin escalas, esto se debe a que su función era de complemento en los expedientes judiciales.

Existe una coincidencia, muy significativa, entre la crisis demográfica por la epidemia (1693-1697) y el descenso de la cartografía con elementos mestizos, por ende, se infiere que varios realizadores cayeron víctimas de la enfermedad y ocuparon su lugar escribanos, peritos y agrimensores con formación europea. En este momento se dio un cambio relevante, ya que la toponimia fue sustituida por la escritura alfabética y, al final, se perdió el significado local y regional de los glifos (Ruiz 2000: 59-63). Por consiguiente, mapas y planos fueron elaborados por los expertos y, por tal motivo, con medidas ajustadas a los múltiplos de una cuartilla, en promedio era de 20 por 30 cm y se llevaron a cabo con lápiz, pluma con tinta a línea o bien aguda, carbón, temple o acuarela. Algunos ofrecieron una vista panorámica de gran calidad en el dibujo, pero poco talante científico (Ruiz 2000: 65-67).

El perfil geográfico de México, tiempo después, se conoció mejor debido a las observaciones llevadas a cabo con mayor rigor científico. Alejandro von Humboldt, en 1811, ayudó con esta disciplina, ya que con su trabajo académico consultó 28 mapas y comentó: "no he querido marcar sino los lugares cuya posición era idéntica en los varios mapas manuscritos que me servían para mi obra" (Antochiw 2000: 86-87).

Posterior a la guerra de independencia de México (1810-1821) (Mendoza 2000a: 95) que, desde un principio, ante la separación política de España provocó la crítica

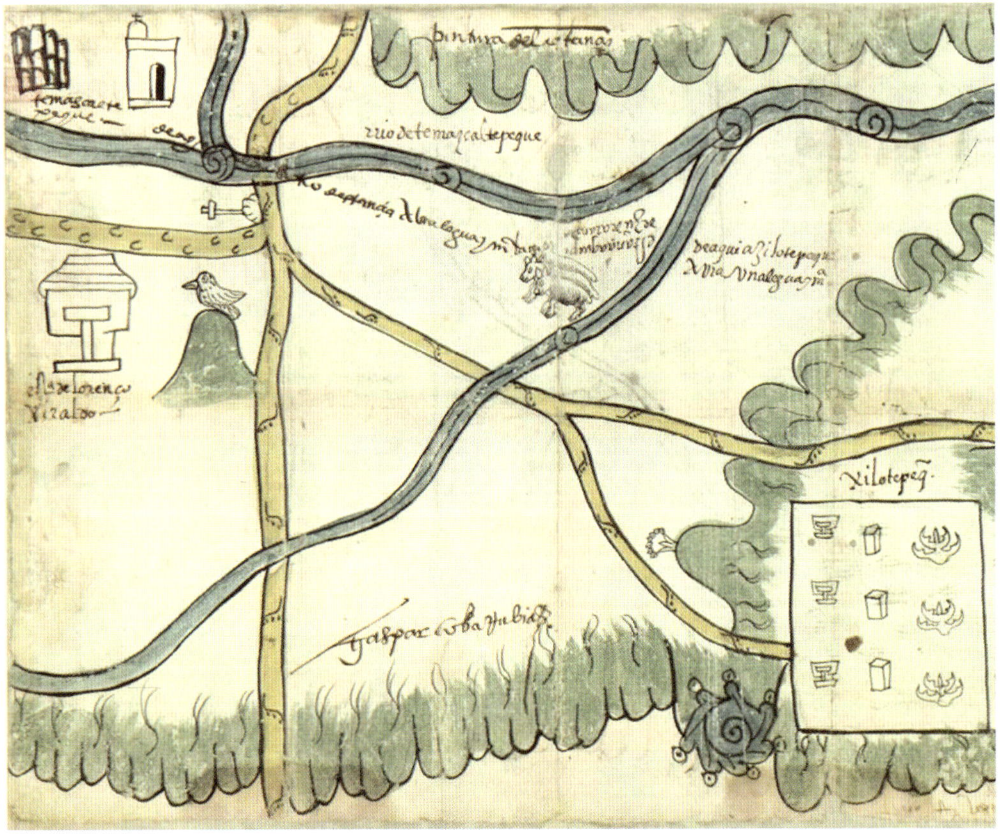

Mapa del pueblo de Jilotepec y sus alrededores

situación por el control del territorio y, sobre todo, una evidente necesidad de conocerlo frente a la posibilidad de emanciparse territorios como Sonora y Sinaloa, se ordenó a los ingenieros militares representar montañas, bosques, ríos, lagunas y provincias con sus respectivos límites; en otras palabras: eran más de 4 millones de kilómetros cuadrados de superficie y 6.5 millones de habitantes, lo que representó para la ingeniería geográfica una medición exacta que se representará en los mapas minimizando los riesgos de pérdida y, a su vez, propiciando el control militar y político (Mendoza 2000a: 105-107).

Entre 1833 y 1839 los mapas tuvieron una finalidad meramente administrativa, y con el Instituto Nacional de Geografía se recopiló una gran cantidad de información de la administración pública y de los particulares. Para el periodo de 1850 y 1857, se dieron a la tarea de trazar los límites en la frontera norte y en 1882 se hicieron 273 cartas del territorio nacional; se realizó a partir de las normas de la geodesia, considerada de alta precisión en ese momento, y a una escala de 1: 80 000; esto representó una relación de la cartografía con la administración pública, los negocios privados y la inversión extranjera:

> a diferencia de los libros, periódicos, opúsculos y folletos, los mapas proporcionaron una impresión rápida y de conjunto a los interesados en conocer la productividad por sectores y regiones geográficas y en resumen, las versiones de los mapas de la época de la Reforma Liberal mostraron la superficie y la forma general del país mientras que, unos años más tarde, los Atlas de García Cubas revelaron la nueva faceta de la vida nacional: la imagen de estabilidad, apertura democrática y la prosperidad material del México de Porfirio Díaz (Mendoza 2000: 105-107).

Más aún, en este caso representó el nacimiento del perfil científicamente delineado de nuestro país por Antonio García Cubas en la Secretaría de Hacienda.

A finales del siglo XIX se crearon varias instituciones geográficas, debido, entre otras cosas, a las necesidades de la administración pública, entre ellas: *1)* Geográfico-Exploradora y su director el ingeniero Agustín Díaz fue promotor de los trabajos de prospección e investigación geográfica entre 1878 y 1914; *2)* Comisión del Instituto Geológico de México que publicó un estudio de Baja California en 1913 (León Portilla 1997: 316). La institucionalización y las investigaciones individuales provocaron un incremento en la producción y mayor precisión científica; así, se convirtieron en un instrumento de consulta para actividades culturales, científicas, comerciales, industriales y tecnológicas. Por ello, B. Craib expresó que debe considerarse como una etapa notable de producción y, por consiguiente, la profesionalización de la cartografía mexicana (2000: 131). Este autor señaló varias características, esencialmente: *a)* el uso de mapas para reconocer y afirmar una nación independiente y desenvolver un discurso histórico, *b)* para distinguir entre los territorios comunales y públicos, y medir y trazar cartas geográficas, *c)* para representar una nación integrada por redes y, *d)* el papel que desempeñaron las clases populares para crear el espacio mexicano (Craib 2000: 131-133).

Los gobiernos posrevolucionarios intentaron identificar los escenarios que les permitieran reactivar la economía nacional, las relaciones internacionales y la modernización del propio Estado mexicano y, a final de cuentas,

> los trabajos geográficos se orientaron esencialmente hacia la adquisición de datos y la formación de una nueva Carta General de la República Mexicana [...] guía imprescindible para las decisiones y los acuerdos oficiales relacionados con el territorio nacional (León Portilla 2000: 154).

La Secretaría de Agricultura y Fomento, en 1919, señaló que el método que siguieron fue el de cubrir con redes geodésicas y topográficas las principales cordilleras y cuencas con el objetivo de que sirvieran de apoyo para los puntos trigonométricos en el plano.

Tiempo después, en marzo de 1921, Isidro Díaz Lombardo introdujo el componente tecnológico, es decir, "levantamiento de la Tierra tomando los datos desde el espacio por medio de aparatos fotográficos suspendidos: de papalotes, de globos cautivos, de globos libres y de aeroplanos" (León Portilla 2000: 155). Unos años después, Vicente Lombardo Toledano, durante su viaje a China, encontró el "nuevo plano de visión" que ofrecía desde el avión. Por ello, es necesario destacar que los instrumentos aerofotogramétricos, tienen como propósito y ventaja la edición masiva de cartas geográficas, además de la estandarización de los mapas y planos; por otra parte, la fotogrametría fue encargada al ejército mexicano y la fotointerpretación

Nueva Carta de México en 1814

> fue un proceso que combinaba el análisis deductivo e inductivo de forma simultánea sobre los rasgos de grandes extensiones territoriales. El resultado obtenido fue la serie de mapas temáticos sobre geología, edafología, uso del suelo y uso potencia del suelo (León Portilla 2000: 172).

Algunas obras representativas de la cartografía en el Estado de México

En *Cartografía colonial del Estado de México (siglos XVI-XIX)*, José Luis Alanís Boyso señala que su intención en esta obra es apoyar a próximas investigaciones mediante la recopilación de mapas de la época virreinal. Esta tarea la realiza para contribuir con el conocimiento de dicho periodo y, a su vez, animar a la creación de textos para comprender mejor lo que este autor nombra como "nuestras raíces" y "nuestro tiempo", y afirma:

> el libro tiene como propósitos: primero, dar a conocer la extraordinaria riqueza cartográfica colonial sobre la jurisdicción territorial actual de la entidad; segundo servir de auxiliar para solucionar los añejos problemas de límites municipales y entre poblaciones; y tercero, estimular el estudio de la geografía histórica local (Alanís 1995: 12).

El acervo documental utilizado por este historiador para su trabajo fue, principalmente, el Ramo de Tierras del Archivo General de la Nación. Entre los documento recopilados se encuentran: títulos de propiedad

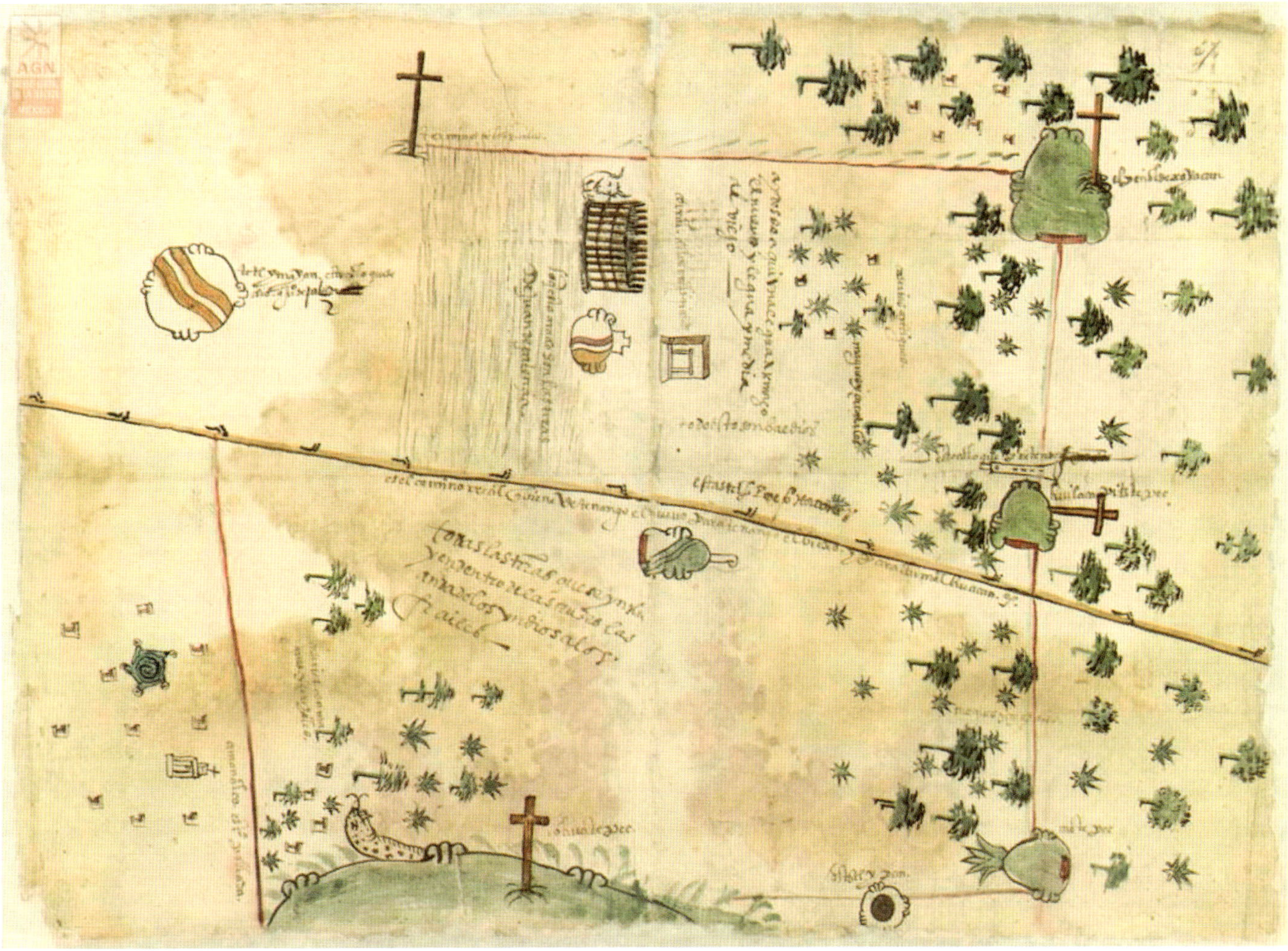

Tenango

de las poblaciones; solicitudes y mercedes de estancias y caballerías; litigios sobre la posesión de tierra entre particulares; pueblos, haciendas y ranchos, entre otros. El resultado obtenido es un compendio de 541 mapas, entre los años de 1530 a 1870. De esta manera, se traspasan los límites propios de la etapa novohispana.

Cabe señalar que éste es un texto que deja entrever la creatividad, cultura e historia de la época novohispana y, a su vez, el sentido económico, político y social del territorio mexiquense en otra época gracias a la reproducción de estos materiales. Asimismo, los mapas y planos aquí reunidos permiten un sustento documental para próximas investigaciones. Tal vez sea esta labor de recopilación su mayor aportación historiográfica.

Otro texto considerado para este recuento es *Cartografía automatizada para las regiones indígenas* de Eduardo Sandoval Forero y Juan Carlos Patiño. Los autores de este trabajo advierten, desde un principio, que negar el avance de la tecnología es quedar anclado a una realidad distinta y pasada; por ello, la historia y las ciencias sociales se encuentran cada vez más cercanas e integradas con los procesos tecnológicos. Una herramienta bastante útil para su investigación fueron los SIG (Sistemas de Información Geográfica: es el conjunto de técnicas y herramientas, que nos proporciona el actual desarrollo de la ciencia y la tecnología, diseñado para manipular y trabajar con datos referenciales espacialmente; es decir, es tanto un conjunto de bases de datos susceptibles de ser ubicados y referenciados a través de un sistema de coordenadas espaciales o geográficas, como un conjunto de acciones y operaciones orientadas a la manipulación de los datos y su análisis) (Sandoval y Patiño 2000: 13), los cuales representaron mejor la realidad social, económica, demográfica, entre otras. Lo anterior permite que los investigadores en ciencias sociales, y para quien elabora las políticas públicas, obtengan ventajas sobre lo que se quiere estudiar o implantar. En otras palabras, es una representación mediante imágenes, figuras y símbolos que facilita la visualización.

Así, no integrar ni aceptar, dentro de los procesos de modernización y globalización, a los pueblos indígenas, implica que el sistema vigente termine absorbiendo, marginando o desapareciendo a aquellos que no se constituyan dentro de éste. Las estadísticas, en consecuencia, indican un bajo índice de bienestar en las regiones con población indígena, ya que se encuentran debajo de la media nacional y, casi siempre, las ubican en pobreza extrema. Debido a estas condiciones de precariedad en que se encuentran, el texto se justifica en la medida que mediante los mapas podemos apreciar que el Estado de México "ha presentado un crecimiento poblacional junto con una tendencia de desintegración rural y de alta concentración urbana" (Sandoval y Patiño 2000: 18).

Los indígenas mazahuas, sin duda, se encuentran dentro de los indicadores de pobreza y marginación que, de hecho, retratan un atraso social y económico. Conocerlos y reconocerlos permite considerar formas de integración mediante apoyos técnicos y financieros y, en efecto, combatir los problemas que enfrentan (Sandoval y Patiño 2000: 19). El análisis gira alrededor de los indicadores económicos, demográficos y sociales; éstos permiten señalar las zonas de pobreza y representarlos e ilustrarlos cartográficamente:

> los municipios con mayor concentración de población mazahua en el Estado de México son: Almoloya de Juárez, Atlacomulco, Donato Guerra, El Oro de Hidalgo, Ixtlahuaca, Jocotitlán, San Felipe del Progreso, Temascalcingo, Villa de Allende y Villa Victoria; y en el estado de Michoacán: Zitácuaro (Sandoval y Patiño 2000: 42).

La marginación, en resumen, expresa una desigualdad en el acceso a bienes y servicios públicos y privados; esto, finalmente, expone el desequilibrio regional que, por un lado, presenta el acelerado y excesivo proceso de industrialización y, por el otro, la marginación social.

El texto, así, pretendió tres cosas: *1)* representar gráficamente el resultado de las investigaciones en torno de la sociedad, economía y demografía de regiones mazahuas en el Estado de México, esto le permite ser una herramienta de consulta y análisis; *2)* proyectar la utilidad de los SIG; y por último, *3)* estimular entre docentes y alumnos dicha temática, es decir, debido a la novedad de la propuesta es necesario que se aproveche la tecnología geoinformática en la investigación, enseñanza y aprendizaje (Sandoval y Patiño 2000: 13).

Sin duda, resulta imprescindible acercarse a los mapas como una fuente documental, en ellos se mira parte de la historia de un país, estado o región y, además, son confiables como testimonios visuales que representaron la realidad. La automatización es una herramienta que nos brinda la tecnología y, a su modo, nos permite una aproximación más sencilla a los mapas.

Otra obra que no se puede quedar fuera es el *Catálogo de mapas, planos, croquis e ilustraciones históricas de restitución y Dotación de tierras y Ampliación de ejidos del Archivo General Agrario*, elaborado por René Esparza, Rita Reséndiz y Arnulfo Embriz. En este trabajo los autores ordenaron la documentación que hace referencia a la historia agraria de México. Se explica lo anterior debido a que reunieron los documentos del Archivo General Agrario (AGA) de 32 estados de la república y con un acervo de 25 grupos. Este catálogo contiene mapas, planos, croquis e ilustraciones y se formó básicamente de tres grupos: restitución de tierras, dotación de tierras y ampliación de ejidos.

Los materiales documentales van desde 1569 hasta 1913, porque el archivo estableció que solamente resguardaría aquellos que fueron fechados antes de la ley del 6 de enero de 1915. La ley del 6 de enero de 1915 declaró, como obligación del Estado, distribuir equitativamente la tierra entre los mexicanos, además de reconocer a las comunidades y pueblos como sujetos de derechos agrarios. A partir de entonces, y con el fin de materializar dicha ley, se empezaron a tramitar expedientes ante las distintas autoridades agrarias.

> Esa ley y las que se promulgaron posteriormente, fueron el resultado de las luchas agrarias y de las demandas de los que participaron en la revolución mexicana de 1910. En ellas se sustentó el proceso de la reforma agraria mexicana a lo largo del siglo XX, lo que significó fundamentalmente una gran transformación de las estructuras de la propiedad de la tierra (Esparza 2000: 22-23).

Los documentos que presenta el catálogo fueron presentados por particulares o representantes de distintos pueblos frente a la necesidad de comprobar, cotejar y probar jurídicamente la existencia de su pueblo o, también, para defender sus derechos como probables dueños (Esparza 2000: 18-19).

El catálogo fue dividido en dos partes: *1)* se presentaron las características generales de esos documentos: procedencia institucional, periodo, número de documentos, clasificación, instrumentos de consulta, descripción informativa, datos registrados en ficha calcográfica, sustento legal y grupos documentales; *2)* se reunieron 564 documentos que se ordenaron alfabéticamente a partir del estado de procedencia, número de expediente y grupo documental (Esparza 2000: 19). Del Estado de México se congregaron 32 mapas, 77 planos, tres croquis y cuatro ilustraciones. Es decir, el catálogo funciona como un instrumento de consulta que, en efecto, tiene el objetivo de hacer más sencilla la localización de distintos documentos y, posteriormente, los mapas, los planos, los croquis y las ilustraciones nos permiten considerarlos como parte testimonial de la historia social de México y, finalmente, son componentes para argumentar la memoria histórica de los pueblos. No obstante, debemos afirmar que tales fuentes documentales han sido poco exploradas por los investigadores y estudiantes en general. Y, para terminar, una función más del material documental es que permite en el terreno jurídico defender la tenencia de la tierra, al servir de prueba (Esparza 2000: 21-22).

Carta Geográfica del Estado de México

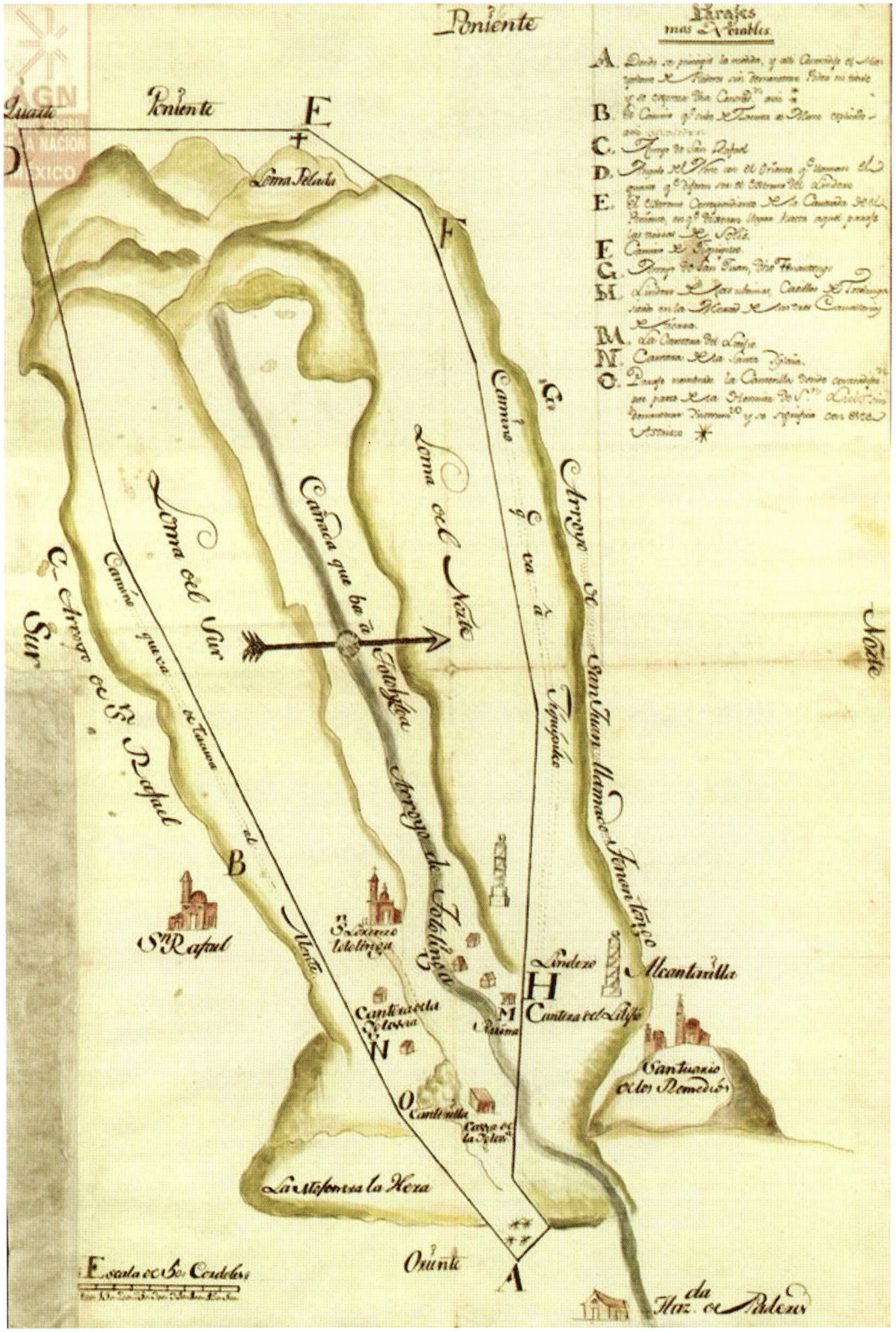

En *Cartografía de tradición hispano indígena. Mapas de mercedes de tierra. Siglos XVI y XVII*, de Mercedes Montes de Oca Vega, Salvador Reyes Equiguas, Dominique Raby y Adam T. Sellen, los autores tuvieron el interés de hurgar el mundo indígena y, en particular, los pueblos nahuas del siglo XVI y principios del XVII. Por tal motivo, se reunieron 33 mapas del centro de México con elementos iconográficos y glifos que, desde el principio de su búsqueda, se localizaron en el Archivo General de la Nación en el Ramo de Tierras, y tuvieron en su época una utilidad fundamental: resolver litigios en torno de la propiedad o tenencia de tierra. El motivo central del presente estudio radica en ser el resultado de una investigación que gira alrededor de la tradición cartográfica virreinal.

El estudio, además, busca una aproximación a las imágenes del encuentro entre las culturas nahua y europea, que tuvo como resultado un acervo de gran valor cultural y documental. Dicho acercamiento consistió en valorar el acervo documental como objetos de estudio que dieron surgimiento a futuras investigaciones y, a su vez, destacan los componentes pictográficos sin sacarlos de su contexto. La obra, de dos volúmenes, incluyó esencialmente cuatro regiones: Malinalco, Ixtlahuaca, el estado de Hidalgo y el estado de Puebla, desde finales del siglo XVI hasta principios del siglo XVII. La primera parte es un catálogo de elementos pictográficos y cuatro estudios desde distintas consideraciones, y la segunda parte reúne los 33 mapas.

Por último, el texto contribuye, sin duda, a la cartografía novohispana, la historia y el acervo cultural universal; así, el prólogo que realizó Miguel León Portilla, apunta y resalta:

> son imágenes que sólo el encuentro de dos mundos hizo posible [...] dos legados milenarios de cultura –el de Europa en su versión hispánica y el de Mesoamérica convergen en esta cartografía. Única es ella en verdad ya que, al representar espacios que son a la vez ámbitos naturales

> y culturales, conjuga elementos pictográficos y glíficos indígenas con otros mapas– y paisaje europeos y también producciones topográficas, representaciones de áreas relativamente pequeñas conocidas directamente por sus autores (Montes de Oca 2003: 5).

En *La evolución cartográfica de la ciudad de Toluca* colaboraron la Universidad Autónoma del Estado de México y el Instituto Mexiquense de Cultura para presentar los planos y fotografías que permiten observar el crecimiento y transformación de la capital mexiquense, desde finales del siglo XIX hasta la segunda mitad del siglo XX. Para la realización colaboraron distintos académicos, entre los que destacan los historiadores, para mostrar la dinámica de transición y cambio en Toluca (Universidad Autónoma del Estado de México 1996: 1). Es decir, en esta obra se ilustra la historia de la capital mexiquense durante tal periodo; así, pueden cotejarse las actividades principales, como el comercio y la industria. Esta investigación es fuente testimonial del crecimiento económico y demográfico que conllevó, desde entonces, a la atracción de poblaciones y el crecimiento demográfico.

Por tales circunstancias, en la actualidad, se explica el desarrollo de la capital mexiquense, aunado al incontinente desarrollo de la ciudad de México, ya que, desde 1899, la capital mexicana era centro político y económico; así, mostró su expansión, en aquellos años, hacia Tacubaya, Coyoacán, Tlalpan y Xochimilco. Por ello, presentamos brevemente el contenido de los planos y lo que nos permiten distinguir: en 1890, era conocida como provincia, y sus caminos para acceder eran de terracería; poseía alrededor de 50 manzanas y sus límites conocidos eran, al sureste, el cerro del Calvario y, al norte, los cerros de El Cóporo y La Retama. Finalmente, el centro fue identificado por los Portales. En 1899, la expansión urbana era una realidad y los pueblos aledaños se conectaron mediante las calles de Valentín Gómez Farías al sur e Isidro Fabela al oriente. En 1902, las líneas telefónicas se instalaron en las avenidas Independencia e Hidalgo; dos años más tarde, existieron catorce barrios identificados y el río Verdiguel cruzaba la ciudad. Entre 1950 y 1958 se observa el florecimiento de la zona industrial; un año después, se dibujaron y trazaron las plazas y jardines. En 1964 se retrató la expansión urbana, y a principios de la década de 1970 un plano que realizó la Comisión Federal Electoral para empadronar a la población votante. En la segunda mitad de la misma década y principios de la siguiente, la ciudad aparentaba, según los autores, ser una capital próspera. Además, como complementos, se conectaron con esta capital: la Villa de Metepec con su mercado y objetos de barro, y Xonacatlán, que al estar cerca del Cerro de las Cruces también fue referida. Todos los planos tienen título, autor, año, escala, tamaño, contenido y fuente. En otras palabras, los planos que nos presentan en el libro ilustran y explican la historia de la ciudad de Toluca y, significativamente, son fuentes testimoniales que permiten fundamentar una investigación histórica en torno del crecimiento económico y demográfico, del desarrollo industrial y de las comunicaciones, entre otras consideraciones.

La región de Tultitlán, 1727 [página opuesta]

Pueblo de Malinalco

Mención aparate merece el *Atlas general del Estado de México*, obra de Víctor Manuel Ruiz Naufal editado por el Gobierno del Estado de México en 1993. Esta obra explica el proceso histórico de la cartografía en nuestro estado desde el México antiguo, la Nueva España, el México independiente del siglo XIX hasta el porfiriato. La cantidad y calidad de los mapas reproducidos hacen que este trabajo sea un paso imprescindible para quienes desean conocer la cartografía mexiquense. En el capítulo primero de la obra podemos localizar los códices que refieren a lugares específicos del antiguo imperio mexica acompañados por reflexiones acerca de la importancia de estos documentos y su consideración en su contexto histórico. El siguiente capítulo titulado: "El siglo de la conquista" contiene una serie de reproducciones de una enorme riqueza histórica y coloridas imágenes que combinan de manera interesante dos tradiciones cartográficas milenarias: la europea y la del México antiguo. El siguiente capítulo es "La imagen en la Nueva España", y también presenta planos y mapas de los siglos XVII y XVIII; son los de esta última centuria los más numerosos. En este sentido, quien consulta la obra puede observar la evolución de los planos más cercanos a la producción artística que a la descriptivo-científica del siglo XVIII. En otras palabras, en la relación visual de los planos más antiguos, los autores incluyen el paisaje o la reproducción de determinados rasgos físicos del lugar. Posteriormente, se privilegia la descripción del terreno con fines de exactitud en las medidas, las cuales ya no dependen de la apariencia del territorio descrito. El libro continúa con el capítulo dedicado a "El surgimiento del Estado de México y los trabajos cartográficos de Tomás Ramón del Moral", este personaje fue un pionero especialista que durante el siglo XIX abordó el tema. El libro, en cada uno de sus capítulos, rescata los aspectos más importantes del contexto histórico en cuanto a la producción cartográfica. Cabe mencionar que en la mayoría de los mapas e imágenes que se reproducen en los tres primeros capítulos de la obra se pueden identificar, de forma recurrente, las representaciones hidráulicas. Sobre este aspecto resulta interesante su importancia para la época novohispana, ya que en varios de los planos cartográficos reproducidos se puede identificar el sentido simbólico de la producción de la propia imagen, tanto en la forma de descripción como en el color, lo que deviene en un sentido simbólico. No obstante, estas imágenes no son el tema central de la reflexión del autor, ya que son abordadas de forma general.

Finalmente, es importante señalar que en las facultades de Humanidades y Geografía de la Universidad Autónoma del Estado de México existen varias tesis que relacionan la geografía y la historia, y donde el uso de mapas y referencias al uso del agua también es uno de los temas tratados.

Consideraciones finales

Este escrito reseña algunas de las obras que han estudiado la relación entre cartografía e historia en el Estado de México. A pesar de que éste fue un tema constante en la reflexión de la historiografía mexicana del siglo XX, no pudo convertirse en el estudio principal de los historiadores que han abordado como temática la historia mexiquense. En el mismo sentido, debe agregarse que más abandonada aún se encuentra la cartografía relacionada con el agua. En varias de las obras analizadas aparece su representación, pero ésta no es estudiada en el sentido de su significado en las imágenes cartográficas de acuerdo con su época.

Lo que sí hemos podido apreciar en las obras referidas es que la mayoría de los investigadores han ido incorporando diferentes consideraciones acerca de la importancia de la geografía y, específicamente, la cartografía en sus trabajos. De esta manera, se puede identificar un proceso positivo en la inclusión de mapas y elementos cartográficos en la explicación y planteamiento de problemas históricos. Por otra parte, también se aprecia una comprensión cada vez mayor de la cartografía histórica como elemento imprescindible de análisis en la investigación histórica.

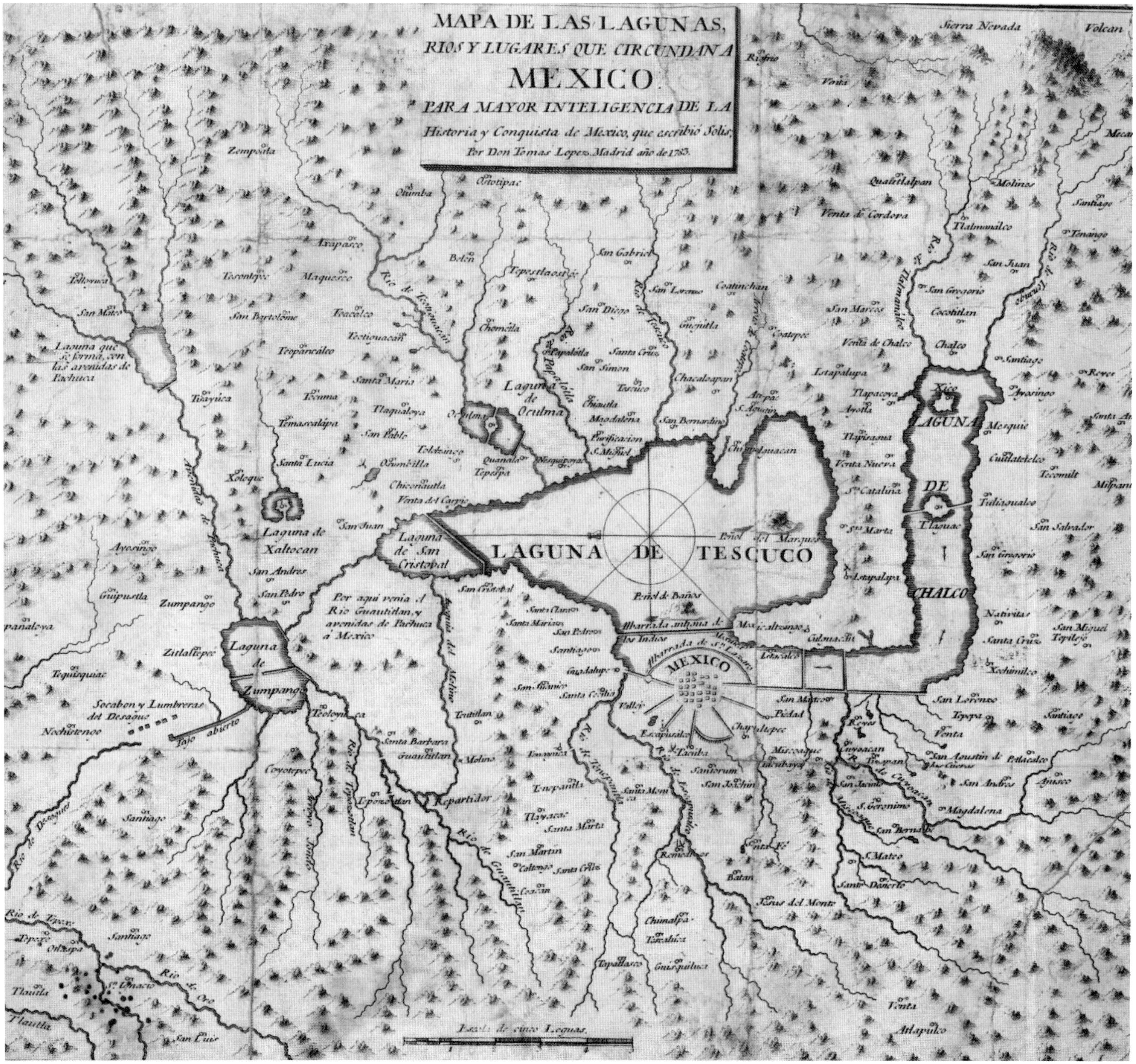
MAPA DE LAS LAGUNAS,
RIOS Y LUGARES QUE CIRCUNDAN A
MEXICO
PARA MAYOR INTELIGENCIA DE LA
Historia y Conquista de Mexico, que escribió Solis,
Por Don Tomas Lopez. Madrid año de 1783.
Sierra Nevada
Volcan
LAGUNA DE TESCUCO
LAGUNA DE CHALCO
MEXICO
Laguna de Xaltocan
Laguna de San Cristobal
Laguna de Zumpango
Laguna de Oculma
Laguna que se forma con las avenidas de Pachuca
Por aqui venia el Rio Guautitlan, y avenidas de Pachuca á Mexico
Socabon y Lumbreras del Desagüe
Tajo abierto
Peñol del Marques
Peñol de Baños
Zempoala
Otumba
Zumpango
Xochimilco
Chalco
Cuyoacan
Tacuba
Chapultepec
Guadalupe
Escala de cinco Leguas

Estudios sobre los recursos hídricos en el Estado de México

María del Carmen Salinas Sandoval

Desde las ciencias sociales y las humanidades se han realizado estudios acerca del agua y sus usos sociales en el Estado de México, la mayoría de ellos se realizaron en las últimas cuatro décadas y las temáticas han ido cambiando de acuerdo con las problemáticas históricas. Entre 1970 y 1980 existen investigaciones desde la etnohistoria y la antropología sobre la época prehispánica y colonial, mostrando relaciones ideales entre los pueblos prehispánicos con el mundo lacustre llegando al equilibrio natural, que se trastornó durante la época colonial y se rompió con la modernidad. Después de 1980 se hicieron revisiones de los resultados de la revolución mexicana en cuanto al control gubernamental del agua y del reparto de tierras con la Reforma Agraria. El deterioro del medio ambiente y las medidas impuestas por el gobierno federal para paliar los daños, provocaron el incremento en los trabajos de investigación desde finales del siglo XX. A continuación exponemos los trabajos representativos de las temáticas que se han abordado y que han sido publicados, para que los interesados den continuidad a los avances y busquen otros caminos analíticos para la investigación de los usos sociales del agua, ya que es uno de los recursos esenciales para el desarrollo de la entidad y de sus habitantes.

En los resultados de las investigaciones es evidente que los trabajos han sido analizados desde la mirada de diversas disciplinas que recogen las actividades de los varios actores sociales relacionados con la perspectiva hidráulica; pero las temáticas son presentadas de manera aislada y desigual. Es imperativo trabajar con nuevas temáticas no analizadas o poco abordadas y en espacios sociales donde existen mínimos estudios.

Ante la magnitud de la contaminación y carencia del agua en la entidad federativa ha sido necesario generar propuestas encaminadas a frenar el deterioro. La historia ha sido muy útil para buscar en el pasado los orígenes de esa problemática. Nos interesa mostrar de qué manera se ha estudiado en el tiempo y en el espacio el territorio de lo que hoy es el Estado de México. Presentaremos las temáticas y los caminos analíticos que han tomado los estudiosos del tema; algunos, los menos, han aprovechado la cartografía como fuente y comprobación de sus teorías y la mayoría solamente están expuestos por medio de texto y, si utilizan los mapas, es a manera de ilustración. Entonces, ¿por qué incluir un panorama de los trabajos que expresan problemáticas acerca del agua en un libro de cartografía hidráulica? La cartografía como disciplina técnica ligada a la geografía puede representar en un mapa la distribución espacial de los recursos naturales en territorios y tiempos específicos, necesaria para encontrar explicaciones y plantear soluciones. La cartografía ha estado estrechamente ligada al desarrollo de las tecnologías, y la interpretación de los datos obtenidos en los archivos también evolucionó con la tecnología. Por ello, es importante fortalecer los procesos del conocimiento de las problemáticas de los recursos hídricos con el uso articulado del paisaje regional y local dado por la cartografía, con las investigaciones teóricas que se han realizado por parte de académicos y de instancias gubernativas, como las que presentamos a continuación.

La ciudad de México y sus lagunas
[página opuesta]

Hidrológicamente, el Estado de México está comprendido en tres grandes cuencas. Una cuenca hidrográfica es el espacio geográfico que contiene los escurrimientos de agua y que los conduce hacia un punto de acumulación terminal. En las cuencas coexisten diversos tipos de recursos naturales renovables: los hídricos, el suelo, la flora y la fauna, formando parte de ecosistemas terrestres y acuáticos. Cada cuenca se compone de subcuencas, éstas se caracterizan por tener en su espacio geográfico una salida de ríos o entrada de ríos (Carabias y Landa 2005: 45).

Las tres cuencas son la del río Lerma, que ocupa 27.3% de la superficie estatal, concentrando 18% de la población; la del río Balsas con 37.2% de superficie con la menor población estatal (6%); y la del Valle de México-Pánuco con 35.5% de superficie y la mayor parte de la población (76%); considerando que el abastecimiento de agua potable de los mexiquenses es principalmente (87.5%) de fuentes subterráneas y que las fuentes superficiales sólo representan 12.5%. Esta división en cuencas la aprovechamos en este texto para exponer cómo se han estudiado cada una de ellas, de manera parcial o total (Gobierno del Estado de México 1999).

La distribución de las cuencas es la siguiente: cuenca del río Lerma: subcuenca del curso alto del río Lerma, subcuenca del curso medio del río Lerma y subcuenca del curso bajo del río Lerma; cuenca del Balsas: subcuencas Ixta-Popo, con los ríos Sultepec, Topilar, San Pedro, Chontalcuatlan, San Jerónimo, Chalma, Tembembe, Cuautla, Tilostoc, Temascaltepec, de los Ciruelos, Bejuco y Grande; cuenca del Valle de México-Pánuco: dividida en cuenca Golfo Norte, que comprende las subcuencas Prieto, Blanco (Arroyo Zarco); y la cuenca del Valle de México con las subcuencas San Francisco, Los Órganos, Rosas, Tlautla, Tepejí, Tula y Cuautitlán; lagos Texcoco y Zumpango, ríos Salado y Tezontepec (http://portal2.edomex.gob.mx/sma/parques_areas_naturales/distribucion_cuencas/index.htm, 5 de enero de 2013).

Al exponer los estudios hídricos divididos en cuencas, el objetivo es mostrar la diversidad de enfoques que desde las ciencias sociales se han plasmado en textos publicados que analizan, de manera parcial o total, la cuestión del agua en las tres cuencas que cruzan el Estado de México.

Cuenca del río Lerma

En los estudios de las últimas cuatro décadas se ha expresado que la cuenca Lerma-Chapala es una región en donde el acceso a los recursos hídricos ha generado un estado de competencia y conflicto social derivado de su escasez. Una tarea de los trabajos de historia ha sido mostrar cómo era antes y los motivos que ocasionaron la insuficiencia además de la contaminación.

Los estudiosos consideran que en la época prehispánica los habitantes se adaptaron al paisaje y utilizaron los recursos naturales de manera diversificada; se han encontrado vestigios de agricultura de riego y manejo de tecnologías agrícolas (Vargas 2005). Estas tecnologías tuvieron mayor auge durante el virreinato, con la construcción de presas, canales, bordos y cajas de agua. Hasta antes de 1895, la infraestructura material era propiedad de particulares, principalmente de hacendados. Desde la administración de Benito Juárez se planeó el levantamiento de infraestructura hídrica para impulsar la producción agrícola, minera y fabril, llegando a su auge durante el porfiriato; cuando el gobierno federal participó como regulador y legitimador de medidas como la política para desecar ríos y lagos. A esta política fundamentada en la ampliación de las zonas de riego se le agregaron las regulaciones necesarias para mantener una distribución del agua superficial, con una injerencia determinante del gobierno federal. Este panorama general de las disposiciones legales que limitaron la distribución del agua desde el momento de la conquista hasta la centralización del recurso, a principios del siglo XX, es importante para situar las fuentes documentales que se seleccionen en el Archivo Histórico del Agua (Sandre 2005).

Camacho Pichardo, en su obra *Agua y liberalismo. El proyecto estatal de desecación de las Lagunas del Alto Lerma, 1850-1875*, muestra las primeras intromisiones de los gobiernos federales y estatales en los recursos naturales de los pueblos. En 1857 y en 1870, el gobierno del

Estado de México pretendía la desecación de las lagunas de Lerma, que formaban parte de los bienes propios de los ayuntamientos, para tener injerencia en los recursos hidráulicos de los pueblos lacustres. Por la resistencia de los pueblos a los ideales liberales a favor de la propiedad privada de los recursos naturales y contra el corporativismo, y por la falta de condiciones económicas y disposiciones legales del gobierno, no se realizó el proyecto. La preparación formal para alcanzar este tipo de políticas se dio con la legislación del gobierno federal de 1888 y de 1894, que empezó a centralizar los recursos hidráulicos del país (2007).

La controversia entre aguas federales y estatales, a partir de la ley de 1888, tuvo consecuencias en el Estado de México, ya que buscaba aplicar el proyecto modernizador porfirista para impulsar la agricultura. Se aplicaron cuestionarios con la pretensión de conocer la problemática del campo que le impedía desarrollarse, concluyeron que la irrigación era la solución para terminar con el atraso en la producción agrícola. Como medida paliativa, en los siguientes años, se siguieron utilizando los manantiales y las aguas subterráneas en lugar de iniciar las necesarias obras hidráulicas (Medina 2007).

En la zona de Atlacomulco y Jocotitlán, también se ha estudiado la compleja relación entre el gobierno local y los habitantes por la administración del agua en el siglo XIX y el inicio del XX; se ha ilustrado con estudios de caso que los ayuntamientos del estado tenían la facultad de elaborar reglamentos para la distribución y el servicio del agua y de imponer cuotas para el uso doméstico y agrícola. Los ayuntamientos llegaron a convertirse en una fuerza local que logró influir en los actores

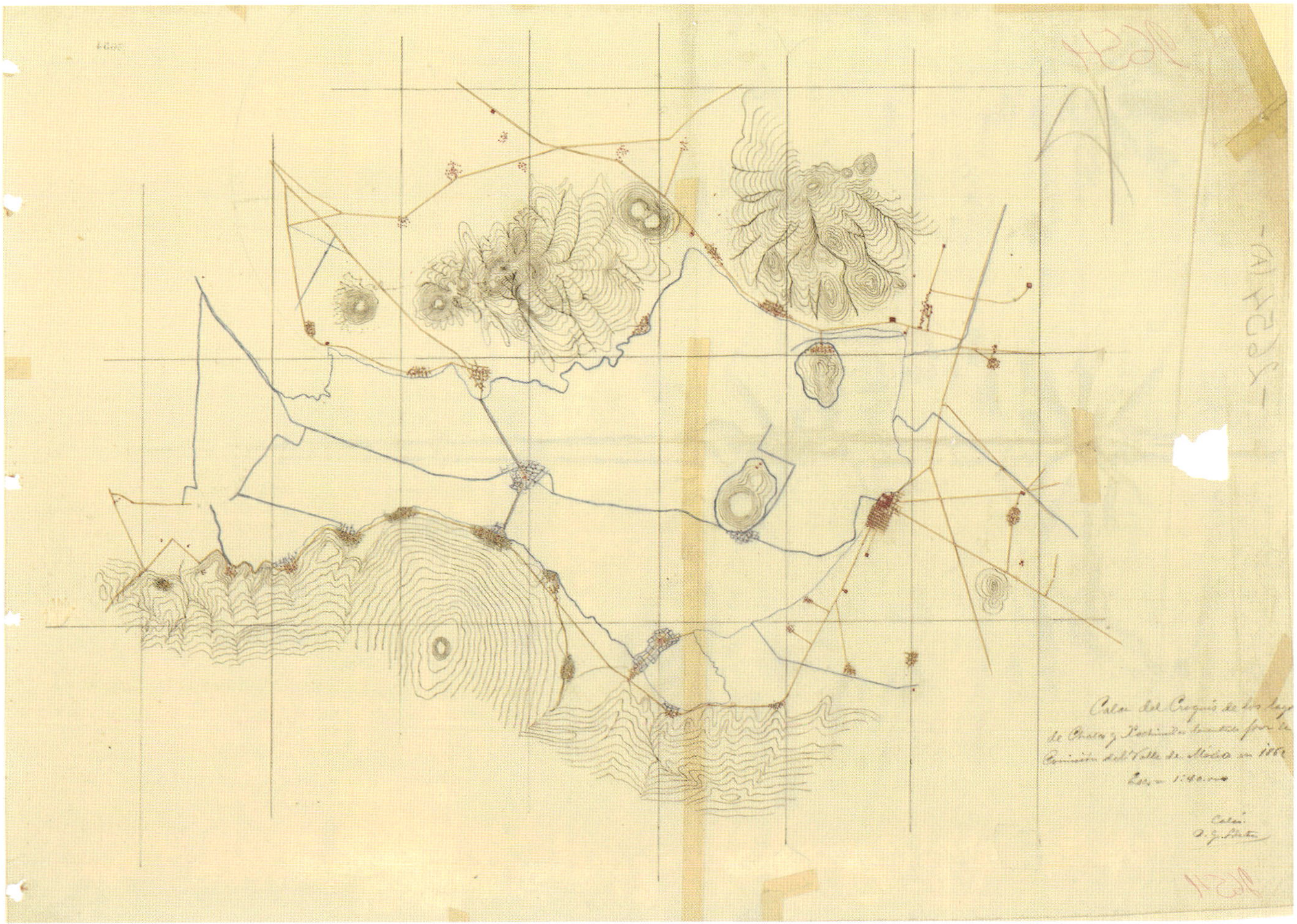

El proyecto porfirista buscaba la modernización de la agricultura

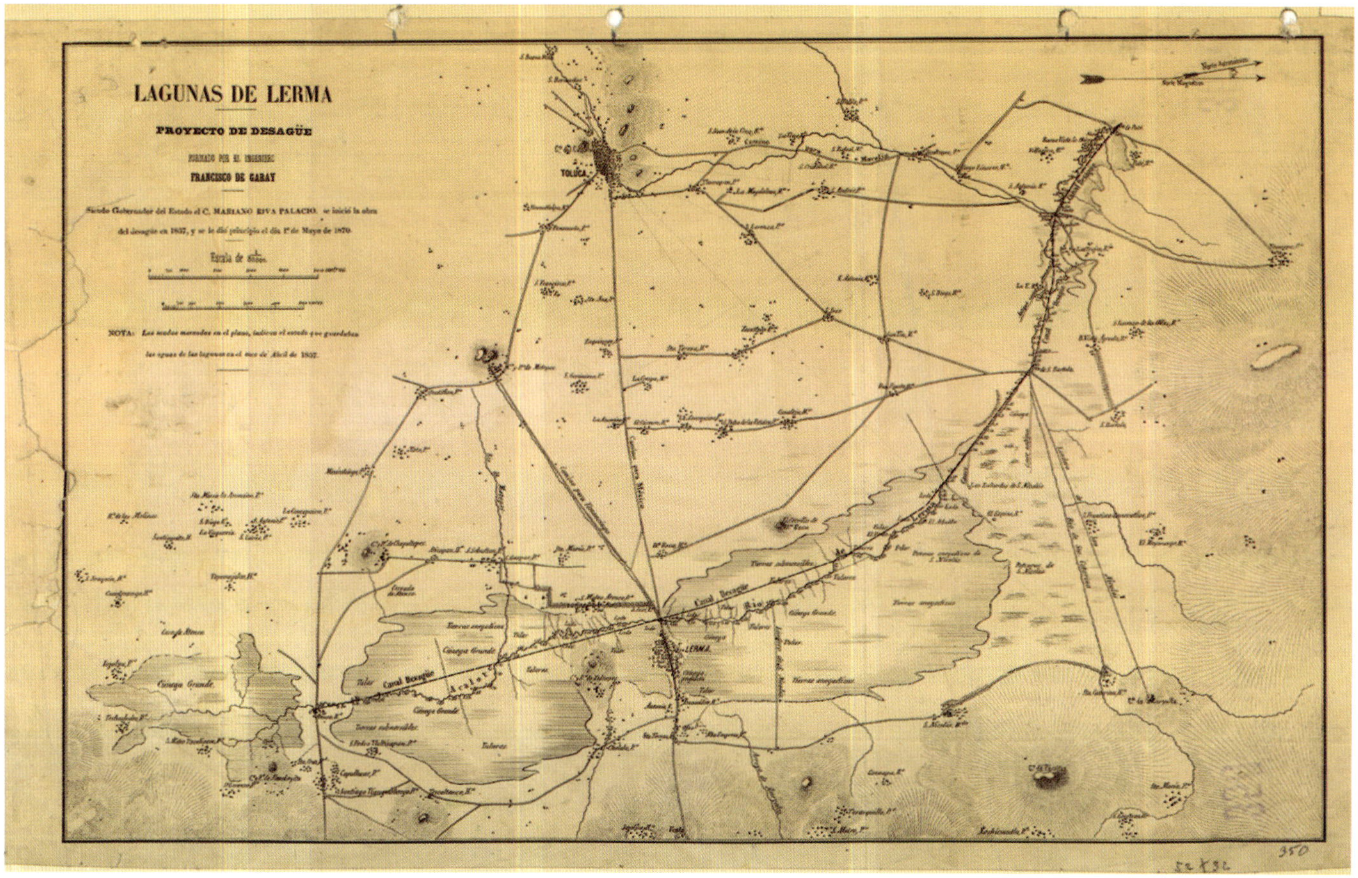

Proyecto de desagüe de las lagunas de Lerma

económicos con la administración del agua (Chávez 2005 y 2007).

La ciudad más estudiada de la cuenca es Toluca, con relación a problemáticas del abasto de agua durante el siglo XIX: *a)* Iracheta (2001 y 2007) estudia el proceso mediante el cual el uso y la propiedad del agua que abasteció a la ciudad pasó de manos de franciscanos y carmelitas al ayuntamiento; *b)* Camacho (2007b) considera que el proceso de introducción del agua potable fue destinado a las "clases privilegiadas"; y *c)* Castañeda (2007) concluye que el abasto de agua en los domicilios fue impuesto por las autoridades locales y por tanto no fue una demanda social.

Es imprescindible apreciar el papel determinante del Estado sobre los recursos naturales en el periodo posrevolucionario; desde 1917 quedó establecido en los principios constitucionales que la nación era la propietaria originaria de todos los recursos naturales, dejando poco espacio de decisión a los gobiernos estatales y municipales. De ahí que la política acerca de los recursos hidráulicos fue cada vez más centralizada en la federación con la consecuente minimización de los intereses sociales locales, que se quedaron al vaivén de los grandes capitales y de las presiones gubernativas (Aboites 1998).

Con el movimiento revolucionario se transformaron las relaciones sociales dirigidas al aprovechamiento del agua, con el surgimiento de la Reforma Agraria. En 1926 se creó la Comisión Nacional de Irrigación y con ella se impulsó desde la política pública y con el control del aparato estatal: la administración de los recursos hídricos y los estudios exhaustivos en los que basaban sus tareas hidráulicas; por ejemplo el Proyecto de riego, entarquinamiento y desagües de la fracción baja de Chapingo, que perseguía el mejoramiento de los cauces de los arroyos para facilitar los desagües de la región alta oriental del lago de Texcoco, y evitar los desbordamientos (Rode 1931).

Otras investigaciones destacan la transformación de la cuenca de Lerma, principalmente las sufridas en el valle de Toluca-Ixtlahuaca-Atlacomulco; Beatriz Albores, por ejemplo, describe esta cuenca como una región que alojó un vasto sistema lacustre que permitió la vida de sus habitantes. Considera que el crecimiento urbano y el centralismo político ocasionaron la conducción del agua de los manantiales y de sus acuíferos subterráneos a la ciudad de México, desapareciendo los lagos; así también el corredor industrial Lerma-Toluca y su extensión hacia Ixtlahuaca y Atlacomulco contribuyó a la transformación de la cultura lacustre de la zona (2002).

Albores nos muestra, en un estudio etnológico, con soportes de antropología social y etnohistoria, de qué manera influyó la desecación de las lagunas de Lerma, entre 1942 y 1970, en la transformación del papel que desempeñaron los recursos hidráulicos en la vida de los habitantes de la zona y qué significo la desecación del lago en la evolución sociocultural mesoamericana. Concluye que la producción lacustre fue fundamental en la economía de la zona sur del Valle de Toluca desde la época prehispánica hasta comenzar la industrialización. A partir de ésta, el agua ya no se usó como base laboral, ya que se utilizó como agua potable para consumo externo. En aras del "progreso" se destruyó la producción lacustre como base de la cultura y se transformaron las relaciones sociales entre los habitantes (1995).

Con similar temática Patricia Romero (2002) expone una relación estrecha entre el sustento de la vida y tres ejes problemáticos del agua en el Valle de Toluca: las obras que desecaron las lagunas de Lerma, la perturbación ambiental de la extracción del agua hacia la ciudad de México y la incidencia de las autoridades federales en las políticas industriales, agrícolas e hidráulicas. Sergio Vargas Vázquez y Nohaora Guzmán analizan el distrito de riego de Tepetitlán para observar los procesos sociales propios del uso y manejo del agua para la agricultura de subsistencia en la zona mazahua, acompañada de otras actividades económicas.

El agua de la ciudad de Toluca también ha sido una temática analizada por su ayuntamiento, que plasma la historia de los servicios de agua potable, drenaje y saneamiento, desde la época prehispánica hasta el año 2000, con el objetivo de aportar conocimientos para consolidar la cultura del agua entre los ciudadanos del municipio. En el recorrido histórico se exponen los cambios de los usos del agua, considerando como reto principal lograr una adecuada distribución del recurso ante el crecimiento demográfico, para tener equilibrio entre la demanda y el consumo (Ayuntamiento de Toluca 2000).

En contraste con el abasto de agua en las ciudades, Birrichaga analiza el suministro en las zonas rurales, principalmente en los pueblos con menos de 5 000 habitantes. El abasto tuvo un cambio notable con las disposiciones del gobierno federal a partir de la administración de Lázaro Cárdenas, quien tenía como objetivo la construcción de una infraestructura hidráulica moderna y reducir las enfermedades gastrointestinales en la población para disminuir la mortandad por ese motivo; hubo un interés notable de los vecinos por participar en este cambio que originó nuevos usos sociales del agua (2007).

Helena Cotler y Ángel Priego explican las repercusiones de los cambios de los usos del suelo en el funcionamiento hidroecológico de la cuenca Lerma-Chapala y su creciente vulnerabilidad. El deterioro de esta cuenca lo explican Alain Winckell y Michael Le Page con estadística y cartografía de los últimos cincuenta años, para diferenciar los efectos de los ciclos naturales con los procesos de apropiación humana de la cuenca (Winckell, 2004). En el análisis del marco institucional de la cuenca Lerma-Chapala se señala que han sido insuficientes los incentivos para lograr una dinámica de cooperación entre los actores involucrados; así como también han sido infructuosas las políticas del Programa Nacional de Medio Ambiente y Recursos Naturales (2001-2006) para el manejo integrado de cuencas en el país (Colter 2004).

En el libro *Los retos del agua en la cuenca Lerma-Chapala*, sus autores pretenden, como producto de una necesidad del presente y de las diversas etapas históricas de la cuenca, dar un panorama general de la problemática socioambiental del agua a largo plazo, que permite

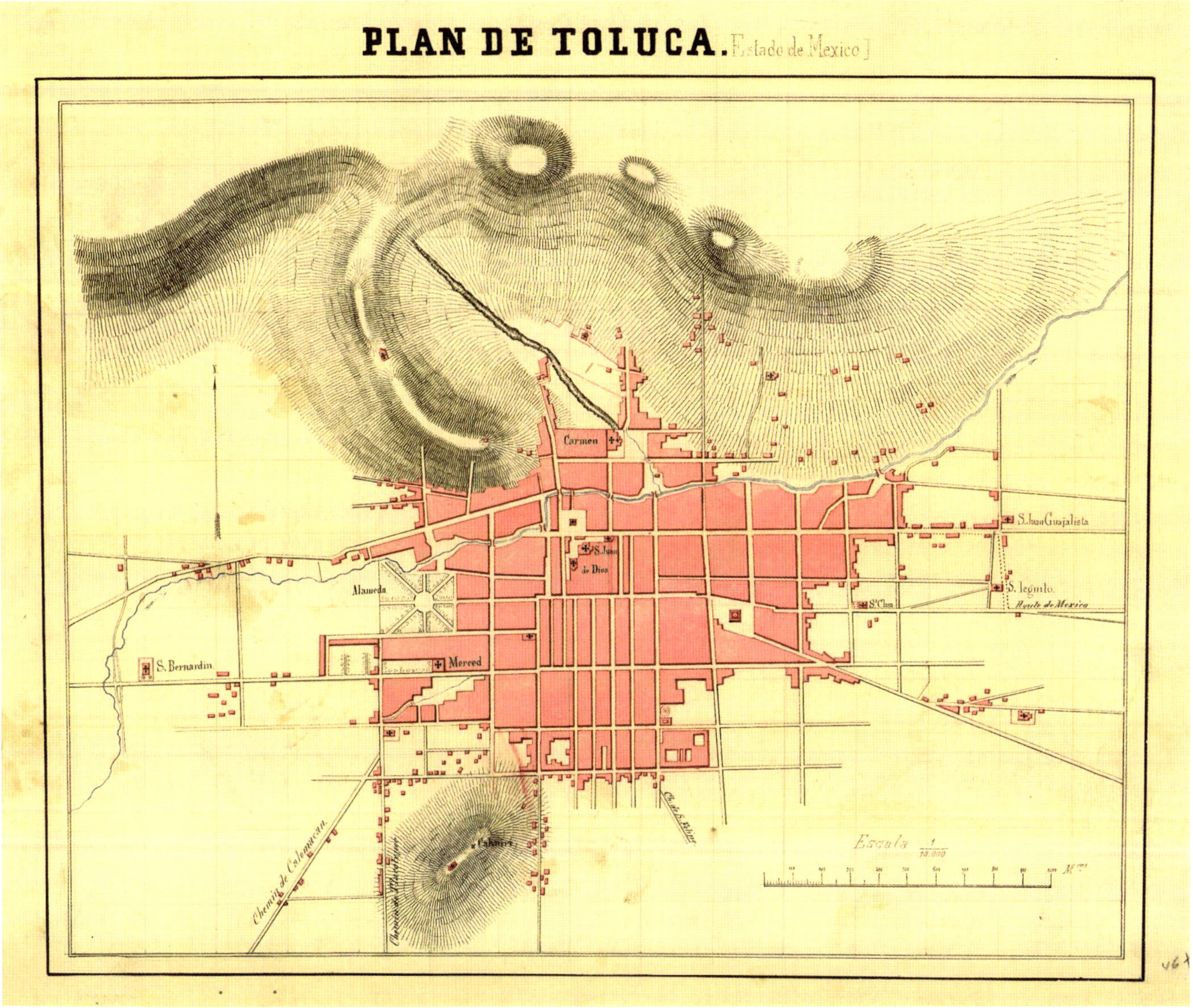

Plano de la ciudad de Toluca

apreciar los procesos por los cuales se ha convertido en un recurso escaso. La cuenca se analiza como un sistema complejo que involucra el medio físico-biológico, la tecnología, la organización social y la economía. Su objetivo central es ser un aporte para llegar al encuentro y entendimiento entre las acciones de los actores gubernamentales para el diseño de las políticas públicas y la acción colectiva de la sociedad, para ponerse de acuerdo en: *a)* el manejo del recurso y de su necesaria redistribución; *b)* la transformación de prácticas; *c)* la modernización de la infraestructura hidráulica; y *d)* considerar que el eje de las anteriores medidas debe tomar las provisiones sobre el deteriorado efecto ambiental (Vargas 2005).

Esta propuesta es producto del propio proceso de desencuentros entre gobernantes y gobernados por las disposiciones legales, los usos y aprovechamiento colectivos del agua, convirtiéndola en un factor de conflicto social y económico con rasgos particulares en cada región de la cuenca.

Estudiar la transformación de los ríos en un periodo largo es un ejercicio favorable para entender la íntima relación de los seres humanos con los usos del agua. Brigitte Bohem investigó la historia del río Lerma durante la época colonial encontrando que los habitantes alteraron la historia hidrológica del río; en consecuencia, en el siglo XXI existe una situación de crisis del río Lerma debido a la sobreexplotación de sus aguas y su contaminación. La colonia significó para los pueblos indios del Valle de Toluca una recomposición de los usos del agua debido al reacomodo de la población y a las demandas urbanas de Lerma y Toluca (2008). En contraste con la expresión de crisis del río Lerma, encontramos la descripción del mismo río en un trabajo publicado en la *Irrigación en México* en 1931:

> El Lerma, es el río más caudaloso que riega el estado, formando las vertientes que bajan de las montañas que hacia el sureste limitan el Valle de Toluca, para en seguida penetrar a la laguna de su nombre y de allí continúa por Toluca e Ixtlahuaca, San Felipe del Progreso, Temascalcingo y deja el estado en San Antonio (Quiroz 1931: 276).

Como señaló Bohem en un recorrido que realizó sobre la producción historiográfica del agua en el centro-occidente del país, la investigación se inclina a estudiar "la alarmante realidad" derivada de la cada vez más intensiva explotación de acuíferos, con la finalidad de resolver los problemas de distribución de agua en las localidades (2005).

Cuenca del Valle de México-Pánuco

Ante la pregunta de cómo se llegó a la escasez de agua en la cuenca del Valle de México, se han realizado diversas investigaciones de historia del agua del centro de México, siguiendo caminos metodológicos similares a los estudios de la cuenca de Lerma, que parten de la época prehispánica al siglo XXI. Es la cuenca con el mayor número de estudios que se han realizado, desde la antropología, la ecología, la geografía histórica y el desarrollo industrial.

Desde el punto de vista antropológico, Carmen Viqueira (1994) analiza el sistema de riego antiguo, ampliado considerablemente con obras hidráulicas de gran magnitud en la época del rey Netzahualcóyotl, el cual decae en el periodo colonial. Christine Niederberger (1976) subraya que la región se volvió un centro económico y político clave durante la etapa prehispánica, con un sello eminentemente acuático, marcado por la presencia de grandes lagos, que fueron artificialmente drenados por medio de largas y difíciles obras concluidas en 1900. El auge de esta relación entre hombres y lagos fue con los imponentes trabajos hidráulicos aztecas, con el crecimiento de la gran capital de Tenochtitlan en el lago central y la máxima extensión de tierras agrícolas sobre las riberas lacustres (chinampas).

En el libro de Espinosa Pineda el tema central es la concepción del sistema lacustre de la cuenca de México que tenía la cultura mexica, exponiendo el panorama natural de las subcuencas de Zumpango, Texcoco y Chalco-Xochimilco, y su relación con la actividad humana al inicio del siglo XVI. Esta relación permitió que los mexicas decidieran establecerse en la región convirtiéndose la fauna y la flora lacustre en elementos primordiales de su subsistencia y principalmente en el desarrollo cultual. Si bien estos elementos retroalimentan su cosmovisión, esto no fue suficiente para cuidar el entorno, sino que hubo una considerable destrucción tanto indígena como española. El autor utiliza el mapa

El antiguo lago en Lerma

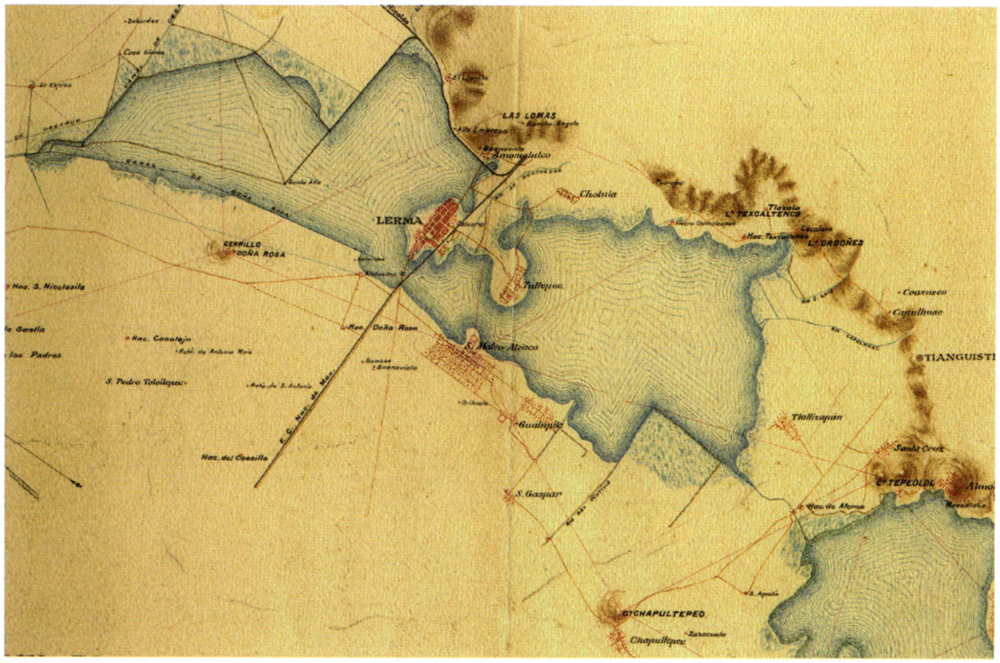

como fuente importante para ubicar las localidades alrededor de la cuenca (1996).

Teresa Rojas (1995) considera que el predominio de la cultura náhuatl está asociado con el control de los recursos naturales y con el equilibrio hidráulico en el Valle de México. Uno de los puntos de partida para conocer el sistema lacustre es estudiar con detalle la variada riqueza en flora y fauna de los varios lagos de grandes dimensiones de la cuenca de México antes del siglo XVII, cuando se inició la obra del desagüe artificial. La adaptación al medio de las sociedades prehispánicas se señala en los trabajos de Ángel Palerm, Teresa Rojas, Rafael Strauss y José Lameiras, quienes explican las obras hidráulicas que están en la cúspide de una organización colectiva con elevados rendimientos para el reparto y aprovechamiento del recurso; que explica la alta densidad demográfica de la cuenca de México. Destaca en estas investigaciones la continuidad de la tradición tecnológica indígena en el periodo colonial, para solucionar problemas de inundaciones, control y distribución del agua, de riego y de comunicación en el Valle de México (Palerm 1973) (Rojas *et al.* 1974).

El interés científico por conocer el manejo técnico del agua que hicieron las culturas prehispánicas,

Detalle de las obras prehispánicas en la Laguna de Texcoco

por medio de obras hidráulicas, ha hecho evidente que la mayoría de los estudios se han centrado en las obras de riego por encima de las dedicadas al uso doméstico, al drenaje o a evitar inundaciones. Esto se debe al interés por demostrar la relación entre la agricultura hidráulica y los orígenes del urbanismo y del Estado. Destacan los estudios sobre la cuenca del Valle de México dentro del complejo panorama de cuencas existentes en el país debido a su importante papel como centro cultural de Mesoamérica (Rojas 2009). En la época prehispánica la cuenca de México se distinguió por la abundancia de sus recursos de procedencia lacustre, que se usaban principalmente para la alimentación, a diferencia de otras regiones de Mesoamérica. Estas prácticas acuáticas fueron comparadas en diferentes momentos históricos hasta finales del siglo XX (Rojas 1998).

En los estudios de la cuenca de México destaca el ancestral manejo agrohidráulico de las culturas de filiación náhuatl establecidas en las riberas en el sur de la cuenca en la región Chalco-Xochimilco, por medio del sistema de chinampas (cuyo apogeo se establece entre 1400 y 1600), que fungieron primero como lugar habitacional y después como hallazgo agrícola de alta productividad y generadora de una cultura alrededor del agua (Rojas 1995).

Alain Musset (1996) dirigió su estudio hacia la geografía histórica y el estudio de los aspectos técnicos y culturales del agua en el Valle de México, pone en evidencia que la desaparición de los lagos del Valle de México no sólo se debió a decisiones técnicas, sino que también respondía a la idea de que las aguas estancadas eran fuente de infección. La desaparición del sistema lacustre se consumó a la par de los conflictos generados por la incompatibilidad de dos concepciones sobre el uso del agua: el de los indígenas, quienes eran partidarios de un uso racional de los sistemas hidráulicos, y el de los españoles, que la destruyeron.

Alejandro Tortolero expone la transformación del medio natural y social con la desecación del lago de Chalco; destaca la concepción de los pueblos, que observaban con recelo el acaparamiento de las aguas en manos de los empresarios durante el porfiriato y su utilización tanto para fincas agrícolas e industriales como para impedir la agricultura independiente. En este trabajo se nota cómo, frente a la prosperidad y expansión económica de las haciendas, se da una desarticulación de la agricultura de los pueblos ribereños, quienes adoptan tácticas de protesta que van desde las legales hasta la destrucción de las obras de canalización

La decisión de la desaparición de los lagos del Valle de México no sólo se debió a decisiones técnicas

y su participación en el movimiento revolucionario de 1910-1917. Con la desecación se pone fin a la íntima relación entre los habitantes y el lago de Chalco con una consecuencia negativa en su forma de vida (Tortolero 1994 y 1996b).

El poder arbitrario de hacendados e incipientes empresarios de Chalco y Tlalnepantla, a finales del siglo XIX, sobre los usos de agua, desviando el recurso para el beneficio de su producción, afectaba a los pueblos. Mario Trujillo mostró cómo la fábrica textil San Ildefonso desvió el agua del río Tlalnepantla, y Tortolero expone cómo la fábrica de papel San Rafael se adueña del agua de los manantiales y del río Tlalmanalco construyendo un

Las chinampas como sistema de riego antiguo

complejo sistema de canales (Tortolero 1996a) (Trujillo 1996).

Las investigaciones muestran que el problema del agua era tan importante como el de la tierra, ya que estaban articulados. Se ha estudiado que el arrendamiento de las tierras y las aguas de los pueblos de Texcoco, al finalizar el siglo XVIII y en la primera mitad del siglo XIX, fue el eje de la administración local de los bienes comunales de los pueblos indios. Aun con el establecimiento de las municipalidades y con la legislación liberal, los habitantes tenían el control colectivo de sus recursos haciendo negociaciones o enfrentándose a hacendados, hasta que la Ley de Desamortización de 1857 canceló el carácter corporativo de las tierras y aguas de los pueblos (Birrichaga 2005).

Dentro de esta temática se analizó la afectación de la Reforma Agraria en el control y administración de los recursos hídricos en manos del gobierno federal. El estudio de caso se centra en la distribución del agua del río Tepotzotlán. A partir de las disposiciones legales para la conformación de los ejidos, junto con el reparto agrario, se dieron deposiciones nuevas para restringir el uso del agua. Se destacan varias líneas de investigación que se pueden seguir: los procesos de distribución del agua, la organización social de los ejidos, la disputa por la tierra y el agua entre pueblos y hacendados, la construcción de infraestructura hidráulica y la ruptura legal en materia de agua entre el régimen de Porfirio Díaz y el revolucionario (Sandre 2009).

En la región de Texcoco, a partir de la Reforma Agraria y hasta 1991, se demostró que el crecimiento demográfico, el incremento de pozos agropecuarios y la disminución de los mantos acuíferos crearon un reto que los habitantes enfrentaron mediante organizaciones locales para el uso del agua en la agricultura en dos direcciones: la tradicional, usando el riego con agua superficial disminuyendo el área de tierras irrigadas; y la moderna, usando la tecnología con agua subterránea aumentando el número de terrenos irrigados (Lane 1994).

Tortolero (2000), dentro de un análisis general de la situación del agua en toda la nación, explica fenómenos acaecidos en localidades del Estado de México desde la época prehispánica hasta el inicio del siglo XXI. Las referencias a la cuenca del Valle de México están en el capítulo sobre el significado del agua para los indígenas y en el relacionado con los cambios impuestos por los españoles en la época colonial desviando cursos de agua y construyendo acueductos y presas, lo que significó la transformación de la cuenca lacustre y posteriormente la desecación de lagos y lagunas. El lago de Texcoco se transformó de un cuerpo de agua que originaba inundaciones a un problema de salud pública por el mal olor que despedía hacia la ciudad de México. El sistema hidrográfico de la región de Chalco se convirtió, mediante la canalización de las aguas del lago, en abastecedor del lago de Texcoco. En el estudio de la desecación de los lagos observamos uno de los rasgos depredadores del progreso económico, que históricamente ha acarreado nefastas consecuencias para los ecosistemas. El autor expone cómo las sociedades prehispánicas asentadas en la cuenca de México le habían otorgado una centralidad a los lagos como parte esencial de su vida material.

En otro trabajo, Tortolero estudia con precisión la zona de Chalco, desde 1890 a 1925, para destacar la transformación de la zona debido a las obras hidráulicas practicadas en el lago de Chalco; varias empresas motivaron la transformación del espacio y comenzaron la desecación del lago. Estas obras se cruzan con el cambio en la organización de la tenencia de la tierra, provocando que se agudice la problemática del agua, cada vez más hasta que al principio del siglo XXI la carencia del vital líquido, de tierras, de bosques, ha originado conflictividad social (2002b).

Del mismo autor, en su trabajo "Agua y modernización: los lagos de Chalco y Chapala entre el porfiriato y la revolución. Un modelo de aprovechamiento del paisaje agrario", encontramos la utilización del agua en el proceso de modernización de la explotación agraria (uso de intrumentos y máquinaria agrícola) en el

La desecación de los lagos respondía también a la idea de que el agua estancada era fuente de infección

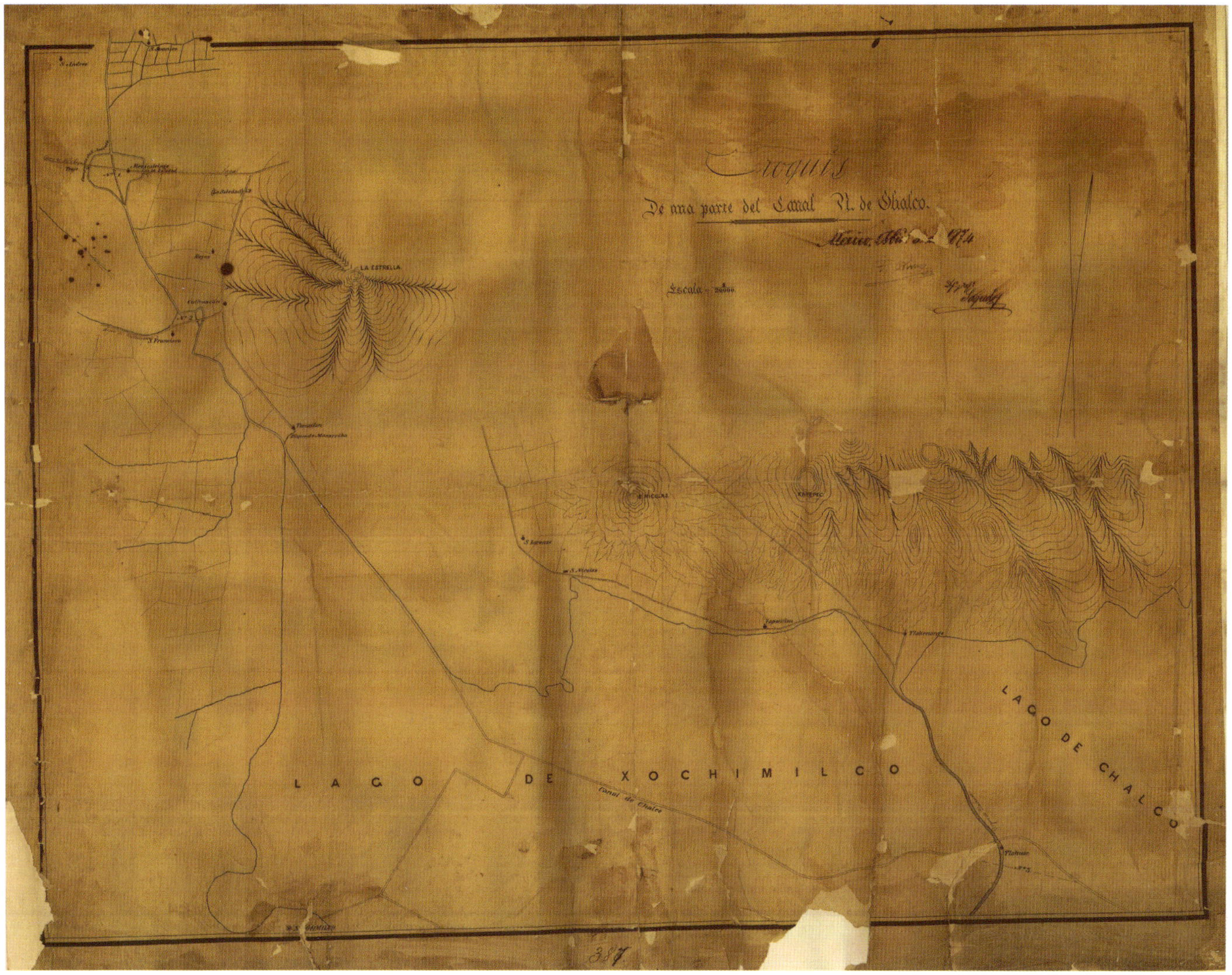

último cuarto del siglo XIX; principalmente en algunas haciendas de la región de Chalco. El uso del agua en la agrícultura tradicional como en la moderna fue imprescindible. Controlar el exceso y la carencia de agua en los suelos fue y ha sido una tarea de la modernidad agrícola; en esa época no se trataba de colaborar con la naturaleza sino de obtener los máximos frutos de ella. El autor resalta el uso de la cartografía y de los planos topográficos como fuente importante para este tipo de trabajos (2002a).

El desagüe del Valle de México es uno de los temas más estudiados de la cuenca, porque tuvo un papel importante en la sociedad de la ciudad de México por sus constantes inundaciones desde 1607 hasta 1900, año en que Porfirio Díaz inauguró el canal de Tequixquiac y oficialmente el sistema del desagüe del Valle de México. La *Memoria histórica, técnica y administrativa de las obras del desagüe del Valle de México, 1449-1900,* es probablemente la obra más completa en su descripción de la orografía e hidrografía de la cuenca, que se divide en cuatro regiones:

Prospecto para la formación de una empresa para la apertura de un canal navegable de México a Chalco

PROSPECTO
DE LA APERTURA DE UN CANAL NAVEGABLE
DE MEXICO A CHALCO, VIA DEL PEÑON-VIEJO, AYOTLA Y SANTA BARBARA,
PARA BARCAS TIRADAS POR CABALLOS.

ESTA empresa, de lisonjeros resultados bajo el punto de vista de la utilidad pública, y de esperanzas de grandes ganancias en cuanto al de la particular, ha sido intentada varias veces sin buen éxito, por haber sido concebida sobre una base falsa. Se suponia que los lagos de Chalco y Xochimilco tendrian en toda su estension, la profundidad suficiente para la navegacion de barcas de tres ó cuatro piés de calado, cuando ésta no presenta en algunos puntos, ni aun la necesaria para simples canoas, y porque ademas la superficie de estos lagos está siempre cubierta de una *turba* flotante, que embaraza, y hace hasta cierto punto, imposible cualquiera tentativa de navegacion.

Para vencer estas dificultades, seria indispensable canalizar aquellos lagos, lo cual importaría sumas inmensas, y mucho tiempo para su ejecucion. Por esto vino el desaliento á los especuladores particulares, quienes no acometieron ya la empresa por asociacion; y de aquí el olvido en que habia quedado este gran proyecto que, como todos los de su clase, para ser posibles de este modo, necesitan tener tres condiciones precisas:

Pronta ejecucion.
Capital moderado, bien invertido y garantizado.
Mucha utilidad.

La actual empresa ha resuelto estos tres problemas.

Despues de los trabajos necesarios de reconocimiento, formacion del plano y cálculo de los presupuestos, ha encontrado que la obra puede ejecutarse pronto, con poco costo relativo, y con esperanza de grandes utilidades; cuya demostracion vamos á intentar aquí someramente, para la inteligencia de los que quieran asociarse á ella, así como para hacer saber las principales condiciones que le servirán de base.

APERTURA DEL CANAL.

El ingeniero topógrafo D. Benito Leon Acosta, ha obtenido del Supremo Gobierno la concesion correspondiente para la apertura y uso esclusivo de este canal, por el término de diez años. La via de que se trata, debe partir de la garita de San Lázaro y aun de mas al centro de la ciudad, empleando desde luego la zanja llamada de San Lázaro, cuyo uso le ha sido igualmente concedido, y en la cual no tiene que practicarse otro trabajo mas, que el de regularizar su direccion, formarle taluz, y nivelar el bordo ó tránsito para los caballos, hasta el punto del Peñon-viejo. Esta operacion debe practicarse en cuatro meses aproximadamente, y allí ha de ponerse desde luego el primer establecimiento de barcas, para comenzar á fletar la carga que se presente.

Del Peñon-viejo comenzarán los trabajos de la apertura del canal, que ha de tocar los puntos de Tlapizahuac, Ayotla y Santa Bárbara, hasta Chalco, segun se designa en el plano adjunto.

El espresado canal se surtirá de las aguas del lago de Chalco, que en el punto mas culminante no son otras que las que producen los grandes ojos, ó veneros de Tlapacoya, situados á muy corta distancia del tránsito del canal, segun puede verse en el mismo plano; de modo que aunque se logre alguna vez la desecacion del valle, nunca le faltará á este canal agua para la navegacion, supuesto que ha de recoger directamente la de los espresados veneros de Tlapacoya.

La distancia que ha de comprender el canal del Peñon-viejo á Chalco, será de seis leguas, y la ejecucion de su apertura no tardará mas tiempo que el de catorce meses aproximadamente.

Tenemos, pues, que nuestra nueva via recorrerá una total distancia de nueve leguas de México á Chalco, que comparada con la que actualmente se emplea por el llamado de la Viga, cuyo tortuoso trayecto se puede observar en el plano, que aproximadamente es de trece leguas, nos da una diferencia, á nuestro favor, de cuatro leguas. Así es que, la travesía del nuevo canal será de seis horas, poco mas ó ménos, en barcas cómodas, cubiertas y libres de toda avería para la carga, y con comodidad para los pasajeros; miéntras que por el de la Viga se emplean diez y seis ó veinte, de noche, y con todos los inconvenientes que no es preciso indicar aquí.

CAPITAL.

El costo de la limpia de la zanja de San Lázaro, el de la apertura de seis leguas de canal con la profundidad de cinco piés aproximadamente, y de seis ó siete varas de latitud; los gastos de construccion de barcas y compra de caballos, no han de bajar de sesenta mil pesos, ni han de pasar de ochenta mil.

Los empresarios que suscriben, emitirán un crédito de $ 120,000, representados en bonos que se llamarán BONOS DEL CANAL DE CHALCO; que tendrán el valor de $ 500 y de 250, de los cuales se reservarán, suscritos por los mismos empresarios, ochenta de á 500 como fondo dotal y propio de la empresa, quedando los restantes á disposicion de los accionistas suscritores que quieran tomarlos.

La exhibicion del importe de estas acciones, que representamos en los susodichos bonos, se hará por 18^vas partes, correspondientes á los diez y ocho meses que ha de durar la ejecucion de la obra.

Si el costo de ésta no llegase al calculado, las exhibiciones serán menos de las indicadas aquí. Los bonos de que hablamos, serán firmados por los empresarios que suscriben, y tendrán impresas las cláusulas mas precisas de la Escritura de concesion; así como una hoja en blanco con los diez y ocho recibos para las diez y ocho exhibiciones, que serán firmadas por los sócios concesionarios de la empresa, en las épocas de su exhibicion, á fin de que los tenedores de ellos, con estas formalidades, acrediten en todo tiempo sus derechos adquiridos á la negociacion.

Estos bonos podrán ser trasferibles con endoso á voluntad del poseedor.

Los empresarios que suscriben, desde luego se harán responsables de las cantidades que se enteren á la empresa, por virtud de la adquisicion de estos bonos, siempre que no se inviertan religiosamente en los trabajos legítimos de la obra, de que darán cuenta documentada respectiva á los accionistas suscritores, en la forma y manera que designe el reglamento que se espida por ellos mismos, á propuesta de los empresarios en su tiempo respectivo, reunidos en junta general, en la cual tendrán la representacion proporcionada al número de acciones que posean.

El que suscriba una ó mas acciones, podrá renunciarlas, si despues de tomadas no le conviniere continuarlas, en cuyo caso las devolverá á la empresa en los primeros quince dias del mes, para que ésta pueda libremente enajenarlas á un nuevo suscritor. Al suscritor cesante se le dará un documento que acredite los derechos adquiridos á la negociacion por la parte ó partes que hubiere exhibido; pero si éste retuviese en su poder el bono, sin pagar las cuotas de suscricion y sin devolverlo á la empresa, perderá esos mismos derechos, que quedarán á beneficio del comun.

UTILIDAD.

El movimiento que ha tenido el canal de Chalco en el año próximo pasado (que ha sido uno de los mas pobres de entrada) por fletes puramente de efectos de comercio, asciende á $ 50,000 aproximadamente, segun datos sacados de la Aduana de esta Capital, y facilitados por el Ministerio de Fomento á nuestro sócio é ingeniero el Sr. Acosta.

El movimiento de pasajeros de primera y segunda clase, en el propio tiempo, se ha calculado bajamente en $ 20,940 aproximadamente; de modo que estas dos cantidades hacen el valor total de movimiento de $ 70,940. Es pues, de suponerse, que abierto y en corriente nuestro canal, el tráfico del de la Viga se trasladará á éste, por las ventajas incalculables de la menor distancia, mas violencia y seguridad en los efectos, siendo, como será, el precio del flete el mismo.

Por otra parte, como el canal lleva la direccion del camino real de Puebla, hasta una distancia de ocho leguas, es de esperar que casi toda la carga de Veracruz tome el canal en Santa Bárbara, pues así ahorra ocho leguas, ó un dia de camino, y la mitad del flete, pues solamente dos reales costará la travesía de cada carga hasta México.

Los efectos que entran por la garita de S. Lázaro, esclusyendolos ultramarinos, están calculados en $ 5,000 prudencialmente, los que agregados al producto anterior, hacen la suma de $ 75,940, que con el movimiento del camino de Veracruz, podria hasta duplicarse, pero que solo lo consideramos en su término medio.

Así es que, por esto, tomando una base enteramente baja en los productos, y una demasiado alta en los costos y gastos, podemos hacer la operacion de cálculo siguiente:

Gastos de administracion en un año..	$ 7.000
Arrendamiento anual del terreno.....	500
Gastos de conservacion y mejoras supuestas..........................	2.500
Suma..................	$ 10.000
Producto anual por término medio...	80.000
Utilidad..............	$ 70.000

Cuya utilidad sobre el capital primitivo, corresponde á mas de un 50 p.S de renta anual.

MODO DE FORMAR LA ASOCIACION.

Los que quieran asociarse á esta empresa, firmarán al calce de éste, diciendo: *Me suscribo por media, una, dos, ó mas acciones*, y así lo remitirán á la empresa ó sus agentes.

Suscritas las dos terceras partes, lo ménos, de las 240 acciones, los empresarios convocarán á los accionistas á junta general, para hacerles saber las providencias que hayan tomado para la apertura de los trabajos, y arreglar de comun acuerdo las condiciones todas de la compañía de accionistas para esta empresa.

México, Agosto de 1859.

Cayetano Rubio. Luis G. [illegible]

Benito Leon Acosta.

Me suscribo por ... *accion*

Y las aguas del Valle de México salieron por Tesquixquiac

Pachuca, Zumpango, Texcoco y Chalco. Se narran la reseña histórica del desagüe desde la época de los aztecas, las diversas inundaciones de la ciudad de México y la reseña de las obras realizadas con especial cuidado en las cuestiones técnicas, por ser un producto de la modernidad de la época. Cuenta con algunos mapas como el hidrográfico del Valle de México y de una parte de sus lagos. Se describe la abundancia de agua en la cuenca del Valle de México:

> Los ríos que escurren por las laderas, los arroyos que serpentean en la llanura, y los manantiales que brotan aquí y acullá, forman en la parte más baja de la Cuenca, mayormente en los tiempos antiguos, grandes depósitos de agua, los lagos, que acrecentados por las lluvias inundaban a México y a los pueblos de los entornos (Junta Directiva 1902: IV).

Hay otro campo clave en la explicación de los usos del agua: el conflicto, las tensiones por el control y distribución del recurso entre los grupos de interés: pueblos, pequeños propietarios, hacendados, empresarios. La lucha por el agua fue un factor decisivo en las actividades productivas, la conformación de alianzas entre grupos y la política institucional en los diferentes ámbitos de gobierno. Con esta temática se analizaron algunos casos de mecanismos empleados por los pueblos para conservar sus derechos y mantener el uso consuetudinario del agua, en las últimas tres décadas del siglo XIX. El gobierno federal encontró una actitud hostil de los pueblos, lo que retrasó la aplicación de las leyes de 1888 y 1894, que buscaron fortalecer al Estado en el manejo del agua (Camacho 2005).

Con fuentes del Archivo Histórico del Agua se han realizado breves estudios con temas específicos. Las secuelas del proceso de industrialización y urbanización de los municipios conurbados al norte de la ciudad de México (1960-2005) sobre las aguas del río Cuautitlán, ocasionando la contaminación de los recursos naturales y la modificación de los usos de la tierra y el agua (Sandre 2006). El manejo del agua entre pueblos y haciendas de Texcoco que empleaban tres sistemas hidráulicos durante el siglo XIX, con sistemas de riego de origen colonial y en algunas ocasiones con reminiscencias prehispánicas (Birrichaga 2002). El sistema de drenaje del Valle de México se solucionó parcialmente al finalizar el porfiriato, pero algunos problemas orillaron al gobierno a realizar reparaciones y nuevas obras durante el siglo XX, como un segundo túnel en Tequixquiac; entre los problemas destacan el deficiente acabado de las obras, el crecimiento de la población y la escasez del presupuesto (Guerrero y Francia 2001).

Las investigaciones con problemáticas recientes relacionadas con la cuenca del Valle de México muestran la articulación de la escasez y la contaminación del agua con el desarrollo social y sustentable, entendido como el acceso a los bienes y servicios, a la distribución equitativa de la riqueza y la certeza de no sacrificar en el presente los recursos ambientales que se requieren para garantizar el futuro. Se afirma que la migración interna que se acumula en el Valle de México implica una sobrecarga territorial que afecta la disponibilidad y calidad del agua como elemento de sustentabilidad. Los cambios poblacionales provocan situaciones de inequidad y riesgo (Luna 2003). Proponen como una solución factible disminuir la sobreexplotación del acuífero y con ello contribuir a desacelerar el hundimiento del terreno, reducir la necesidad de traer agua de fuentes externas y contribuir a mejorar la salud de los consumidores y del ambiente (Jiménez 2003).

En suma, todos estos estudios nos hablan de ciertos factores que inciden en el actual estado hidrológico de la cuenca de México: la apropiación y utilización de los recursos acuíferos que acabaron con el equilibrio ambiental prehispánico; la primacía del ideal de modernización sobre el equilibrio ecológico, los cambios de los usos del agua, la importancia de la ciudad sobre el campo para evitar inundaciones y la urgencia de aplicar medidas correctivas.

Cuenca del río Balsas

La cuenca hidrográfica del río Balsas que corresponde a la parte del Estado de México se ha estudiado poco en comparación con las cuencas de Lerma y del Valle de México. Los trabajos sobre esta cuenca se han encargado de exponer su nobleza en recursos naturales, su situación geográfica y las notables obras hidráulicas que se han realizado en las últimas décadas del siglo XX.

En el libro *Las utopías del Balsas. Historias de una propuesta regional de comunicación interoceánica*, se expone la riqueza natural de la zona. El terreno es extremadamente montañoso por encontrarse en la vertiente sur del Nevado de Toluca, por lo que la agricultura, que ha sido la principal actividad económica, se practica en tierras de fuerte pendiente. La cuenca hidrográfica del río Balsas (también llamado Mezcala, Atoyac o Poblano)

Plano del canal de Huehuetoca

es la más extensa del país y la más importante de la vertiente del Pacífico mexicano. Era uno de los ríos más caudalosos, que fue objeto de expediciones y estudios desde la época colonial, debido a que existía la expectativa en varias generaciones de hacer navegable el río para incrementar la comunicación regional, que había sido muy pobre. Sus antecedentes históricos de usos del agua no tienen referencia con la época prehispánica (como en las otras dos cuencas); parten de las propuestas de modernización durante la República restaurada. Se ha demostrado que en esa época se pretendía aprovechar sus aguas para alcanzar la comunicación interoceánica por el centro del país. Ante las presiones de los gobernantes estatales de Guerrero, Puebla, México y Michoacán, el Congreso de la Unión y el gobierno federal autorizaron, en 1869, una comisión científica presidida por el ingeniero Robert Gorsuch para estudiar y analizar la factibilidad de convertir al río Mezcala-Balsas en arteria navegable de dimensiones internacionales. La expedición concluyó en mayo de 1870, afirmando que el río no tenía las condiciones para ser navegable. El río Balsas fue y sigue siendo un recurso natural indispensable para las poblaciones asentadas en su ribera. Las siguientes solicitudes (1908, 1920, 1924) proponían aprovechar al Balsas como generador de energía, ya no como medio de comunicación. El Balsas despertó el interés de autoridades locales y nacionales y de inversionistas mexicanos y extranjeros (Uribe y Miranda 1995).

Su sistema ecológico e hídrico ha sido tratado principalmente por los textos realizados por el gobierno del Estado de México, donde se expone que ha sido afectado por los aprovechamientos parciales de los recursos naturales. Se ha fragmentado su sistema fluvial por las obras hidroeléctricas, presas y sistemas de riego, en sus cuencas media y alta. Los usos industriales y urbanos han generado una degradación de sistemas acuáticos. El agotamiento de los recursos hídricos de la cuenca de Lerma, los conflictos regionales y, sobre todo, los hundimientos progresivos del subsuelo de la ciudad de México por la extracción del agua, determinaron que el gobierno federal llevara el agua potable a algunas delegaciones de dicha ciudad desde la cuenca del río Balsas, estableciendo el Sistema Cutzamala; el cual también abastece de agua potable al Valle de Toluca. En 1976 se inicia allí una de las obras de abastecimiento hidráulico más imponentes del país: el aprovechamiento del agua almacenada en ocho presas localizadas en la cuenca alta del río Cutzamala. El Sistema Cutzamala fue planeado en varias etapas: la primera etapa consistió en tomar el agua de la presa Victoria y conducirla por la sierra de Las Cruces hasta el poniente de la ciudad de México, la cual fue inaugurada en 1982. La segunda consistió en captar el agua de la presa de Valle de Bravo en funcionamiento en 1985; y en la tercera etapa se aprovecharon las aguas del río Malacatepec que concluyó en 1993. Al proyecto Temascaltepec se le conoce como la cuarta etapa del sistema (Gobierno del Estado de México 1999).

Río Cutzamala

Al disminuir los recursos hídricos que sostienen la agricultura regional, con el Sistema Cutzamala, las consecuencias en la actividad económica de sus habitantes son negativas. La desigual distribución del agua por parte del gobierno entre las comunidades mazahuas ha generado un injusto reparto por sectores sociales, provocando conflictos sociales. El tema ha sido analizado en el municipio de Villa Victoria, donde se ha desarrollado un movimiento social mazahua a partir de 2003, en particular del Frente Mazahua, que demanda un desarrollo sustentable para la región mazahua construido en torno al uso del agua (Gómez 2011).

Dentro de la temática de conflicto por el control del agua, se presenta la relación entre nuevos residentes con alto poder adquisitivo y la población nativa de Malinalco, en un contexto de acelerada urbanización que provocó un dinámico y competido mercado del suelo. Por sus esquemas organizativos han resistido los campesinos del lugar las presiones externas y han mantenido el control de la distribución del agua (Castro 2004).

Al finalizar el siglo XX, el gobierno del estado opinaba que se requeriría construir un segundo Sistema Cutzamala transportando el líquido de una fuente más alejada, con la finalidad de cubrir las necesidades de abastecimiento de agua potable de los 19.7 millones de habitantes que tendría el Estado de México. Se necesitaría reducir la pérdida de agua de 30% a 20% atendiendo las fugas dentro de las zonas habitacionales, disminuir el uso del agua residual donde no se requiere agua potable, mayor aprovechamiento del agua de lluvia, emplear accesorios hidráulicos de bajo consumo e invertir los porcentajes de agua subterránea utilizada en actividades agropecuarias, con base en la aplicación de sistemas de riego modernos de bajo consumo de agua (Gobierno del Estado de México 1999).

Comentarios Finales

La investigación de cada cuenca supone la atención de los diversos actores involucrados en las diferentes etapas históricas. Cuando se trata de una cuenca dividida por las fronteras de varios municipios, los problemas de estudio se multiplican, no solamente se ha hecho hincapié en los usuarios del recurso, sino en los actores cuyo interés es económico y político. Las problemáticas estudiadas pueden dividirse en cinco secciones: *1)* las dimensiones socioculturales del agua, *2)* el uso y manejo del agua, ayer y hoy, *3)* el Estado y la política del agua, *4)* los actores sociales, y *5)* los conflictos por el agua.

La política del agua en el Estado de México se fue estructurando a lo largo de la historia del sistema hidrológico en el país, modificado por las particularidades regionales de cada cuenca. El paradigma con el cual se diseñó ese sistema en el siglo XX estuvo marcado por la necesidad del Estado de garantizar el acceso al agua a pesar de la escasez, del deterioro ambiental y de la pérdida de calidad. Esto se debe a la vertiente política que fue adquiriendo importancia en los usos y en la propiedad del agua, desde finales del siglo XIX hasta la actualidad. La historia demostró que esta faceta no pudo ir sola, que estuvo acompañada por las acciones de los diversos actores que tuvieron interés o facultad de decisión o fueron afectados por ser los usuarios ancestrales. Los trabajos mencionados ayudan a tener un panorama general de la complejidad del proceso del abasto de agua y de sus usos.

Los estudios históricos se centran en el acceso, distribución y manejo del agua de la época prehispánica, la colonia, el porfiriato y durante la posrevolución. Las las ciencias sociales analizan el papel que han tenido diferentes actores: Estado, industriales, hacendados, agricultores, población urbana, en torno de la gestión de los recursos hídricos en el campo y en la ciudad. Todos ellos ayudan a comprender el agua más allá de su valor social o económico, es decir, como un bien cultural que ha tenido diversos significados. Las prácticas sociales en torno del uso y manejo del recurso, así como la tecnología asociada, son expresiones de la cosmovisión y percepción de una sociedad, en un espacio y tiempo determinados.

Los estudiosos han demostrado que en el mundo prehispánico el agua influyó en la vida material, que en la colonia los españoles sabían que dominar este recurso significaba el acceso al poder político y económico, y que en el porfiriato era necesario introducir las obras hidráulicas en las haciendas para continuar ese control. La obra hidráulica fue diridida por el Estado mexicano al final del siglo XIX. En el siglo XX, el suministro del agua se convirtió en un asunto estratégico. El tratamiento y el uso del agua han sido causas de conflicto intercultural. El dominio del agua resultó uno de los mayores retos de la vida moderna. Se pensó que con el drenaje, desecación y desaparición de subcuencas lacustres se resolvían problemas. En el devenir del siglo XX, el agua que era un "bien libre", se va transformando en uno económico, porque es escasa, con un valor cada vez más alto y posee un mercado regulado por el Estado. Además de reconocerse como un factor de producción, es un bien de consumo. Es un elemento clave en las concepciones de desarrollo, como el sustentable.

En el presente siglo, los estudios del agua están limitados por tres procesos de la realidad en la que vivimos: el rápido cambio tecnológico, el lamentable deterioro ambiental y las transformaciones en las estructuras político-administrativas. Se ha presentado un daño continuo del medio ambiente e históricamente se han comprobado sus nefastas consecuencias para los ecosistemas. Los recursos naturales (tierra y agua) que parecían inagotables se volvieron escasos en un proceso generalizado en todo el país. Los estudios históricos donde se explican sus causas y consecuencias necesitan articular las problemáticas en zonas más extensas.

En la última década se ha manejado el tema del agua como asunto de seguridad nacional, debido a las dificultades ocasionadas por la escasez, la disminución de su calidad y el aumento de desastres naturales. Por ello, se hizo imprescindible que los estudiosos del tema y las autoridades estatales vieran esta problemática con una visión integral, donde se considera que los ecosistemas naturales se basan en la introducción continua de todos sus elementos, en el tiempo y en el espacio. Se ha empezado a analizar el agua como parte de los fenómenos ambientales, políticos, económicos y sociales; y se hace imperativo dejar los enfoques aislados. Al colocar la cuenca en el centro del análisis se aprecian las interrelaciones entre los recursos naturales, la forma en la que

El agua, que parecía inagotable, se volvió escasa

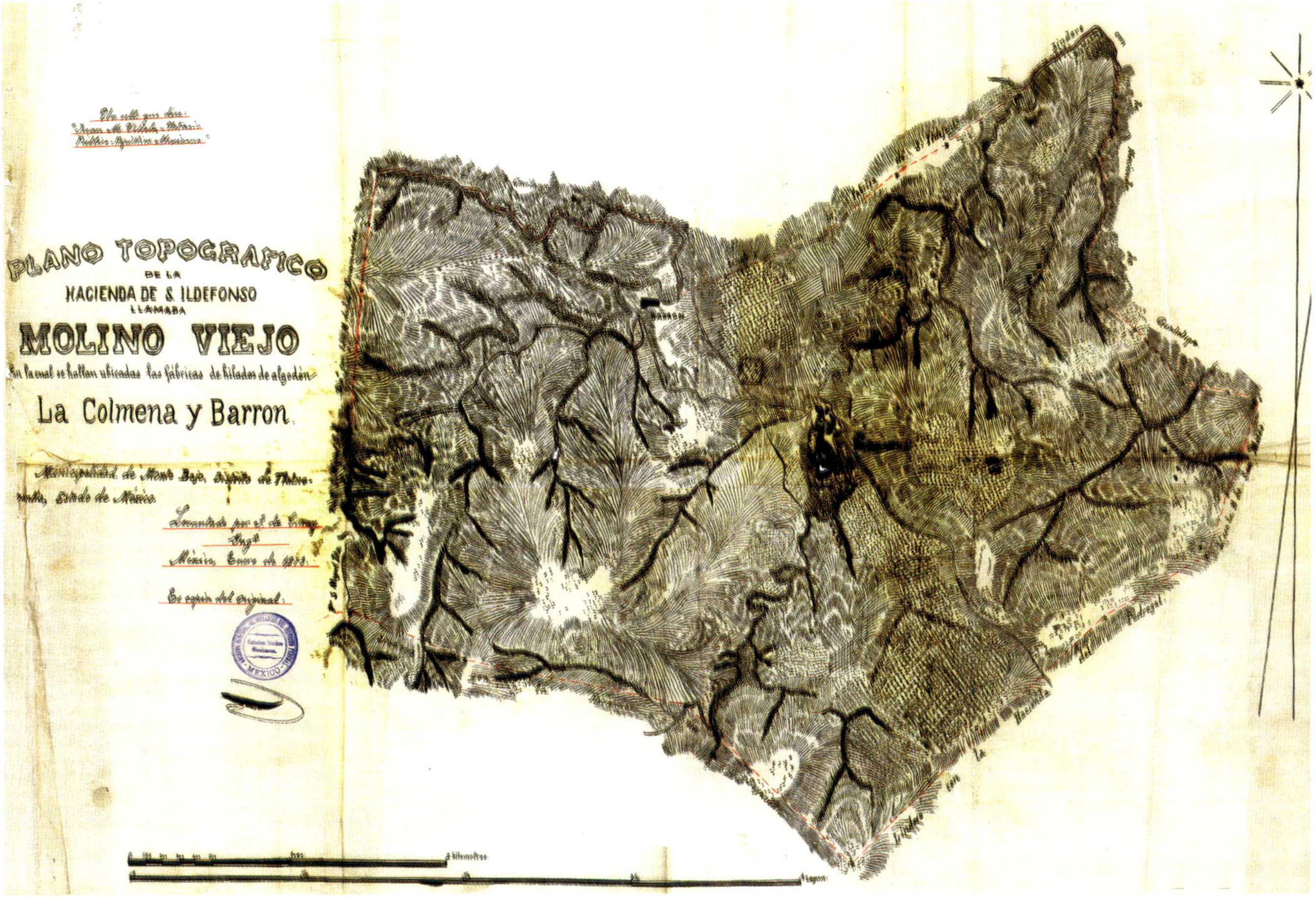

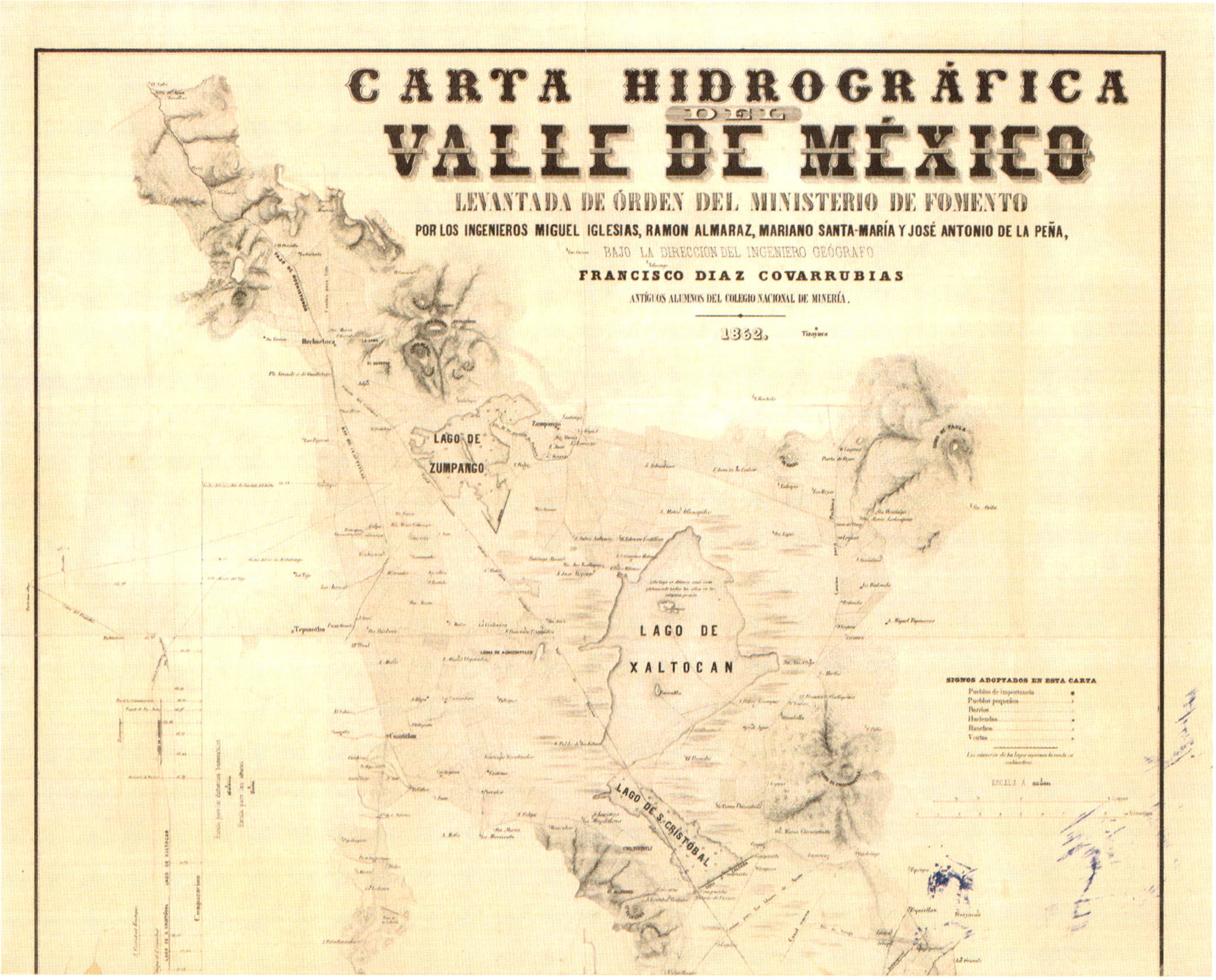

Zumpango, Xaltocan y San Cristóbal en 1862

se organiza la población para apropiarse de esos recursos y su efecto en la cantidad y calidad del agua. El manejo integral de la cuenca permite la gestión equilibrada de los recursos naturales y la unión de los actores involucrados en una sola problemática, en lugar de atender varias cuestiones dispersas. La mayoría de los estudios expuestos tratan la importancia del agua como un recurso aislado, el cual se extrae para satisfacer necesidades en la producción agrícola, en hidroenergética y en el abastecimiento urbano.

Una propuesta de análisis del manejo del agua la realizan autores como Helena Cotler y Ángel Priego (2004) desde las ciencias sociales en los últimos años, apreciando las problemáticas de las cuencas en el proceso de construcción del desarrollo sustentable desde el ámbito local, sin olvidar el resto de la cuenca. Ven el funcionamiento de las cuencas hidrográficas como unidades de planeación regional, para apreciar el uso, manejo y administración del agua, articulando factores sociales, económicos, ambientales, tecnológicos y político-administrativos en torno del agua. En los estudios de cuencas se vincularán los diversos actores sociales que interactúan en los usos del hídrico (ayuntamientos, gobierno federal, grandes propietarios, ejidatarios, consejo de cuenca) con diferentes dinámicas como la conservación del ambiente,

abasto urbano de agua, grandes obras hidráulicas, crecimiento demográfico, tipo de producción.

Cuando los autores mencionados en este capítulo incluyeron mapas, éstos fueron de gran utilidad porque ilustran la problemática y, con ayuda de la tecnología, han servido de herramienta metodológica para encontrar explicaciones y buscar alternativas de solución. Hacemos una invitación para utilizar los mapas en la investigación histórica y geográfica relacionada con los recursos naturales, ya que la relación entre hechos, espacio y tiempo es esencial para ofrecer explicaciones más completas, en particular en los trabajos sobre asuntos hídricos, en su relación con problemas por tierras, como servicio público y en los diferentes usos sociales.

El uso del Lerma por parte de los propietarios de la hacienda de Enyege

Croquis

de la Municipalidad de Calimaya hecho por C. L. F.

Denominacion de los lugares y pueblos de su comprehencion.

1 La parroquia baxo la advocacion de S. Pedro y S. Pablo
2 Capilla del tercer orden de S. Francisco
3 Capilla de S. Antonio
4 Porteria de S. Jose
5 Plaza del Comercio
6 Chapitel o capilla de Sta. Cruz
7 Capilla de Ntra. Sra. de Guadalupe
Corresponden con el num.° 7 el Campo Santo
8 Capilla de S. Juan Bautista
9 Capilla del Calvario
10 Capilla de Sta. Maria la Asuncion
11 Fabrica de Aguardiente
12 Molino de trigo: fuera de la poblacion

Pueblos de su doctrina.

13 S. Lorenzo Cuauhtenco
14 Sta. Maria Nativitas
15 S. Mateo Mejicaltsingo
16 S. Andres Ocotlan
17 S. Miguel Chapultepec
18 S. Bartolito
19 Sta. Maria la Concepcion
20 S. Antonio la Isla
21 S. Lucas Tepemajalco
22 Sta. Maria la Asuncion
23 S. Juan la Ysla
24 Santiago Cuexcontenco
25 S. Francisco Putla.

Haciendas, Ranchos y Rancherias

26 H.ª de Tacango.
27 H.ª de la Concepcion
28 Taracuato. y la puerta p.ª Santiago Tianguistenco
29 Tepemajalco
30 Santiago
31 S. Agustin
32 S. Francisco Putla
33 Rancho del Buen-Suceso
34 R.º S. Juan Nepomuceno
35 R.º S. Jose 1.º Chamalhuacan
36 R.º S. Lorenzo
37 R.º S. Cristobal 1.º
38 R.º S. Juan (a) las trancas
39 R.º S. Jose 2.º
40 R.º de el Meson de S. Andres
41 R.º de S. Cristobal 2.º tras el cerro de Chapultepec
42 R.º S. Diego
43 R.º de la Asuncion
44 R.º de la Purificacion
45 R.º de los Cerritos
46 R.º de Sta. Gertrudis (a) los arancos
47 y 48 R.º de Gualtatla
49 R.º de Sta. Gertrudis 2.º
50 R.º de S. Antonio
51 R.º de Ntra. Sra. de Guadalupe 2.º
52 R.º de S. Juan Bautista
53 R.º de S. Francisco
54 R.º de S. Pablo Tepemajalco
55 R.º de los Mecates
56 Con este num.º esta Marcada la Rancheria de Sta. Cruz
57 R.º de S. Miguel
58 R.º de Tarango
59 Con este num.º esta Marcada la Rancheria de S. Marcos
60 Baqueria de Atenco en el llano
61 Baqueria de Calimaya en el monte
62 Nacimiento del Arroyo de agua corriente que surte a Calimaya.
63 y 64 Picos de la Cierra Nevada

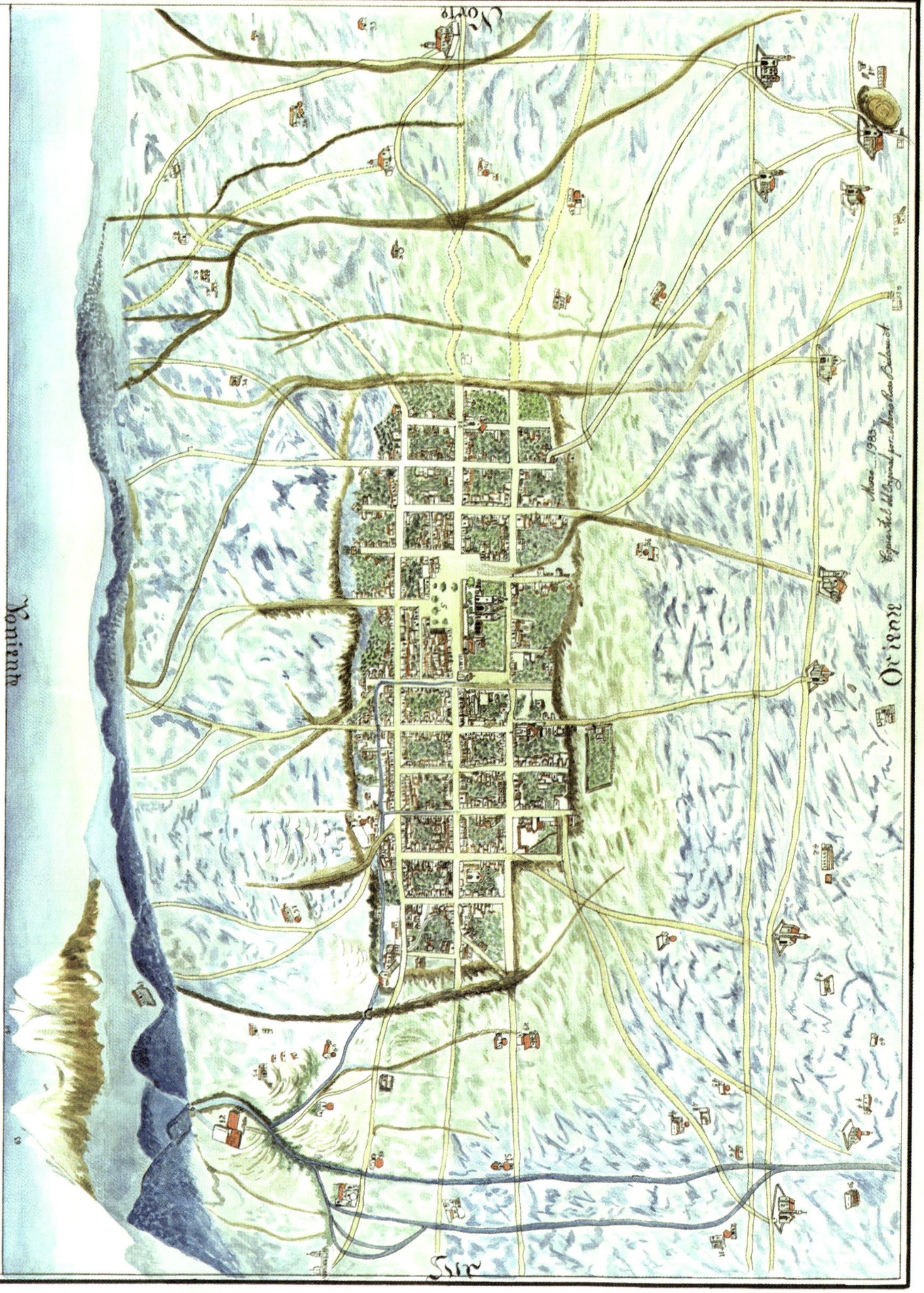

Sistemas de riego de pueblos y haciendas en los valles de México y Toluca

Diana Birrichaga Gardida
Paola Sánchez Esquivel
Ariel Sánchez Espinoza

En el centro del país, al momento de la conquista española, la existencia previa de sistemas de irrigación prehispánicos –formados por una extensa red de canales– permitió a los españoles el desarrollo de la agricultura comercial. Durante la época colonial la disponibilidad de agua fue un requisito de primer orden para los colonizadores españoles, ya que al momento de elegir el sitio de un asentamiento debían asegurar el acceso del líquido suficiente para la agricultura, la minería y la curtiduría, además del consumo doméstico. Asimismo, el agua fue utilizada como fuerza motriz en molinos y batanes, por lo que estas industrias se instalaron al lado de las corrientes de agua. Todas estas actividades la consumían en abundancia, por lo que con frecuencia se suscitaban conflictos entre los distintos usuarios, razón que obligó a las autoridades a emitir disposiciones legales que regularan el acceso a este recurso. Durante esta época, el agua era propiedad eminente y directa de los reyes de España.

En el derecho castellano el líquido se dividía en aguas de uso público y uso privado; en el primer caso se consideraba como un bien común de los habitantes de una ciudad o villa, y por ello podía obtenerse de manera gratuita en las fuentes públicas. En cambio, los particulares que desearan agua para la industria o la agricultura podían acceder al uso privado de ella por concesión real. El derecho castellano establecía que el uso privado de las aguas debía ser sancionado por una merced concedida por el rey o en su nombre. La legislación colonial no formulaba una separación entre la propiedad de la tierra y la del agua; es decir, el agua se consideraba parte de las tierras mercedadas (Birrichaga 2002). Las mercedes estaban asignadas a varias clases: urbanas; de aguas de riego; de herido de molino o ingenios; y de manantiales o jagüeyes.

En el centro de México –lugar donde se asienta el territorio del Estado de México–, en el siglo XVIII aumentaron los conflictos por derechos de agua; las principales causas fueron la recuperación demográfica de la población indígena y la introducción de nuevos cultivos, como el trigo. Van Young señala que entre 1650 y 1750 el centro de México experimentó el crecimiento de su población, a su vez ésta ejerció una presión significativa sobre los recursos agrícolas (1992: 38). En este sentido, es importante considerar la necesidad de construir sistemas de riego con el fin de mejorar la distribución del agua entre pueblos y haciendas.

Ya en el siglo XIX la agricultura en el Estado de México fue principalmente de temporal. Los cultivos estuvieron sujetos a dos conjuntos de variables: las temperaturas y las precipitaciones. Para la agricultura de temporal resultaba fundamental el agua que caía durante el verano, época donde crecían los cultivos. El periodo de máxima precipitación pluvial ocurría en el verano, en los meses de junio a septiembre, el promedio era de 90 días lluviosos en cada año, con heladas desde los meses de septiembre hasta marzo. Sin embargo, en algunos años, la cantidad de lluvias no era óptima para la agricultura.

Croquis de la municipalidad de Calimaya y sus recursos hidráulicos
[página opuesta]

El uso de recursos hidráulicos daba la posibilidad de irrigación. El acceso al agua era uno de los puntos estratégicos en la agricultura. Otros de los factores a considerar son la condición de la tierra, la fuerza de trabajo y el tipo de cultivo. La calidad de la tierra determinaba la cantidad de agua para los cultivos. Por ejemplo, en las tierras salitrosas, en época de estiaje, las tierras de cultivo se secaban rápidamente, tornándose en suelos alcalinos. Un hacendado de la región de Texcoco indicaba en 1862 que los terrenos salíferos eran vistos como "vastas llanuras en que apenas se encuentra un pasto raquítico, duro vidrioso, conocido por los mexicanos con el nombre de *Tequisquiacatl,* bien poco apetecido por las bestias" (Orozco 1862: 145). La condición salobre de los suelos requería utilizar grandes volúmenes de agua para lavar las tierras destinadas al cultivo de pastizales y para el riego del trigo.

El sistema de riego podía ser: *a)* de fuente perenne como la de los ríos o manantiales, *b)* por escurrimientos de las lluvias, *c)* de riego a brazo en que los cultivos eran regados manualmente, *d)* por infiltración construidos en zonas inundables, y *e)* los que empleaban depósitos en las cimas de los cerros. Los sistemas de riego predominantes en el Estado de México han sido la combinación del tipo perenne y el aprovechamiento de las lluvias. Pueblos y haciendas invirtieron en la construcción de obra

Los usos del lago de Texcoco en la hacienda de Chapingo

hidráulica. Así, podemos señalar que el control del agua siempre exigió cuantiosas inversiones en la construcción de obras, pero sobre todo un enorme trabajo colectivo para mantener en operación los diversos sistemas hidráulicos construidos para crear amplias zonas de irrigación.

La hidráulica para la irrigación

En 1803, Alejandro von Humboldt, en su visita a la Nueva España, quedó sorprendido por la forma en que algunos pueblos y haciendas practicaban la agricultura. Este estudioso alemán indicaba que la corta duración de la temporada de lluvias había determinado que los riegos artificiales fueran fundamentales para las actividades agrícolas en diversas regiones (Humboldt 1987: 256). A principios del siglo XIX las prácticas de regadío en pueblos y haciendas eran un asunto privado, es decir, correspondía a los agricultores construir diversas obras de irrigación para mejorar los rendimientos de sus cultivos. El control del agua siempre ha exigido de un enorme trabajo colectivo para mantener en operación los diversos sistemas hidráulicos, construidos para crear amplias zonas de irrigación. Las prácticas de riego permitieron modificar las condiciones naturales del paisaje agrícola al dotar a los suelos de una constante humedad mediante el uso de tecnología hidráulica, permitiendo cultivar todo el año. Así, una de las preocupaciones de los agricultores fue controlar los mayores volúmenes de agua para incrementar las superficies de cultivo. Algunos viajeros extranjeros narraban en sus diarios el uso del riego artificial en las haciendas para cultivar sus cosechas en la época de seca. En 1827, Henry G. Ward (1985: 96), encargado de negocios de Inglaterra, visitó pueblos y haciendas del oriente del Estado de México sorprendiéndose de los complejos sistemas hidráulicos que se utilizaban para el riego en los cultivos de maíz, trigo y cebada. Ward tuvo oportunidad de conocer el sistema de riego de la hacienda de Chapingo, ya que en su diario señaló que las tierras de esta hacienda "eran extremadamente ricas, ya que de una represa a la que llega gran cantidad de pequeñas corrientes desde las montañas vecinas se obtenía abundante abastecimiento para la irrigación".

El ciclo agrícola en las haciendas era de carácter intensivo, ya que todo el año se realizaban actividades en los campos de cultivo. El ciclo del trigo comenzaba en el otoño y abarcaba aproximadamente de septiembre hasta finales de mayo. El trigo producía altos rendimientos con tres o cuatro tandas de riego. Existen noticias de que era sembrado trigo de temporal o "venturero" que

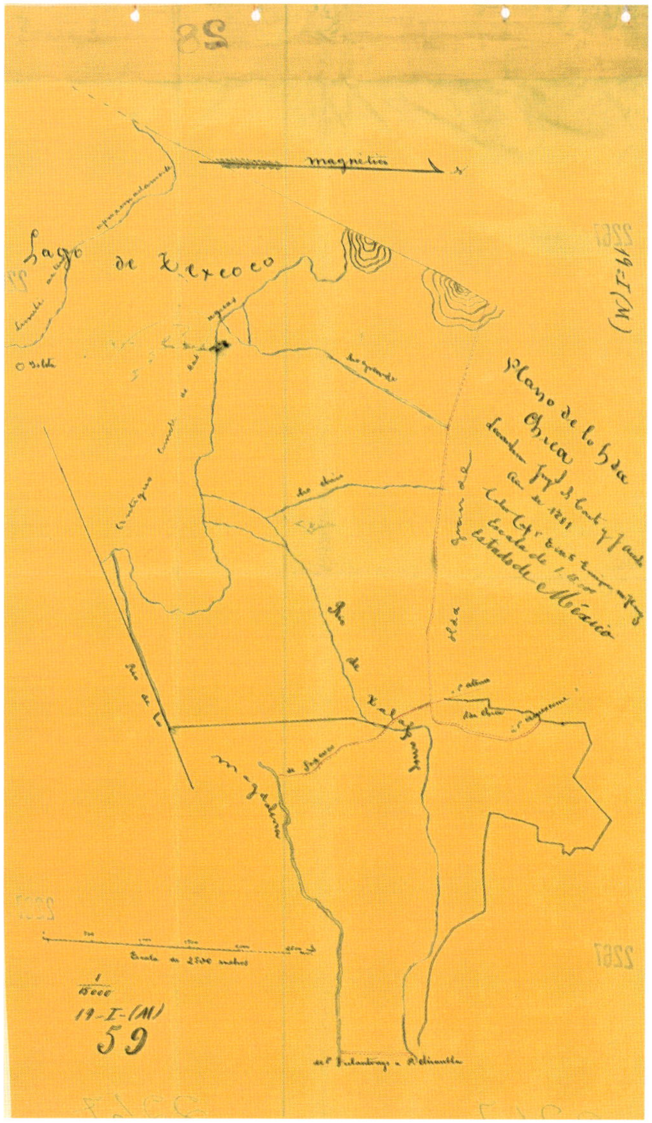

A principios del siglo XIX las prácticas de regadío en pueblos y haciendas era un asunto privado

comenzaba a finales de mayo y terminaba a finales de diciembre. Sin embargo, su cultivo no era una práctica regular, sólo se plantaba cuando el trigo de riego se malograba por una helada o inundación. La siembra de maíz y trigo tiene particular importancia porque eran los principales cultivos en los pueblos y haciendas. La planta de maíz, empero, requería de más cuidados que el trigo, por ende era necesario un mayor número de trabajadores. La cebada era un cultivo de segunda o tercera elección, casi siempre se sembraba después de la cosecha del trigo. La planta tenía un ciclo más corto que el trigo y el maíz, no era necesario una planeación especial para ella. La cebada servía para forraje, por lo que era comercializada en la zona. El frijol, haba y alverjón eran cultivos destinados para el consumo familiar y para los mercados locales (cuadro 1).

El uso de tecnología hidráulica en los pueblos, haciendas y ranchos era una fuerte inversión para los agricultores. La construcción de una presa podía aumentar el precio de las propiedades agrarias. En 1824, Inés de los Reyes, vecina del pueblo de Huexotla, decidió conservar el rancho de Tolimpa en lugar del rancho de la Salitrería Vieja por "la diferencia notable que hay de uno a otro rancho [...] a que se agrega haberlo mejorado con la presa que le ha puesto para la siembra del trigo" (Archivo Notarías de Texcoco [ANT], Protocolos 1824, 16 de noviembre de 1824). Dentro del riego, ya sea a grande o a pequeña escala, están involucradas dos partes fundamentales: los elementos físicos y las personas que los operan. Las dos partes interactúan en las actividades del riego, conformando sistemas llamados de riego. Un sistema de riego es entendido como la conjunción de elementos físicos, técnicos y sociales en torno del uso del agua para la agricultura. Al abordar aspectos físicos en un sistema de riego nos referimos a la infraestructura, desde donde comienza el sistema, ya sea compuerta en un río o un manantial. En cada región del Estado de México cambia la necesidad del agua para riego así como la organización social en torno de su uso. El estudio sobre el riego en el Estado de México nos permite ubicar dos geografías: la región montañosa del Valle de México y la región de Valles Toluca-Ixtlahuaca. En cada una de sus regiones se desarrolló la agricultura de forma particular, ya que los agricultores adaptaron sus sistemas de riego al entorno. Aun con sus diferencias geográficas, el uso de agua para riego durante el siglo XIX puede explicarse en la generalidad mediante el riego por gravedad.

Cuadro 1
Ciclo agrícola en el siglo XIX

Meses	Trigo de riego	Maíz de temporal	Maíz de riego	Cebada de riego	Alverjón de riego	Frijol	Haba
Septiembre	Siembra			Arada			
Octubre	Siembra		Cosecha	Siembra	Cosecha	Cosecha	
Noviembre	Riego		Cosecha	Riego	Asolear	Cosecha	Cosecha
Diciembre	Riego	Cosecha	Almacenar	Riego		Limpiar	Trillar
Enero	Riego	Cosecha		Riego		Poner en bolsa	
Febrero	Riego	Almacenar	Barbecho	Cosecha	Siembra		Limpiar
Marzo	Riego		Arar	Cosecha	Siembra		
Abril	Cosecha	Barbecho	Siembra				
Mayo	Cosecha	Siembra	Escarda Riego		Riego	Siembra	Siembra
Junio	Era	Resembrar	Escarda Riego			Deshierba	Vareando
Julio	Asolear			Barbecho		Deshierba	
Agosto	Limpiar	Aterrar		Arada			

La región del Valle de México: Texcoco-Teotihuacan

Las corrientes que atraviesan el Valle de México son de caudales reducidos de agua que en el sentido estricto no corresponden a la categoría de ríos sino de arroyos intermitentes o avenidas que inundan las barrancas. El agua que utilizaban los agricultores estaba dividida en dos clases. La primera provenía de los manantiales que nacían en las zonas de serranía. La segunda era la proveniente de los escurrimientos de los terrenos altos de la sierra, los cuales tenían el carácter de aguas broncas, llamadas comúnmente de palomas o de barrancos. En la temporada de lluvia se formaba un sistema de afluentes de aguas torrenciales que tenían su origen en las partes altas de los montes. Los habitantes de Texcoco para aprovechar esta agua utilizaban tres sistemas hidráulicos que requerían un mantenimiento constante con el fin de garantizar el suministro para el riego. El primer sistema nacía en los manantiales de la sierra en el valle de Teotihuacan. El segundo sistema era llamado de San Francisco, contaba con varios ramales que abarcaban una extensa superficie cultivable. Por último, los afluentes del sistema de barrancas tenían su origen en la serranía.

Río Teotihuacan

El primer sistema hidráulico, conocido como río Teotihuacan, se originaba en los manantiales de la sierra del Tezontle en el valle y con las aguas broncas del río de San Juan Teotihuacan, la corriente más caudalosa del partido de Texcoco. Este río se formaba por los caudales de arroyos ubicados en los valles de Otumba y Teotihuacan y por numerosos manantiales. El agua de manantiales –que iban formando ríos– se distribuía por *tandas* o turnos, que no era otra cosa que el orden preciso en que los regantes la recibían. El agua de los manantiales era conducida hasta el partidor denominado “Taza de Maquixco”. El partidor dividía el agua en dos canales: San Antonio y San José. Los canales en su trayecto dotaban agua al pueblo de Atlatongo, a la hacienda de Santa Catarina y San Miguel Xometla con sus dos barrios, el barrio de San Marcos sujeto de Acolman, la hacienda de San Antonio y la de Pilares. En 1684 el virrey ordenó el repartimiento o tandeo de 32 surcos de agua provenientes de los manantiales de Teotihuacan (cuadro 2). Las cuatro haciendas del valle de Acolman recibían 30 surcos, mientras que los pueblos sólo dos. La hacienda de San Antonio era la que mayor volumen recibía en sus tierras: 21.5 surcos.

Croquis 1. Repartimiento de Teotihuacan, siglo XIX

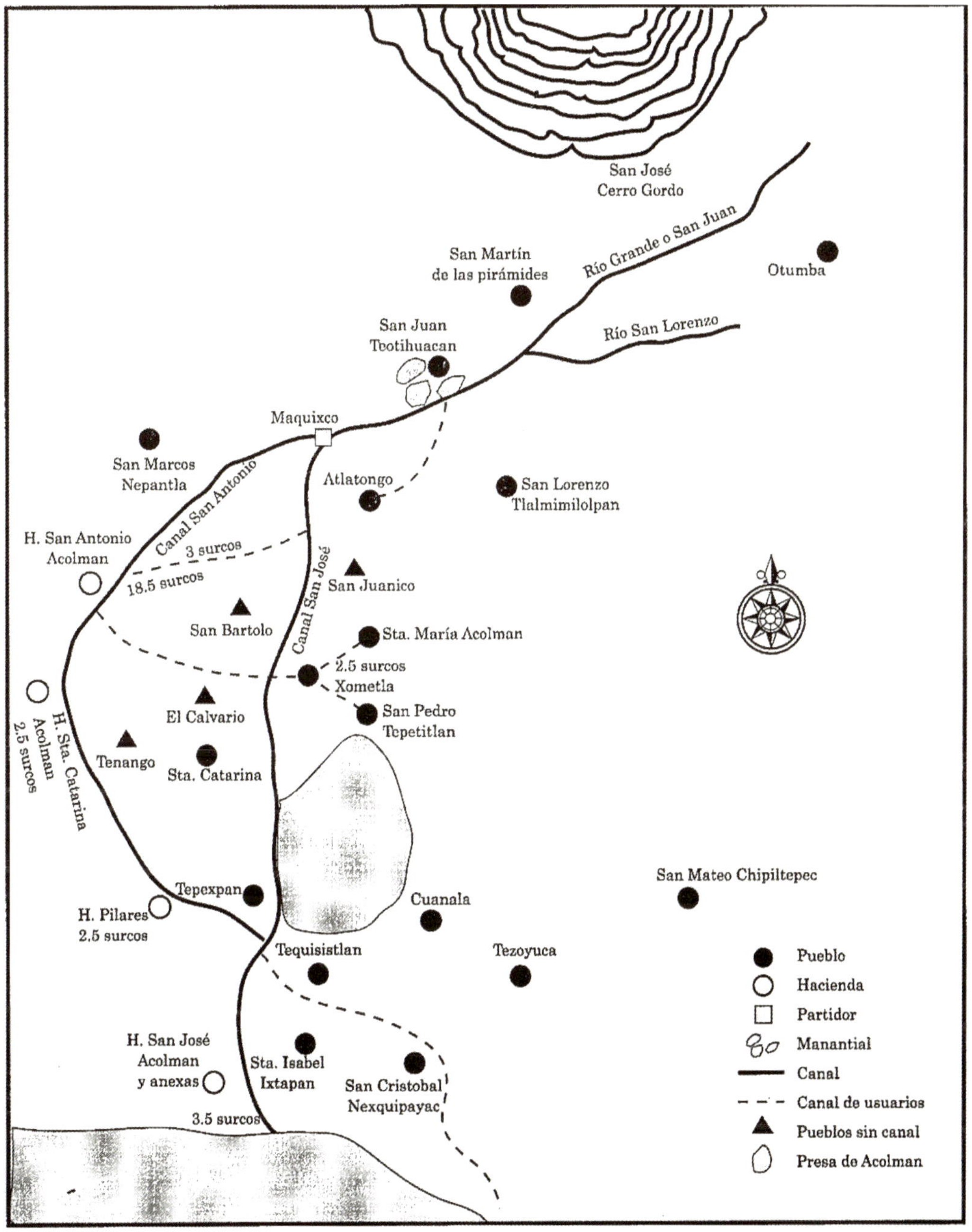

Cuadro 2
Repartimiento de Teotihuacan, 1810

Usuario	Cantidad	Canal de distribución
H. San Antonio Acolman y pueblo de Tepexpan	18.5 surcos	San Antonio
H. San José Acolman	3.5 surcos	San José
H. Santa Catalina	2.5 surcos (también era propietaria del manantial de San Lorenzo)	San Antonio
H. Pilares	2.5 surcos	San José
H. San Antonio Acolman	3 surcos	San José
P. San Miguel Xometla con sus barrios de Santa María y San Pedro	2 surcos	San Antonio, tandas de un día

Fuente: AHA, *Aprovechamientos Superficiales*, c. 4482, exp. 59284, ff. 7-8: tabla de repartimiento de los manantiales de Teotihuacán (1810).

Desde un principio, el repartimiento de los surcos para los pueblos fue motivo de disputa entre Xometla y el Calvario. En marzo de 1810, el gobernador del Calvario inició litigio para recuperar el uso del agua que utilizaba Xometla, argumentando que había obtenido autorización de la hacienda de San Antonio Acolman para construir su toma por esos terrenos. Para solucionar la disputa, en 1826 San Miguel Xometla y sus barrios elaboraron un reglamento para su uso con los días asignados en la tanda de los dos surcos, declarando que los otros pueblos habían perdido sus derechos de uso del agua. En el reglamento acordaron que cada uno disfrutaría el agua por ocho días, señalando el primer turno para Xometla (23-28 de enero), seguía San Pedro Tepetitlán (29 de enero-4 de febrero) y, por último, Santa María (5-11 de febrero). El 12 de febrero iniciaba de nuevo la tanda y así continuaba todo el año. Xometla y sus barrios conducían su agua por el canal de San Antonio donde existían bocatomas para cada uno; este recurso era utilizado por los vecinos para el riego de sus cultivos de trigo y cebada. En 1829 el alcalde de Acolman ordenó que esta agua formara parte de los propios de su municipio y se procediera a su arrendamiento. La protesta del vecindario impidió que la orden tuviera efecto. Hasta principios del siglo XX el orden establecido por el repartimiento se respetó entre pueblos y haciendas.

Un grave problema que afectaba el sistema fue que la taza de Maquixco, al recibir las aguas broncas del río San Juan, se azolvaba con frecuencia, ocasionando inundaciones con la pérdida consiguiente de las cosechas. Las dos principales causas de la anegación eran que el cauce del río se estrechaba en las márgenes de las haciendas de San José Acolman y San Antonio, y segundo que algunos tramos del afluente estaban azolvados. En 1813, 1819 y 1824 las crecidas afectaron de nuevo los cultivos de las haciendas y pueblos ribereños. En 1841, ante el frecuente desbordamiento del río San Juan, el administrador de la hacienda de San José decidió desviar la dirección del río con el fin de evitar las constantes inundaciones. La obra consistió en construir un nuevo canal de dos leguas que desvió el trayecto del río por un sitio menos peligroso. A lo largo del cauce se construyeron caños con compuertas de cal y canto para transportar el agua en beneficio de las tierras de labor.

Partidor de San Francisco

El segundo sistema hidráulico estaba formado por distintos canales que nacían en el partidor de San Francisco. Esta corriente, de carácter torrencial, era alimentada en tiempo de secas por los manantiales que brotaban en la parte alta del valle a inmediaciones de la serranía de Otumba. El punto de inicio de este sistema era el partidor de San Francisco que daba nacimiento a dos sistemas de regadío formado por dos canales. El primer canal era el Coxcacoaco (también llamado río Coxcacoaco), que abastecía a la ciudad de Texcoco, los pueblos de San Gerónimo, Santa Inés, San Juan Tezontla, Tlaixpan y Purificación; más adelante abastecía a varias haciendas.

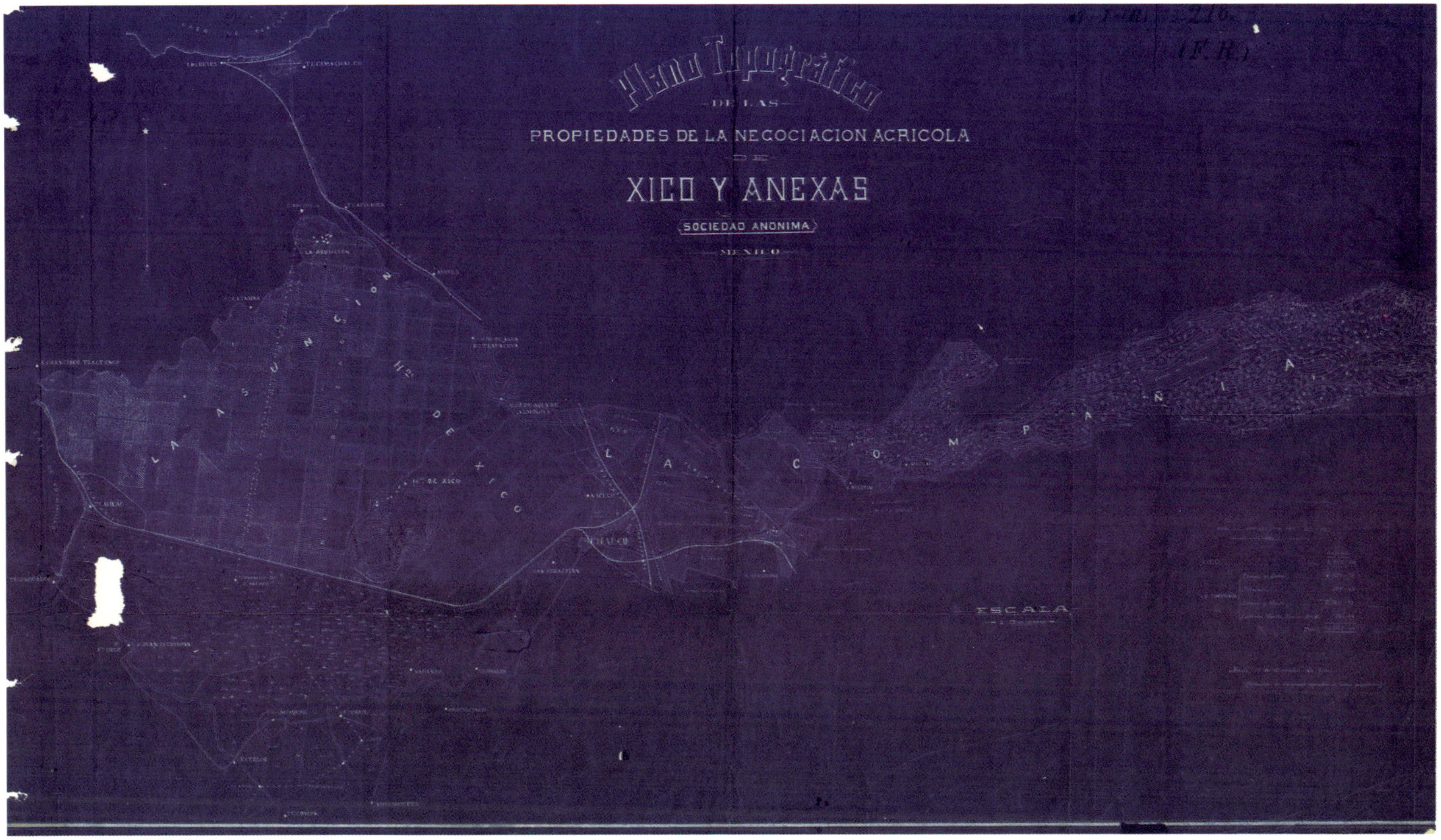

Plano topográfico de la negociación de Xico y Anexas

El otro canal, conocido como río Papalotla, abastecía a las haciendas La Blanca, Mazatla, Chimalpa, Araujo, La Grande, La Chica y el rancho el Jaral; así como a los pueblos de Papalotla, Ateneo, La Magdalena Panoya, San Diego Tlailotlacan, Los Reyes, Espíritu Santo, Pentecostés y San Andrés Chiautla.

El río Coxcacoaco estaba dividido en dos secciones; la primera era un canal que abastecía a los pueblos de San Gerónimo, Purificación y San Miguel Tlaixpan, la segunda era la corriente del río que abastecía principalmente a varias haciendas. El cauce tenía aproximadamente 30 kilómetros de longitud desde su nacimiento hasta el desfogue en el lago de Texcoco. El canal Coxcacoaco iniciaba después del partidor de San Francisco, aproximadamente a cinco kilómetros, y recibía las aguas de ocho manantiales propiedad del pueblo de San Gerónimo Amanalco. Siguiendo el trayecto del río se encontraba otro partidor llamado de Tlaixpan, el cual formaba las bocatomas de los canales de los pueblos de San Miguel Tlaixpan y Purificación.

En 1620, la Real Audiencia de la Nueva España llevó a cabo el reparto de las aguas de este río entre el dueño del Molino de Flores y el Batán (doce días), Leonor Dueñas (doce días) y al contador Ochandiano (doce días). Al principio el reparto fue de 36 días, pero hacia 1820 el repartimiento era de 53 días, al considerar que el agua también correspondía a la ciudad de Texcoco y otros usuarios. En la presa de Xocotlán, construida en

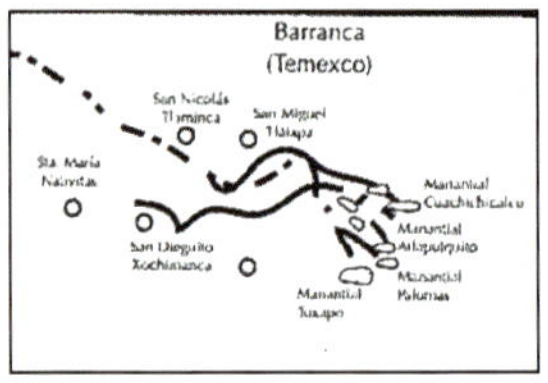

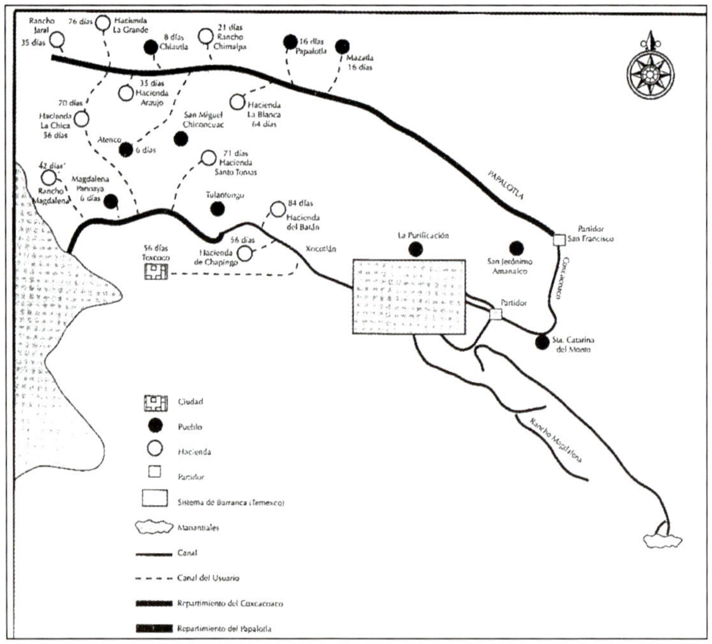

Croquis 2. Sistema de riego de San Francisco

1702, daba inicio el repartimiento para abastecer principalmente a las haciendas. El tandeo tenía siete turnos a lo largo del año, cada turno de 53 días. Las cinco haciendas recibían 309 días de agua al año distribuidos de la siguiente forma: El Batán contaba con 84 días (23.0%), la Chica, 56 días (15.4%), Santo Tomás, 71 días (19.4%), Santa Cruz, anexa a Chapingo, 56 días (15.4%), y la Magdalena, 42 días (11.4%). A la comunidad de Texcoco sólo le correspondía el uso de 56 días de tanda (15.4%).

Durante el siglo XIX el reparto anual de las ocho tandas de este río era el siguiente: la hacienda La Blanca ocho días, el río un día (era el tiempo que tardaba en recorrer el agua desde La Blanca hasta llegar a la toma de Mazatla, la finalidad era humedecer el cauce del río), Mazatla dos días, Papalotla dos días, Chiautla un día, Ateneo un día, La Magdalena Panoya un día, la hacienda La Grande diez días, la hacienda La Chica diez días, el rancho de Chimalpa tres días, la hacienda de Araujo cinco días y el rancho Jaral cinco días. En el año, la hacienda La Grande y La Chica recibían 146 días que representaban 40% del gasto anual del repartimiento. La hacienda La Blanca contaba con 17.5% (64 días); sólo estas dos haciendas recibían más de la mitad del agua que corría por el río del Papalotla. La hacienda de Araujo y los ranchos de Chimalpa y Jaral percibían 25% del agua. Por último, los pueblos tenían asignados menos días, Texcoco (Mazatla) y Papalotla 16 días (4.4%). En cambio, Chiautla, Ateneo y Panoya tomaban 8 días (2.2%). Después de abastecer a las haciendas y pueblos el agua corría para desembocar en el lago de Texcoco.

La funcionalidad de este sistema requería de la participación de todos los usuarios. La presencia de pueblos y haciendas implicaba que los usuarios tuvieran acuerdos de cooperación. Así, en octubre de 1819 los administradores de las haciendas La Grande, La Chica, Santo Tomás, Santa Cruz, Araujo, La Blanca, Chapingo, del Batán, Molino de Flores, el dueño del rancho de Chimalpa, así como los gobernadores de los pueblos de Chiautla, Papalotla, acordaron el arreglo, reforma y reposición de la toma de San Francisco. La razón que argüían para la nueva obra era que el partidor fue construido de tablones con estacas colocadas, por lo que no tenía la firmeza ni guardaba la proporción del repartimiento. La solución propuesta era formar esta obra hidráulica de mampostería, con intervención de un perito examinador. El costo del partidor fue a expensas de todos y con prorrateo arreglado a los días que en tanda cada uno disfrutaba en dichas aguas. En otras palabras, el sistema requería que los usuarios compartieran las responsabilidades del buen manejo y administración del agua.

Sistema de barrancas

El último sistema consistía en el uso de las aguas de barrancas. En la temporada de lluvia se formaba un sistema de afluentes de aguas torrenciales que tenían su origen en las partes altas de los montes. El agua de barrancos o palomas era difícil de dominar en las partes altas, pero en las partes bajas la corriente podía almacenarse mediante presas. En este sistema los barrancos servían de conducto para distribuir el agua torrencial y de los manantiales propiedad de los pueblos y haciendas. La construcción de presas permitía a los usuarios de los ríos retener agua para sus cultivos, pero muchas veces las obras provocaban la inundación de las tierras aledañas. El 19 de junio de 1810, Marcelo Álvarez, por el hospicio de San Jacinto, de religiosos dominicos de la provincia de Filipinas, apoderado de la hacienda nombrada Grande en jurisdicción de Texcoco, inició un pleito contra los indios de Teopulco y Tezoyucan porque levantaron presas sobre el caudal de agua que venía de las barrancas (Birrichaga 2002).

El agua de palomas era un recurso escaso que necesitaba ser represado, pero también era preciso establecer acuerdos para su uso. Por ejemplo, el río Jalapango era un canal formado por el barranco localizado entre los cerros del pueblo de San Miguel Tlaixpan y la Purificación. El río aparecía con las primeras lluvias, pero su corriente era más intensa en los meses de agosto y septiembre; después desaparecía hasta la siguiente temporada. Este barranco servía de límite entre los terrenos del fundo legal de San Miguel Tlaixpan y la Purificación.

De Toluca a México pasando por las lagunas de Lerma

Los primeros estaban ubicados en la margen izquierda y los segundos a la derecha. Los usuarios del río eran de San Diego Tlailotlacan, Los Reyes, Pentecostés y San Andrés Chiautla. Por el carácter torrencial del río Jalapango los pueblos llegaron al acuerdo de que iniciando la temporada de lluvias harían un tandeo de las aguas: San Diego Tlailotlacan con 15 días, Los Reyes 15 días, Pentecostés 15 días y Chiautla 30 días (Birrichaga 2002).

Por último, cabe mencionar que las relaciones entre pueblos y haciendas podían ser conflictivas. En mayo de 1860, Antonio Galicia, apoderado de San Miguel Coatlinchan y Santiago Cuautlalpan, presentó denuncia por despojo de los manantiales que abastecían a estos pueblos por parte de la hacienda de Chapingo. Meses después, ante la falta de respuesta del juez del partido, los vecinos de Coatlinchan desafiaron al propietario de la hacienda al impedir el suministro de agua. Luis Gozaga Cuevas, dueño de Chapingo, informaba a las autoridades judiciales de Texcoco que los vecinos del pueblo de Coatlinchan taparon el ojo de agua llamado Tula. Al poco tiempo, Chapingo recuperó el control de los manantiales, a pesar de la reticencia de los vecinos. Para evitar futuros enfrentamientos, pueblo y hacienda firmaron un acuerdo para establecer sus derechos sobre esta agua. Los convenios entre particulares fue un mecanismo de consenso que permitió mantener un equilibrio entre los intereses de los regantes.

Vista panorámica de Toluca con el Volcán Nevado

Valle de Toluca-Ixtlahuaca

El Valle de Toluca ha sido una de las regiones más prósperas de la entidad, sus tierras de cultivo han sido irrigadas en su mayor extensión por el río Lerma. Las aguas de esta corriente se aprovechan en cultivos de trigo, maíz, cebada y haba. Pueblos y haciendas practicaban la irrigación mediante sistemas compuestos por canales, uno principal que se iniciaba en la obra de captación o compuerta y del cual se derivaban otros que guiaban el agua fluyendo de acuerdo con la gravedad hasta los cultivos. A principios del siglo XIX estaban registradas 46 haciendas de labor. Los hacendados destinaban al riego sus mejores tierras que por lo general eran las más cercanas al casco, en ellas sembraban cereales y hortalizas; en los terrenos restantes se regaba el pastal para el ganado (Sánchez 1993: 44). El sistema hidráulico propio de las haciendas del Valle de Toluca estaba compuesto por pequeñas presas y bordos construidos en laderas para represar el agua de lluvia en verano.

El Valle de Toluca ha sido una región fría que presenta sólo una estación de lluvias abundantes en verano. Estas características climáticas no permitieron una diversidad de cultivos; predominaron el maíz y otros cereales, como el trigo y la cebada. En las áreas de cultivo no todas las tierras eran de la misma calidad. El plantío más común era el maíz tanto en las haciendas como en los pueblos. El maíz era para consumo local y los excedentes se enviaban al mercado de la ciudad de México; el trigo no fue considerado un cultivo predominante a pesar de su carácter comercial. Quizá esta vocación agrícola tuvo sustento en la forma de irrigación.

En el Valle existieron sistemas de riego compuestos por canales; un canal principal que iniciaba en la obra de captación o compuerta y del cual derivaban otros que guiaban el agua fluyendo de acuerdo con la gravedad hasta los cultivos.

En este Valle algunos de los sistemas de riego desembocaban en el río Lerma. El sistema hidráulico propio de las haciendas del Valle de Toluca estaba compuesto por pequeñas presas y bordos construidos en laderas para represar el agua de lluvia en verano. El sistema de riego más extendido en este Valle fue el riego de punta o humedad. A diferencia del riego con agua de barrancos –que es la conducción del agua hacia la planta de forma constante–, la punta de riego era sólo el humedecimiento del terreno de cultivo para adelantar la siembra del maíz para que, cuando llegara la época de lluvias, los cultivos estuvieran enraizados. Veamos algunas características de esta forma de riego por gravedad y control de agua.

El sistema de riego compuesto por la presa de Tepetitlán contaba con dos canales que repartían el agua entre las haciendas de Tepetitlán y la de Enyege, así como con otros pueblos. La infraestructura del sistema abarcaba, por el lado del canal Tepetitlán, 19 kilómetros; y por el canal de Enyege atravesaba 30 kilómetros (Valentín 2011: 101). En las haciendas, después de aprovechar las aguas, los escurrimientos sobrantes iban a una corriente mayor, en este caso el río Lerma. El sistema tenía trazos lineales y ramificados que se formaban del canal principal. Estos canales secundarios eran construidos por los propios regantes con el fin de conducir el agua hasta sus terrenos de cultivo. En este sistema la construcción de zanjas y presas era indispensable para su funcionamiento. Las obras hidráulicas introdujeron cambios en los cauces de los ríos ya que se trató de aprovechar el agua de estos en beneficio de los cultivos, pero en ocasiones con graves daños a los poblados cercanos.

En otra zona del valle de Toluca, en Atlacomulco, la estructura agraria estaba compuesta por haciendas, ranchos y numerosos pueblos. Los informes de las autoridades indican áreas de cultivos de temporal y de riego, pero destacan un uso intensivo de la irrigación utilizando principalmente las aguas de los manantiales que en primera instancia eran aprovechadas por todos los usuarios. En 1868, un conflicto entre rancheros y el dueño de la hacienda de Ticti obligó a establecer los derechos de propiedad sobre el agua. Según el acuerdo, las aguas quedaron distribuidas entre la hacienda de Ticti y los rancheros o agricultores de San Martín. En los convenios iniciales quedó estipulado que el dueño de la hacienda de Ticti conservaría una presa tapada a partir de octubre hasta que terminara los riegos de sus trigos; asimismo, los vecinos de Atlacomulco concederían a la hacienda de Ticti el uso de las aguas de "Las Fuentes" para el riego de sus labores. Por su parte, los vecinos de Atlacomulco tendrían agua suficiente para riego y otros usos. Todos los beneficiarios tenían la obligación

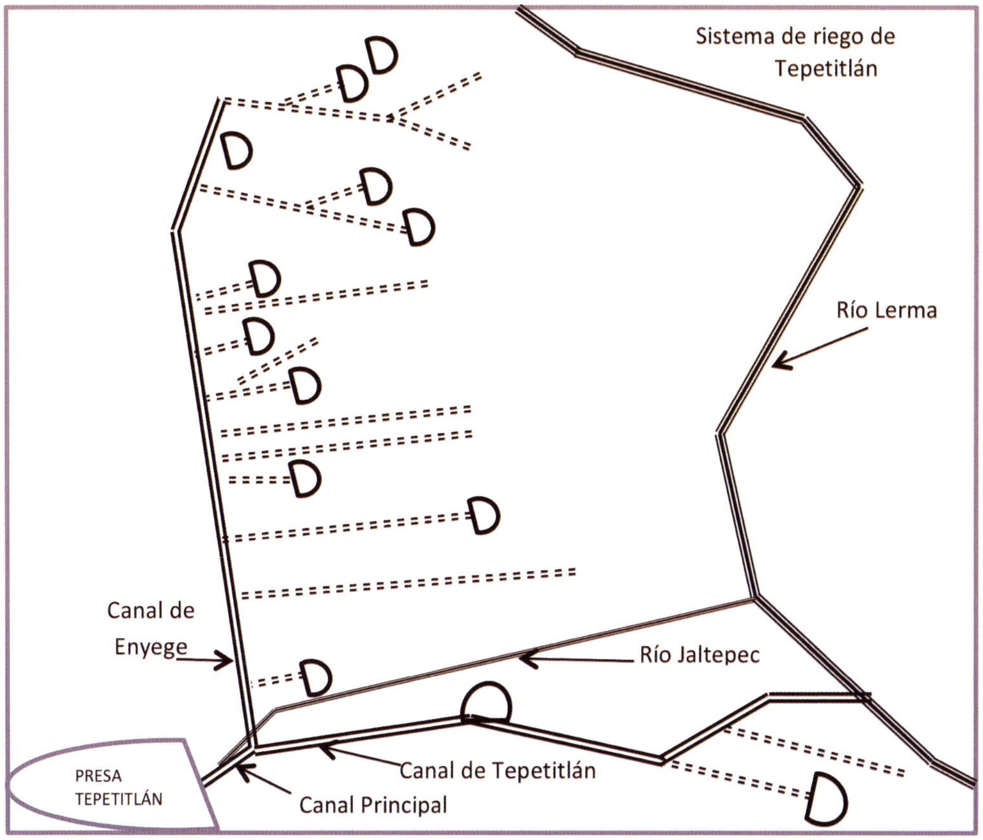

Croquis 3. Sistema de riego de Tepetitlán

de construir una atarjea para la conducción del recurso (Chávez 2007). En un principio la distribución se limitó a establecer el tiempo anual al que tenía derecho cada grupo de usuarios para hacer uso de las aguas. Pero no fue suficiente porque no había orden en el tandeo y se suscitaban diferencias entre los usuarios por los turnos de riego. Años después fue elaborado un reglamento que estipulaba las condiciones del tandeo.

El modelo que predominaba en el Valle de Toluca utilizado por los regantes en los pueblos y haciendas era el compuesto por canales principales y secundarios que conducían el agua con base en el control de la gravedad. En ocasiones, durante el curso del agua por los terrenos se iban construyendo pequeños almacenamientos del agua mediante rústicas construcciones formadas por bordos de tierra a manera de presas que completaban el sistema, ayudando también a la regeneración de los mantos freáticos.

Croquis 4. Sistema de bordos en Paredón

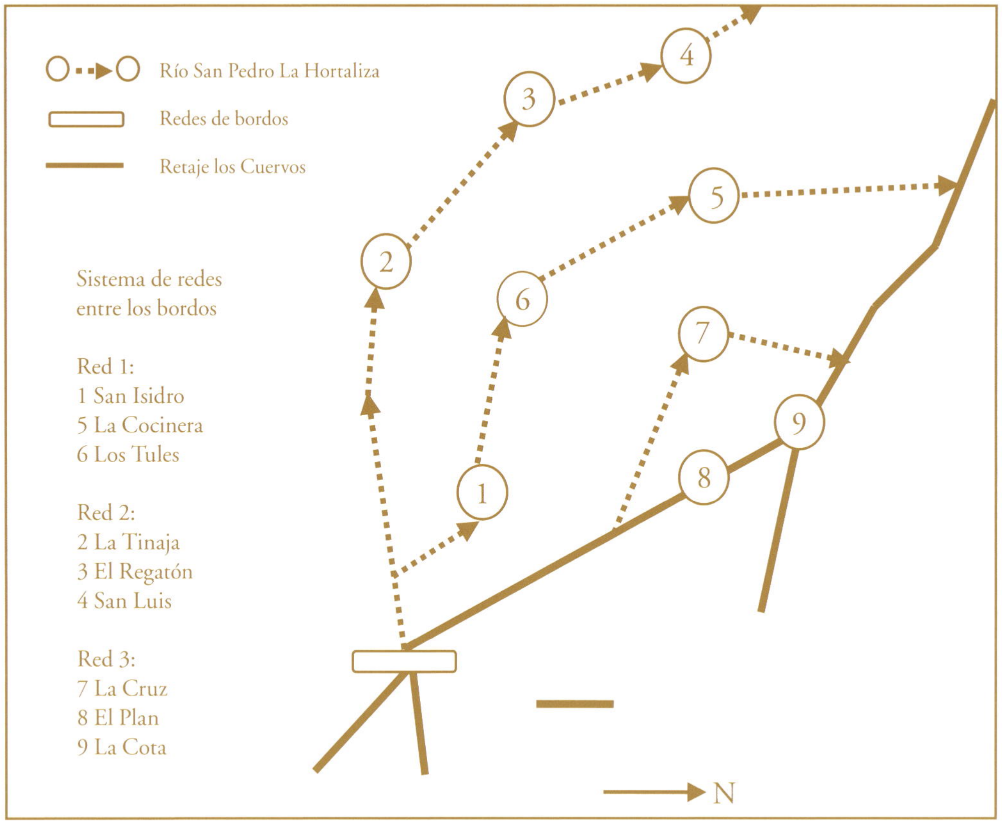

Al modelo por gravedad se sumó otra variante. Los campesinos dueños de pequeñas parcelas (menos de una hectárea y hasta cinco hectáreas) optaron por organizarse en grupos reducidos para procurarse el líquido que necesitaban para el riego de sus tierras. Este sistema es conocido como punta de riego, el cual se aplicaba una sola vez al año entre los meses de febrero a abril. Los usuarios determinaban, de acuerdo con el volumen disponible en el bordo, el orden en que se comenzarían los riegos. Por lo general se intercalaban los años, uno aguas arriba y otro aguas abajo del bordo. Para que los usuarios conservaran su derecho a regar debían participar en las faenas de mantenimiento.

Este sistema de riego a pequeña escala no requería contar con documentos que establecieran la forma en que se acordaba la forma de operar los bordos o canales. El estudio de Sánchez (2012) permite establecer mediante los testimonios orales cómo funcionaría un sistema de punta de riego. La autora, en un estudio del ejido de Paredón, establece que siempre existe un encargado de vigilar el orden de apertura y cierre de las salidas del bordo. En ocasiones la tarea de vigilar está a cargo de todos los usuarios y conforme se ocupa el riego se pasa la voz al siguiente para que se encargue de la salida del agua. Otra de las tareas involucradas en el riego es la construcción del sistema físico de riego. Los usuarios se encargaron de abrir los caños regadores para las parcelas una vez que roturaron las tierras. La construcción de la infraestructura hidráulica como los canales de conducción del agua y los caños regadores complementaron el sistema físico del riego corriendo a cargo de los usuarios.

El mantenimiento de la infraestructura hidráulica era responsabilidad de los usuarios. La conservación del sistema físico del riego se sustenta en la organización, y si la participación de los regantes fallaba, las obras quedaban inservibles en poco tiempo. La falta de mantenimiento provoca la obstrucción de los canales de un bordo. El azolve de un canal reduce el número de usuarios, ya que sólo queda agua suficiente para los regantes más cercanos a la obra. Este sistema funciona entre 3 y 15 regantes.

Los acuerdos entre pueblos y haciendas

El incumplimiento de las normas derivaba en diversos conflictos. Las disposiciones gaditanas (1812) facultaron a los ayuntamientos para crear los reglamentos que organizaban a los regantes. Después de 1825, las municipalidades y más tarde los juzgados de paz también fueron las instancias responsables de la distribución del agua entre los vecinos. La organización variaba entre los pueblos. Por ejemplo, en Papalotla era un regidor y el síndico los encargados del "reparto de las aguas a los que riegan con ella", el alcalde sólo supervisaba que estuvieran limpias las zanjas. Para evitar el robo de agua se ordenó que los "hijos del pueblo" cuidaran de ella por turnos (AHEM, Fondo Gobernación, Sección Gobernación, Serie Municipios, vol. 1, exp. 1)·. En otros, como Texcoco, era costumbre contratar vigilantes de las cajas repartidoras de agua con un salario asignado dentro del presupuesto de la tesorería. En el pueblo de la Purificación el vecindario nombraba cuatro comisionados encargados del reparto de agua (Birrichaga 2002).

La operatividad de los sistemas de riego también implicaba establecer acuerdos de cooperación entre pueblos y haciendas. Por ejemplo, en octubre de 1819 los

El pueblo de San Juan Teotihuacan y sus barrios

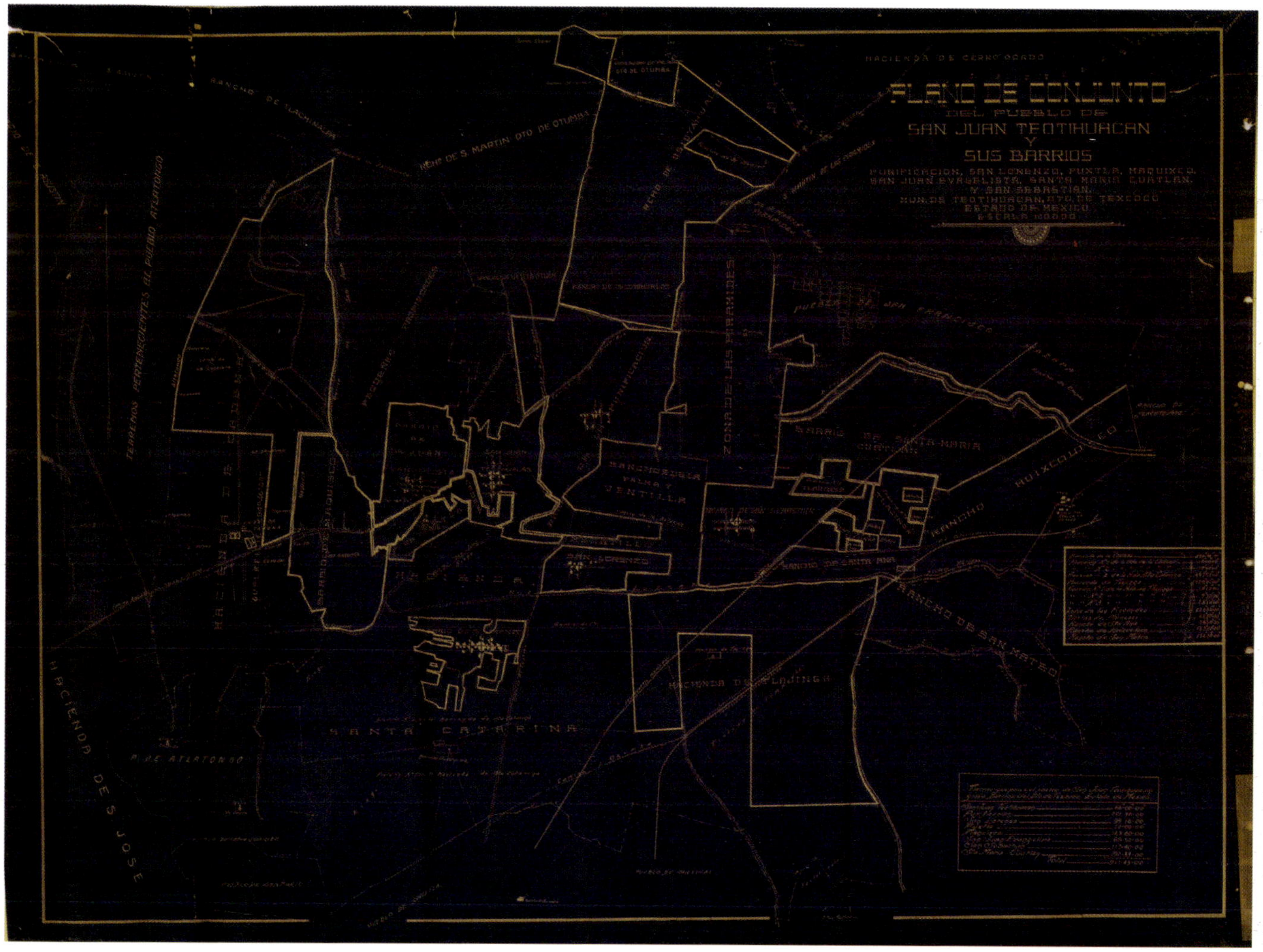

administradores de las haciendas La Grande, La Chica, Santo Tomás, Santa Cruz, Araujo, La Blanca, Chapingo, del Batán, y Molino de Flores, el dueño del rancho de Chimalpa, así como los gobernadores de los pueblos de Chiautla, Papalotla, acordaron el arreglo, reforma y reposición de la toma de San Francisco. El incumplimiento de los acuerdos provocaba enfrentamientos entre pueblos y haciendas. En 1827 el ayuntamiento de Texcoco informaba que la ciudad experimentaba escasez, razón que lo obligó a solicitar a las haciendas colindantes los títulos que amparaban el uso del agua en sus propiedades. Miguel de Cervantes, dueño del Molino de Flores y la hacienda El Batán, fue el único que no los presentó. Diez años después, el cuerpo municipal daba noticias de un panorama aún más desolador, la escasez de agua había provocado la pérdida de los cultivos en los barrios de la Concepción y San Jerónimo. Una de las medidas que tomó el ayuntamiento fue clausurar varias tomas ilegales y, sobre todo, el cierre de las curtidurías que estaban ubicadas sobre el caño distribuidor. No se podían aplicar otras medidas por falta de fondos municipales.

Los cursos de agua controlados por los pueblos de Tequixquiac

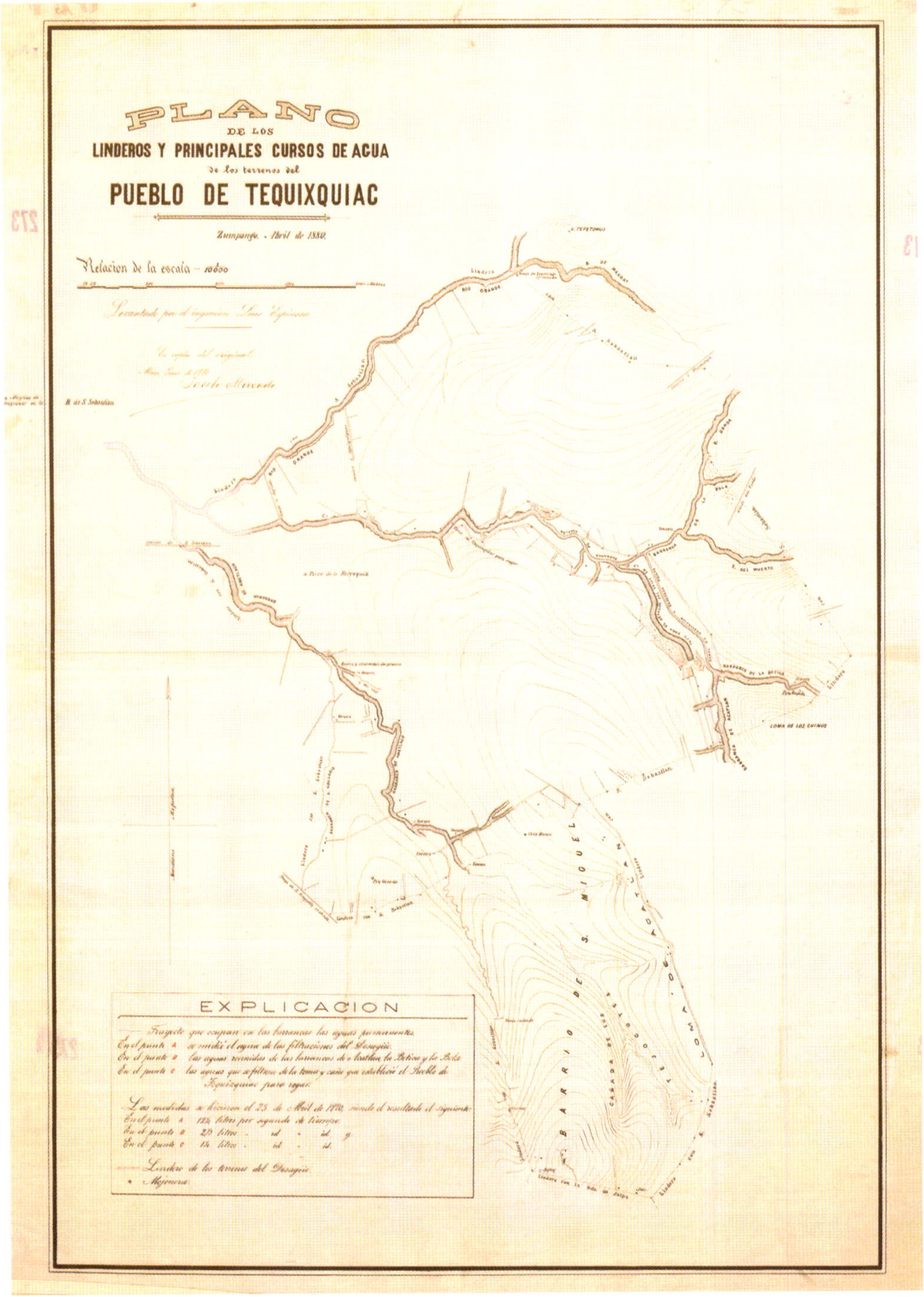

Antes de iniciar un juicio, que trasladara el conflicto del ámbito administrativo al judicial, era preciso signar convenios de avenencia. La firma de estos documentos evitaba en el futuro un juicio costoso. Por ejemplo, el pueblo de Papalotla siempre había trasladado sus aguas de carácter comunal por una zanja que atravesaba la hacienda La Blanca. Sin embargo, con el tiempo se había destruido este canal, requiriéndose la apertura de otro. En 1836 el alcalde de Papalotla, Joaquín Velázquez, inició negociaciones con el dueño de la hacienda para limpiar el acueducto y para construir dos tanques de almacenamiento. Domingo Couto, propietario de La Blanca, aceptó el acuerdo con la condición de que el pueblo cediera cinco horas de agua. Además, los vecinos debían comprometerse a auxiliar a la hacienda en las inundaciones. Es claro que un convenio reducía las posibilidades de un conflicto porque establecía obligaciones para ambos contendientes. Un elemento a destacar en los acuerdos de avenencia es la presencia de los vecinos principales de los pueblos. Estos notables eran los interlocutores idóneos para negociar con los hacendados. El 27 de febrero de 1837, las autoridades de Papalotla y los hermanos Alonso, a nombre de dicho pueblo, celebraron un contrato de servidumbre con Domingo Couto para que sus aguas transitaran por terrenos de la hacienda (ANT, Protocolos, 27 de febrero de 1837).

Los pueblos y dueños de haciendas elaboraron pactos para mantener en operación los sistemnas hidráulicos

Conclusiones

La reconstrucción de los sistemas hidráulicos construidos en el siglo XIX permite observar que el regadío fue una práctica agrícola primordial para pueblos y haciendas. El regadío requirió de los repartimientos de ríos o manantiales y, al mismo tiempo, utilizar los escurrimientos de las lluvias. Es decir, el riego fue la combinación de uso de agua del tipo perenne y el aprovechamiento de las lluvias. Esta breve reconstrucción histórica define someramente cómo funcionaban los sistemas hidráulicos y muestra que pueblos y haciendas no sólo se enfrentaban por el control de un recurso sino que también debían respetar acuerdos que garantizaran el riego para sus cultivos. En otras palabras, en el siglo XIX los pueblos y los dueños de las haciendas tuvieron que elaborar pactos para mantener en operación los sistemas hidráulicos. Asimismo, entre los regantes siempre existió la necesidad de emplear tecnología hidráulica para aumentar la producción de la tierra, a pesar de que los gastos para una administración del agua era una fuerte inversión para los agricultores. La construcción de una presa podía aumentar el precio de las propiedades agrarias. Las obras hidráulicas servían para tener control de las aguas de manantiales, presas o barrancas durante el tiempo de estío, ya fuera mediante riegos por tandeo o para adelantar la humedad al inicio del nuevo ciclo agrícola. Dichas construcciones obedecieron a las características del terreno en su mayoría compuesto por planicies y laderas no muy inclinadas. Los repartimientos o reglamentos eran un instrumento legal que servía para regularizar el uso de este recurso entre los distintos usuarios. Su finalidad era confirmar derechos previos otorgados en mercedes reales o composiciones. En el siglo XIX los repartimientos coloniales sirvieron de sustento legal para la solución de conflictos sobre derechos de propiedad de las aguas de riego. Su vigencia se prolongó hasta el siglo XX.

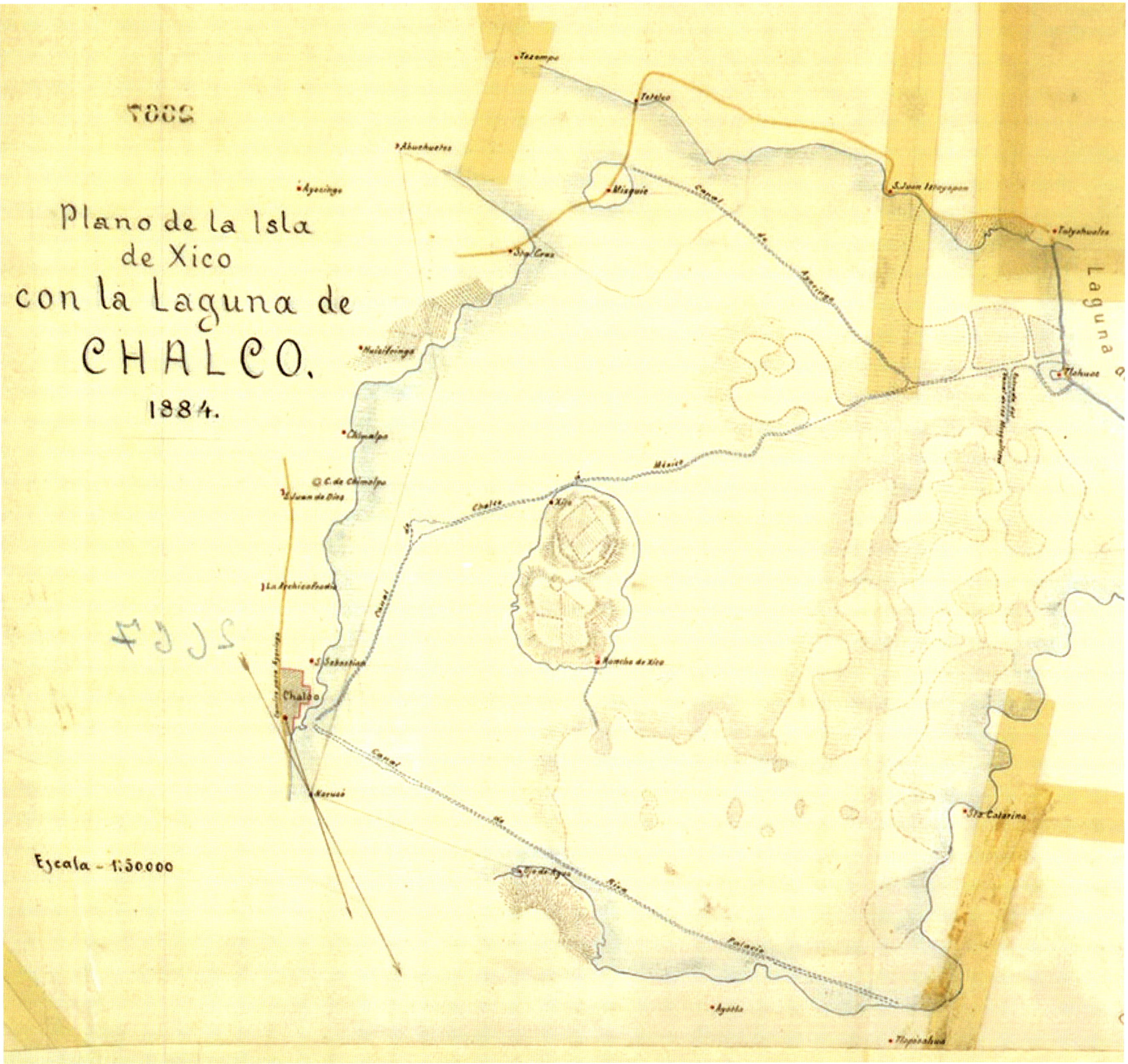

Plano de la Isla
de Xico
con la Laguna de
CHALCO.
1884.
Tezompa
Tetelco
Ahuehuetes
Ayocingo
Mixquic
Canal de Ayocingo
S. Juan Ixtayopan
Tulyehualco
Laguna
Sta. Cruz
Huitzilzingo
Tlahuac
Chimalpa
C. de Chimalpa
S. Juan de Dios
México
Chalco
Canal
Xico
Rancho de Xico
S. Sebastian
Chalco
Canal de Rio Palacio
Sta. Catarina
Ayotla
Tlapizahua
Escala – 1:50000
1884

Los proyectos hidráulicos liberales y porfirianos de desecación de las lagunas del Alto río Lerma, 1856-1910

Gloria Camacho Pichardo

Hoy, en pleno siglo XXI, algunas personas podrían preguntarse con cierto asombro lo siguiente: ¿hubo políticas de Estado encaminadas a desecar lagunas en México?; ¿cómo es que en algún tiempo se pensó en desecar cuerpos de agua? Esas interrogantes sorprenden a la población actual, sobre todo ahora cuando el agua resulta ser tan escasa en ciertos sectores sociales. Las iniciativas o proyectos encaminados a la desecación de las lagunas del Alto Lerma datan de 1850, quizá de un poco antes. En este trabajo sólo hago referencia a las iniciativas decimonónicas y a las que se efectuaron en la primera década del siglo XX.

¿Para qué desecar lagunas en el siglo XIX?

El pretexto para desecar lagunas o realizar obras hidráulicas con este fin partió de la noción de que las aguas estancadas ocasionaban enfermedades por los miasmas y microorganismos que emanaban de ellas. Además, en la segunda mitad del siglo XIX, se consideraba que preservar una laguna no aportaba ningún beneficio económico; entonces su desecación abría grandes posibilidades de obtener nuevos terrenos para el desarrollo de la agricultura, y con ello se conseguía una fuente de vida y de riqueza de lo que sólo había sido –según el discurso de la época– "fuente de insalubridad y de miseria". Las lagunas eran vistas como un obstáculo para el desarrollo de la agricultura.

En Europa y en América se emprendieron varios proyectos de esta naturaleza. En Italia se realizaron trabajos de desecación en las lagunas Pontinas, localizadas junto al mar Tirreno. La desecación de este lugar comenzó en 1870; para 1922 ya se habían drenado un millón 300 mil hectáreas. En este caso se trataba de evitar la propagación del paludismo, pero el objetivo principal era abrir nuevas zonas para el cultivo. En otros países también se pusieron en marcha proyectos de esta naturaleza; en Francia, por ejemplo, se llevó a cabo el plan de aprovechamiento integral de los recursos hidráulicos del río Ródano; y en Panamá y Puerto Rico se realizaron trabajos de desecación de lagunas (Bistráin 1953: 2).

En México se emprendieron obras de características similares a finales del siglo XIX. Algunos ejemplos son el desagüe del Valle de México, el lago de Chalco, la desecación de la ciénega de Chapala, en Jalisco, y la de Zacapu, en Michoacán. Al principio se tuvo como objetivo abrir nuevas tierras al cultivo y acabar con los problemas de salubridad, así como utilizar de otro modo el agua disponible. Durante el periodo porfirista cambiaron las percepciones que se tenían respecto de los cuerpos de agua, ya que para entonces ya no eran focos de infección, más bien se pensó en desecar los para descubrir y vender los terrenos, generación de energía hidroeléctrica e irrigación (Kroeber 1994: 162).

Cuando se propuso desecar la ciénega de Chapala, se pensó que dejaría al descubierto suelos muy fértiles para obtener excelentes cosechas. Estos

Canales de Ayocingo, Chalco y Riva Palacio en 1884 [página opuesta]

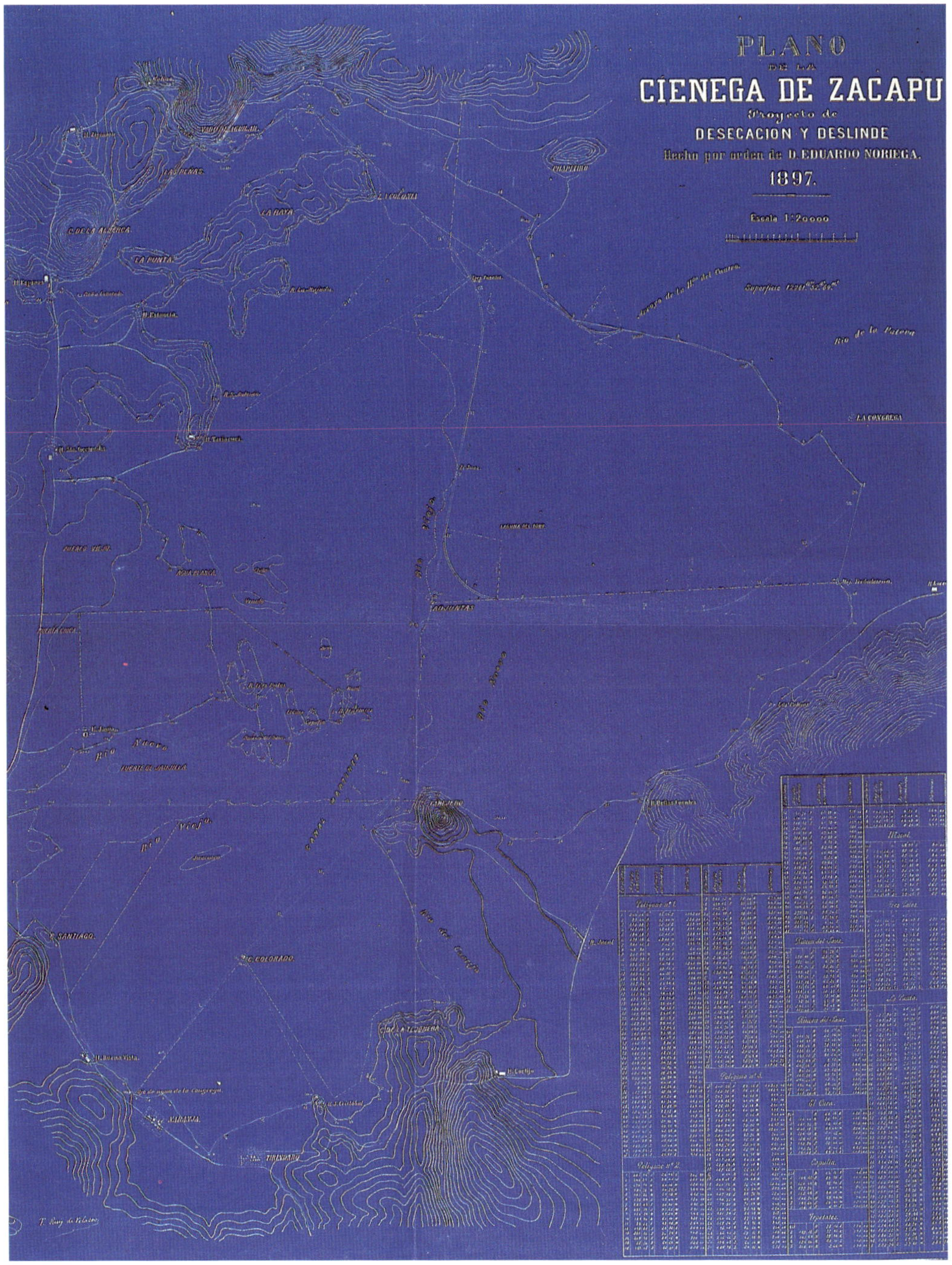

Desecación de la Ciénega de Zacapu en Michoacán

terrenos pronto llegaron a ser una fuente de conflicto con los ribereños, sobre todo por parte de los hacendados que tenían propiedades en la ciénega o cerca de ella. Las obras efectuadas en estos lugares no resultaron benéficas, en especial para los pueblos que basaban su economía en la explotación de los recursos lacustres. En 1903, Manuel Cuesta Gallado, rico terrateniente jalisciense y con buenas relaciones con el presidente Porfirio Díaz, emprendió con éxito las obras hidráulicas respecto de la ciénega de Chapala. Otro caso con características similares fue el proyecto de desecación del lago de Chalco, con superficie total de 10 000 hectáreas, que se realizó a finales del siglo XIX. En 1895 se presentó el proyecto para desecar el lago de Chalco. Íñigo Noriega, hacendado de la zona, fue el promotor de la obra. Al igual que en Chapala, Noriega buscaba obtener terrenos fértiles, de los que hasta entonces sólo se obtenía una "pesca exigua y forraje y plantas acuáticas de mala calidad", según decía la versión empresarial (Tortolero 1994: 410). En 1897 se formó la Negociación Agrícola de Xico y Anexas, que tuvo a su cargo la explotación de las tierras descubiertas. La protesta por parte de los vecinos ribereños afectados incluyó la destrucción de maquinaria y el robo de productos. Esa inconformidad por la desecación nutrió la rebelión campesina de 1910. Hubo también otros casos en Veracruz y Zacapu, en los cuales el argumento también fue considerar que las tierras desecadas eran útiles a la agricultura, ya que debido a su humedad, el rendimiento anual era uniforme tanto en los años de escasez como en los de abundancia de lluvia (Ruiz de Velasco 1937: 63-68). Esa era la idea que se tenía de realizar los proyectos de desecación de las lagunas en México y en otros países.

El Alto río Lerma hacia 1850

Parte del Valle de Toluca era considerado todavía a principios del siglo XX como zona lacustre; sus lagunas permitían a algunos de sus pobladores realizar actividades propias de una economía lacustre. En esta zona tenía su origen el río Lerma, que era fundamental para el desarrollo de las actividades agrícolas, ganaderas, la caza y la pesca. Las dos últimas dependían de las

Proyecto presentado por Íñigo Noriega para la desecación del lago de Chalco

lagunas formadas en gran parte por los manantiales del río Lerma. El Alto río Lerma forma parte del Valle de Toluca, valle que desde la época colonial se destacó por su densidad de población. La formación geohidrológica del Valle de Toluca es propicia para que exista un alto índice de permeabilidad en sus suelos. Tales condiciones permitieron que los terrenos se constituyeran en zonas pantanosas o anegadas, formando así las lagunas localizadas en la región (Albores 1990: 221-232).

En esta zona del Alto río Lerma tenemos la formación de los tres vasos o lagunas. El primero de esos vasos se encontraba donde tiene su origen el río Lerma; se le conocía como la laguna de Chiconahuapan o Almoloyita. Los principales usuarios de esta laguna eran los siguientes pueblos: Jajalpa, Techuchulco, San Lorenzo, San Mateo Texcaliacac, Almoloya del Río, Santa Cruz Atizapán y la hacienda de Atenco. Al segundo vaso se le denominaba Chimalipan o Atenco. Los pueblos propietarios de la laguna eran: San Pedro Tlaltizapán, Capulhuac, Santiago Tianguistenco, San Pedro Tultepec, Ocoyoacac, San Pedro Cholula, San Mateo Atenco y las haciendas de Atizapán y Texcaltenco. El tercer vaso era el que tenía por nombre Lerma. A diferencia de las lagunas anteriores, sus propietarios eran en su mayoría los dueños

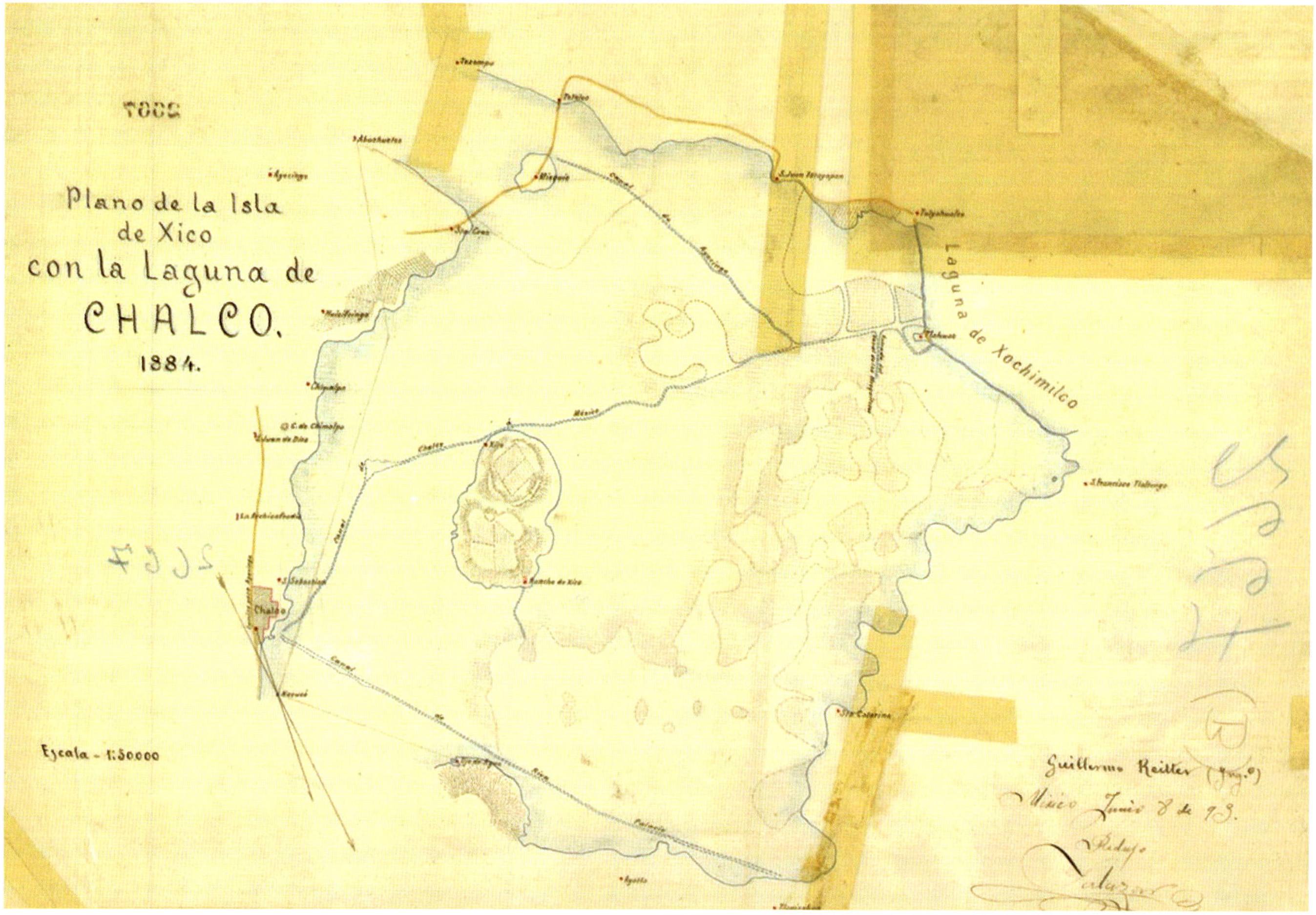

La laguna y parte del río Lerma

de las haciendas de San Antonio de Padua (*alias* Doña Rosa) y el Cerrillo, San Nicolás Peralta y sus anexos, Santa Catarina y Cocoapan y Mayorazgo. También se localizaban algunos ranchos como el de Alta Empresa (propiedad de la hacienda Doña Rosa), Amomolulco y Santa Teresa, además de los pueblos de Atarasquillo, San Mateo Atarasquillo y Lerma, también propietarios de la laguna (Camacho 2007a).

En el Alto Lerma se pueden distinguir dos zonas atendiendo a sus características económicas y sociales. La primera zona, denominada Almoloyita-Atenco, conforma los dos primeros vasos y Lerma, que es la segunda zona, corresponde al tercer vaso. Uno de los principales factores que distinguía a estas dos zonas era que para 1850 en Almoloyita-Atenco se encontraban localizados un mayor número de pueblos. Mientras que en Lerma predominaban las haciendas. Por lo tanto, las actividades en ambas áreas eran distintas. Almoloyita-Atenco se caracterizaba por los usos lacustres, así como por la conflictividad que existía entre los pueblos por la propiedad de las lagunas. Sólo para ejemplificar la importancia de la actividad lacustre para los pueblos ribereños podemos atender el caso de Almoloya del Río. En este pueblo las tierras no eran tan adecuadas para la agricultura por el declive de sus suelos. Por esa razón sus habitantes se dedicaban a ella en menor escala cultivando sólo maíz, haba, cebada y frijol, productos que vendían en los mercados de Tianguistenco, Tenancingo y Tenango. Los medios comunes de subsistencia de esta municipalidad eran la arriería, la fabricación de petates de tule que cortaban en la laguna, la caza y la pesca (Noriega 1980: 219-221).

En la hacienda de Atenco, ubicada también en esta zona de Almoloyita-Atenco, las actividades preponderantes eran la ganadería, el comercio y la agricultura. Además, en la parte que le correspondía de laguna se obtenía el pescado blanco de mejor calidad de la zona que se vendía en la plaza de Toluca y en los pueblos inmediatos como Santiago Tianguistenco. En tanto, en la zona de Lerma la laguna cubría los terrenos de las haciendas de San Nicolás Peralta y sus anexos Cocoapan y Santa Catarina; Doña Rosa y sus anexos el Cerrillo y el Rancho de Alta Empresa; Buenavista, Mayorazgo y La "Y", por lo que los hacendados usaban la ciénega como área de pastoreo de los numerosos ganados que mantenían. Los vecinos de los pueblos cercanos a la zona de Lerma, como era el caso de San Pedro Totoltepec, Lerma y San Mateo Atarasquillo, practicaban la pesca, la caza y el corte de tule a través del arrendamiento y de permisos. Los dueños de las haciendas les concedían licencias a los vecinos para practicar estas actividades. Una de las haciendas importantes era San Nicolás

El proyecto liberal de desecación de las lagunas de Lerma

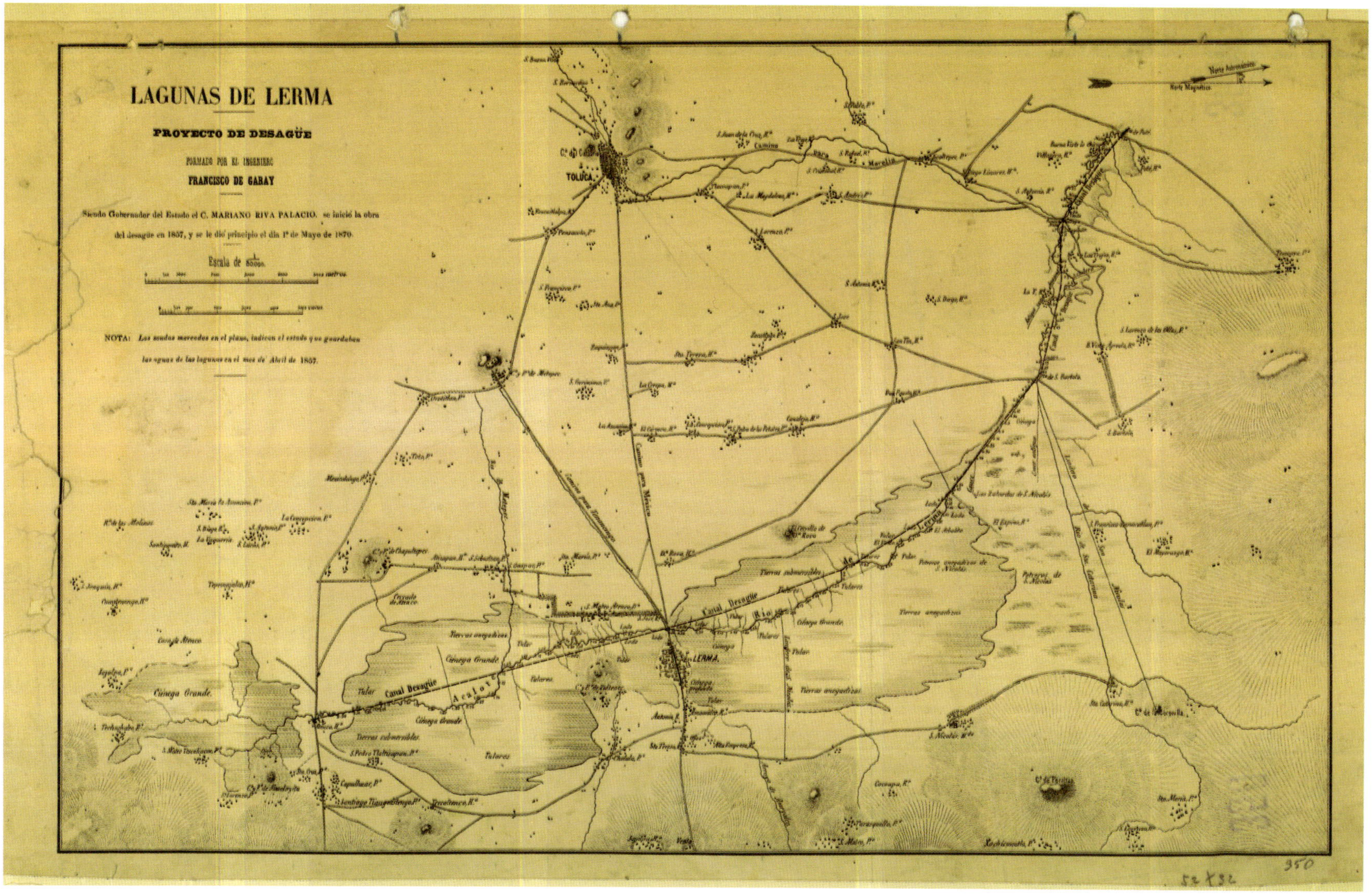

Peralta, en ella se cultivaba el trigo, aunque predominaba la siembra del maíz y se practicaba la ganadería (Huerta 1978: 181). En resumen, en la zona de Lerma la agricultura y la ganadería eran consideradas por los hacendados como las empresas más importantes, en tanto que las otras actividades locales como la pesca y la caza eran vistas como de muy poca "productividad". En la zona de Lerma los dueños de las haciendas eran los propietarios de la laguna y el área era fundamentalmente agrícola y ganadera, mientras que en la zona de Almoloyita-Atenco el dominio común de las lagunas era de los pueblos de indios que habían mantenido toda una tradición lacustre. Los ayuntamientos en ocasiones recurrían al arrendamiento a particulares, con la condición de que no se perjudicara a los vecinos en el aprovechamiento lacustre.

El proyecto liberal de desecación de las lagunas del Alto Lerma, 1856-1872. La propiedad privada de la tierra

Los liberales de la segunda mitad del siglo XIX (José María Luis Mora, Benito Juárez, Sebastián Lerdo de Tejada, entre otros) estaban a favor de la propiedad privada de la tierra, por lo que consideraban que el desarrollo económico era viable si la tierra pasaba a manos de los particulares. Estos liberales pretendieron acabar con los beneficios que el gobierno colonial había otorgado a estas corporaciones, Iglesia, pueblos y ayuntamientos. El 25 de junio de 1856 se promulgó la Ley Lerdo, también conocida como Ley de Desamortización de los bienes de las Corporaciones Civiles y Eclesiásticas, esta Ley permitió llevar a la práctica la política liberal en cuanto a la propiedad de la tierra. Los liberales de esta época creían conveniente promulgar y aplicar la Ley debido a que estos bienes representaban el mayor obstáculo a la prosperidad y riqueza del país (Camacho 2007a). Esta Ley establecía la circulación de las fincas rústicas y urbanas, propiedad de estas corporaciones, que debían pasar a ser posesión de los que las arrendaban o a otros postores.

Además, entre 1850-1875 el discurso político de los diferentes gobiernos de los estados del país se enfocó en impulsar el desarrollo de la agricultura, ya que esta actividad se consideraba como la principal fuente del progreso del país. En esos términos, se pensaba que era necesario terminar con el estancamiento en el que se encontraba esta actividad, situación que compartía con el comercio, la minería y la industria. El Estado de México presentó la misma tendencia de promover a la actividad agrícola como principal fuente económica del país.

En este marco nos centramos en las iniciativas del gobernador Mariano Riva Palacio y de un grupo importante de empresarios (hacendados, comerciantes e inversionistas) que, influidos por las ideas liberales de "progreso" y "propiedad", se dieron a la tarea de "desecar" toda la zona lagunera por considerar que era, por un lado, un territorio que debía entrar más activamente en sus planes económicos; y, por el otro, era una fuente de males epidémicos. La obra de desecación fue planteada por primera vez en 1857 y posteriormente en 1870, periodo en el que se promulgó y se aplicó la famosa ley de desamortización. Una vez que los liberales tomaron el poder en 1856, pusieron en marcha su política de desamortización de los bienes de las corporaciones civiles y eclesiásticas, el fomento de las mejoras materiales y la búsqueda del "progreso" de la agricultura. Estos elementos estaban presentes en el proyecto de desecación de 1857, expresados en el interés del gobernador Mariano Riva Palacio por impulsar "las mejoras" a que daría lugar la desecación, en particular, la incorporación de nuevos terrenos al cultivo y, por consiguiente, su repartición entre los involucrados para fomentar la pequeña propiedad.

La trayectoria política de Mariano Riva Palacio había sido muy amplia. Fue regidor del ayuntamiento de la capital de la república, miembro del Congreso de la Unión en 1833, 1834 y 1856, ministro de Hacienda en el gabinete del presidente José Joaquín Herrera en 1848

y además gobernador del Estado de México en 1849, 1857 y 1869. También se decía que este gobernador promovió proyectos para incrementar la riqueza pública del Estado. Una obra que cumplía con dicho objetivo fue la construcción de la vía férrea de Toluca a la capital de la república. Riva Palacio pensaba que las mejoras materiales se efectuarían siempre y cuando se formaran sociedades o grupos que participaran activamente en el fomento de esas mejoras (*La Ley,* 12 de agosto de 1870). Su participación como presidente de la "Junta Menor" del desagüe del Valle de México en 1856, es el antecedente más importante de Riva Palacio en cuanto a obras de esta naturaleza. Cuando fue gobernador del estado en 1857 llevó consigo la idea de realizar una obra semejante a la del Valle de México, pero ahora en el Valle de Toluca. En este último caso el objetivo principal era desecar las aguas estancadas en la zona cenagosa del río Lerma para propiciar un mayor potencial agrícola con la utilización de los terrenos "incultos" ocupados por la ciénega. Dos eran los objetivos que justificaban el proyecto: el primero consistía en desecar la laguna para reforzar el mejoramiento de la salud, es decir, se buscaba eliminar las aguas almacenadas de la zona cenagosa para que dejaran de producir "miasmas", porque se decía que dañaban la salud de los pobladores. El segundo objetivo eran los beneficios que acarrearía para el desarrollo de la agricultura y la

La desecación pretendía potenciar las labores agrícolas en el Valle de Toluca ganadería, ya que los terrenos desecados proporcionarían suelos fértiles que a su vez producirían "buenos pastos y abundantes cosechas" (AHEM, Gobierno, caja 152, exp. 2, f. 1).

Todo lo anterior se enfocaba y argumentaba en favor de un interés económico, que se justificaba en el discurso político en donde se planteaba mejorar las condiciones económicas de los pueblos, al mismo tiempo continuar con la tendencia liberal de fomentar el desarrollo y progreso del estado. Es decir, las zonas pantanosas o anegadas de los valles centrales mexicanos eran vistas como un obstáculo que limitaba la economía de los pueblos, pero sobre todo, de las élites. De esta manera, se pueden percibir los intereses inmediatos al proyecto de desecación; por un lado se buscaba "el bienestar" de los pueblos de la zona porque el proyecto de Riva Palacio incluía la creación de pequeños propietarios con el reparto de los terrenos libres de las aguas estancadas; y por el otro, el beneficio económico que obtendrían las élites al ampliar los terrenos de cultivo que se mantenían improductivos en sus propiedades.

En el proyecto de 1857 se incluyó una lista de pueblos, haciendas y ranchos que se veían afectados por las inundaciones. En el partido de Tenango se nombraban ocho pueblos: Jajalpa, San Pedro Techuchulco, San Mateo Texcaliacac, Almoloya del Río, Santa Cruz Atizapán, Capulhuac, Ocoyoacac y barrios, y San Pedro Tultepec, mientras que sólo se mencionaban dos haciendas: Texcaltenco y Atenco. Del partido de Toluca estaban involucrados tres pueblos: Lerma, San Miguel Ameyalco y San Mateo Atenco. Se consideraban también tres haciendas: San Nicolás Peralta, Doña Rosa y Atizapán, además de dos ranchos: Amomolulco y Alta Empresa. Los individuos que asistieron en representación de los pueblos y las haciendas para tratar el proyecto de la desecación de las lagunas del Alto Lerma representaban intereses muy particulares en la zona, debido a que algunos tenían propiedades en el área. Otros sólo contaban con cargos políticos o en su defecto eran importantes comerciantes de Toluca. Los resultados obtenidos en esta primera reunión ratificaron el objetivo de desecar la laguna.

El 8 de marzo de 1857 se llevó a cabo una reunión en la que se nombró una Junta General, compuesta por los representantes de los pueblos y las haciendas antes mencionados, para que en ella se trataran todos los asuntos relativos a la desecación de las lagunas de Lerma. En esta sesión el gobernador expuso dos posibles variantes respecto de la repartición de los terrenos desecados, las que se expusieron en los siguientes términos:

> 1.-Que ocupados los terrenos circundados por el gobierno, por causa de utilidad pública y previa la indemnización correspondiente según el valor actual de dichos terrenos, se procediera la desecación por cuenta del estado, el que sería después de realizada la obra dueño de los terrenos desecados, los que serían vendidos en utilidad del estado.
>
> 2.-De realizar la desecación era que cada pueblo y hacienda interesado, contribuyera a la desecación del lago proporcionalmente a la parte del terreno que poseía, quedando dueño después de desecado el terreno (*La Ley*, 28 de diciembre de 1869).

De estas dos variantes la segunda fue la que aprobó la Junta General reunida en marzo de 1857. Sin duda, la pérdida de los terrenos no era negociable tanto para los vecinos de los pueblos como para los propietarios de las haciendas. Ahora bien, las élites de la zona consideraban esta obra como una de las mejoras materiales más importantes. Se esperaban beneficios para la municipalidad de Lerma, para los propietarios de su compresión y en general para todo el distrito de Toluca. Resulta comprensible esta actitud debido a que en la municipalidad de Lerma se encontraban ubicadas las principales haciendas de la región: San Nicolás Peralta, Doña Rosa, Paté, Mayorazgo, Buenavista y algunos pueblos como Amomoluco, Xonacatlán y San Lorenzo de las Ollas. Estos pueblos se dedicaban en su mayoría a trabajar en las haciendas y practicaban las actividades lacustres de manera complementaria, lo que no sucedía en la zona de Almoloyita-Atenco, donde los pobladores prácticamente vivían de lo que obtenían de las lagunas. Ahora bien, para la zona de Almoloyita-Atenco había 17 pueblos y tres haciendas, es decir, aquí predominaban los pueblos involucrados en el proyecto de desecación. Mientras que en la zona de Lerma participaron cuatro pueblos, cinco haciendas y un rancho, por lo que aquí se manifestaba un predominio de los intereses de los particulares por encima de los posibles beneficios que obtendrían los pueblos de indios que subsistían de los productos que obtenían de las lagunas.

Ahora bien, el proyecto quedó interrumpido por los conflictos internos que sufrió el país; la guerra de reforma de 1858-1861, la guerra con Francia de 1861-1864, y el establecimiento del segundo imperio mexicano de Maximiliano de Habsburgo de 1864-1867. No fue sino hasta 1869 cuando el proyecto se planteó de nueva cuenta con el mismo Mariano Riva Palacio. El 26 de diciembre de 1869 se citó nuevamente a una Junta General compuesta por los representantes de los pueblos y las haciendas. En esta reunión se discutió en primer lugar el asunto de cómo se llevaría a cabo la desecación de las lagunas. Para ello se retomó la postura de 1857 en la que se propusieron dos variantes, la primera se refería a que cada quien cubriera los gastos del proyecto de desecación de acuerdo con el terreno que fuera de su propiedad, y la segunda planteaba que los trabajos de la obra se realizaran por cuenta del Gobierno. La primera de estas variantes fue la aceptada, como ocurrió en 1857. Ese día el proyecto de desagüe fue aprobado por la Junta General.

En esta etapa del proyecto se nombró a la Junta Menor Directiva. Ésta estuvo integrada por el gobernador del estado como presidente, por los jefes políticos de Toluca, Lerma y Tenango como vicepresidentes, y por otros cinco vocales. En esta reunión resultaron integrantes de la Junta Menor Directiva los siguientes: como vocales por el distrito de Toluca, Francisco González de Salceda y Manuel Gómez Tagle; por el distrito de Lerma, Isidoro de la Torre; y por el distrito de Tenango, José María González. Melchor Carrasco fue nombrado tesorero de esta Junta. En suma, los integrantes resultaron ser los propietarios de las haciendas con el apoyo del gobernador del estado, quien vio disminuido su papel en esta obra por la autoridad de los hacendados, quienes contaron con más recursos económicos para financiar la obra.

Las razones u objetivos del proyecto de 1870 sólo se concretaron, puesto que los promotores de la obra continuaron siendo los mismos: gobierno y hacendados, por lo que es más específico el fin que perseguían con la obra. Para este momento, mejorar las condiciones higiénicas de la población de la zona lacustre del

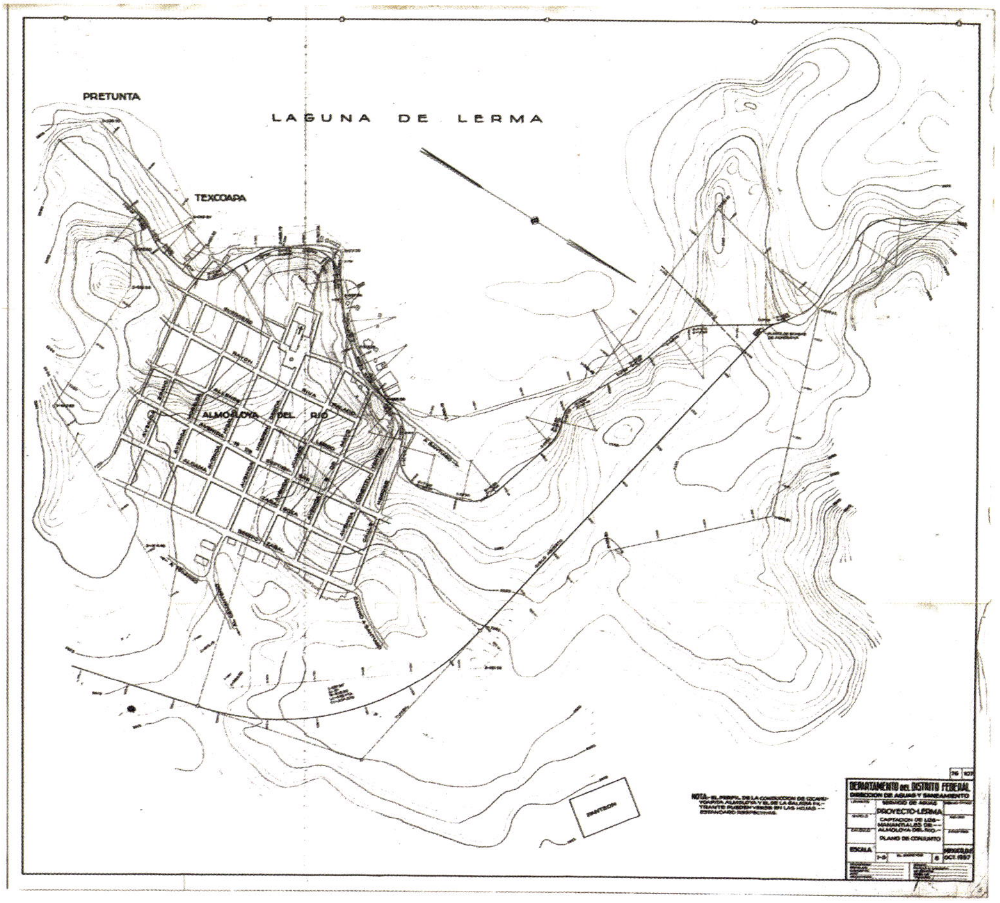

Proyecto Lerma. Captación de los mantaniales de Almoloya del Río

Vista de Ocoyoacac

Alto Lerma ya no era uno de los principales objetivos tal y como se había propuesto en 1857. El interés estaba más centrado ahora en aumentar la riqueza territorial del valle, al dejar suelos libres de aguas que impedían el desarrollo agrícola. En 1870, la Junta Menor, encabezada por el gobernador, determinó que una de las prioridades era circular la propiedad en esta zona, de tal manera que fueran creados pequeños propietarios, sobre todo porque la mayor parte de los terrenos anegados pertenecían a los pueblos. La diferencia entre la propuesta de 1870 con respecto de la de 1857 radicó en que en este momento la Junta Menor acordó las bases de la desecación para que se llevara a cabo el reparto de los terrenos, por lo que con este proyecto se pretendía aplicar la ley del 25 de junio de 1856 sobre la desamortización de los bienes de las corporaciones civiles. Esta iniciativa relativa a la desecación tomaba en consideración los beneficios sociales que resultarían del repartimiento de los terrenos drenados que eran vistos como "incultos". Desecar esta zona haría el lugar más accesible para el desarrollo del comercio, ya que se agilizaría el intercambio de productos entre los comerciantes capitalinos con los pueblos del valle, hacendados y los habitantes de Toluca. Todo ello por la apertura del canal y además con la puesta en marcha del ferrocarril México-Toluca, que también tuvo su auge en este periodo.

Los propietarios de las fincas rústicas fueron los más interesados en generar el auge agrícola del valle y en promover este proyecto. No obstante, en el proyecto se dejaba de lado o se ignoraba el gran uso que hacían los pobladores de los productos que les ofrecía la zona cenagosa desde siglos anteriores. Sin duda estaban más preocupados por la revolución agrícola encaminada al progreso del estado, que por el medio de vida lacustre de los pueblos, el cual era considerado como improductivo. Ahora bien, la Junta Menor comprobó que una gran cantidad de terrenos inundados y por lo tanto "improductivos" pertenecían a los pueblos (Menegus 1995: 18-20).

La Junta Menor estaba convencida de que con la subdivisión y privatización de los terrenos inundados se compensaría a los pueblos, de tal manera que los haría propietarios de una determinada extensión de terreno. Se les compensaba de esta forma porque los integrantes de la Junta creían que los vecinos de los pueblos involucrados en el proyecto podrían resultar perjudicados en las actividades que realizaban debido a la existencia de las lagunas. Sin duda, la obra no podría ser benéfica para todos, aun con la propuesta de hacer propietarios de terrenos a los indígenas, ya que las actividades lacustres que realizaban en las lagunas eran para subsistencia diaria desde tiempos inmemoriales. No era tan fácil aceptar una medida que los reduciría a jornaleros de las haciendas porque les faltarían recursos para el desarrollo de la agricultura.

De mayo a octubre de 1870, los trabajos realizados en las lagunas de Lerma no dieron los resultados que se esperaban. El informe emitido por la Junta Menor Directiva señalaba como un gran obstáculo para la obra la falta de los pagos mensuales que deberían haber sido cubiertos a la Junta Administrativa, tanto por parte de los pueblos como de las haciendas. Esta junta informó que los propietarios particulares sí hicieron sus pagos con regularidad. Hay que distinguir que estos particulares tenían sus propiedades en la zona denominada de Lerma. Por parte de los pueblos no sucedió lo mismo, debido a que manifestaron no tener dinero para pagar las cuotas. La oposición pasiva de los pueblos fue un recurso, el otro fue el de los ayuntamientos, que ignoraron y obedecieron pero no cumplieron lo que se había establecido en la Junta General para llevar a cabo el proyecto de desecación.

El 7 de octubre de 1870, Isidoro de la Torre, dueño de la hacienda de San Nicolás, contrató la parte más importante de todo el desagüe. Isidoro era natural del puerto de Santa María, cercano a Cádiz. Entre las actividades económicas más importantes que desempeñó tenemos el comercio, la minería y el préstamo. A partir de 1856, este hacendado comenzó a invertir en otras empresas como la agrícola y el sector comercial. De la Torre fue socio de la empresa del ferrocarril México-Toluca-Cuautitlán. El fomento que proporcionó al desarrollo de la agricultura resulta importante para comprender su participación tan activa en el proyecto de desecación, como lo muestra la contratación del primer tramo del canal donde resultarían beneficiadas sus propiedades. El contrato de la obra especificaba que la extensión del tramo que se desecaría eran 13 660 metros que comprendían desde el Vado hasta el puente de Paté. Este contrato garantizaba al hacendado una vez logrado el primer tramo del canal, el derecho de dejar libres sus terrenos de las aguas estancadas y así aumentar sus áreas de cultivos.

Las actividades lacustres que realizaban los vecinos de los pueblos durante este periodo tuvieron alerta roja debido a las serias implicaciones que resultarían si era llevada a cabo la magna obra. El triunfo consistió entonces en los mecanismos de resistencia empleados por parte de los pueblos, quienes no asumieron una actitud pasiva ante la magnitud de un proyecto que tenía como finalidad acabar con las prácticas lacustres de sus pobladores, con la propuesta de fomentar la ocupación de los terrenos desecados a través de crear pequeños propietarios. Sin duda, la fuerte injerencia de los ayuntamientos en torno de este recurso fue superior a la del gobierno estatal. La negativa a que se realizara el canal en la zona de Almoloyita-Atenco permitió la continuidad de estas actividades y la administración de sus bienes corporativos de los pueblos lacustres a través de los ayuntamientos.

Proyectos porfirianos de desecación de las lagunas del Alto río Lerma

En 1906, como resultado de la política de centralización del manejo de las aguas por parte del gobierno federal, se planteó nuevamente la desecación de las lagunas de Lerma. La solicitud la presentó Gumersindo Enríquez, quien no contaba con propiedades en la zona, sino que tenía su domicilio en la ciudad de México. Por decreto del presidente Porfirio Díaz, se aprobó el contrato respectivo celebrado el 5 de septiembre de 1906, entre el representante del ejecutivo, ingeniero Andrés Aldasoro, subsecretario encargado del Despacho de Fomento, Colonización e Industria y Gumersindo Enríquez (AHA, Aprovechamientos Superficiales, caja 222, exp. 5300, f. 5). En dicho contrato se autorizaba a realizar todas las obras hidráulicas necesarias para desecar las lagunas y para utilizar las aguas en el riego de los terrenos que quedaran al descubierto. Se explicaba también que las obras del proyecto mejorarían las condiciones higiénicas de las poblaciones ribereñas y que por ello se declaraba de utilidad pública. El encauzamiento del río y de las lagunas era indispensable, lo que obligaba a construir canales. Los terrenos que ocuparan las obras serían expropiados por causa de utilidad pública, de acuerdo con la ley del 6 de junio de 1894.

Un punto muy importante del contrato era que el concesionario quedaba obligado a comprobar –antes de iniciar cualquier trabajo– la conformidad de los colindantes de las lagunas con los trabajos de desecación. Sin este requisito el contrato quedaba sin valor. A partir de la fecha del contrato, el concesionario contaba con siete años para concluir la desecación. De igual manera podía adquirir sin pago de derechos arancelarios, todas las máquinas, aparatos, útiles, herramientas y accesorios. Por la construcción de las obras el empresario recibiría como compensación los terrenos de la nación que quedaran al descubierto.

Una vez aprobado el contrato, Enríquez procedió al deslinde de las lagunas. Para ello convocó a los colindantes, representados por los síndicos de los ayuntamientos, los auxiliares de los pueblos y los dueños de las haciendas. Los municipios involucrados eran Lerma, San Mateo Atenco, Ocoyoacac, Capulhuac, Santa Cruz Atizapán, Almoloya del Río, San Antonio la Isla, San Mateo Texcaliacac, Techuchulco, Jajalpa y Santa María Rayón. Los propietarios de las haciendas eran Enrique González Salceda, de Doña Rosa; Gilberto y Esteban Gómez Tagle, de Atizapán; Eduardo y Enrique González, de Texcaltenco; y Antonio Barbabosa, de la hacienda Barbosa (AHMO, Obras públicas, caja 2).

Este proyecto generó gran tensión en dos dimensiones. Por un lado, se desató la inconformidad por parte de los pueblos y propietarios ribereños, mientras que por el otro provocó un enorme malestar entre los usuarios de aguas abajo, es decir en la parte baja de la cuenca del río Lerma. Veamos la primera. Se conoce acerca de la inconformidad de los pueblos y propietarios ribereños, debido a las reuniones que tuvieron en las que se discutió ampliamente los beneficios y las desventajas del proyecto de Gumersindo Enríquez. En esas reuniones se llegó al acuerdo de elaborar unas bases que en realidad significaban un conjunto de condiciones que debían cumplirse para no resultar perjudicados por las obras. En esas bases también se hablaba de asuntos tales como garantizar la propiedad de los terrenos a favor de sus respectivos dueños. Los pueblos y propietarios ribereños se consideraban dueños legítimos de las lagunas. Además, advertían que "no se deben comprender como ciénega o laguna los terrenos de los ribereños que sean de labor y se cultiven, y que se inundan sólo temporalmente en la estación pluvial" (AHMO, Obras públicas, caja 2). Otra de las bases acordadas era que los pueblos y propietarios ribereños sólo entregarían las tierras o su valor hasta la terminación de los trabajos de desecación. Mientras ello no ocurriera, el uso y explotación de las lagunas quedaba a beneficio de los antiguos propietarios. También se propuso que la empresa debía garantizar por 25 años la desecación plena de las lagunas. Para ello los terrenos que adquiriera el concesionario quedaban hipotecados en caso de que las obras emprendidas fracasaran. Por otro lado, los propietarios ribereños también requerían agua para sus ganados; en lo sucesivo, el agua debían adquirirla en los canales que construyera la empresa. En las mismas bases se mencionaba que para realizar la obra era necesario concluir los conflictos pendientes por terrenos de ciénega. De hecho, esos litigios constituyeron uno de los grandes obstáculos que impidieron el avance del proyecto.

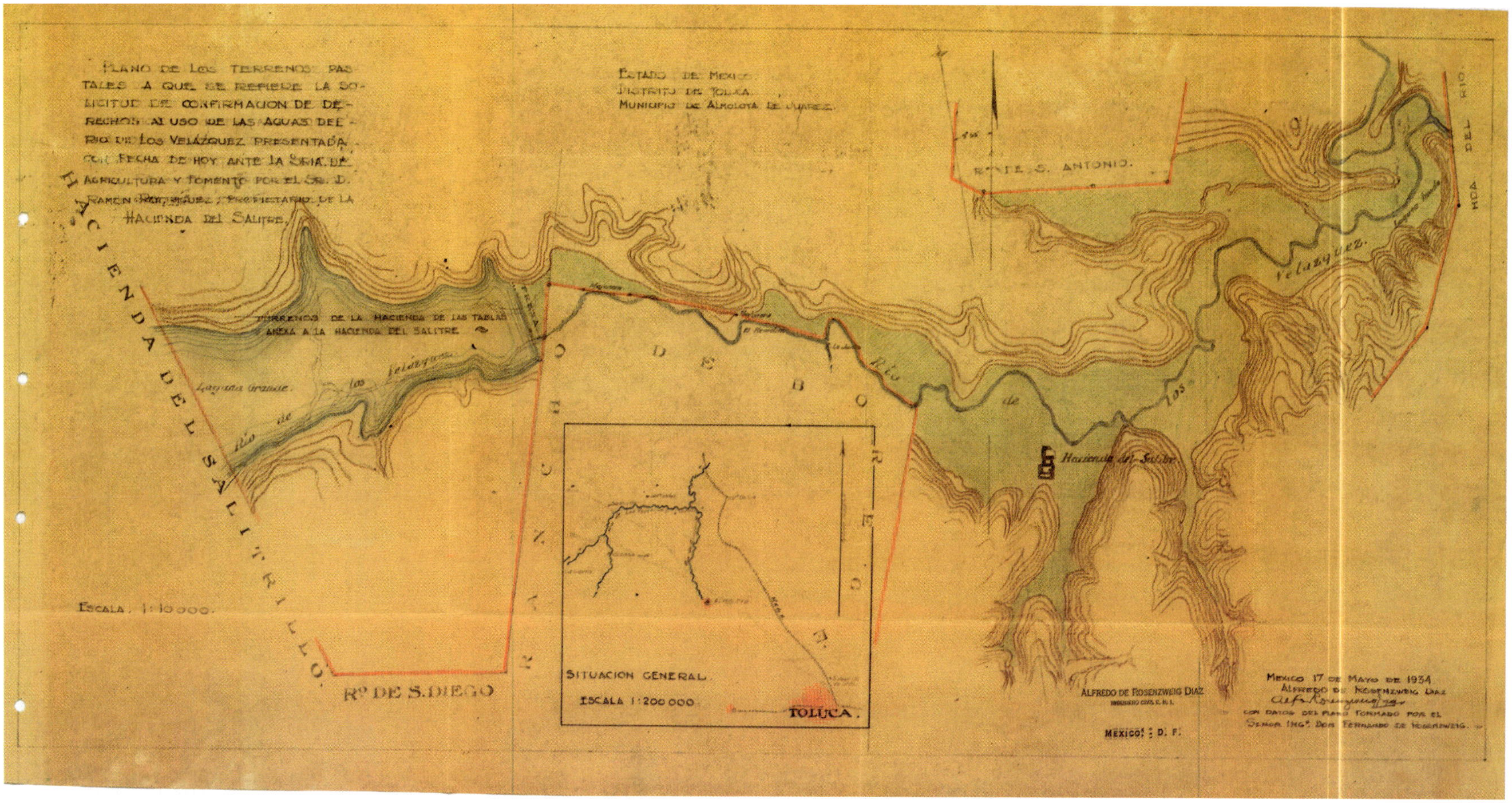

Enríquez consideraba que esta obra sería benéfica porque elevaría la riqueza agrícola del Estado de México. Este es un punto muy importante, dada la política del gobierno porfirista, interesada en procurar el desarrollo de la agricultura a través de la promoción de obras de esta naturaleza. Al parecer, el impedimento para la realización de la obra eran las diferencias existentes entre los pueblos por la posesión de las lagunas. Ejemplo de ello eran los conflictos entre los pueblos de Ocoyoacac y Tultepec, San Mateo Atenco y Tultepec, y entre San Mateo y San Pedro Tlaltizapán, por mencionar algunos. Para dar solución a estas dificultades fue necesaria la intervención del presidente Porfirio Díaz, quien influyó para poner fin a los conflictos o por lo menos tranquilizar las aguas, ya que ésta es una zona que siempre ha sido de gran tensión entre los pueblos por la indefinición que existía de sus linderos.

Ahora bien, el segundo malestar que ocasionó el uso de las aguas del Alto río Lerma y la desecación de sus lagunas, fue la inconformidad que generó al conjunto de usuarios de la cuenca del río Lerma. Esta tensión se vincula con la solicitud que efectuó Luis G. Zaldívar. En 1911, Gumersindo Enríquez traspasó su concesión a Zaldívar con aprobación de la Secretaría de Fomento. Años antes, en 1907, Zaldívar había solicitado una concesión al secretario de Fomento para explotar la ciénega y las aguas del río Lerma. Mencionaba que deseaba aprovechar las aguas que daban origen al río Lerma para desarrollar fuerza motriz primero y después riego. Para este fin deseaba utilizar la cantidad de 5 000 litros por

Para 1942 el gobierno federal tenía otros planes con las aguas que daban origen al río Lerma segundo (AHA, Aprovechamientos Superficiales, caja 768, exp. 11132, f. 8). Esta solicitud provocó una gran discusión acerca de si era pertinente otorgarla o no. Algunos propietarios se opusieron rotundamente. Los usuarios de buena parte de la cuenca del río Lerma, alegaban que la cantidad de agua que solicitaba Zaldívar provocaría escasez entre los usuarios de aguas abajo (Kroeber 1994; 165).

Las protestas e impugnaciones aplazaron el trámite de la concesión. Ante la solicitud de Zaldívar hubo diversas manifestaciones de oposición, sobre todo por parte de los propietarios de tierras situados aguas abajo, algo que no había ocurrido con la solicitud y la concesión otorgada a Enríquez. Juan Pagaza, dueño de la hacienda del Apeo, ubicada en Michoacán, usaba las aguas del río Lerma para la irrigación de sus terrenos. Este hacendado tenía una presa para almacenar el agua del río que después usaba para regar sus terrenos. Se oponía rotundamente a la solicitud porque aseguraba que en temporada de sequía el agua del río Lerma se agotaba por completo, de tal manera que, si se otorgaban las aguas que solicitaba Zaldívar, se perjudicaban los cultivos de su finca, motivo por el que se oponía a la concesión.

En el mismo sentido se manifestó Manuel Llamosa, propietario de la hacienda de San José del Carmen y anexas, localizada en el distrito de Salvatierra, Guanajuato, quien también utilizaba el agua del río para el riego. La solicitud de Zaldívar resultaba perjudicial para sus intereses:

> Tengo la persuasión de que cualquier merced que se haga sobre las aguas del susodicho río y que en algo innove o modifique el régimen y distribución de ellas tiene que ser sumamente perjudicial para los ribereños inferiores (AHA, Aprovechamientos Superficiales, caja 768, exp. 11132, f. 22).

Varios fueron los inconformes a la concesión de Zaldívar. Andrés Brandenburg aseguraba que si se otorgaba la concesión iba a causar perjuicio a su patrimonio. De igual manera se opuso Alberto Robles Gil, apoderado de Felipe Martel, propietario de la hacienda de San Nicolás de la Torre, del distrito de Amealco, Querétaro. El hacendado consideraba perjudicial la solicitud porque su hacienda colindaba con el río del que tenía derecho a usar sus aguas. Este mismo apoderado también representaba a Manuel Sánchez Navarro, de la hacienda de Molinos de Caballero, en Maravatío, Michoaccán, quien también hizo pública su oposición.

Esta iniciativa no sólo perjudicaba a la agricultura, sino también a la industria. Por ejemplo, la oposición de Albateiro y Compañía es interesante porque se trataba de una empresa hidroeléctrica, localizada en Michoacán:

> A no dudarlo, si otorgare al señor Zaldívar la concesión que pide, se disminuiría el caudal de esa vía fluvial, que tan grandes servicios presta a la agricultura y a la industria, en una vasta extensión de la República, que desgraciadamente carece de ríos importantes y sería deplorable que por favorecer problemáticos proyectos de un denunciante, se pusieran en peligro derechos perfectamente adquiridos de un sin número de mercedados que utilizan las aguas del único río de mediana importancia que hay en la Mesa Central del país (AHA, Aprovechamientos Superficiales, caja 768, exp. 11132, f. 22).

La opinión de los usuarios aguas abajo con respecto a la solicitud de Luis G. Zaldívar era considerada como injusta por los perjuicios que ocasionaría. Hay que insistir en que la solicitud de Zaldívar expresaba un cambio en el sentido de los usos del agua de la zona: de los aprovechamientos limitados a un área específica se pasaba a gigantescos aprovechamientos que podían afectar al conjunto de usuarios de la cuenca. Ese cambio se muestra nítidamente en las protestas y oposiciones formuladas por usuarios situados tan lejos como Querétaro, Guanajuato y Michoacán. El daño ya no era sólo para las poblaciones ribereñas del Alto río

Lerma, como cuando se propuso el proyecto de 1857 y 1870, sino también para todos los ribereños de la cuenca del río. Por ello se efectuaron diversas juntas entre los principales afectados por la solicitud de Zaldívar, que retrasaron la aprobación de la solicitud. El problema con Zaldívar era que estaba solicitando las aguas en el nacimiento del río Lerma, es decir, aguas arriba del resto de usuarios. El 26 de julio de 1910 se celebró el contrato entre el secretario de Fomento, Olegario Molina y Luis G. Zaldívar. El proyecto incluía la perforación de un túnel de ocho kilómetros y la apertura de un canal de aproximadamente veinte metros que serviría para reunir las aguas de las lagunas y posibilitar su desecación. La producción eléctrica se destinaría a la ciudad de México, Toluca, a los minerales de Zacualpan y Sultepec, Cuernavaca y a las haciendas azucareras de Morelos. Las inconformidades no se hicieron esperar, ya que todos los usuarios alegaban que los únicos que tenían derecho sobre estas aguas eran los mercedados de la época virreinal. Además de que aseguraban que no era justo que se le otorgara a Zaldívar la concesión, puesto que no tenía propiedades en la zona, mientras que los propietarios ribereños gozaban de derechos sobre las aguas del río. A pesar de que ya había logrado la concesión, Zaldívar no pudo iniciar las obras de su proyecto, debido al estallido de la revolución mexicana. Las actividades de los revolucionarios afectaron a Jalatlaco, Tianguistenco, Ocuila y Malinalco, hecho que provocó el retraso de las obras para la construcción de los canales.

Para 1923 todavía no se había realizado la obra. En razón de ello, en 1930 se decretó insubsistente el contrato de Zaldívar de 1907. Ante tal decisión, Zaldívar recurrió a la Suprema Corte de Justicia para ampararse; sin embargo, en 1939 la corte decidió negar el recurso al quejoso. También se le informó que, con base en la legislación sobre aguas, las concesiones caducaban cuando no se usaban por un periodo de tres años consecutivos (AHA, Aprovechamientos Superficiales, caja 769, exp. 11146, f. 196). Hasta 1942 se resolvió con éxito la caducidad del contrato de Zaldívar, no obstante, para ese entonces, el gobierno federal ya tenía otros planes con las aguas que daban origen al río Lerma. Ahora ya no era un interés central el desarrollo de la agricultura de la región, o los problemas de sanidad. La justificación para usar las aguas y hacer efectivo el derecho de propiedad de la nación sobre las aguas que daban origen al río Lerma tuvo que ver con resolver las necesidades de la sedienta ciudad de México. Antes de esta situación, los proyectos de desecación tanto liberales como porfirianos no se llevaron a cabo por los factores antes expuestos: la resistencia de los pueblos ribereños del Alto río Lerma y por último la postura de todos los usuarios de la cuenca del río.

O
Perito D. Ortiz
O
S
P
A
M
N
R
S
cala d 100 v.s

La cultura lacustre en el Alto Lerma mexiquense

Beatriz Albores Zárate

La subcuenca inicial del río Lerma contuvo una "zona lacustre de altura con volcanes nevados", cuyo paisaje se caracterizó por la presencia del volcán Nevado de Toluca y de la laguna de Lerma, que tienen una altitud respectiva aproximada de 4 700 y 2 600 msnm (Albores 2006: 73; Arce 2009). Esta laguna, una de las más importantes del Estado de México, dio origen al río del mismo nombre, hasta que fue desecada casi totalmente, entre 1941 y 1970. Tan dramático acontecimiento para los pueblos ribereños, fue ocasionado por la construcción del acueducto y el ulterior bombeo del agua de las fuentes del río Lerma hacia el Distrito Federal; era necesario dotar de agua potable a los habitantes de la capital del país que comenzó a crecer en forma acelerada desde los años de 1940, a causa de la industrialización del centro de México (Patrick 2007).

"Laguna de Lerma" (Velasco 1980: 18, Velázquez 1973: 29, Fabila 1951, t. I: 14, cartograma IV; Soustelle 1993: 24) o "lagunas de Lerma" (Tamayo 1960: 147, 1962, t. II: 399; Saldaña 1962: 154; Fabila 1951), es el nombre que aparece en los textos de geografía de México, así como en estudios socioeconómicos y antropológicos de los años en los que existía aquel depósito acuático o en los que estaba extinguiéndose. Algunos autores, en lugar del término "laguna" o "lagunas", utilizan la denominación de "ciénaga", y en algunos casos "pantano" (Bataillon 1969: 166).

En 1854, Noriega elaboró la *Estadística del Departamento de México* que incluyó la "Carta del Departamento de México, levantado en los años 1828 y 29 por D. Tomás Ramón del Moral", en la que puede verse la laguna de Lerma. Aun cuando ésta no se encuentra designada, sí lo está la ciudad del mismo apelativo, en relación con la cual se menciona textualmente en el apartado "Lagunas" del juzgado de Paz de Lerma. "La ciudad de Lerma está circundada de la laguna que lleva el nombre de la ciudad" (Noriega 1980).

El volcán Nevado de Toluca y la laguna de Lerma fundamentaron la integración y el despliegue de la cultura lacustre que se basó –desde sus inicios y como un medio importante durante su transcurso– en actividades de caza, pesca y extracción de fauna y flora acuáticas. Éstas cristalizaron en un "modo de vida lacustre" (Albores 1994) en la primera porción del alto Lerma mexiquense, donde se asentó su zona lacustre, que fuera, en tiempos mesoamericanos, la zona media o central de la provincia del Matlatzinco. Se trata de la provincia que estuvo habitada en su mayoría por hablantes de los cuatro idiomas otomianos, a saber: otomí, mazahua, ocuilteco y matlatzinca. Cabe señalar que Matlatzinco es la palabra náhuatl con el que los tenochcas nombraban a la jurisdicción o provincia que en tiempos mesoamericanos del posclásico (aproximadamente de 1200 a 1480 n.e. –de nuestra era–) se situó al poniente de la cuenca de México. Además de la zona media, central o lacustre, de manera preliminar he dividido el territorio que ocupó el Matlatzinco en dos zonas más: la norteña o serrana y la meridional o de cañadas en sierras descendentes. En

Plano geográfico de aguas nacidas en Jocotitlán
[página opuesta]

tanto que las dos primeras se ubican en el alto Lerma mexiquense, la tercera se encuentra en la porción mexiquense más alta del río Balsas (Albores 2006). Ahora bien, desde la llegada de los españoles en el siglo XVI, el territorio aproximado que ocupó el Matlatzinco –sobre las fuentes mexiquenses más altas de los ríos Lerma y Balsas– empezó a llamarse –de manera alterna– "Valle de Toluca", apelativo que tendió a predominar hasta hoy, si bien en relación con áreas de distinta magnitud.

En la etapa final de la laguna de Lerma (que tuvo lugar de 1900 a 1970), este depósito acuático fue compartido por veinte municipios –y conformaron, por ello, la zona lacustre del alto Lerma mexiquense–, a saber: Almoloya del Río, Atizapán, Calimaya, Capulhuac, Chapultepec, Joquicingo, Lerma, Metepec, Mexicaltzingo, Ocoyoacac, Otzolotepec, Rayón, San Antonio la Isla, San Mateo Atenco, Tenango del Valle, Temoaya, Texcalyacac, Tianguistenco, Toluca y Xonacatlán.

La utilidad de una cartografía hidráulica, de la cual forma parte este trabajo, reside en la importancia que reviste la posibilidad de visualizar el entorno en el cual el modo de vida lacustre tuvo lugar –al menos en la etapa final de la laguna de Lerma (1900-1970)–, así como la de percibir los cambios del medio natural que produjeron el fin de ese modo de vida.

La trama económico-cultural

Las principales actividades económicas de origen indocolonial, durante la etapa final de la laguna de Lerma (1900-1970), eran el trabajo en la ciénaga o laguna –de pesca, caza y recolección de fauna y flora acuáticas, como ya se mencionó–, la agricultura –en parcelas propias o ajenas–, recolección en la milpa y en el monte, y la ganadería. Eran actividades que se realizaban –en mayor o menor medida– en forma paralela, por distintos habitantes, o bien de manera alterna, por un solo individuo. Esta última implicaba una gama de combinaciones efectuadas por un sector poblacional a lo largo del año o durante varios meses o semanas y aun en la jornada diaria. Otras labores importantes eran la producción artesanal y manufacturera, así como el pequeño comercio.

Entre las actividades mencionadas había uno o más vínculos, como por ejemplo la pesca y la venta de productos elaborados, el corte de forraje y la cría de ganado, el corte de tule y el tejido de petates, de sillas y de otros enseres, la herrería y las labores agrícolas –mediante la confección de "pixcadores" para la cosecha del fruto maduro del maíz– y lacustres –con la hechura de hoces y puntas metálicas para las fisgas–; la carpintería que –con base en la fabricación de canoas y gran parte de los remos– mantenía un nexo directo con casi todo el trabajo que se llevaba a cabo en la laguna, lo cual también ocurría (aunque más limitado) con el tejido artesanal de redes.

La cultura pesquera sobrevivió desde el periodo prehispánico

Un aspecto relevante en la economía de los pueblos –sobre todo los ribereños– de la zona lacustre del alto Lerma mexiquense es el que atañe a la diversificación y a la especialización del trabajo, o a una combinación de ambas. Así, encontramos numerosas actividades efectuadas no sólo en el ámbito del pueblo o del barrio, sino de manera individual. Por ejemplo, en el municipio de San Mateo Atenco –pueblo de origen mesoamericano–, además de las actividades lacustres que he mencionado, se llevaban a cabo tejido de tule y de redes, herrería, carpintería, manufactura de zapatos, así como dos formas agrícolas de humedad: *a)* la de temporal, que tenía lugar en la sección territorial que estaba más alejada de la laguna, y *b)* la de riego, que se efectuaba en el borde de la ciénaga, donde se construían "camellones" (denominados técnicamente chinampas).

Si hacemos a un lado el cultivo del maíz –que era realizado sobre todo para satisfacer las necesidades familiares–, las otras actividades las efectuaba una parte de los habitantes de la zona con la finalidad de vender –aunque no en su totalidad– la producción obtenida. En la zona también encontramos el trabajo especializado –por pueblos, barrios o individuos– no únicamente en lo relativo a cierta actividad –como podría ser la pesca–, sino también en cuanto a una sola especie acuática de fauna o flora o a uno o dos productos elaborados. Ejemplo de ello es San Pedro Tultepec de Quiroga, un antiguo pueblo isleño de tejedores de petates que en la actualidad pertenece al municipio de Lerma.

Numerosos pueblos donde la pesca era importante llevan el nombre colonial –seguido de la designación mesoamericana o de la castellanización de ésta– de algún santo relacionado con aquella actividad. Por ejemplo: San Mateo Atenco, San Pedro Techuchulco, San Mateo Texcalyacac, Santa Cruz Atizapán, San Mateo Atarasquillo, San Pedro Tultepec y San Mateo Mexicaltzingo. Ahora bien, la relevancia de la pesca se incrementa en sentido inverso al orden en que se han anotado estas localidades; es decir, desde una práctica con miras a la satisfacción, total o parcial, del consumo cotidiano –como ocurría en Mexicaltzingo y con mayor asiduidad en Tultepec– hasta la que –si bien cubría los requerimientos domésticos– tenía un objetivo básicamente comercial, como en el caso de Techuchulcoy, en menor medida, Texcalyacacy Atizapán, en tanto que San Mateo Atenco era, en términos de la zona lacustre, el pueblo de pescadores por excelencia.

La pesquería cubría los requerimientos domésticos y tenía un objetivo comercial

En cuanto al tejido del tule, éste tenía lugar no únicamente en San Mateo Atenco y en San Pedro Tultepec de Quiroga, también en muchos más poblados de la zona lacustre, como son San Pedro Totoltepec, la Asunción de María Atarasquillo, San Andrés Ocotlán, San Pedro Tlaltizapán, Santa Cruz Atizapán, San Mateo Texcalyacac y San Pedro Techuchulco. La producción de objetos de tule era en algunas de las localidades –como Atenco– sólo una entre otras labores locales; en cambio, en otros pueblos –como Tultepec– ocupaba el primer lugar.

De manera que en el ámbito de la población de la zona, es posible reconocer dos sectores laborales. El primero incluía a los trabajadores de "oficio", que se ocupaban parcial o totalmente de la obtención de productos lacustres; dentro de este grupo había especialistas en la captura de una o dos especies y quienes se desempeñaban en forma diversificada. El otro sector estaba conformado por los habitantes en general, quienes incursionaban o podían ingresar a la ciénaga, no por cuestión de oficio sino por la necesidad de cubrir o complementar el gasto familiar y aun por simple gusto o diversión.

Las labores en la ciénaga se organizaban en forma individual, colectiva o grupal, mediante formas generales o especializadas, y existía una división del trabajo –por sexo y por edad– para efectuar: *a)* la consecución de los productos acuáticos, *b)* su venta directa, o *c)* su preparación o elaboración para el consumo o su comercialización. Tal división tenía lugar básicamente en el seno de la familia –nuclear o extensa–, a partir del trabajo específico o según la costumbre del pueblo en el que aquélla ocurriera. Por ejemplo, en San Mateo Atenco el quehacer en la ciénaga era casi por completo masculino, mientras que en Texcalyacac y en San Pedro Techuchulco la pesca era tarea de los hombres, pero el corte de tule lo efectuaban, además, las mujeres. Por otra parte, en San Pedro Tultepec personas de ambos sexos participaban en la pesca y en la tajadura del tule. Sin embargo, hasta en las últimas localidades la participación femenina era mucho más restringida que la del sector masculino, lo cual se invertía en la práctica artesanal del tejido de tule, en el que la función de aquéllas con frecuencia superaba a la de los varones. El corte del resto de la flora acuática –entre la que destaca la "pastura" para todo tipo de ganado y de animales domésticos, compuesta por distintas plantas– estaba fundamentalmente en manos masculinas. En cuanto a la última parte del proceso, la "limpia" y la preparación de fauna lacustre, eran tareas que incumbían por completo a las mujeres, quienes cubrían el mayor segmento en la comercialización.

Vendedor de escobas y petates

En el presente trabajo sólo trataré algunas formas de conocimiento –de origen mesoamericano– que se expresaron en la trama de la cultura lacustre de los pueblos pertenecientes a la zona media del antiguo Matlatzinco. Mi objetivo es mostrar, a través de cuatro ejemplos, el refinado conocimiento que la gente local ha tenido de su entorno natural y su creatividad para adaptarse a las limitantes ambientales de una zona lacustre, bastante más elevada que la vecina cuenca de México, al adecuar sus actividades de subsistencia. Me referiré a tres formas –grupales y especializadas– de pesca, en las que se emplea la técnica de "ahuyento": dos de "correteo" y una de "cerco" o "rodeo" –los llamados "corrales" en San Mateo Atenco; la "cuadrilla" en Techuchulco, municipio de Joquicingo; el "jarabeo" practicado en varios pueblos de la zona–, así como al tejido de tule en San Pedro Tultepec, del municipio de Lerma.

Los "corraleros" de San Mateo Atenco

Este municipio, que contuvo un típico pueblo lacustre, se ubica al noreste del volcán Nevado de Toluca, sobre la antigua ribera izquierda de la laguna de Lerma. San Mateo Atenco poseía un territorio con un área lacustre y otra ribereña, mas no contaba con una sección de montaña, como la mayor parte de los municipios que integraron la zona en la etapa final de la laguna de Lerma. No obstante, San Mateo es representativo de los pueblos de toda la zona lacustre, en cuanto a la complejidad que alcanzaba la trama de las actividades acuáticas, agrícolas, ganaderas, artesanales, manufactureras y el pequeño comercio. De éstas sólo me referiré a las labores en la ciénaga, en particular a la pesca.

En San Mateo la producción acuática abarcaba, como en toda la zona lacustre –a lo que me referí previamente–, pesca, caza y extracción de fauna y flora de la ciénaga, así como captura de aves. Los medios e instrumentos usados en estas actividades eran:

1. La "canoíta" (para un individuo) y la "canoa" (para dos personas), en menor medida se usaban embarcaciones de dimensiones mayores, como la "trajinera" y otras.

2. Dos tipos de remos: *a)* la "garrocha", un madero cilíndrico y largo, de reducido grosor, y *b)* la "pala" –más corta que la garrocha–, que consistía en un madero rollizo u ovalado de poco grosor con uno de sus extremos en forma de cuchara aplanada. La garrocha y el remo se empleaban para la propulsión respectiva en lugares poco hondos y profundos.

3. El "cajete", el hachón y la lámpara, utilizados en la iluminación, durante el trabajo nocturno.

4. La fisga, construida con una vara o "garrocha", a la que se le ponía en uno de sus extremos una o varias agujas, las cuales en la etapa final de la laguna de Lerma eran metálicas.

5. Dos tipos de red: la abolsada y cónica, denominada "macla", en su variante elíptica, que consta de: *a)* una malla o bolsa cónica, *b)* un soporte –que era por lo común de "madera de oyamel"– del que pende la bolsa, y *c)* un asa o mango hecho con un madero cilíndrico de poco grosor, también de oyamel, llamado "garrocha". El otro tipo era la red plana o "chinchorro"; se caracteriza por su falta de asa o mango y por estar integrada por una malla rectangular y por más de dos soportes o "varas". Se colocaba de manera vertical –"parada"– con una parte debajo de la superficie del agua en lugares

Cazando aves acuáticas en una "canoíta" y con fisga

Cargador de canastas en Toluca

poco profundos; para sostenerla firme, se introducían los soportes en el fondo de la laguna –distribuidos al inicio y al final de la malla, así como en puntos intermedios–, los cuales se fijaban con hierbas acuáticas. Las redes, en general, variaban en cuanto al tamaño de la malla y en la dimensión de los "ojos" u orificios de ésta, de acuerdo con las dimensiones de la presa.

La fauna lacustre comprendía, entre otros animales, los siguientes: acocil, ajolote, carpa, salmiche, pescado negro o "támbula", pescado blanco o "ahuilote", sacamiche, "alacrancito" o "pícaro", ranas y atepocates (las ranúnculas), así como numerosas aves. Debido a que de acuerdo con las dimensiones de los animales se usaban distintos instrumentos, la fauna acuática se dividía en especies grandes –como la carpa (que medía hasta sesenta centímetros)–, especies medianas que incluían algunas ranas y al pescado blanco (que de manera respectiva medían de quince a veinte centímetros y de diez a treinta centímetros) y especies pequeñas –entre las que se contaban el acocil (de seis centímetros de largo) y el pescado negro (con tres y medio a cinco centímetros).

Las actividades en la laguna se efectuaban por lo regular de manera individual –si bien los pescadores acostumbraban ingresar juntos a la laguna–; había, además, trabajo colectivo y grupal. Los animales acuáticos se obtenían a través de formas generales o especializadas. En seguida mencionaré un ejemplo de estas últimas.

Pesca del "támbula" con "corral"

Una forma grupal y especializada de captura de fauna acuática se empleaba, en San Mateo Atenco, en la consecución del "pescado negro" o "támbula" con "corrales". Era una técnica diurna, que se efectuaba en los lugares bajos de la ciénaga, con canoa o sin ésta. En Guadalupe, uno de los antiguos doce barrios de San Mateo Atenco, los trabajadores laguneros que sólo se dedicaban a la obtención del "támbula" utilizaban con frecuencia la técnica del "corral", por lo que eran llamados "corraleros".

Las labores de la Ciénega se realizaban en forma colectiva o individual

Éstos se organizaban por grupos de tres a diez pescadores, cada uno con su canoíta, garrocha y remo. El corral era una trampa que se hacía con dos "brazos" o hileras de hierbas lacustres, casi convergentes en uno de sus respectivos extremos, a modo de dejar una salida en la que se colocaban las maclas, mismas que eran afianzadas en el fondo, a través de sus asas, con yerbas acuáticas. En los extremos opuestos, los "brazos" se dejaban separados, a modo de que los peces pudieran introducirse por ese lado. Cada "brazo" medía doce, quince o más metros de longitud –según la cantidad de peces que fuera a acorralarse–, y unos diez centímetros de grosor; de altura, se tejía desde la superficie hasta el fondo de la ciénaga para que los támbulas no se escaparan por la parte inferior de la trampa.

Después de construirse el corral y de haber puesto las redes, algunos pescadores se quedaban a los lados de aquél mientras el resto subía a sus respectivas canoas para "arriar" el cardumen, que se encontraba a cierta distancia. Con ese propósito, los trabajadores, ya embarcados, chiflaban, cantaban, gritaban o pateaban rítmicamente el fondo de las canoas para que los támbulas se espantaran, "ahuyentándolos", con el fin de introducirlos en la trampa y conducirlos hasta las redes. Uno de los pescadores –que había puesto las maclas– debía vaciar la presa en alguna de las canoas y limpiar de vegetación las redes para volver a colocarlas en el siguiente corral. Había ocasiones en las que varios de los ahuyentadores se bajaban de sus embarcaciones y ayudaban a sacar el pescado de las redes. En aguas muy poco profundas, el proceso se efectuaba a pie, sin la utilización de canoas.

Los "cuadrilleros" de Techuchulco

Techuchulco es un pueblo del municipio de Joquicingo, situado en el sur de la zona lacustre, cuyo territorio comprendía tres secciones o partes: de laguna, ribereña y montañosa, a diferencia de San Mateo que no contaba más que con las dos primeras, como ya lo mencioné. En Techuchulco había una mayor especialización en las actividades laguneras –sobre todo sacadura de fauna y caza de aves acuáticas– y en las efectuadas en los escalones serranos que en el aledaño municipio de Texcalyacac. En este último –que poseía un territorio con las mismas tres secciones–, aun cuando había pescadores especializados, los trabajadores ribereños tendían a diversificar sus labores en las distintas secciones ambientales.

De manera que Techuchulco destaca por una forma especializada de labores económicas, como lo he señalado, que es comparable a la de San Mateo Atenco, en cuanto a que en éste y en aquel pueblo, los vecinos de la parte territorial contigua a la ciénaga se aplicaba de manera más específica al trabajo acuático que la población que vivía en la ribera de Texcalyacac. De igual manera, la gente de la sección más alejada de la laguna se dedicaba en mayor medida a sus respectivas labores: a la agricultura de temporal en Atenco y al trabajo del monte en Techuchulco. En tal marco, Techuchulco era conocido como el pueblo fabricante de canoas por excelencia, en el ámbito de la zona lacustre, como, en términos de ésta, lo era Atenco el pueblo de pescadores. Pero, en cuanto a los pueblos de la porción lagunera más sureña, sin que se dejara de mencionar que en San Mateo Texcalyacac, Almoloya del Río y San Antonio la Isla se practicaba la pesca, se presume que "en Techuchulco pescábamos en todas las lagunas; el mero pueblo de pescadores era acá". En Techuchulco hubo captura de aves, pero no se acostumbraba extraer flora comestible de manera significativa; el tule se cortaba, mas casi no se tejía: "El tule se dio mucho y se embarcaba para [San Pedro] Tultepec. Acá pocos tejían". En cambio, "venían a tejer de Tultepec, a 'alquilarse'; les cortábamos el tule, lo secábamos y ellos lo tejían". Por lo demás, en Techuchulco la producción agrícola era menor que en Texcalyacac y no se practicaba la ganadería.

En seguida me referiré a otra forma grupal de pesca. En Techuchulco –como en San Mateo Atenco y en toda la zona– se emplearon en la pesca los mismos medios e instrumentos, si bien el primer pueblo se caracteriza porque fue el principal centro de fabricación y el único distribuidor de canoas de una sola pieza en términos de la zona, hasta donde se sabe, al menos en lo que atañe a la etapa final de la laguna de Lerma (1900-1970). También en San Mateo Atenco se hizo la canoa de una pieza, mas no para la venta sino con fines de consumo propio, y en 1925 ya había carpinteros especializados en la canoa de "tablones" o de varias piezas, en las que aquel municipio cobró renombre. Otras localidades donde se elaboraron canoas, en aquella etapa, son Santa María Atarasquillo –del municipio de Lerma–, San Francisco Tepexoxuca y San Miguelito de Ocampo –del municipio de Joquicingo–; mientras que las canoas de Atarasquillo se destinaban al consumo interno, las de Tepexoxuca se comercializaban, al igual que las de Techuchulco, como se dijo antes (García y Aguirre 1994, Sugiura 1998: 89-98).

Además de la red elíptica (empleada en Atenco y en toda la zona lacustre), en Techuchulco se usó la red con un aro que tiene una configuración de trapecio isósceles. Se trata de una "red grande", es decir, de mayores dimensiones que la red elíptica, y era una red "de cuadrilla", debido a que se utilizaba en una forma grupal de pesca denominada "cuadrilla". Los lados paralelos y desiguales en cuanto a su longitud –que en términos geométricos se nombran "bases"– de algunas de estas redes, con forma de trapecio, medían respectivamente 1.50 y 2 metros, y su "altura" –designación geométrica de la distancia de las bases– era de 2.25 metros.

La "cuadrilla" es, como lo he indicado, una forma grupal y especializada de pesca, que se utilizó en Techuchulco para la obtención del pez blanco; sus integrantes se llamaban "cuadrilleros", por lo que parece posible que en aquélla participaran, originalmente, sólo cuatro o dos conjuntos de cuatro trabajadores, tal como lo mencionaron varios vecinos. Sin embargo, también participaban más, ya que en algunos relatos se indica, por una parte, que los integrantes de la cuadrilla "eran sólo cuatro o cinco personas" y, por otra, que "en la cuadrilla, doce o quince correteaban al pescado". En esta forma de captura se utilizaban redes y "garrochas" o maderos rollizos; las redes medían como dos metros de fondo y ojos del tamaño "donde cabía el dedo pulgar". En cuanto a las garrochas, uno de sus extremos se sujetaba a la punta de la canoa, en tanto que en el extremo opuesto se amarraban manojos de tule "blanco" o "redondo" (con el que se tejían petates). Del tule se empleaba únicamente "lo que estaba dentro del agua: la pata del tule que era blanco" y medía como 1.10 metros.

De acuerdo con los testimonios, la técnica consistía en rodear a los peces entre las cuatro canoas, las cuales, al moverse en círculos cada vez más cerrados, iban formando una especie de cerco; de ahí que pueda dominarse "técnica de cerco o rodeo" (Albores 2000: 48). En efecto, de los cuatro pescadores –en sus respectivas canoas–, dos se ubicaban a unos diez o doce metros de distancia de los otros dos. Todos llevaban su garrocha con tules, con el fin de "rodear al pescado y, ya juntándose, ya metían la red".

> Se reunía una cuadrilla de cuatro personas –narran los vecinos de Techuchulco–, con sus redes grandotas. El pescado que estaba abajo se empezaba a mover. Los cuadrilleros, dos así [abajo] y dos arriba... ai van bajando y los otros iban subiendo [para cercar a los peces] y se hacían señas.
>
> Rodeaban al pescado y lo cercaban y, ya cerca, se bajaban y entre todos echaba cada quien su red.

La "cuadrilla" está comprendida, al igual que otras formas grupales, en una categoría más amplia de pesca a la que podemos designar de "ahuyento".

Los "jaraberos" de la zona lacustre

Un ejemplo más de pesca por "ahuyento" –y que, como el "corral", pertenece a la captura por "correteo"– es la que, con el nombre de "jarabeo", informan García y Aguirre (1994) y García, Aguirre y Sugiura (1998: 164-167), el cual se llevó a cabo en distintas áreas de la zona lacustre. Por los datos que proporcionan los autores, podemos percatarnos que el "jarabeo" tiene que ver con las variantes diurna y nocturna de una forma grupal de pesca, cuya técnica implica dos tipos de actuación: el correteador, ahuyentador o perseguidor, y el capturador o receptor de la presa. Los autores mencionados asignan el apelativo de "jarabeo" al papel general del perseguidor. No obstante, por la información que ellos aportan se observa que tal denominación corresponde al trabajo altamente especializado del perseguidor nocturno, quien debe llevar a cabo una especie de baile o danza. Y es a éste al que, de manera específica, se le dice "jarabero", como veremos más adelante. Ahora bien, "jarabear", como su nombre la indica, deriva del baile y la música del jarabe. El objetivo del jarabeo era "espantar a los pescados para que caminaran" hacia donde estaban esperando los pescadores con la red (García y Aguirre 1994, y Sugiura 1998).

La variante diurna la realizaban por lo general ocho pescadores, ya fuera en aguas bajas o profundas. A los cuatro capturadores los llamaban "releros", quienes llevaban sus respectivas "tiraderas" o canoas individuales y sus redes "medianas". Los cuatro pescadores restantes participaban como "vaqueros" o ahuyentadores; "iban a pie, llevando botes alcoholeros y palos" (las citas sin nota bibliográfica o aclaratoria, expresan los datos textuales de los vecinos de la zona).

> De día –registran los autores– los pescadores elegían el lugar, ya fuera en el río o en los parajes donde hubiera más pescado. Una vez elegido, los releros se colocaban a lo largo del tramo que querían abarcar, separados uno de otro 2 o 3 metros aproximadamente; los vaqueros se alejaban 20 m de los releros de modo que, al caminar, avanzaran de frente a ellos; también iban separados 2 o 3 metros entre sí, llevando sus botes y palos. Al darse la señal, los vaqueros comenzaban a hacer ruido, golpendo los botes con los palos en el nivel del agua, moviendo su cuerpo a uno y otro lado al mismo tiempo que avanzaban, así continuaban acercándose poco a poco hacia los releros, quienes esperaban con sus redes aún sobre la canoa. Cuando los vaqueros estaban a 5 m de los releros, éstos a una señal, levantaban sus redes [las cuales habían sido previamente introducidas en el agua] al mismo tiempo. Esta acción se repetía durante varias horas hasta pescar lo necesario.

En la variante nocturna participaban hasta seis capturadores o "releros", en tanto que el papel de correteador era efectuado sólo por un individuo, al que se conocía como "jarabero"; se empleaban canoas pequeñas con remos, redes medianas y fisga. García y Aguirre (1994) y Sugiura (1998) señalan que cuando "jarabeaban de noche, al parecer, preferían los lugares de agua profunda", es decir, que se optaba por trabajar sobre la canoa. Lo anterior se explica, en mi opinión, a la limitante ambiental que existía, al igual que en otras formas de pesca, respecto del trabajo nocturno, el cual convenía llevarlo a cabo en dentro de la canoa y no directamente en el agua. Esto es debido a la temperatura ambiental que –en la zona lacustre, ubicada a 2 600 msnm– descendía drásticamente durante la noche, tal como los autores lo relatan: "Pescar de noche implicaba soportar a veces el intenso frío de las heladas, bastante comunes en la región, y que al fisgar desde su tiradera, la garrocha helada de la fisga quemara la mano del jarabero". Además, ellos señalan que en la noche "al parecer" los pescadores "tenían preferencia por el río [que fluía en medio de la laguna], pues a esa hora los peces grandes, especialmente las carpas, abundaban". En el desempeño nocturno no se "utilizaban lámparas y, ocasionalmente, sólo los iluminaba la luz de la luna". Pescando así podían llevarse toda la noche. Ahora bien, los autores hacen una descripción destallada de esta actividad nocturna, la cual permite visualizar el alto grado de especialización del jarabero:

> [... El jarabero] solía ser el más joven de los pescadores, a diferencia de los vaqueros, cuyo papel podía desempeñar cualquiera. Los releros se acomodaban igual que como hacían de día, y el jarabero se alejaba de ellos a una distancia de 20 o 30 m; desde allá se acercaba a los releros

Indio de San Juan Teotihuacan

zigzagueando en su tiradera a lo ancho del río, impulsando su embarcación, fisgando con energía a uno y otro lado de ella al mismo tiempo que bailaba en su tiradera; así, el ruido de sus pies sobre la madera llegaba bajo el agua y espantaba a los peces, obligándolos a moverse hacia donde estaban los releros, quienes a una señal hundían y sacaban sus redes repletas de pescado.

A los ahuyentadores –el jarabero o los vaqueros– les correspondía una mayor cantidad del producto obtenido que a los releros, porque "su trabajo era el más arduo en esta práctica". Finalmente, los autores se refieren a la amplitud con la que el jarabeo se llevaba a cabo en las tres porciones lacustres que conformaban la laguna de Lerma, en relación con lo cual apuntan que en el

Alto Lerma la técnica de jarabear recibía nombres diferentes según las localidades; por ejemplo, en el sur, se conocía como cuadrilla y era practicada con redes trapezoidales grandes y canoas para vaqueros y releros en los parajes del Agua Blanca en San Antonio La Isla, el Hondo Grande, el Hondo Chico y El Estampado en San Pedro Techuchulco y San Mateo Texcalyacac. En la laguna centro, en las localidades del barrio de Guadalupe de San Mateo Atenco y San Pedro Tlaltizapán, se decía que sus pescadores "pescaban con música". En Santa María Atarasquillo, en el norte, se le decía el baile, y se pescaba en los parajes del Agua Blanca y la Manga Grande.

Los tuleros de Tultepec

San Pedro Tultepec de Quiroga fue una isla de tejedores de petates que, como lo mencioné, actualmente pertenece al municipio de Lerma. Durante la etapa final de la laguna de Lerma, en ese pueblo, aparte del tejido de tule que era la principal actividad económica, se extraían diversos productos vegetales y animales de la ciénaga por medio de la caza, pesca y recolección. Estas actividades se llevaban a cabo de manera generalizada por los vecinos de Tultepec, con el fin de procurarse recursos para el consumo doméstico; existía, además, un grupo muy reducido de la población económicamente activa que se dedicaba a aquellas labores con el objetivo fundamental de vender el producto logrado. También se cultivaban pequeñas parcelas, y algunos vecinos tenían unas cuantas vaquitas y aves de corral.

> Nuestros padres nos enseñaron a tejer el tule. Casi todo el poblado se dedicaba al tule… a la pesca, pocos, sólo personas aseñaladas que sabían pescar; de ahí, pescaban sólo para merecerlo [para comer]. Antes era pura ciénega; el pueblo estaba rodeado de ciénega. Había cosecha de tule, eso era la mantención de la gente; sembraban arriba sus cuelguitas. Los de San Mateo Atenco venían a vender verdura, pescado, y las canoas se compraban, también, en San Mateo.

La temporada del corte de tule era de agosto a octubre. Los principales lugares donde se efectuaba tal actividad eran la parte acuática que pertenecía a Tultepec, la hacienda de San Nicolás Peralta, así como los pueblos de San Pedro Tlaltizapán, San Lucas Tunco, Jajalpa y San Pedro Techuchulco. "Acá en Tultepec había tule, pero más poquito; en cambio allá en Techuchulco había como si hubieran sembrado avena".

En el corte de tule se empleaba una hoz alargada –llamada segadera– que se compraba a los herreros de San Mateo Atenco, y una artesa o chalupa de madera que medía, al igual que las canoas que se usaban en este último pueblo para sacar pastura, cinco metros de largo, mas, a diferencia de aquéllas –que tenían noventa centímetros de ancho–, la que usaban los tuleros (como se nombraba a los cortadores de tule) era un poco menos ancha, pues medía como ochenta centímetros en la parte media, llamada "cama". Al final de ésta, que era donde empezaban las "puntas", la artesa se reducía a sesenta centímetros. La chalupa tulera aguantaba alrededor de quinientos kilos, aun cuando se utilizaba sólo para remolcar, cuando se traía gran cantidad de tule: la "canoa grande aguantaba como a seis o siete personas; servía para cargar tule". De acuerdo con los relatos, los vecinos de Tultepec compraron las artesas en Techuchulco, hasta alrededor de 1917, y, con posterioridad, en San Mateo Atenco.

> Primerito eran canoas de una pieza, de Techuchulco, grandes y chicas, y ya después las hacían en San Mateo, pura tabla, pegadas. Acá comenzaron en el siguiente año de que pasó la gripa porque en Techuchulco ya no las hicieron, por la revolución.

Para efectuar el proceso de trabajo, el cortador remaba en su artesa hasta los tulares, en donde, parado cerca de la punta de aquélla, con un brazo rodeaba el tule que podía contener –cantidad que se nombraba "brazada"– y, luego, con la mano que le quedaba libre sajaba el junco con la segadera y lo acomodaba en la chalupa. Un grupo de cortadores salía de Tultepec por una semana o por un poco más de tiempo. De ese grupo, los que se dirigían a Techuchulco o al pueblo aledaño de Jajalpa –situados en el extremo sur de la zona– partían el domingo a las doce del día y llegaban hacia las cinco de la tarde. Dormían en uno de los pueblos mencionados y, el lunes, iban a los tulares para iniciar el corte, entre las seis y media o siete de la mañana, para suspenderlo como a las cuatro de la tarde. A diario, después de amontonar en la chalupa una cantidad considerable de tule cortado, el trabajador lo amarraba por brazadas y en seguida

Vendedor de petates

Cargadores tomando un descanso

unía cada una de éstas, en fila. Al concluir las tareas de corte, el tulero sujetaba a la artesa la fila de brazadas de tule –que se denominaba "balsa"– para remolcarla hasta Tultepec.

De regreso, los tuleros salían de Techuchulco a las ocho de la noche del domingo; "primero se pasaba por el 'Hondo grande' y luego el 'Hondo chico'", para llegar a Tultepec el lunes a las doce del día. Otro grupo de tuleros acostumbraba ir todos los días al corte; unos salían a las tres de la mañana para trabajar alrededor de doce horas. Algunos más destinaban sólo unas cuantas horas del día, en las que cortaban cinco o seis brazadas.

Después de finalizar el corte, venía la etapa de secado, durante la cual se tendían los juncos en el suelo, a la intemperie, para que "amarillaran", si bien debía tomarse la precaución de levantarlos si llegaba a llover, para evitar que se estropearan. "Se tendía el tule en el suelo hasta que quedaba 'alimonado' [de color amarillo]".

Una vez seco, el tule se guardaba, "acostado", sobre unos maderos o polines, "y ya durante el año tejíamos". Así, al realizar la tejedura, el artesano se sentaba en el suelo o en un pequeño y bajo banco de tule, que él mismo había elaborado, para aplanar –con una piedra designada "plancha"– los juncos previamente humedecidos, antes de entrelazarlos. Los niños empezaban su aprendizaje desde los siete u ocho años; primero tejían unos abanicos –llamados "aventadores"– que se empleaban para hacer o avivar la lumbre del fogón, y hacia los once o doce años ya se ocupaban por completo al tejido.

> Antes había mucho material [tule]. Desde las tres de la mañana se tejía, haciéndose tres o cuatro petates al día. Algunos, que empezaban a las cinco o seis de la mañana, también llegaban a hacer tres petates. Unos tejían sólo dos petates y otros nomás uno. Cuando se entretenía uno con el quehacer sólo se terminaba un petate y, los que hacían tres o cuatro no se paraban para nada.

Se hacían petates de distintos tamaños, canastas, juguetes y otros productos más; se vendían por lo común en distintas localidades, ya fuera de la zona lacustre o bien de la cuenca de México. "Los tuleros iban en canoa a cortar, tejían y salían a vender a Tlahuac, Tulyehualco, Zapotitlán, Tlaltenco y Milpa Alta".

Como lo mencioné, en Tultepec, la caza de aves, la pesca y la obtención de flora y fauna de la ciénaga, eran actividades generalizadas. Mujeres y hombres participaban en la extracción de yerbas acuáticas y en la caza de fauna, que se efectuaba en las partes bajas de la orilla de las lagunas.

> Las mujeres también entraban a "agarrar tenteando", que era ir tentando el fondo de la laguna para encontrar los productos. Para esto se enrollaban un rebozo en la cabeza; de ahí se lo pasaban por la espalda y, luego, por los senos, para cubrirlos y se amarraban el reboso delante. Sólo el

> reboso llevaban en la parte de arriba; abajo se ponían una faldita ya usada. Nosotros, los hombres, entrábamos con unos calzoncitos.

A diferencia de cierto número de casos en otros pueblos, como San Mateo Atenco donde sólo los hombres entraban a laborar en la ciénaga.

Durante el año se efectuaba la cacería de aves acuáticas tanto originarias de la zona como migratorias; era al final del verano y en invierno cuando, debido al arribo de estas últimas, se incrementaba su número y su variedad de manera significativa. Para la caza se empleaba la escopeta de chimenea y la "chalupa" (que medía de setenta a setenta y cinco centímetros de ancho en la parte del centro por dos metros de largo), a la que también se le denominaba canoa "tiradora", pues desde ésta se les tiraba a los patos, bien empleándose fisga, como seguía haciéndose en San Mateo Atenco, o con la escopeta, como se realizaba en Tultepec. La canoa se usaba, además, en la pesca.

> Había harta carpa, pescadito, rana… Uno nomás iba un rato p'a un taco o p'a la cena; otros iban todo el día. Había juil, salmiche y mojarra. Trucha había en el Vivero, que era del hacendado; había unas lagunitas blancas… ahí se criaban las truchas, en el agua rebotada se morían… cuando se desbordaba el río y las pasaba a traer se morían. Las truchas chiquitas se pasaban… cuando se descuidaba el bordero [empleado que vigilaba los límites ribereños de la hacienda] iba uno a agarrar [truchas]

A manera de síntesis

Como podemos observar, con los ejemplos que he expuesto, las actividades acuáticas se realizaban en una amplia gama, tanto de manera especializada como en términos generales. Así, la economía de San Mateo Atenco, de San Pedro Techuchulco y de San Pedro Tultepec de Quiroga (al igual que la de los pueblos de toda la zona, estrechamente vinculada con el entorno lacustre) sufrió una profunda transformación debido a las repercusiones por el proceso de industrialización del centro de México, en particular de la capital del país, entre las décadas de 1940 y 1970. Los trabajos de construcción del acueducto se emprendieron en 1942 y concluyeron en 1951, año en el que el presidente Miguel Alemán llevó a cabo la inauguración del bombeo de agua de la antigua zona lacustre a la ciudad de México; con ello, la laguna de Lerma llegó a su final.

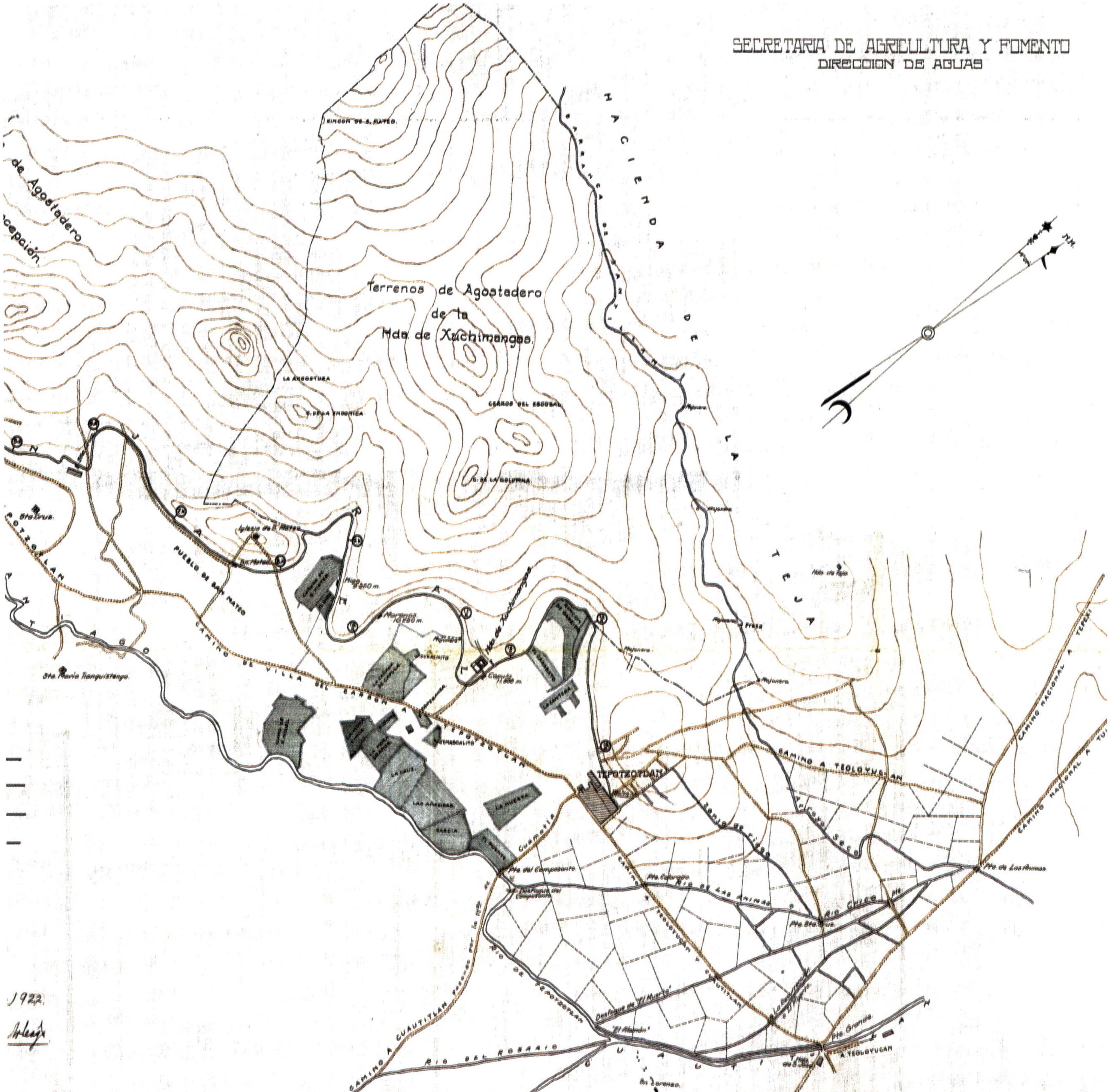
SECRETARIA DE AGRICULTURA Y FOMENTO
DIRECCION DE AGUAS
HACIENDA DE LA TEJA
Terrenos de Agostadero
de la
Hda. de Xuchimangas.
de Agostadero
Concepción
RINCON DE S. MATEO
LA ANGOSTURA
CERROS DEL ESCOBAL
C. DE LA COLUMNA
Iglesia de S. Mateo
PUEBLO DE SAN MATEO
Sta. Cruz.
Sta. Maria Tianguistengo.
CAMINO DE VILLA DEL CARBON A TEPOTZOTLAN
TEPOTZOTLAN
CAMINO A TEOLOYUCAN
CAMINO NACIONAL A TEPEJI
CAMINO NACIONAL A TULA
Arroyo Seco
Río de las Animas
RIO CHICO
Pte. de Los Animas
Pte. del Compasinto
Pte. Colorado
Desfogue del "El Muerto"
"El Alamo"
Río del Rosario
CAMINO A CUAUTITLAN
RIO DE TEPOTZOTLAN
Pte. Grande
A TEOLOYUCAN
Sn. Lorenzo
LA CRUZ
LAS ARABIAS
LA HUERTA
LA CANTERA
Cuamatla
1922.

La irrigación en el Estado de México, 1900-1940

Gabriela Medina González

Durante el porfiriato, en diversos sectores de la sociedad mexicana existía gran preocupación por el atraso de la agricultura en relación con el adelanto de las restantes ramas de la economía. En distintos medios, como diarios y revistas especializadas, se discutían las pésimas condiciones del sector agrícola y los escasos esfuerzos del gobierno para mejorarlas (Oñate 1984: 52). En este sentido, uno de los objetivos del proyecto modernizador porfirista fue impulsar una nueva política en el desarrollo de la agricultura a través de la irrigación. El control de los recursos hídricos fue pilar del gobierno federal.

El 5 de junio de 1888 fue aprobada la primera ley federal en la materia, misma que establecía como vías generales de comunicación los lagos y ríos interiores si tenían el carácter de navegables, aun cuando en el territorio nacional son pocos los ríos con estas características. Además consideraba que los lagos y ríos de cualquier clase y en toda su extensión, que sirvieran como límites de la república o de dos o más estados, estaban bajo la vigilancia y policía del Ejecutivo federal. Este ordenamiento legal fue objeto de grandes críticas por lo ambiguo de su texto, ya que la ley de 1888 establecía la jurisdicción más no la propiedad federal de las aguas, es decir, el gobierno federal "contaba exclusivamente con funciones de vigilancia y policía pero carecía de derechos de propiedad, y por tanto, de facultades para traspasarlos o cederlos a otros" (Lanz 1982: 359, t. 1).

Por su parte, algunas entidades federativas emitieron decretos estatales sobre aguas, ejemplo claro de ello fue Jalisco (1895), Estado de México (1896) y Michoacán (1906). El 12 de octubre de 1896 la Legislatura del Estado de México determinó que el gobernador estaba facultado para conceder el aprovechamiento de las aguas pertenecientes al estado, en riego y energía tanto a particulares como a compañías. Asimismo, el decreto estableció que las aguas del estado eran las

> de los ríos y arroyos de corriente constante, que atraviesen su territorio y nazcan en él y que no sean navegables o flotables, o sirvan de límites a la república o al estado en los términos que prescribe la ley general de 5 de junio de 1888 (Gobierno 1897: 483).

Esta iniciativa tuvo la intención de lograr el control de los recursos hídricos para el gobierno estatal, así como restarles injerencia a los ayuntamientos y aun al propio gobierno federal en el manejo de ese recurso. En el siglo XIX la administración del agua había quedado dentro de la esfera de los gobiernos locales, las asociaciones de regantes y los propietarios.

El fomento a la irrigación: el diagnóstico

En la primera década del siglo XX se presentó un colapso en la producción agrícola en el territorio mexiquense, causado por diversas circunstancias. En primer lugar el Estado de México en 1889 albergaba un poco más de 800 mil habitantes en un territorio

Croquis de los terrenos del municipio de Tepotzotlán [página opuesta]

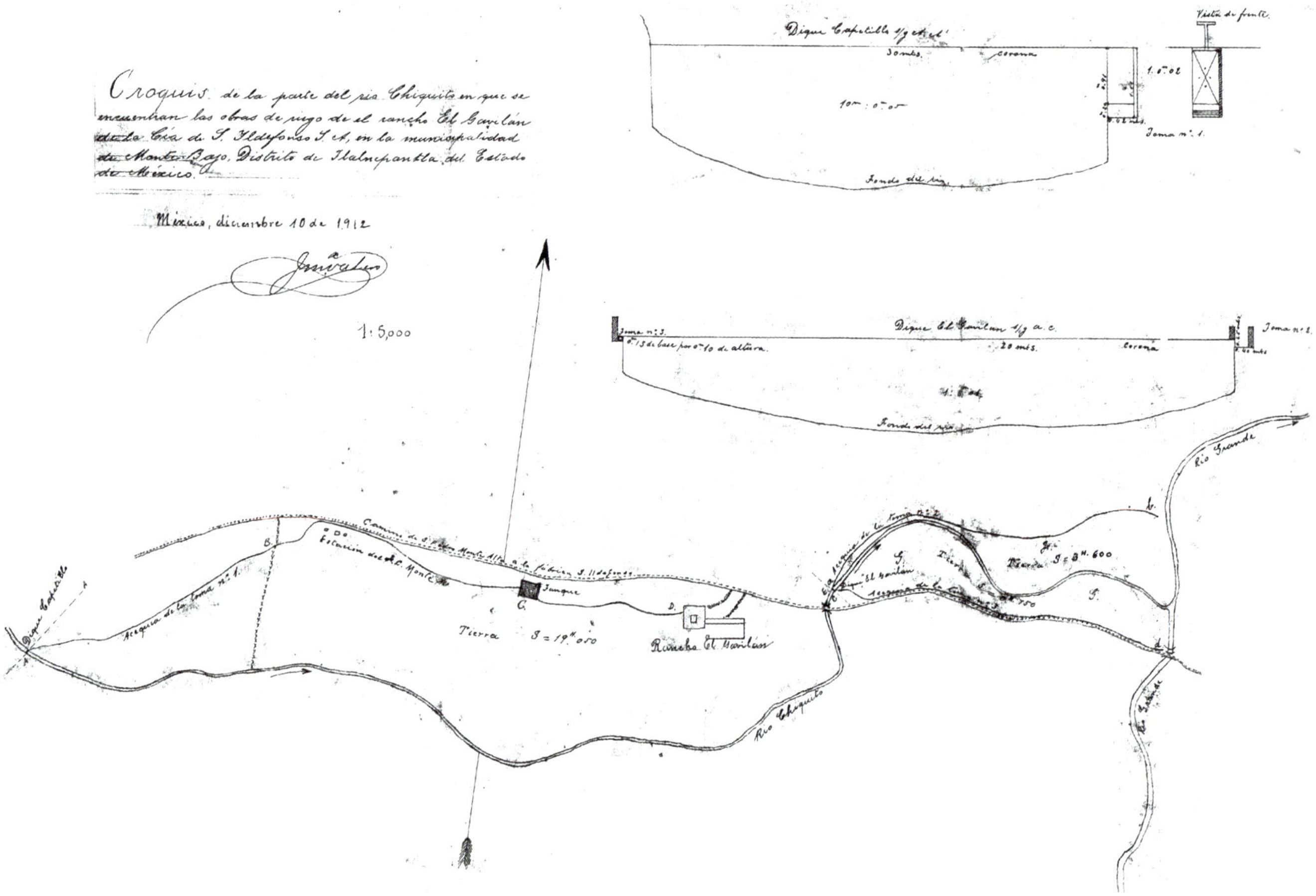

En el Estado de México no se sabía cuál era el caudal de los recursos hidrológicos

de aproximadamente dos millones de hectáreas. La población esencialmente rural se concentraba en nueve ciudades y 596 pueblos (Medina 2007). El movimiento de la población en el Estado de México de 1900 a 1950 muestra una baja demográfica en los decenios de 1900 a 1910 y de 1910 a 1920. En 1910 fueron los distritos de Jilotepec e Ixtlahuaca los que presentaron un retroceso de 24% y 22%, respectivamente. En 1920, la caída más fuerte se observa en los distritos de Temascaltepec, Tenancingo, Tenango, Valle de Bravo y Chalco. El retroceso observado en 1920 tal vez sea consecuencia del movimiento revolucionario. Posteriormente se presenta un proceso de recuperación en la década de 1930 –excepto del distrito de Cuautitlán–, que posiblemente fue resultado de las políticas económicas encaminadas a fomentar la industrialización en el territorio estatal durante los gobiernos de Riva Palacio, Filiberto Gómez y Wenceslao Labra.

A principios del siglo XX la población esencialmente rural se concentraba en una agricultura tradicional basada en el riego de temporal, en la que la presencia, abundancia o escasez de agua condicionaba el desarrollo de dicha actividad. El gobierno de Porfirio Díaz intentó resolver el problema del lento crecimiento agrícola, por lo que decidió invertir a nivel nacional en la irrigación, sin dejar de lado la educación de los agricultores, que era otra más de las políticas agrícolas. En el Estado de México como en el resto de los estados, el principal obstáculo para llevar a cabo el proyecto de irrigar cada vez mayores extensiones de tierra era el desconocimiento de los recursos hidrológicos con que contaba el territorio nacional. Era necesario establecer un diagnóstico de los recursos hídricos mediante las respuestas de tres cuestionarios (1901, 1911 y 1930). Para el año de 1901 se contó con 75 cuestionarios respondidos de un total de 119; diez años después, en 1911, sólo fueron contestados 71. Finalmente, el último grupo localizado de estos instrumentos de consulta, que es el de 1930, contó con un total de 94 cédulas contestadas.

En 1901 la Sección 5 de la Secretaría de Fomento giró una circular a los gobernadores para que informaran acerca del estado que guardaba la agricultura y el riego en sus territorios a través de las respuestas a un cuestionario anexo a la circular. Las preguntas del cuestionario de 1901 se enfocaron en la cantidad sembrada de cada producto, también indagaban acerca de la cantidad de riegos aplicados a cada semilla y la duración de éstos (AHEM, Fondo Fomento, Serie Aguas, vol. 2, exp. 20). De acuerdo con las preguntas y las respuestas emitidas, se puede deducir que los cultivos de riego en la entidad estudiada eran principalmente maíz y trigo, aunque también se mencionan cebada, frijol, haba, alverjón, caña de azúcar, jitomate, tomate, chile y café, pero en menor cantidad como complemento de la dieta de las personas. Es necesario mencionar que la cantidad de labores de riego era mínima por la poca envergadura de las obras hidráulicas que en ese entonces existían, suponemos que por ese hecho no se mencionan en los cuestionarios. De los

Los cultivos de riego eran principalmente maíz, trigo cebada, frijol, haba, alverjón, caña de azúcar, jitomate, tomate, chile y café

16 distritos, se observa que sólo cuatro de ellos no cultivaban con riego –Chalco, Lerma, Otumba y Tenango del Valle–, pero esto es más bien resultado de la ausencia de los cuestionarios respectivos que de la carencia de cultivos de riego. Los 12 restantes –Cuautitlán, El Oro, Ixtlahuaca, Jilotepec, Sultepec, Temascaltepec, Tenancingo, Texcoco, Tlalnepantla, Toluca, Valle de Bravo y Zumpango–, de los que sí se tienen las respuestas, utilizaban el riego para el cultivo del maíz, trigo, cebada, haba, alverjón, caña de azúcar, jitomate, tomate, chile y café.

En lo que respecta a la cantidad de riegos que cada uno de estos cultivos recibía, ésta fue variable dependiendo del distrito y municipio en cuestión. La mayoría de las respuestas concuerda en que el maíz recibía riego sólo en época de sequía o para preparar la tierra antes de su cultivo; el trigo recibía de dos a cuatro riegos y en algunas ocasiones hasta siete; a la cebada, por su parte, le tocaban de tres a cinco riegos.

Otras preguntas del cuestionario se orientaron a conocer el tipo de arado empleado en la siembra. En la mayoría de los casos las respuestas apuntaron a que se utilizaba el arado de madera con espiga de fierro, pocos eran los que utilizaban el arado hecho completamente de fierro e incluso algunos seguían utilizando la coa. Sólo en uno de los municipios –Toluca– se registra que utilizaban máquinas para sembrar.

Las interrogantes finales de este cuestionario versaron sobre el costo de las siembras, el valor de los productos obtenidos y el rendimiento de cada semilla que son difíciles de comparar debido a la multitud de unidades de medida empleadas: hectolitro, kilogramo, carga, hectárea, cosecha, pieza, e incluso fanega, etc. Lo que sí se puede mencionar es que según las respuestas el costo de los cultivos de maíz era mayor a los de trigo; mientras que el valor de las cosechas de maíz era menor a las del trigo, aunque el maíz como semilla tenía un rendimiento más alto que las semillas de trigo y cebada, ya que rendía hasta 150 por ciento.

No existe una pregunta específica relacionada con las obras hidráulicas realizadas hasta este año, por lo que se podría decir que en los años anteriores a 1910 e incluso hasta 1921, las obras de regadío que se ejecutaron en el territorio estatal y que regaban menos de 50 hectáreas, debían considerarse como fruto de la iniciativa privada, ya que el gobierno federal no intervino en su construcción; su papel consistió en otorgar la concesión requerida para el uso del líquido cuando las aguas que se trataban de usar para riego eran consideradas de propiedad federal. Como en el caso de los vecinos de Jilotepec, que en 1903 construyeron una presa con el fin de mejorar la agricultura. Para tal efecto formaron una sociedad anónima, conformada en su mayoría por pequeños agricultores (400 accionistas). La mesa directiva compró los terrenos que se iban a ocupar para almacenar el agua y consiguió la autorización del gobierno del estado y de la Secretaría de Fomento para construir la presa. La obra se emprendió con dinero colectivo de las ventas de agua.

En el cuestionario de 1901 sólo hay dos preguntas relacionadas con el riego, por lo que éste podría considerarse como el primer intento del gobierno federal por conocer más la riqueza agrícola e hidráulica de los estados, porque en las preguntas se encuentra reflejado el esfuerzo por parte de las autoridades para conocer y sistematizar la información relacionada con la actividad agrícola de la entidad.

En 1911 la Secretaría de Agricultura y Fomento expidió una circular en la que solicitaba datos relativos a los recursos hidráulicos que había en cada uno de los estados. Como el objetivo del gobierno federal era tratar de aumentar la producción agrícola por medio de obras de riego de terrenos, este documento lo hizo llegar a los gobernadores, así como a los ingenieros mexicanos y extranjeros residentes en el país. La circular dirigida a los ingenieros señalaba que el gobierno quería aumentar la productividad de la agricultura nacional y proponía estimular la construcción de obras de riego de terrenos (AHEM, Fondo Fomento, Serie Aguas, vol. 4, exp. 5). Las

autoridades necesitaban conocer con qué recursos contaba cada estado para así realizar las gestiones necesarias encaminadas al desarrollo de la irrigación. Muchos de los gobernantes se mostraron optimistas por las iniciativas emprendidas por el gobierno federal para resolver el problema del estancamiento agrícola. Para dicha circular se anexaba un cuestionario en el que se solicitaba información sobre cuestiones de riego. Las primeras diez preguntas de un total de veinte, se referían a la existencia de ríos y arroyos que pasaran por los municipios y que además llevaran agua todo el año; los lugares apropiados para construir presas y si había tierras irrigadas por el agua de esos ríos o arroyos.

A estas preguntas los presidentes municipales del distrito de Cuautitlán indicaron que los ríos que pasan por los ocho municipios eran: Cuautitlán, Hondo, La Compañía y Temamatla o San Juan de Dios; y los arroyos Chautonco, Reyes, Santa María Fincoe, San Sebastián, La Cueva, La Garita y Aclocila. Sólo en el municipio de Cuautitlán se notificó la existencia de lugares apropiados para hacer presas en el río del mismo nombre y que además estas construcciones resultaban indispensables para la agricultura. En los municipios restantes sólo se mencionó que no había lugares para establecer presas en los ríos, pero que sí se podrían construir en las cañadas por donde pasaban los arroyos. En cuanto a la existencia de tierras que se beneficiaran de esas aguas, la mayoría de las respuestas coincidía en que sólo los terrenos ubicados en las inmediaciones de los ríos y arroyos eran utilizados para enlamar o regar.

Asimismo, en el distrito de Ixtlahuaca sólo se mencionaba el río Lerma y el arroyo del Junco, como las corrientes que cruzaban una de sus cinco municipalidades, la de Ixtlahuaca. El jefe político indicó que no

En 1911, la Secretaría de Agricultura y Fomento expidió una circular para solicitar datos sobre los recursos hidráulicos

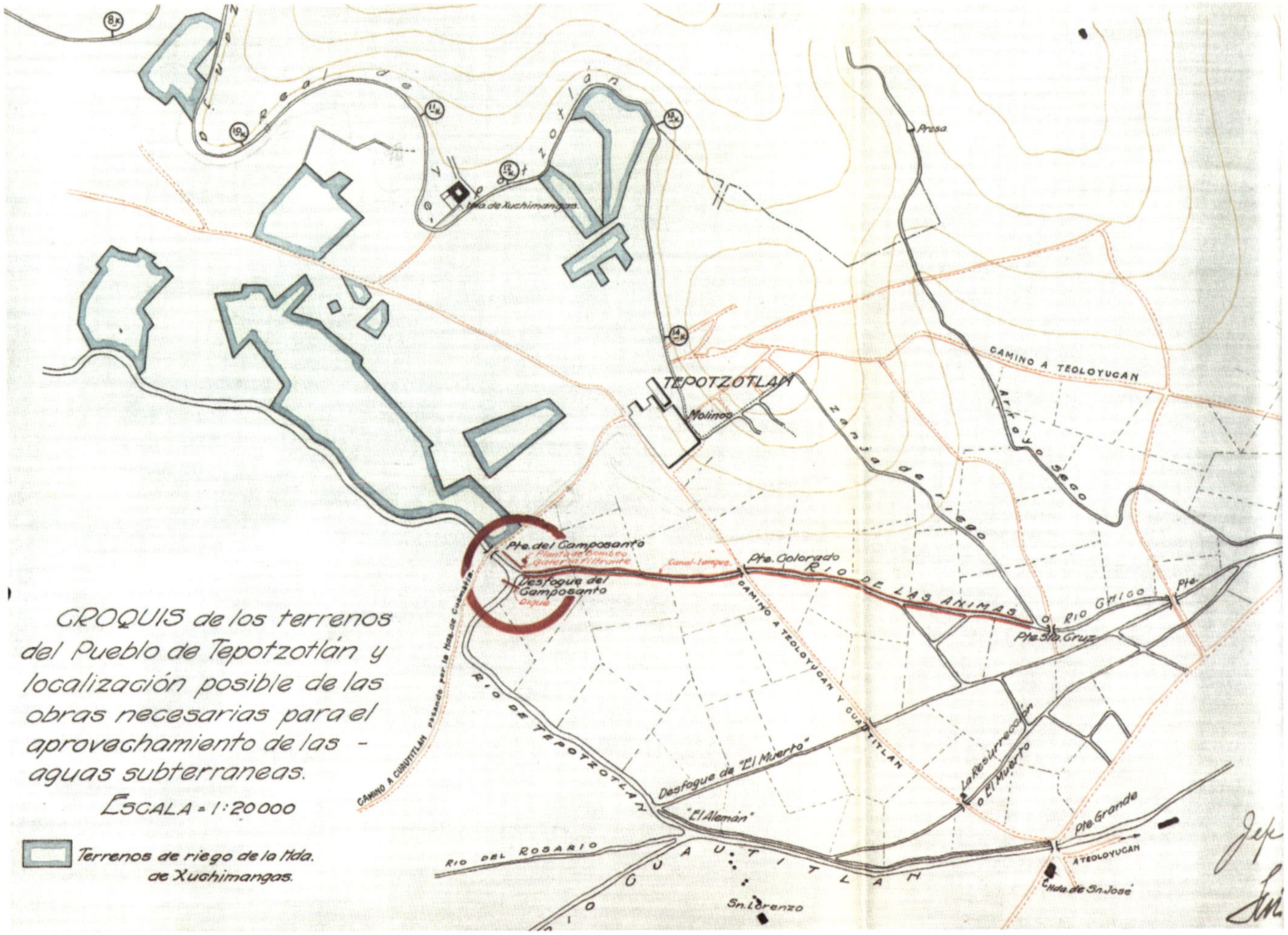

Croquis de los terrenos del pueblo de Tepozotlán

existían lugares apropiados para construir presas, y que el agua de estas corrientes no se aprovechaba en ningún lugar del distrito. La jefatura política de Jilotepec informaba que por ella corrían los ríos de San Juan, Macavaca y Ladera. En el área existían los arroyos las Perillas, Barranca de los Baños, Chiquito, Docuay, Colorado, Tucurai, Agua Bendita y dos más sin nombre. Se mencionaron como lugares apropiados para construir presas a Aculco, la hacienda El Álamo y en otros puntos como Acuautla, Jesús María, Acozac y también de los cerros de los pueblos de Ayotla y Tlapizahua. Las autoridades locales informaban que los lugares apropiados para construir presas eran algunas cañadas por donde pasaban los ríos y arroyos, aunque la mayoría de las respuestas coincidieron en que los terrenos eran demasiado porosos lo que impedía la construcción de presas. Principalmente las haciendas de Zoquiapan, Buenavista, Santa Bárbara, Jesús María y Acozac, eran las que utilizaban el agua para irrigación y enlame de terrenos.

La gran irrigación

Los gobiernos posrevolucionarios concibieron la irrigación como una forma de acabar con el latifundismo, ya que proponían fraccionar las tierras irrigadas conformando unidades y sistemas de riego usufructuados por quienes las trabajaran. Así, el Estado mexicano llegó en 1926 a una etapa constructiva en la que estudió la manera de fomentar la ejecución de obras de irrigación. Para realizar dicho proyecto, se promulgó el 9 de enero de 1926 la ley sobre irrigación. La idea fundamental de esa ley fue declarar de utilidad pública el riego con aguas de jurisdicción federal, es decir, los propietarios de los terrenos susceptibles de ser irrigados quedaban obligados ya fuera a construir y conservar las obras que el Ejecutivo determinara, o bien a compensar al gobierno federal por el financiamiento y construcción de la infraestructura con las tierras de regadío en exceso al valor original del predio. En estas tierras se llevaría a cabo el programa de colonización para generar una nueva clase de agricultores que junto con la constante orientación agrícola de los colonos fueron parte de los objetivos de las políticas de irrigación de la etapa denominada *gran irrigación*.

Paulatinamente fueron cambiando los proyectos gubernamentales y, por consiguiente, la leyes en torno del agua, como fue el caso de la Ley de Irrigación de 1926. La idea esencial de esta Ley era que el riego en gran escala financiado por el Estado permitiría formar toda una nueva clase de agricultores en beneficio de grandes sectores de la sociedad, muchos de los cuales ni siquiera poseían tierras. Para tal efecto se creó un nuevo organismo gubernamental, este organismo fue la Comisión Nacional de Irrigación, que tuvo como principal objetivo la construcción de obras hidráulicas de enormes

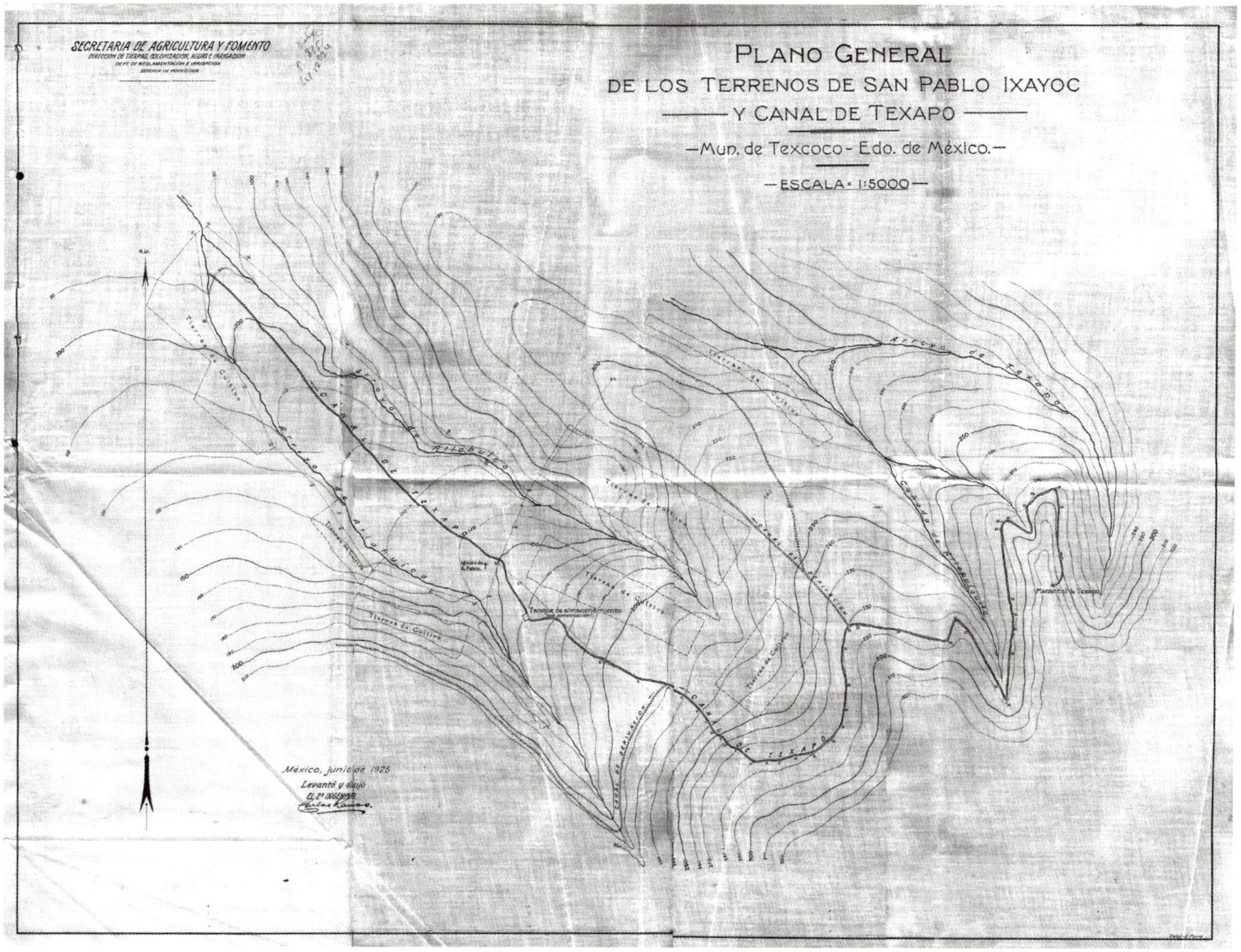

Terrenos de San Pablo Ixayoc

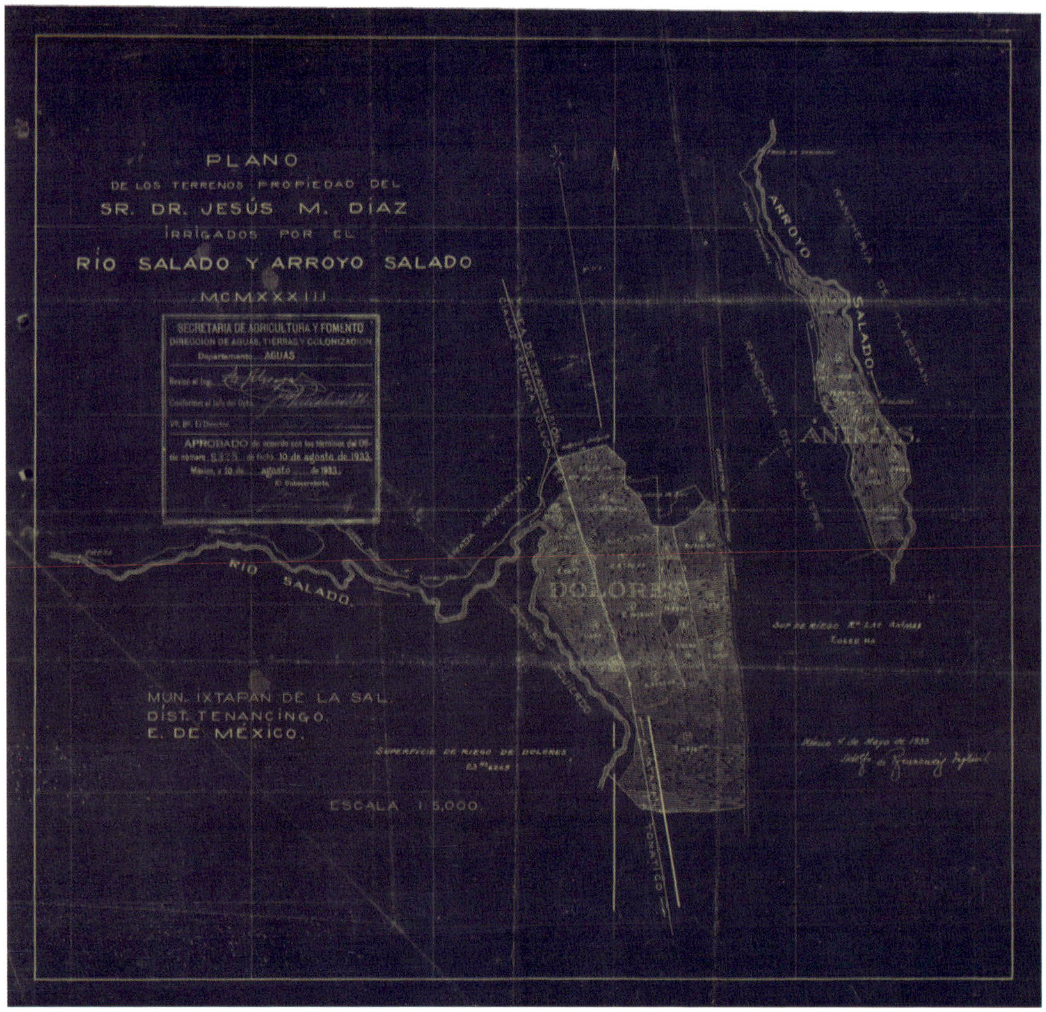

Las obras hidráulicas en el Estado de México eran pocas

proporciones para el desarrollo agrícola que necesitaba el país. La Comisión no sólo tuvo la misión de construir obras, también debía promover la colonización de los distritos de riego, procurar el mejoramiento de sus colonos así como orientar agrícola y económicamente la explotación de los distritos de riego. Asimismo, tuvo como política básica la de ejecutar aquellas obras de gran extensión, las cuales, por estar fuera del alcance de la iniciativa privada, sólo podía llevarlas a cabo el Estado (Orive Alba 1970: 439-481).

La Comisión Nacional de Irrigación trató de beneficiar con riego aquellos terrenos áridos y despoblados que para su utilización agrícola reclamaban la ejecución de obras hidráulicas de gran magnitud. El gobierno federal centró su atención en los grandes sistemas de irrigación restando importancia a otros problemas de riego distribuidos en todo el territorio nacional y que quizá con menores esfuerzos y obras de menor magnitud hubieran presentado considerables beneficios a la agricultura. Luis Aboites señala que fue notable la incapacidad o debilidad de la federación para imponer la propiedad nacional del agua a todo lo largo y lo ancho del país. Al oponerse a la federación, los pueblos y ayuntamientos solo expresaban su interés por preservar el estado de las cosas, es decir que el agua continuara bajo control o dominio de las instituciones políticas y de los grupos locales. Una de las armas predilectas de los ayuntamientos era solo negar la información solicitada por los funcionarios federales, quienes dependían de las autoridades locales para subsanar lo que a veces ignoraban acerca de los asuntos del agua en determinadas áreas del territorio. En este caso, la debilidad federal se expresaba en la falta de personal, de conocimientos y de recursos pecuniarios para atender los distintos requerimientos de inspección y regulación que imponía la legislación (Aboites y Estrada 2004: 12). Aunque la nacionalización de las corrientes condujo al reemplazo del ayuntamiento en su papel de gestor del agua por los nuevos órganos creados por el gobierno, la reacción de las autoridades locales era variable, es importante mencionar que en ningún momento los grupos locales o los ayuntamientos se opusieron a que el poder público controlara las aguas (Aboites y Estrada 2004: 22).

En el Estado de México las obras hidráulicas eran un conjunto de pequeñas obras [página opuesta]

El cuestionario de 1930 fue el más pródigo en datos, ya que de un total de 43 preguntas, 22 estuvieron enfocadas al asunto del riego. El propósito de aplicar esta consulta fue obtener información para elaborar el presupuesto estatal de 1931. Las primeras de sus preguntas versaron sobre la suficiencia, o no, de la cantidad de los productos agrícolas que se cosechaban, si no eran suficientes se debía explicar a que se atribuía la escasez. La mayoría de las cédulas registra que la exigua producción agrícola se debía a la falta de lluvias y por consiguiente a la carencia de agua. En las respuestas a los cuestionarios también se asientan otras causas como las heladas o el agotamiento de la tierra e incluso el exceso de humedad, como en Chalco y en El Oro; este último anotó que en los terrenos cercanos al río Lerma las cosechas se perdían por el exceso de humedad, por las crecientes del río. También se seguía cuestionando acerca de las aguas subterráneas, en un intento de aprovecharlas para organizar sistemas de riego en lugares que carecían de precipitaciones abundantes o de corrientes superficiales. En ese mismo cuestionario se encontró que eran pocos los municipios que hasta esa fecha contaban con obras de almacenamiento de aguas destinadas a la agricultura.

Las obras hidráulicas construidas en la entidad hasta 1931 eran pocas y no se podían comparar con los grandes proyectos de irrigación emprendidos en el norte del país. En el Estado de México las obras hidráulicas consistían en un conjunto de pequeñas construcciones que los agricultores erigían para su propio beneficio como bordos, represas, canales, acequias, caños rústicos y diques. Lo que tal vez pueda explicarse porque en el territorio estatal no existían ríos de grandes caudales que hicieran posible la edificación de grandes obras hidráulicas.

La mitad occidental del estado es casi íntegramente de temporal y, no obstante, en la faja que se destacaba en el norte, se tenía una cuenca hidrográfica modesta, que iba hacia el río Tula. De esta cuenca no se aprovechó el agua en los municipios de Jilotepec, Polotitlán y Villa del Carbón. En cuenca de Lerma se explotaron para riego los caudales en Temascalcingo, Ixtlahuaca, Jiquipilco, Lerma, Ocoyoacac, Otzolotepec y Xonacatlán. En la faja sur del estado, en la cuenca del Balsas se aprovechaban sus aguas en Donato Guerra y Valle de Bravo, por un lado, y Almoloya de Alquisiras, Coatepec, Tenancingo, Villa Guerrero, Malinalco y Zumpahuacán, por el otro.

El asunto primordial de este cuestionario era saber qué proyectos u obras hidráulicas podrían ejecutarse en cada uno de los estados. En el Estado de México

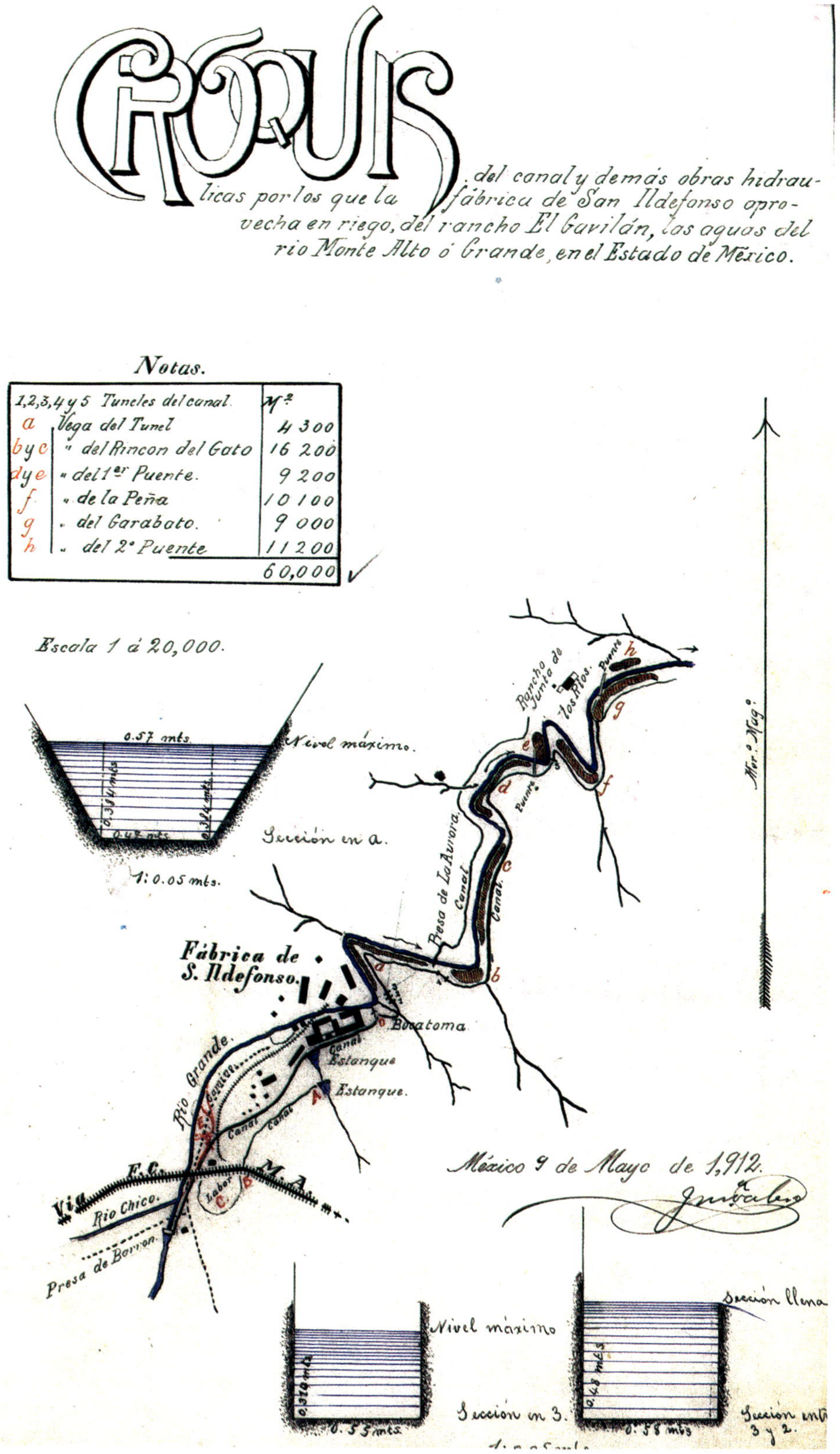

Entre 1936 y 1940 se proyectaron 33 obras de pequeña irrigación en el Estado de México, pero sólo se llevaron a cabo dos

se registraron 60 proyectos, de los cuales sólo el de Jilotepec tuvo importancia para la Comisión Nacional de Irrigación, mientras que para el estado de Guanajuato se tomaban como importantes cuatro de un total de doce que se presentaron. Lo anterior hace pensar que se le restó importancia a las obras hidráulicas del territorio mexiquense, quizá por la corta magnitud, capacidad y beneficios que se obtendrían de las mismas. Al respecto se decía que de aprobarse las obras de irrigación en el río Coscomate del municipio de Jilotepec, Estado de México, se conseguiría almacenar 15'000,000 de metros cúbicos y, aprovechando las aguas de las barrancas que corren a inmediaciones de la cabecera de Ajapusco, se lograrían almacenar 2'000,000 de metros cúbicos (Fábila y Fabila 1951: 56).

El interés por esta obra quedó inscrita en la política pública de apoyar la gran irrigación. Sin embrago, el análisis de los cuestionarios arroja el poco interés en explotar la gran zona de temporal en el Estado de México, pues esta actividad se hallaba en manos principalmente de comunidades campesinas ejidales, comunales o de pequeña propiedad. En 1951, un informe técnico señalaba que la entidad poseía un número considerable de manantiales, la mayoría de pequeños caudales que servían sólo para el consumo doméstico y pocas veces eran utilizados para regar tierras, aunque en áreas limitadas, individuales o de pocos propietarios. Los ingenieros insistían en que ese dato no debía ser ignorado en un futuro programa de irrigación.

En el periodo cardenista –en contraste con el periodo callista–, el enfoque político del régimen redefinió el carácter de estas obras [de riego], buscando ampliar sus beneficios a los ejidatarios, e inició el fomento a la pequeña irrigación, considerando que aunque el beneficio que se generara tan sólo cubriría a unos cuantos centenares de hectáreas, podría resolver el problema de subsistencia de los campesinos de escasos recursos. Así, la Comisión Nacional de Irrigación dio impulso a las obras de pequeña irrigación al resolver los problemas de riego y saneamiento de los terrenos pertenecientes a grupos de ejidatarios y pequeños propietarios que por las características particulares de estos regímenes de propiedad no se consideraron dentro del plan de las grandes obras.

Para efecto de atender tales obras se creó, en 1936, dentro de la Comisión Nacional de Irrigación, el Departamento de Pequeña Irrigación, con las secciones de Estudios, Proyectos, Geología, Hidrología, Construcción, Correspondencia, Informes y Equipo. Su primera labor fue dar a conocer su existencia entre los grupos de campesinos por medio de llamados en los que también se les hacía ver la conveniencia y la necesidad de desarrollar en el país obras de pequeña irrigación. Asimismo se invitaba a los campesinos o ejidatarios a exponer sus problemas y a solicitar del gobierno federal la ayuda necesaria para su solución a través de cuestionarios en los que se pedían los datos necesarios para juzgar, aunque en forma elemental, las características generales de las obras e incluso los presupuestos de las mismas. Con datos incluidos en el informe del ingeniero José Vázquez del Mercado a cargo del Departamento de Investigaciones previas y pequeña irrigación, entre 1936 y 1940 fueron propuestas 33 obras por agrupaciones ejidales, comités agrarios, presidencias municipales y pequeños particulares del Estado de México. De un total de 33, sólo se llevaron a cabo dos.

Conclusiones

La ley de aguas de 1910 acotó las concesiones a la esfera del gobierno federal. Después de la revolución se fortaleció el marco regulatorio sobre los recursos hídricos del país, ya que permitió imponer una nueva visión sobre éstos. El Artículo 27 de la Constitución de 1917, que impuso una nueva forma de propiedad de los recursos productivos, en particular la tierra y el agua, sometió las principales corrientes fluviales a la jurisdicción federal al declararlas propiedad de la nación, gracias a ello la federación recuperó la propiedad y el dominio directo tal como lo habían ejercido los monarcas españoles. Pero, de hecho, la propiedad del agua –en varios puntos del territorio estatal y nacional hasta muy avanzado el siglo XX– siguió siendo manejada por los ayuntamientos a veces a nombre propio y en ocasiones a nombre del pueblo o vecindario.

Por otra parte, en cuanto a la tan esperada solución para el atraso de la agricultura –la irrigación–, la limitante se observa en las obras hidráulicas construidas en el área de estudio, que en nada se comparan con las enormes y costosas obras levantadas en la parte norte del país, resultado tal vez de la misma situación geográfica del Estado de México –terrenos bastantes accidentados, ausencia de ríos caudalosos y proximidad de tierras irrigables–, de lo que se puede concluir que los resultados no cubrieron las expectativas, aunque se destaca que prevaleció la pequeña irrigación y el uso de aguas subterráneas debido a la gran cantidad de manantiales que existían en el Estado de México.

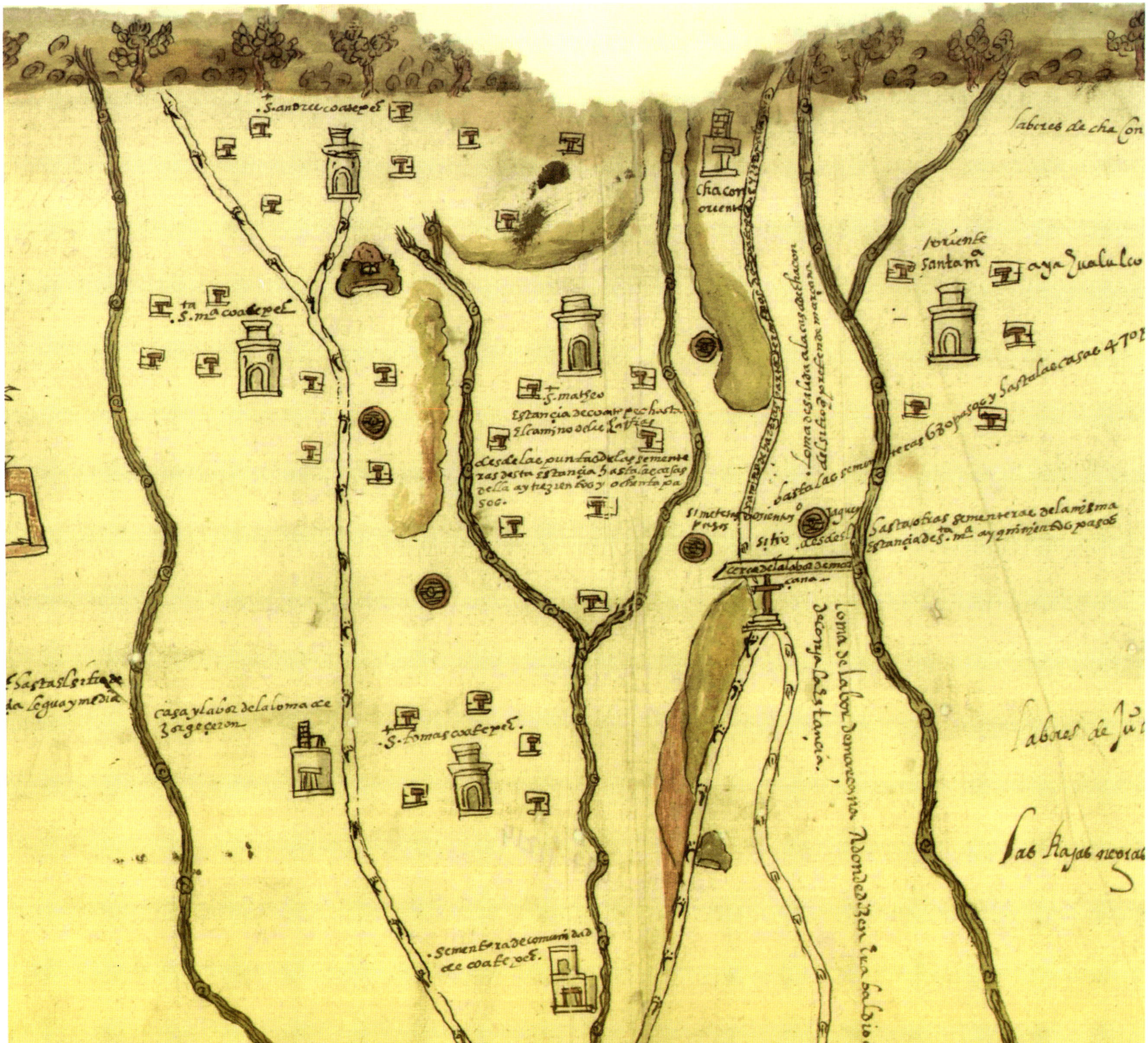

S. andres coatepec
S. mª coatepec
S. mateo
oriente
S. tomas coatepec
sitio
casa de marcana
poniente

Distritos de Riego en el Estado de México, 1946-1992

Acela Montes de Oca Hernández

El agua es un componente natural que cuenta con variados usos y significados, entre ellos, el riego. El regadío es una técnica que se realiza en el suelo para proteger los cultivos, promover el aumento de su producción o generar un sistema agrícola productivo. Dadas las condiciones disímiles de México en cuanto a la precipitación pluvial, relieve, vegetación y clima, algunas zonas tienen escasez de recursos hídricos y otras los tienen en abundancia. La presencia de agua en algunas zonas ha implicado la proyección y construcción de embalses; así, los ríos y el agua subterránea han sido la materia prima en la construcción de presas. El agua de las presas, además de dotar de riego a la región que la circunda, también tiene otros usos como: generadora de energía eléctrica, abastecimiento poblacional, recreación, control de avenidas y pesca.

Para administrar el área circundante de una o más presas, se crearon los Distritos de Riego (DR en adelante). De acuerdo con la Ley de Aguas Nacionales, en su artículo 3º, fracción XV, inciso a, un DR está conformado por una o varias superficies previamente delimitadas y dentro de su perímetro se ubica la zona de riego, el cual cuenta con las obras de infraestructura hidráulica, aguas superficiales y del subsuelo, así como con sus vasos de almacenamiento, su zona federal de protección y demás bienes y obras conexas, pudiendo establecerse también con una o varias unidades de riego (DOF 8 junio de 2012).

A cada espacio comprendido como superficie de riego el Estado le asignó un número, con el fin de organizarlos e identificarlos administrativamente. Los DR requirieron de personal técnico para llevar a cabo las funciones de control de entradas y salidas de agua de la presa, monitoreo de los desfogues, aforo del agua, rehabilitación y conservación de la presa, canales de riego y demás obras de infraestructura hidráulica. La parte técnica de control volumétrico del agua también implicó recabar datos estadísticos de la zona de riego, para ello, ingenieros agrónomos e ingenieros en hidráulica, trabajaron de manera conjunta para obtener datos acerca de: el tipo de cultivos, la cantidad de usuarios y el número de ha por usuarios. Para tener un control preciso de los usuarios fue levantado un censo para generar un padrón de beneficiados y realizar el reglamento correspondiente. Los DR fueron indispensables para aumentar la producción agrícola, de manera que se obtuvieron rendimientos en promedio 3.7 más veces que la de temporal (CNA 2008).

De manera que la labor del Estado en los DR implicó la creación de instituciones gubernamentales como la Comisión Nacional de Irrigación (CNI) en 1926, la Secretaría de Recursos Hidráulicos en 1946, la Secretaría de Agricultura y Recursos Hidráulicos en 1976; a partir de 1992 correspondió a la Comisión Nacional del Agua (CNA) continuar con la administración de los DR (Lanz 1982).

México cuenta con 6.5 millones de hectáreas de riego, de las cuales, 3.5 millones (54%) corresponden a 85 DR y 3.0 millones (46%) a 39 492 Unidades de Riego (UR en adelante) (SARH 1978). Cabe mencionar que en el Distrito Federal no se tiene presencia de un DR, así como los estados de Tabasco y Campeche. Cinco DR se ubican en el Estado de México, cuya presencia de agua integrada a estos sistemas de riego, ha innovado nuevas prácticas

El agua para usos industriales
[página opuesta]

Trayecto del río Lerma
[página siguiente]

agrícolas, modificando no sólo el paisaje rural también la organización sociopolítica de la zona. A los cultivos tradicionales como el maíz, trigo y avena se han incorporado otros como tomate verde, jitomate y flor (CNA 2011).

Legalidad y normatividad de los DR

En 1917 el Estado mexicano se erige normativa y prácticamente como el único organismo facultado y capacitado para regular y administrar el recurso hídrico en México. En 1926 nace la CNI, cuyos objetivos eran el estudio y construcción de obras de riego para mejorar la agricultura nacional. En un principio se manejó el término *áreas de riego* y se dio prioridad a la creación de Juntas de Agua. El objetivo era que estas organizaciones se responsabilizaran de dichas áreas mediante reglamentos de distribución de aguas, de cuidar y rehabilitar las obras hidráulicas (Palerm 2004, 2006, 2008; Rodríguez *et al.* 2010).

La referencia a DR se encuentra en la Ley de Aguas de Propiedad Nacional de 1946. En el capítulo III, artículo 16, se faculta a la CNI para formar los Distritos de Riego (Lanz 1982). Los DR deberían ser creados por decreto presidencial, con obligación de publicarlo en el *Diario Oficial de la Federación*, además de contar con un reglamento, pero algunos DR no se ajustaron a esta normatividad. Los DR del Estado de México no necesariamente fueron nuevas unidades de regadío, sino que tuvieron su origen en la ampliación de antiguos regadíos, como es el caso del DR 096. El DR 033 tiene registro de inicio desde 1946 y hasta la fecha no cuenta con decreto de creación, continúan en funciones para 1951 los DR 044 y 073, el primero contó con decreto de creación hasta 1998 y el segundo ni tiene documentación. El último DR que se establece es el 088 en el año de 1962 y para 1976 cumple con esta norma.

En la Ley de Aguas de Propiedad Nacional de 1972 queda señalado que la SARH es la única institución facultada para administrar y operar los DR. Posteriormente con la emergencia de la Ley de Aguas Nacionales (LAN en adelante) reformada el 29 de abril de 2004 se define puntualmente, en el capítulo único fracción XV, lo que debe ser considerado como un Distrito de Riego.

Cabe mencionar que en 1936 la CNI entregó al Banco Nacional de Crédito los distritos para su administración (González 1964). Años más tarde, en 1944 son regresados a la CNI y de 1946 a 1976 quedan a cargo de la SRH. Posteriormente, de 1976 a 1992 estuvieron a cargo de la SARH y de 1992 a la fecha son administrados por la Comisión Nacional del Agua y las Asociaciones Civiles. Este último proceso a razón de la política de adelgazamiento estatal propuesta por organismos internacionales como el Fondo Monetario Internacional y el Banco Mundial. En 1992 los DR fueron divididos en módulos, existiendo desde uno hasta setenta módulos, y en cada uno de ellos se constituyó jurídicamente una Asociación Civil de Usuarios (ACU, en lo sucesivo).

Las ACU asumieron las tareas administrativas de la red menor de riego, y la presa y sus derivadoras continuaron siendo administradas por el personal de la CNA. La nueva forma de administrar los espacios de riego requería de personal técnico para aforar las

Distrito de Riego 033

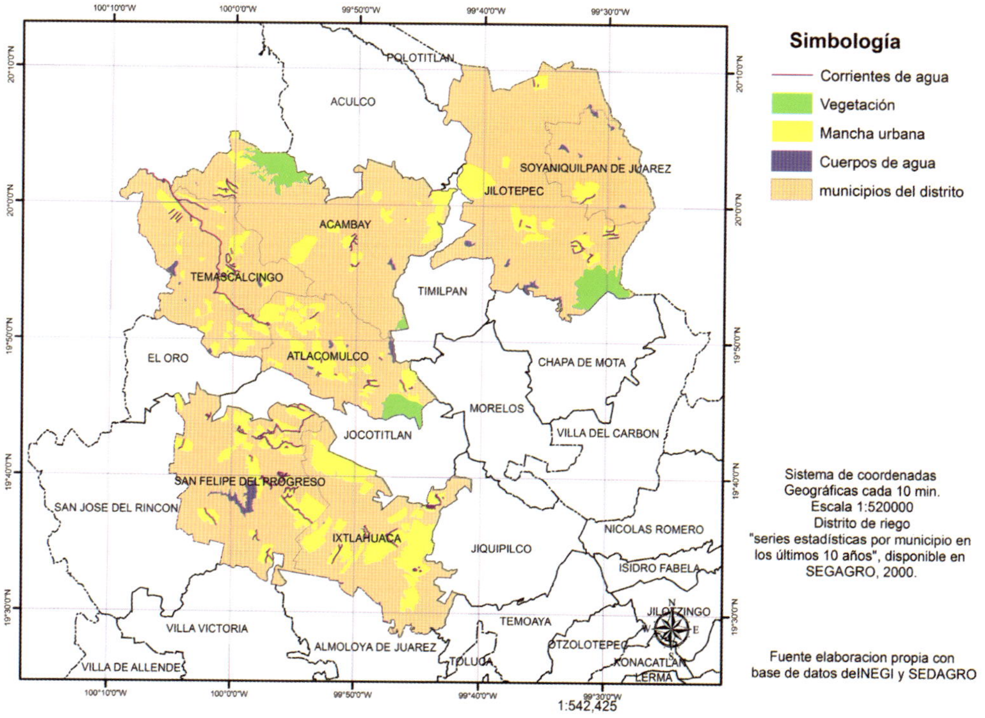

Ubicación de los distritos de riego en el Estado de México

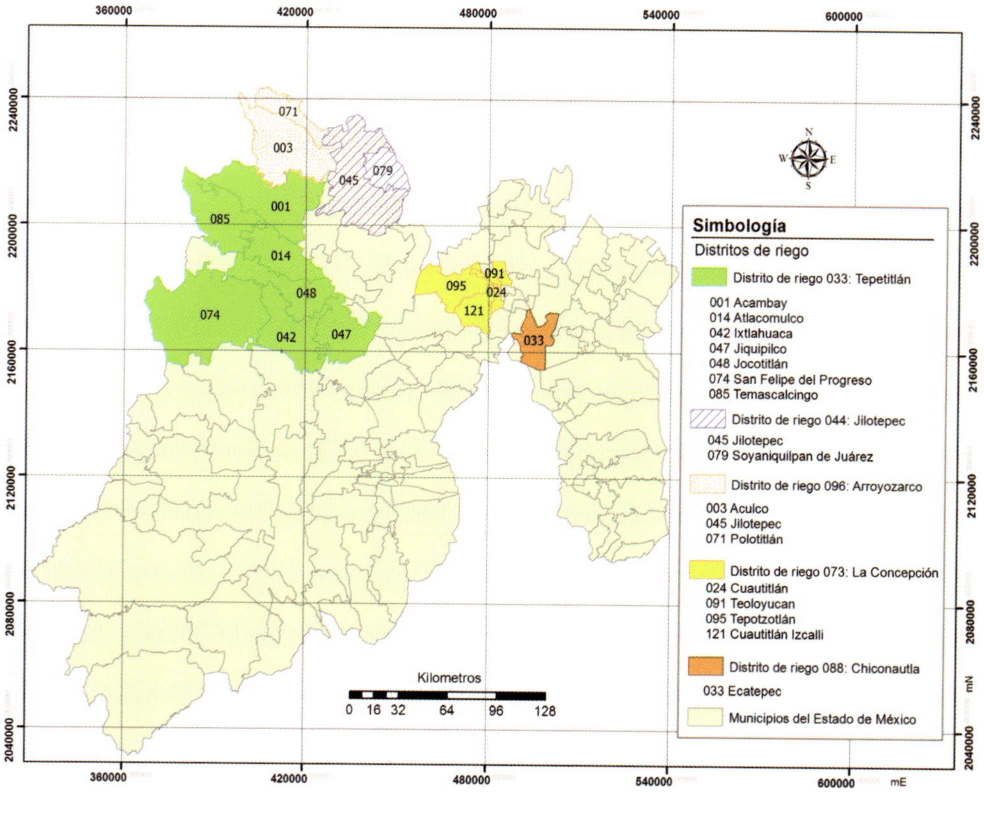

Obras de pequeño riego en México en 1960

entradas y salidas de agua de los canales concesionados. Las ACU se comprometieron con el Estado a contratarlo, de manera que en algunos distritos continúa el personal de la CNA operando la red hidráulica, pagado por la ACU. No todos con este tipo de personal especializado (a razón de los bajos costos que pagan los usuarios por ha de riego), aunque sí reciben apoyo técnico de las jefaturas locales. En otros casos los regantes asumen estos cargos. En términos sociales, sólo son sujetos de derecho al riego aquellos campesinos que están registrados en un padrón de usuarios. En aspectos de territorio están comprendidos dentro de un área poligonal que considera la superficie total (incluida la superficie dominada o física y la superficie de riego o regable); las superficies de ha de riego varían, desde unos cuantos miles hasta las 300 000 hectáreas.

En términos de las estadísticas de la CNA existen *microdistritos*, categoría de espacios de riego menores a 1 000 ha y que sólo representan 1.7% del total. El Estado de México se ubica en la clasificación de pequeños DR y microdistritos. Mientras que en algunos DR predomina la propiedad privada, en el caso del Estado de México se presentan tres tipos de régimen de propiedad: ejido, pequeña propiedad y propiedad privada, predominando la primera.

Ubicación y aspectos geográficos de los DR en el Estado de México

En 1946, la SRH dividió al país en 37 regiones hidrográficas (RH) (véanse mapas de la SRH, 1970). Éstas eran agru-

Obras de pequeño riego en México en 1960

paciones de varias cuencas con nivel de escurrimiento superficial similar. El Estado de México contó con tres regiones hidrográficas que eran: RH 12 "Río Lerma", RH 18 "Río Balsas" y la RH 26 "Río Pánuco". Los DR se ubicaban en las regiones RH 12 y RH 26. El Estado de México tenía cinco de los 85 DR registrados en el territorio nacional. Estos distritos eran: DR033, DR044, DR088, DR0736 y DR09. El DR033 se ubicaba en la subcuenca media y baja de la RH 12, el resto de los DR se localizaban en las subcuencas o Cuencas Hidrográficas IX Golfo Norte y XIII del Valle de México (véase mapa SRH, 1973).

Actualmente la CNA divide al país en trece Regiones Hidrológicas Administrativas (RHA en adelante). Los DR del Estado de México se ubican en la RHA VIII "Lerma-Santiago-Pacífico", la RHA XIII "Valle de México y Sistema Cutzamala" y la RHA IX "Golfo Norte". Los DR se localizan en la parte norte, noreste y noroeste del Estado de México, abarcan pequeñas áreas del sureste del estado de Querétaro y de Hidalgo. De manera general, en los DR, la altura promedio va de los 2 600 a los 2 350 msnm; la precipitación pluvial total anual promedio es de 700 a 1 000 mm. Los DR tienen tres tipos de propiedades que son el ejido, pequeña propiedad y la propiedad privada, predominando el ejido. En materia hidroagrícola el total de tierras cultivadas de los cinco distritos es de 47 386.8 hectáreas con 30 725 usuarios; los usuarios, en su mayoría, pertenecen a la etnia mazahua y otomí, aunque existen fuertes lazos de convivencia con los mestizos.

Agricultura del Distrito de Riego 033

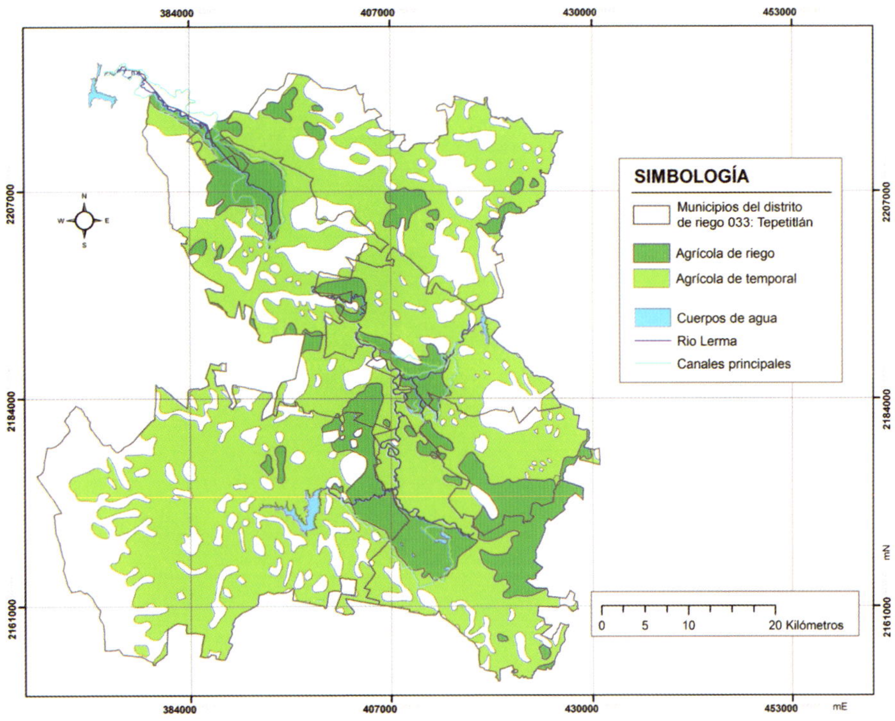

Distrito de Riego 044

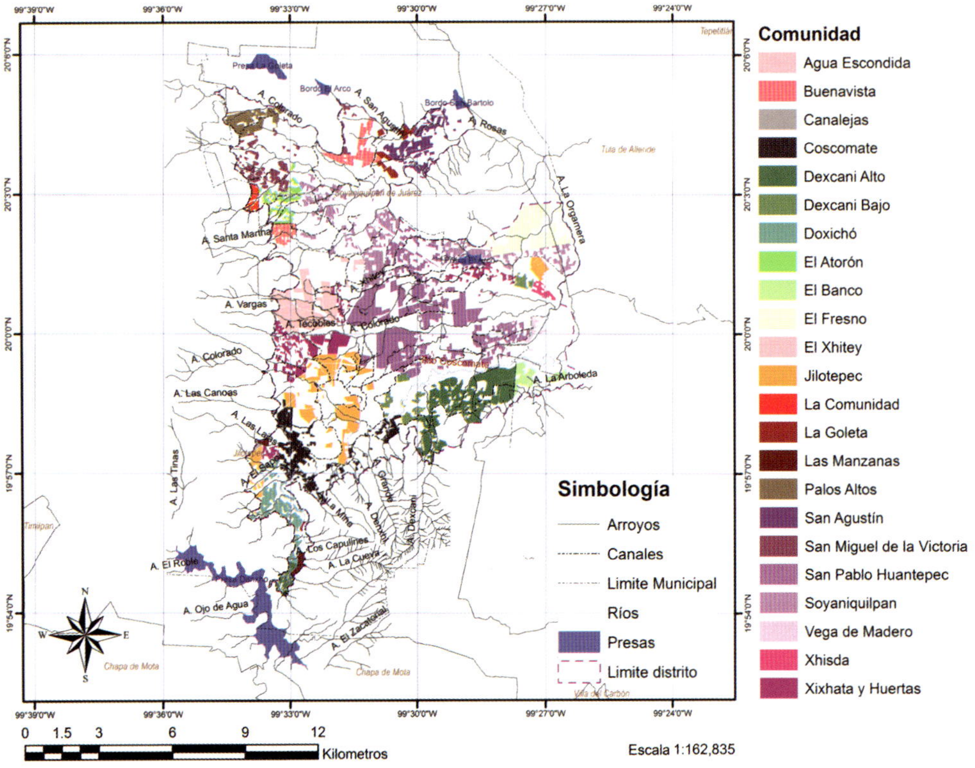

Por otra parte, el DR033 módulo I presenta problemas de anegamiento, los suelos en la mayoría de ellos son aptos para la agricultura aunque presentan problemas de salinidad. Las principales fuentes de abastecimiento de los DR son: DR033, Presa José Antonio Alzate, Presa Ignacio Ramírez, Presa Tepetiltán, Presa J.F. Trinidad Fabela, Presa derivadora Atotonilco, Río las Lajas, Río Lerma, Río Jaltepec, Manantial las Fuentes y ocho bordos; DR044 la Presa Danxho, Río La Ladera, Arroyos Chiquito y las Tinas; DR088, Gran canal de desagüe de la Ciudad de México; DR073, Río Hondo Tepozotlán, Presa la Concepción, Arroyo Lanzarote, Manantiales y Río Chiquito, Presa los Cerritos, Arroyo el Túnel; y el DR096, Presa Ñado, el Llano, Huapango, Taxhimay y la Huaracha, la Concepción, Santa Elena, El Molino y Macua. Estos cuerpos de agua están contaminados por descargas de aguas domésticas y en algunos casos por industria. Las mayores dificultades detectadas son la obstrucción del recorrido del líquido, la velocidad del flujo y las pérdidas de agua provocadas por la basura de diversos materiales. Los cultivos principales de los DR son maíz, avena, tomate verde, calabaza, frijol, haba, trigo, durazno, remolacha y nabo. El DR096 es el que cuenta con el mayor número de cultivos en invernaderos, el resto es a cielo abierto (Benavides 2010). El maíz como cultivo principal de los DR tiene en promedio una producción de 3.0 toneladas por hectárea.

Situación política y social de los DR, 1926 a 1992

Los DR en 1936 fueron manejados por el Banco Nacional de Crédito Agrícola, que junto con la CNI eran los encargados de realizar los cobros por servicio de riego. Los DR contaron con una autoridad de dirección general de aprovechamientos hídricos, es decir, un gerente nacional; por debajo estaban los subgerentes técnicos o los ingenieros en jefe y posteriormente los técnicos de campo. La labor de estas autoridades estaba enfocada en comisionar a personal calificado (geólogos, ingenieros en obra hidráulica) para que inspeccionaran los espacios de riego con la finalidad de aprovechar al máximo los escurrimientos o construir-rehabilitar nueva obra; también para ordenar los aprovechamientos y resolver conflictos (AHA, Consultivo Técnico, caja 176, exp. 1412, legajo 2/2).

En el contexto de la Ley de Aguas Nacionales de 1992, se ordenó a la CNA a fraccionar los DR desde uno a cuatro Módulos de Riego (en el caso del Estado de México), para integrar en cada uno de ellos una Asociación Civil. La creación de esas figuras en los DR se llevó a cabo de 1993 al año 2000. El objetivo de la transferencia fue hacer que los DR fueran autosuficientes financieramente, así, se programó un aumento en la cuota de riego de 500%. Algunos DR, a pesar del incremento, no cuentan con la cantidad suficiente para pagar a personal técnico que realice las acciones necesarias para aprovechar al máximo los volúmenes de agua y mejorar la productividad.

Al iniciar el proceso no todos los DR acataron la orden de transferencia, lo que prolongó el inicio de su administración a cargo de las ACU. Para formalizar las Asociaciones Civiles, los gerentes de la CNA, en el caso del DR033, contrataron a una empresa para realizar el proceso de transferencia. En los otros distritos los gerentes de la CNA fueron los encomendados de llevar a cabo esta labor en sus respectivos lugares, éstos convocaron a los usuarios a reuniones para proyectarles videos y distribuirles folletos con el programa de transferencia. Posterior a la conformación y elección de autoridades que formalizarían la ACU se hizo formalmente la entrega del DR.

A partir de 1993 los DR fueron entregados legalmente a las ACU, haciéndolas responsables de la administración, operación y control de una parte importante de la infraestructura hidráulica (canales principales de riego, compuertas y válvulas). Para poder llevar a cabo la rehabilitación y conservación de los canales, la CNA entregó a las ACU maquinaria, pero en algunos casos el equipo no cumplió con los requerimientos técnicos.

Al crearse las ACU, el organigrama de las autoridades no fue rígido en aspectos de jerarquía, la organización fue flexible. Así que en los DR se presentaron dos tipos de gobierno, uno a cargo de la CNA y otro a cargo de los usuarios. En el primer caso están organizados por las siguientes gerencias: nacional, regional, estatal y local.

Riego en el parcelario del Distrito 044

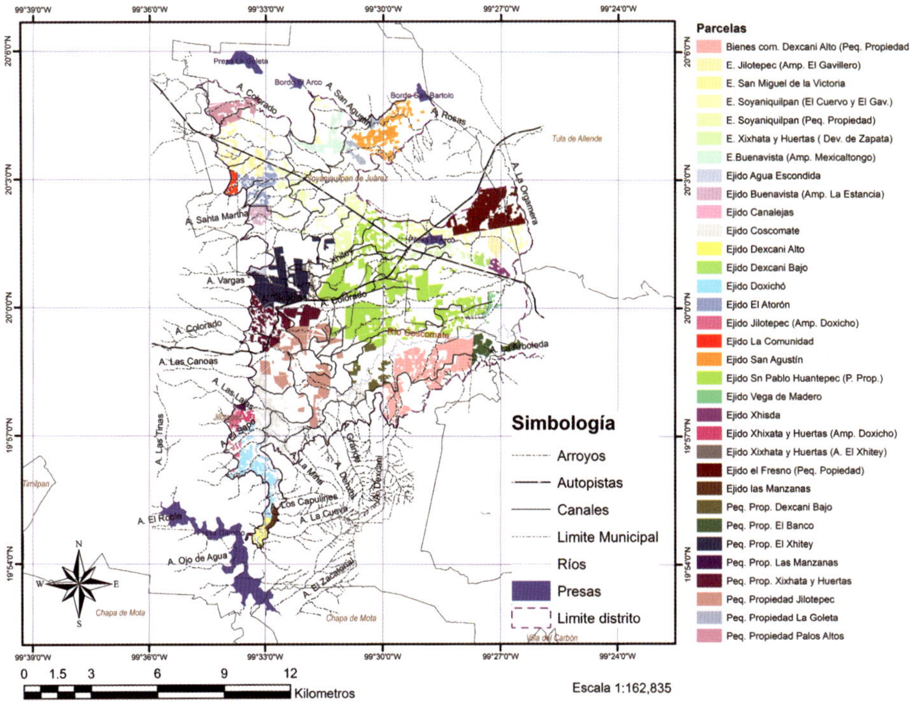

Además cuenta cada una de ellas con subgerencias. La gerencia estatal está integrada por una jefatura local; estas autoridades deben colaborar con las ACU en brindar asesoría para la operación y conservación de la maquinaria, conservar las presas en buen estado, elaborar los documentos necesarios para realizar concursos de obra pública, coordinar la supervisión de los contratos, atender revisiones, supervisiones y auditorías, mantener actualizado el padrón de usuarios, llevar el registro actualizado de la estadística climatológica del DR y realizar aforos en los ríos en la época de avenidas. Cada una de éstas asumiendo las funciones que establece el Reglamento vigente de la Ley de Aguas Nacionales.

Las ACU están jerárquicamente organizadas en un Comité directivo, compuesto por presidente, secretario y un tesorero; y un Comité de vigilancia, integrado por uno o dos vocales (representan a los tipos de propiedad) y por un comisionado del gobierno del Estado. Los reglamentos establecen que para elegir a los representantes del ACU previamente se debió elegir a un delegado de riego por cada ejido y pequeña propiedad con derecho al

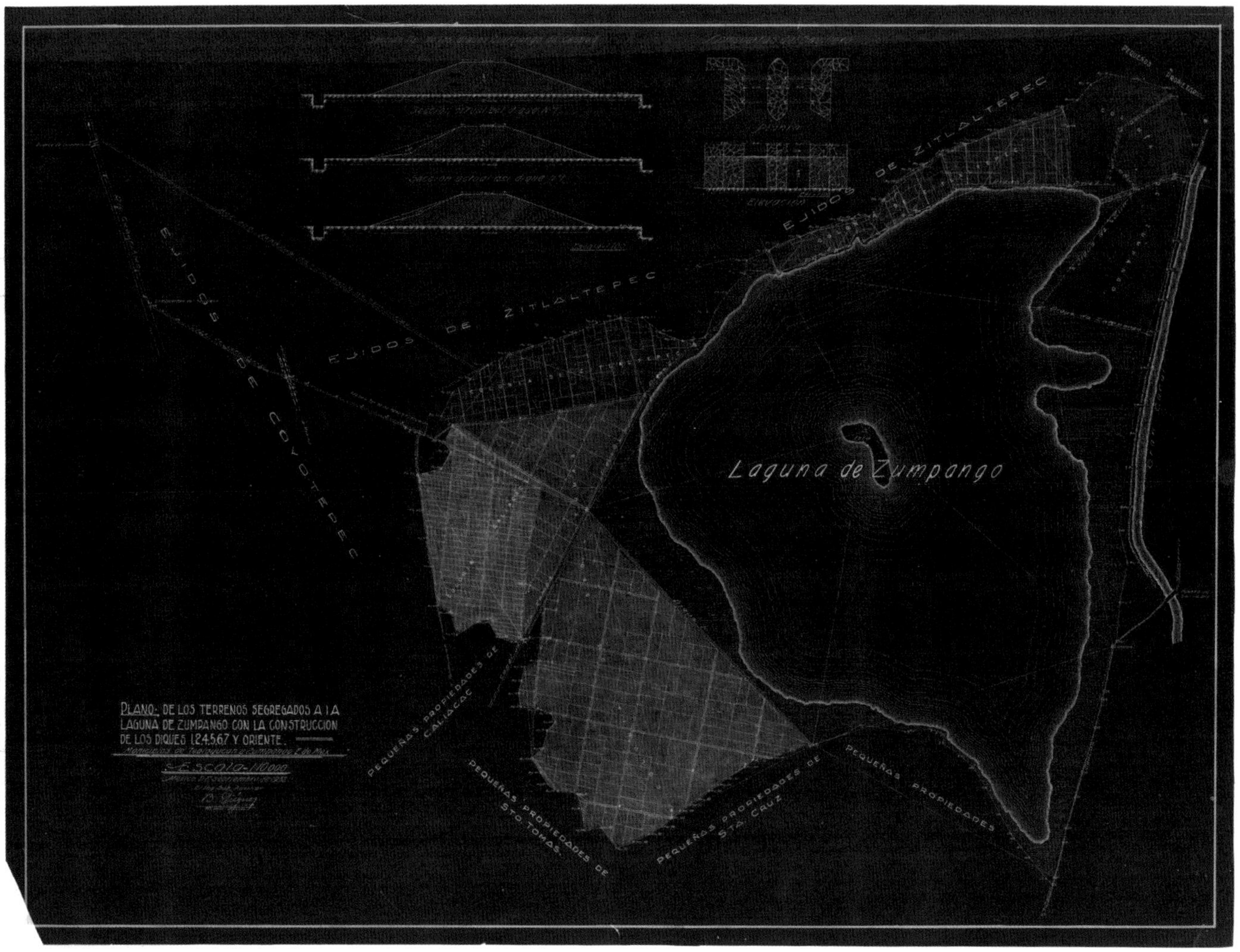

Obras de diques en la laguna de Zumpango

Hacienda de Cerro Gordo [página opuesta]

agua. Del grupo de delegados de riego emergen los electos a ocupar los cargos de Comité directivo o Comité de vigilancia, pero aquí sus funciones no terminan ya que son los encargados de solicitar el agua, mediante oficio o verbalmente, al Comité directivo, además de apoyar en el cuidado de la infraestructura hidráulica y otras gestiones. Los delegados de riego para llevar a cabo estas amplias funciones eligen con anuencia de los regantes a un juez o varios jueces de agua. Los jueces de agua son los responsables de abrir y cerrar compuertas en un espacio territorial determinado del ejido y vigilar que los regantes hagan uso de ella, de organizar a grupos de usuarios para que rieguen en un tiempo determinado y de acordar con el delegado de riego los tiempos de entrega. Estas autoridades tienen que cumplir un máximo de tres años en el cargo con opción a reelegirse, siempre y cuando se lleven a cabo elecciones; las autoridades al ser honoríficas prefieren no volver a concursar para la reelección.

Las ACU por su parte se sujetan jurídicamente a sus estatutos, que están regidos también por la LAN. Dichos estatutos pueden ser modificados (por ejemplo la cuota de riego), pero siempre sometida al comité hidráulico de la gerencia estatal. En el caso de la distribución del agua, para las autoridades de la ACU existen dos formas en que los usuarios pueden tener acceso: la primera es la "libre" y la segunda de "tandeo" o por "tablas". Ambas tienen complejidad organizativa, puesto que requieren que el presidente de la ACU formule con la gerencia estatal el plan de riegos; previo a este hecho, ésta debe esperar la autorización dictada por la gerencia regional respecto del volumen a extraer de la presa, éste es variable año con año de acuerdo con el agua almacenada.

De manera que las ACU deben iniciar las gestiones con antelación; presidente y secretario son los principales actores que gestionan el agua con la gerencia estatal, por medio de oficio dirigido al gerente estatal, pero además deben hacerlo en función de la atención a las demandas de los usuarios. Para atender las demandas, en cada comunidad existe un representante de riego; algunos DR también cuentan con la figura del canalero, quien es la persona que distribuye el agua entre dos o más ejidos. Los representantes (delegados de riego, jueces de agua, canalero) deben trabajar conjuntamente, ya que al dirigir el oficio de solicitud de riego al Consejo directivo de las ACU deben especificar el número de usuarios, los cultivos que se realizarán y el día que solicita el riego. Éste no es el único oficio que envían los representantes a la ACU, durante los meses de riego (febrero-abril), giran de dos a tres solicitudes con el fin de que el Consejo directivo envíe más agua a los canales, la disminuya o la suspenda.

Cuando la ACU tiene un número considerable de solicitudes, acuden con la gerencia estatal. Durante el riego la ACU y la gerencia estatal deben estar en constante comunicación; sea de forma personal o telefónica se informa el avance del riego por semana. Usualmente se manejan cinco temporalidades de demanda de agua que son: invernal, inicio de ciclo agrícola, alta, de auxilio. La primera demanda que requieren los usuarios es para cultivos invernales (haba, trigo), siempre y cuando las lluvias no hayan proveído de suficiente humedad a las tierras. La segunda demanda corresponde al ciclo primavera-verano, y la etapa inicial es a mediados del mes de febrero, también es aprovechado este momento para solicitar al presero que aumente el volumen de agua en uno o tres centímetros cúbicos con el fin de llenar los vasos de almacenamiento que dependen directamente de las presas, normalmente conocidos como jagüeyes, presillas, bordos o presas.

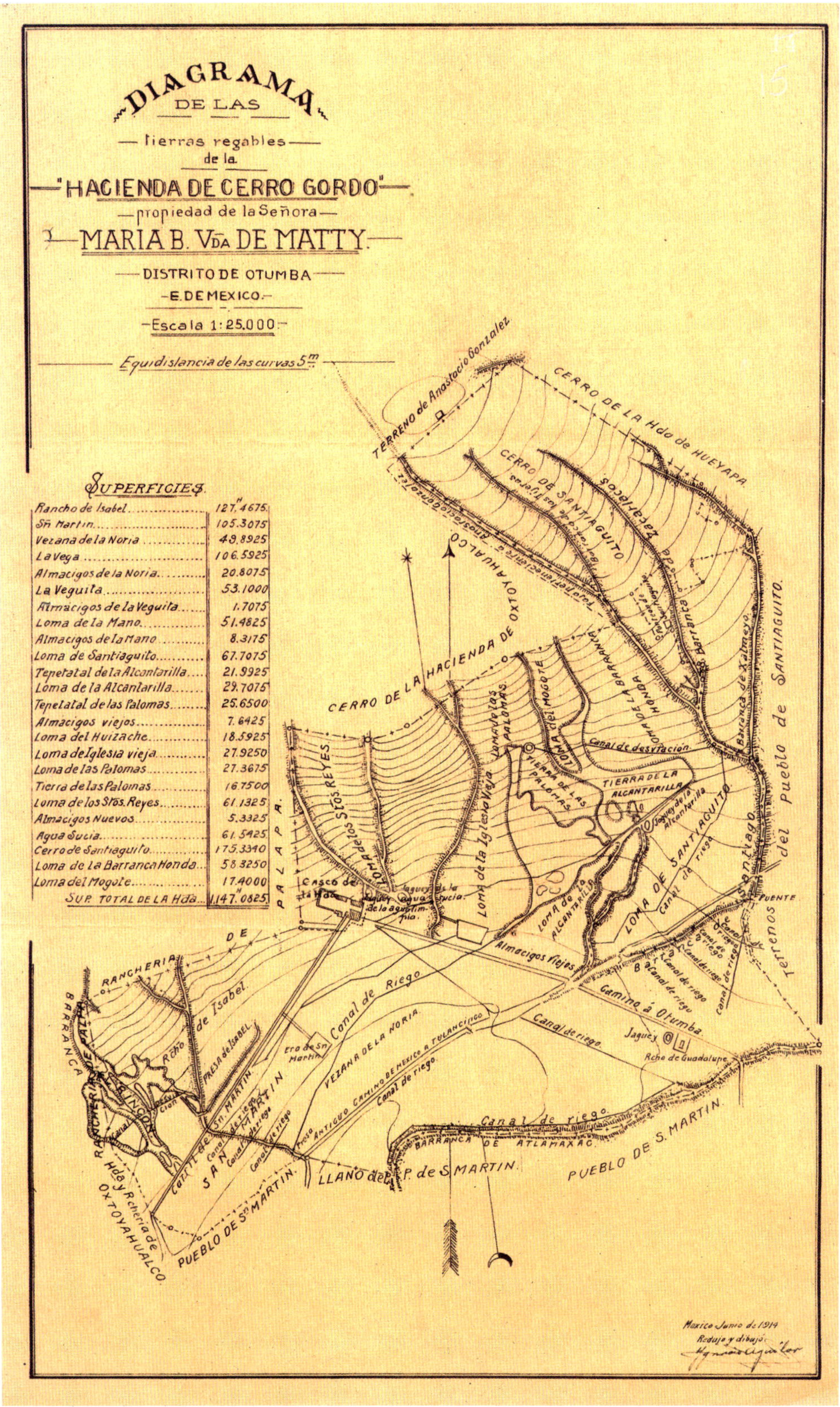

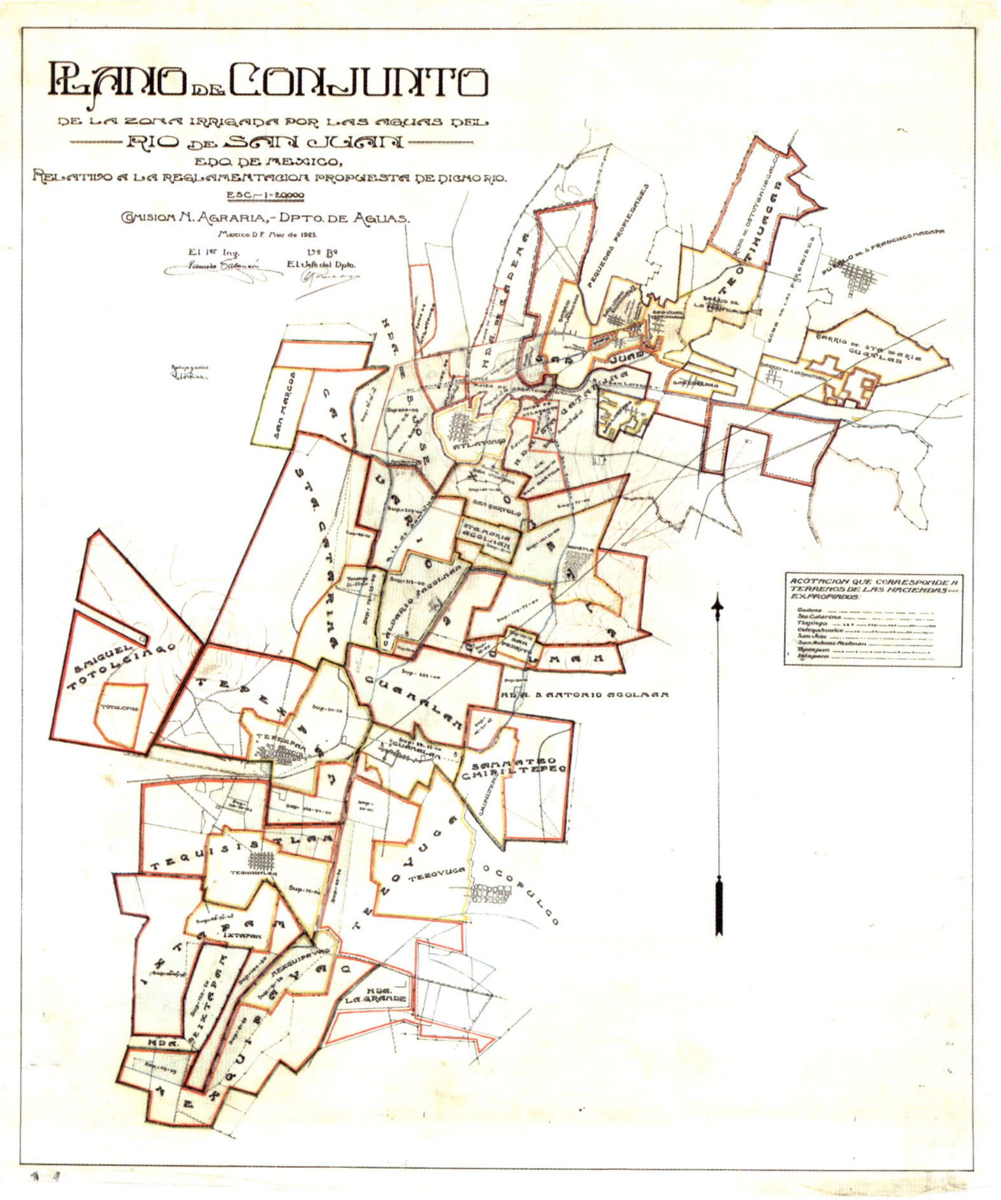

Tierras irrigadas por el río de San Juan

La época de mayor demanda es del 15 de marzo al 15 de abril, tiempo que los usuarios consideran apropiado para iniciar los trabajos de preparación del suelo. Posteriormente el requerimiento de riego baja y el agua sólo es aprovechada por los usuarios alejados de la principal fuente o los que incumplieron con alguna de sus obligaciones. En esta demanda baja, también algunos usuarios que regaron en tiempo y forma suelen solicitar un segundo riego, esto depende de la llegada de las lluvias.

Retomando los tipos de entrega de agua, en el caso libre, es el usuario o un grupo de usuarios los que solicitan a tempranas horas a la autoridad (juez de agua, delegado de riego) que les abra las compuertas del canal general para derivar agua al canal secundario, y es en este momento en que se definen las horas o días que les corresponde. El caso del tandeo se acuerda o ratifica, previa asamblea, las fechas en que debe iniciar el riego y los días que corresponde a cada usuario tomar el agua, de manera que se evita la aglomeración de usuarios en ciertos tiempos (demanda alta).

La entrega de agua libre es aplicada en ejidos que reciben el líquido de una sola fuente y que no son compartidas. El de tandeos es el que se aplica en ejidos que dependen de dos o más fuentes o canales principales. La manera de distribuir el agua parte de una escala mayor que define las fechas, horarios y volumen, que corresponde a la ACU, a una escala menor que es a nivel de parcela, lugar donde encontramos a los representantes de los usuarios. En ambos casos, estas autoridades deben vigilar que el usuario espere sus fechas de riego, cuando no respeta estos acuerdos, primero existe una llamada de atención "fuerte" por parte de las autoridades de la ACU; si el comportamiento negativo continúa, se le imponen multas económicas por parte de las autoridades de ACU y delegados de riego o jueces de agua. Pero si quienes infringen las reglas son autoridades de la ACU pueden ser destituidas de su cargo.

Aunque este tipo de trabajo es una constante presente en los DR, no existe un espacio político donde las autoridades de la ACU que representan a los módulos se integren para gestionar e intercambiar proyectos considerando los recursos hídricos como parte de un territorio, cada una de la ACU actúa de manera independiente a pesar de ser parte de un mismo espacio denominado DR. La separación como módulos de riego alteró la estructura integral que había venido manejando la CNI, la SRH y la SARH.

Conclusiones

Los espacios de riego de la parte noreste y norte del Estado de México deben ser entendidos desde su contexto nacional, pero también considerando los procesos

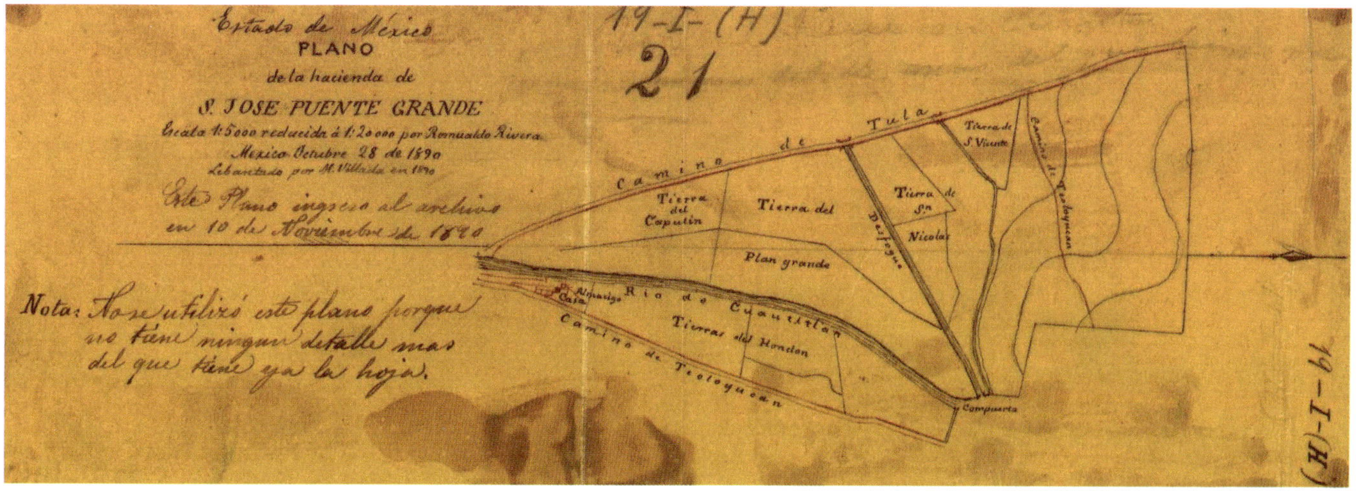

El río de Cuautitlán a su paso por la hacienda de San José Puente Grande

históricos de su gestación. La división territorial que las políticas hídricas han realizado para considerar en términos administrativos un área de riego y llevar a cabo su operatividad refleja una inconstante desvinculación de aprovechamiento y cuidado del agua. Los DR del Estado de México actúan hoy como módulos que en la práctica equivale a decir aislamiento administrativo, económico y tecnológico. El Comité directivo de las ACU tiene contacto sólo con la gerencia estatal, lo cual es un problema que agrava la situación financiera de los DR. Por ejemplo, en materia de cuidado de infraestructura hidráulica no hay convenios que establezcan que la maquinaria puede compartirse entre módulos con el fin de reducir los costos que genera el mantenimiento, y para reactivarla con la aportación de cuotas generales.

Las condiciones presentes en los DR podemos ubicarlas bajo tres elementos: el primero es histórico, destacando que la relativa corta experiencia de las ACU en la administración y operación de la infraestructura concesionadas refleja que deben existir sinergias entre los dos tipos de autoridades que gobiernan los módulos de riego; los espacios de riego deben ser reestructurados en términos de límites para atender conjuntamente los problemas de anegamiento y salinidad de suelos o aumento de productividad agrícola. El segundo de ellos, social, destaca con la política de transferencia un proceso de participación e inclusión de los usuarios, pero con toma de decisiones restringida porque las autoridades que entregan el agua a nivel de parcela y que tienen referencias del tipo de productores que integran los módulos de riego no son considerados en las reuniones del Comité hidráulico; y el tercero, relacionado con los anteriores, es político. En este sentido podemos referir que no existe un control del recurso agua que considere como premisa fundamental a los usuarios, si bien el desarrollo de proyectos productivos se realiza, no se valora el trabajo colectivo que pervive en estas zonas.

En cuanto a la revisión de la Ley de Aguas Nacionales desde 1926 hasta 1992 o de los estatutos de las ACU, no está incluido un apartado que haga referencia a la diversidad de usuarios que integran los sistemas de riego (DR o Unidades de Riego) y sus particulares formas de organización, para mejorar la administración de los sistemas de riego o normar prácticas que impidan el desarrollo del DR y de sus recursos. De manera que comprender de manera sistémica los elementos que integran los recursos hídricos y su aprovechamiento es todavía un tema pendiente en la labor académica.

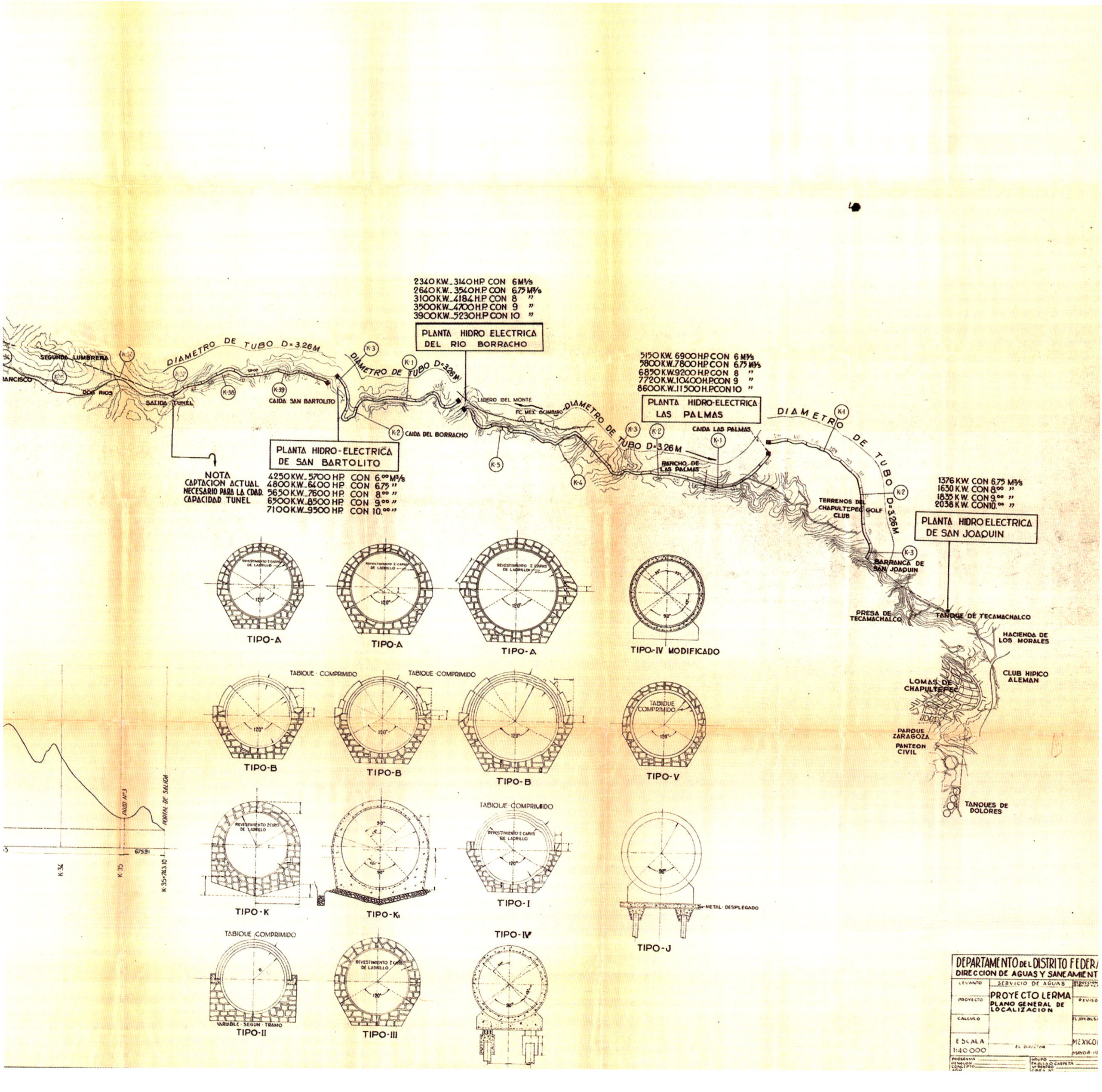

2340 KW. 3140 H.P CON 6 M³/s
2640 KW. 3540 H.P CON 6.75 M³/s
3100 KW. 4184 H.P CON 8 "
3500 KW. 4700 H.P CON 9 "
3900 KW. 5230 H.P CON 10 "
PLANTA HIDRO ELECTRICA DEL RIO BORRACHO
DIAMETRO DE TUBO D=3.26M
SEGUNDA LUMBRERA
DOS RIOS
SALIDA TUNEL
CAIDA SAN BARTOLITO
CAIDA DEL BORRACHO
LADERO DEL MONTE
PLANTA HIDRO-ELECTRICA DE SAN BARTOLITO
NOTA
CAPTACION ACTUAL 4250 KW. 5700 H.P. CON 6.00 M³/s
NECESARIO PARA LA CDAD. 4800 K.W. 6400 H.P. CON 6.75 "
CAPACIDAD TUNEL 5650 KW. 7600 H.P. CON 8.00 "
6500 KW. 8500 H.P. CON 9.00 "
7100 KW. 9500 H.P. CON 10.00 "
5150 KW. 6900 H.P. CON 6 M³/s
5800 KW. 7800 H.P. CON 6.75 M³/s
6850 KW. 9200 H.P. CON 8 "
7720 KW. 10400 H.P. CON 9 "
8600 KW. 11500 H.P. CON 10 "
PLANTA HIDRO-ELECTRICA LAS PALMAS
CAIDA LAS PALMAS
RANCHO DE LAS PALMAS
TERRENOS DEL CHAPULTEPEC GOLF CLUB
1376 KW. CON 6.75 M³/s
1630 KW. CON 8.00 "
1835 KW. CON 9.00 "
2038 KW. CON 10.00 "
PLANTA HIDRO ELECTRICA DE SAN JOAQUIN
BARRANCA DE SAN JOAQUIN
PRESA DE TECAMACHALCO
TANQUE DE TECAMACHALCO
HACIENDA DE LOS MORALES
CLUB HIPICO ALEMAN
LOMAS DE CHAPULTEPEC
PARQUE ZARAGOZA
PANTEON CIVIL
TANQUES DE DOLORES
TIPO-A
TIPO-A
TIPO-A
TIPO-IV MODIFICADO
TABIQUE COMPRIMIDO
TIPO-B
TIPO-B
TIPO-B
TIPO-V
TIPO-K
TIPO-K₁
TIPO-I
TIPO-J
METAL DESPLEGADO
TIPO-II
TIPO-III
TIPO-IV
VARIABLE SEGUN TRAMO
PORTAL DE SALIDA
K 34
K 35
DEPARTAMENTO DEL DISTRITO FEDERAL
DIRECCION DE AGUAS Y SANEAMIENTO
SERVICIO DE AGUAS
PROYECTO LERMA
PLANO GENERAL DE LOCALIZACION
ESCALA 1:40 000
EL DIRECTOR
MEXICO

El Sistema Cutzamala. Origen, auge y ocaso de un sistema de abasto de agua

María del Pilar Iracheta Cenecorta

El origen

Durante la década de 1950, el Estado de México experimentó un crecimiento demográfico significativo; sin embargo, fue superado por el registrado en el Distrito Federal, situación que obligó a hacer frente a la demanda creciente de agua potable y a la resolución del problema de las aguas residuales. Desde 1942 y hasta 1951 se construyó el Sistema Lerma, que posibilitó el envío de grandes volúmenes de agua del Valle de Toluca al Distrito Federal –en primera instancia, de los manantiales del municipio de Almoloya del Río, posteriormente de los municipios de Toluca e Ixtlahuaca–, el cual recibía 14 m^3/seg a través del túnel Atarasquillo-Dos Ríos, que llevaba el caudal captado en el Alto Lerma a lo largo de la Sierra de las Cruces hasta desembocar en el Valle de México (Perló y González 2005: 12). A lo largo del tiempo se dieron modificaciones y ampliaciones; se perforaron nuevos pozos desde el municipio de Lerma hasta el de Atlacomulco. En el año de 1969 se emprendieron algunas obras consistentes en la rectificación, encauzamiento y aprovechamiento del río Lerma, con las cuales se pretendía disminuir el perjuicio por la extracción del agua subterránea en la región, transportada al Distrito Federal y su Zona Metropolitana; los resultados, empero, fueron poco satisfactorios (Hernández 1999: 92). En los años 1970 el caudal ascendía a 14 m^3/seg, el volumen actual de abasto es de 5.0m^3/seg (Hernández 1999) (Perló y González 2005: 129). En los años ochenta surge el proyecto hidráulico Sistema Cutzamala (SC), por medio del cual la aportación de agua potable del Estado de México al Distrito Federal se incrementó de manera importante.

El proyecto Cutzamala es una obra que reúne los elementos que forman el concepto de la "gran hidráulica o modelo de agua de la nación" acuñado por Luis Aboites. El Artículo 27 establece que "el agua es propia de la nación", el Estado, como encarnación de la nación es quien proyecta, regula y construye obras hidráulicas, como la del Cutzamala, surgida de la iniciativa federal en un periodo (1976-1982) en que el sistema político mexicano era de corte presidencialista, autoritario y unipartidista, lejos estaba todavía la alternancia partidista. En el terreno de la administración del agua respondía a una concepción estatista del desarrollo regional, dirigida a la modernización. Sin embargo, una fuerza política regional, la clase política del Estado de México, influyó para que fuera la cuenca del río Cutzamala y no otra la elegida para abastecer de agua a la Zona Metropolitana del Valle de México (ZMVM). De este modo, los actores que decidieron el uso del espacio (la cuenca del río Cutzamala) fueron el Ejecutivo federal y las agencias gubernamentales ligadas con la administración del agua. A lo largo de las tres primeras etapas de construcción del SC los contextos en el modelo respecto de la administración del agua –en el marco del capitalismo y del neoliberalismo– fueron cambiando, lo que fue decisivo, primero, para la ausencia de protestas sociales y, luego, para su irrupción. En efecto, en la primera etapa, a mediados de los años

Agua para la ciudad de México
(proyecto Lerma)
[página opuesta]

Antiguo sistema de abastecimiento de agua

setenta, fue la gran hidráulica el modelo de administración del agua y la construcción del SC, comandada por el Estado como encarnación de la nación propietaria del agua, encargada de una prioridad nacional como era suministrar agua a la ZMVM, el área política, económica y social neurálgica de la república mexicana. La segunda etapa, en los años ochenta, inicia la operación del SC con el modelo de administración del agua mercantil-ambiental. La tercera etapa inicia su operación en 1994; es el periodo de las reformas neoliberales, el adelgazamiento del Estado y la irrupción de la alternancia política en el año 2000. La primera década del siglo XXI se señala por la alternancia política y el fin del autoritarismo estatal, es entonces cuando irrumpen las protestas sociales (Corona 2010: 17-1).

El auge

La dimensión técnica

El SC se define como un sistema hídrico de almacenamiento, conducción, potabilización y distribución de agua dulce para la población e industria del Distrito Federal y el Estado de México, de este último las ubicadas en las zonas centrales de la cuenca de México y el Valle de Toluca. Es considerada una de las mayores obras de ingeniería civil en el mundo, ya que debe bombearse el agua desde una altura de 1 600 msnm en su punto más bajo hasta los 2 702 msnm en su punto más alto; este sistema se extiende por las entidades de Michoacán, Estado de México y el Distrito Federal, construido y operado con presupuesto público; hoy se encuentra a cargo del Organismo de Cuencas Aguas del Valle de México y Sistema Cutzamala (OCAVM), perteneciente a la Comisión Nacional del Agua (Conagua) y del organismo responsable de la Región Hidrológica Administrativa XIII: Aguas del Valle de México (croquis Sistema Cutzamala).

El SC fue construido en etapas: la primera (1976-1982) incluyo al municipio de Villa de Allende, la segunda (1982-1985) involucró obra hidráulica en Villa de Allende, Valle de Bravo y Villa Victoria. Una tercera etapa (1990-1994) en Donato Guerra. La cuarta etapa quedó inconclusa; las obras consistirían en aprovechar el caudal del río Temascaltepec, ubicado en el municipio mexiquense del mismo nombre, mediante su retención en la presa El Tule, para después trasladarla a la presa Valle de Bravo, proporcionando 5 m^3/seg adicionales para ser distribuidos en 18 municipios del Estado de México conurbados con el Distrito Federal (Cámara de Diputados 2003: 3). Pero entre 1996 y 1998 se suscitó la oposición de los comuneros del municipio de Temascaltepec. Los demandantes exigían detener el trasvase por "innecesario, dañino y por sus efectos ambientales y sociales"; condenaban los proyectos de trasvase para abastecer a grandes ciudades, los quejosos denunciaron al gobierno, y a las instituciones estatales y organismos financieros internacionales que promocionaban tales políticas, sentenciando que las grandes obras de infraestructura del agua, como presas y trasvases "destruyen la matriz ecológica y cultural del agua".

El sistema brinda 5 920 litros por segundo para el Estado de México. De éstos le corresponde una parte a la zona poniente de la ciudad de Toluca. Así, se conducen alrededor de 700 litros por segundo desde el Tanque Pericos hasta el Tanque La Teresona, cuya capacidad es de 20 millones de litros. Este último tanque también recibe un caudal del Tanque Lomas Altas que, a su vez, almacena el agua extraída de varios pozos profundos.

Por lo que corresponde al suministro de agua al Distrito Federal, el cual llega a los 9 716 litros por segundo, del Tanque Analco-San José, ese volumen de agua abastece a 12 delegaciones y 10 municipios del Estado de México, para lo cual el líquido vital es conducido a los ramales sur y norte del Sistema. Se pensaba en un futuro ampliar la cobertura a Chimalhuacán, Los Reyes la Paz, Ixtapaluca, Chicoloapan, Chalco y Valle de Chalco Solidaridad, además de reforzar el suministro a Nezahualcóyotl. El diámetro del túnel es de más de cuatro metros y medio, mientras que su longitud es de 16 km. En previsión de futuros proyectos de abastecimiento, el sistema tiene una capacidad de 34 mil litros por segundo (Guasch y Saunders 2013: 70-71, 76-77).

El SC se construyó con base en uno preexistente: el Sistema Hidroeléctrico "Miguel Alemán", integrado por varias presas almacenadoras y derivadoras, que aprovechan las corrientes de los ríos Malacatepec, Valle de Bravo e Ixtapan del Oro, que pertenecen al Estado de México, y los ríos Tuxpan y Zitácuaro en el estado de Michoacán, todos relacionados con la subcuenca del río Cutzamala, afluente del río Balsas.

El conjunto de presas permite el siguiente aprovechamiento: Villa Victoria (218 millones de m^3); Valle de Bravo (401 millones de m^3), estas dos presas reciben el agua de las derivadoras: Tuxpan (20 millones de m^3), Tilostoc (14 millones de m^3), Del Bosque (220 millones de m^3), Colorines (2 millones de m^3), Ixtapantongo (19 millones de m^3) y Los Pinzones (4.35 millones de m^3). Entre todas las presas se genera un caudal de 15 636 litros por segundo. Con la integración de las presas Colorines, en Valle de Bravo, y Chilsedo, en Villa Victoria, a principios de 1993 comenzó la tercera etapa del SC. Con la capacidad de un millón 500 mil metros cúbicos, la presa Colorines recibe agua de los embalses Ixtapan del Oro, Tuxpan y El Bosque, para aportar 8 mil litros por segundo. Por su parte, la presa Chilsedo, cuya capacidad es de un millón 500 mil metros cúbicos, recibe un caudal proveniente del río Malacatepec y genera mil litros por segundo. La infraestructura del SC incluye torres de oscilación, con más de 50 metros de altura, que regulan la presión para conducir el recurso a lo largo de 19 metros, que proporciona la fuerza necesaria para impulsar el agua, remontar diferentes pendientes y vencer una altura hasta de 2 701 msnm (Guasch y Saunders 2013: 84-85). Gracias a las plantas de bombeo, el agua almacenada en las presas que conforman el SC llega al canal abierto "Donato Guerra" y a una línea de conducción alterna a través de la caja reguladora del mismo nombre. El canal abierto tiene una profundidad de tres metros y más de siete kilómetros de longitud, a través de los cuales fluye el agua de los siete embalses del sistema que convergen en el túnel Agua Escondida, de donde se dirigen a la planta potabilizadora Los Berros. Esta planta es la de mayor capacidad en el país y trata entre 14 mil y 16 mil litros por segundo. Los procesos llevados a cabo en Los Berros permiten dejar el agua libre de materia orgánica, misma que podría alterar su composición. Esta operación garantiza que el recurso sea apto para el consumo humano, de acuerdo con los parámetros nacionales (Guasch y Saunders 2013: 75).

Cuadro 1. Composición del Sistema Cutzamala

El cuadro 1 muestra la composición del sistema:

Número	Concepto
7	Presas
6	Macroplantas de bombeo que vencen un desnivel de 1 100 metros
72.5	Kilómetros de canales abiertos
43.9	Kilómetros de túneles
218	Kilómetros de acueductos
1	Planta potabilizadora Los Berros construida en Villa de Allende con una capacidad instalada de 19.0 m^3/segundo

Fuente: Semarnat-Conagua (2009).

El caudal hídrico proporcionado por el Ramal Sur del SC a la ciudad de México es distribuido mediante el Acuífero de la ciudad de México que se inicia en Cuajimalpa y termina en la localidad de Topilejo, Distrito Federal. Cuenta con un volumen de 13 651 litros por segundo que abastece, principalmente, a las delegaciones del poniente del Distrito Federal. Asimismo, en 1995 se construyó la primera etapa del Macrocircuito de Distribución de Agua Potable para el Distrito Federal, el cual consta de líneas de conducción que se extienden a lo largo de más de 60 kilómetros. Esta longitud abarca desde la toma IV en Huixquilucan hasta Cerro Gordo, en el municipio de Ecatepec. En esta etapa el Macrocircuito opera un volumen de más de 5 mil litros por segundo, con los cuales abastece a Atizapán de Zaragoza, Coacalco, Cuautitlán Izcalli, Ecatepec, Huixquilucan, Naucalpan, Nezahualcoyotl, Nicolás Romero, Tlalnepantla y Tultitlán. En la toma IV del Microcircuito de Distribución de Agua Potable, ubicada en Huixquilucan, se reciben 5 mil litros por segundo que provienen del SC. Este volumen forma parte de los 26 800 litros por segundo que se suministran a la ZMVM, donde se concentra 65% de la población del Estado de México (Guasch y Saunders 2007: 84-85). Las obras del SC, el Acuaférico en el Distrito Federal y el Macrocircuito en el Estado de México abastecen a la ZMVM con aguas de origen superficial (Horizontes: 98). La importancia del SC para la vida y reproducción de los habitantes de la ZMVM es vital. Por ello, las autoridades han declarado que las instalaciones son materia de "seguridad nacional".

Mapa 1. Abastecimiento de agua potable de cuencas externas

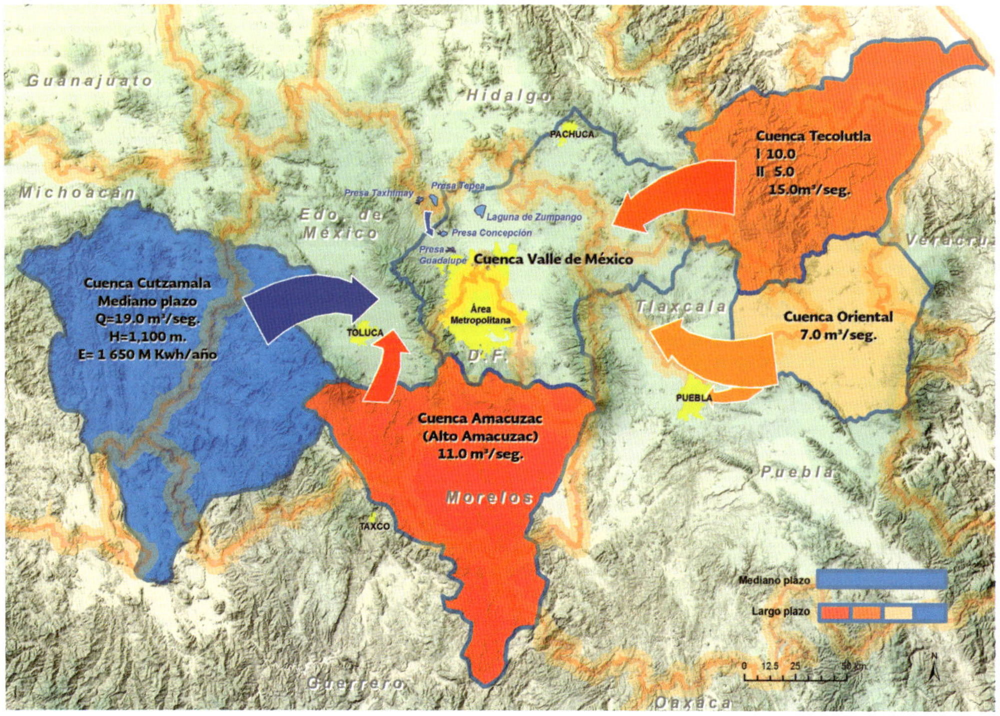

La problemática del abasto de agua

Desde 1972, la Secretaría de Recursos Hidráulicos presentó un estudio de alternativas para el abasto de agua de la ZMVM, mismas que apuntaron al trasvase desde seis cuencas externas, cuyo conjunto sería capaz de cubrir la demanda de líquido "hasta el año 2000", contando que para ese año la ZMVM no rebasaría los 25 millones de habitantes (Corona 2010: 17-1).

Pero atrás del argumento según el cual el SC fungiría como fuente de abasto hídrico, estaba otro: el sistema sería una alternativa para frenar el hundimiento del suelo en la ciudad de México, fenómeno resultante de la sobreexplotación de los acuíferos de las cuencas del Valle de México y del Lerma. En este tenor es muy importante resaltar entonces que los trasvases a la ZMVM no se debieron fundamentalmente a la escasez de agua en esa extensa área, sino por los hundimientos del suelo, consecuencia de la sobreexplotación de los acuíferos. En este tenor, las propias cifras oficiales demuestran que existe agua suficiente para el abasto de la urbe aparte de la otorgada por el Sistema Cutzamala.

Cuadro 2. Fuentes de suministro a la ciudad de México

Fuente	Litros por segundo	%
Sistema Cutzamala	9 500	29.23
Sistema Lerma	4 000	12.30
Sistema Barrientos	2 500	7.70
Sistema La Caldera	550	1.70
Manantiales	1 000	3.07
Pozos en la ciudad	14 950	46.00
Total	32 500	100

Fuente: Gobierno del Distrito Federal, Sistema de Aguas de la ciudad de México.

De este modo, de acuerdo con la capacidad instalada total del SC, 57% del suministro de agua debía corresponder al Estado de México y el restante 42% al Distrito Federal. Pero, al término de la III etapa del sistema, la mayoría del agua se distribuía en la red de la ciudad de México. Todavía en 2007, del total del caudal obtenido por el sistema, 9.72 m^3/seg eran destinados al Distrito Federal y el restante 35% a los municipios del Estado de México que están conurbados a la ZMVM y a Toluca, la capital del Estado de México. La inequidad en el abasto tiene un fundamento tecnológico: el Estado de México no cuenta con la infraestructura necesaria para aprovechar el caudal que le otorgaba el acuerdo de 1982. Sin embargo, con la construcción de la primera etapa de la segunda megaobra llamada Macrocircuito –de 68 km contra 117 a construirse–, el volumen del agua del Cutzamala destinado al Estado de México registró un aumento paulatino, como lo muestra la gráfica 1.

Según el *Acuerdo de la Secretaría de Agricultura y Recursos Hidráulicos para entregar agua en bloque al Departamento del Distrito Federal y al Estado de México* del 22 de junio de 1982, el agua del Cutzamala sería distribuida en función del crecimiento de la población. También se ofertaría agua a las comunidades de donde se extrae el agua; pero ambos objetivos no se cumplieron. Esa agua no llegó a las zonas abastecedoras. La razón es que lo que se midió fue la oferta y no la demanda de agua presente y futura en la ZMVM; por lo tanto, nunca se llegó al volumen de agua proyectada. Esta situación trajo déficit en el abasto y desigualdad en la distribución del agua dentro de la ciudad de México y en el Estado de México (Corona 2010: 17-13).

Gráfica 1. Caudal suministrado por Sistema Cutzamala el Estado de México (1991-2007)

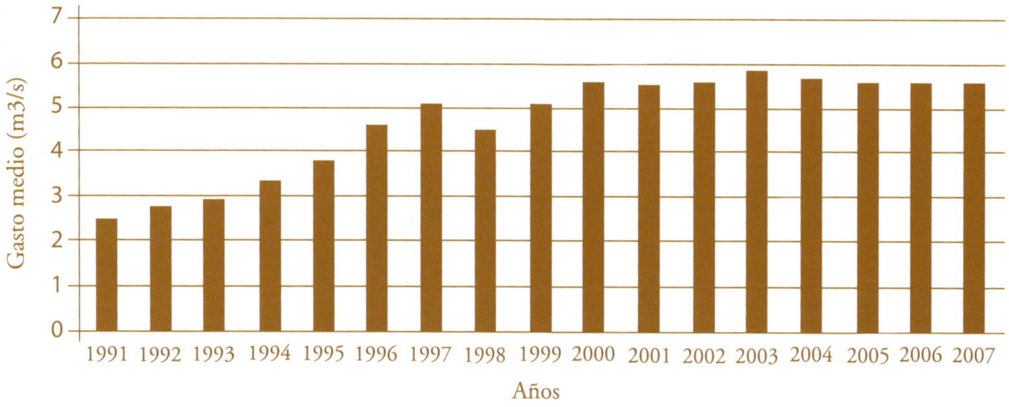

Fuente: Corona (2010).

Desde 1982 el Sistema comenzó a llevar agua de la cuenca del río Cutzamala a la ZMVM. Este río fue elegido porque, según las estimaciones oficiales, es el que podría proporcionar un volumen de agua mayor al Valle de México, por la disponibilidad y calidad del agua. Es de señalarse que existió otra alternativa de abasto de agua para la ZMVM que era el tratamiento de aguas residuales, más económico que el del trasvase; sin embargo, esta opción no fue tomada en cuenta. Así, el volumen del agua obtenido por el trasvase desde otras cuencas era, y lo es hasta ahora, mayor que el volumen de aguas tratadas. Otro problema es el líquido que se pierde en fugas, que es mayor del que se extrae de la subcuenca de Cutzamala: 12.35 m^3/seg que representa 35% del total que llega al Distrito Federal (Martínez 2007: 66) (croquis SC).

El ocaso. Los problemas técnico-operativos

Los argumentos técnicos que dieron las autoridades para la construcción del SC fueron principalmente tres, mismos que provocaron varias consecuencias que se sufren en la actualidad: *1)* se seleccionó la cuenca del Balsas donde se encuentra el río Cutzamala sin comparar con cifras de volúmenes de agua de otras cuencas como la del río Amacuzac, esta selección obedeció a la presión de la clase política del Estado de México, que recibió beneficios, y también empresas constructoras que obtuvieron grandes ganancias; *2)* el trasvase del Cutzmala a la ZMVM no se derivó fundamentalmente por la escasez del agua, sino por el hundimiento de los suelos debido a la sobreexplotación de los acuíferos, si bien las condiciones actuales por déficit de agua en la ZMVM hacen necesaria el agua del Cutzamala ante la sobreexplotación de los pozos de la ciudad; *3)* lo que se midió fue la oferta y no la demanda de agua presente y futura en la ZMVM, por tanto nunca se llegó al volumen de agua proyectada. Esta situación trajo déficit en el abasto y desigualdad en la distribución del agua dentro de la ciudad de México y en el Estado de México; tampoco se consideró el tratamiento de aguas residuales para garantizar la disponibilidad y sustentabilidad del líquido en las zonas abastecedoras, es decir la cuenca del Cutzamala (Corona 2010: 17-1-14). Finalmente, está el problema de manejo operativo del Sistema, en el que intervienen autoridades del Distrito Federal y el Estado de México; la relaciones interinstitucionales no han estado exentas de conflictos, no es sino hasta años recientes cuando se han ido logrando acuerdos en el manejo del Sistema por ambas instancias.

Los problemas sociales

La construcción de grandes obras de infraestructura y de presas hidráulicas como las del Sistema Cutzamala en ocasiones no logran beneficiar a las comunidades locales,

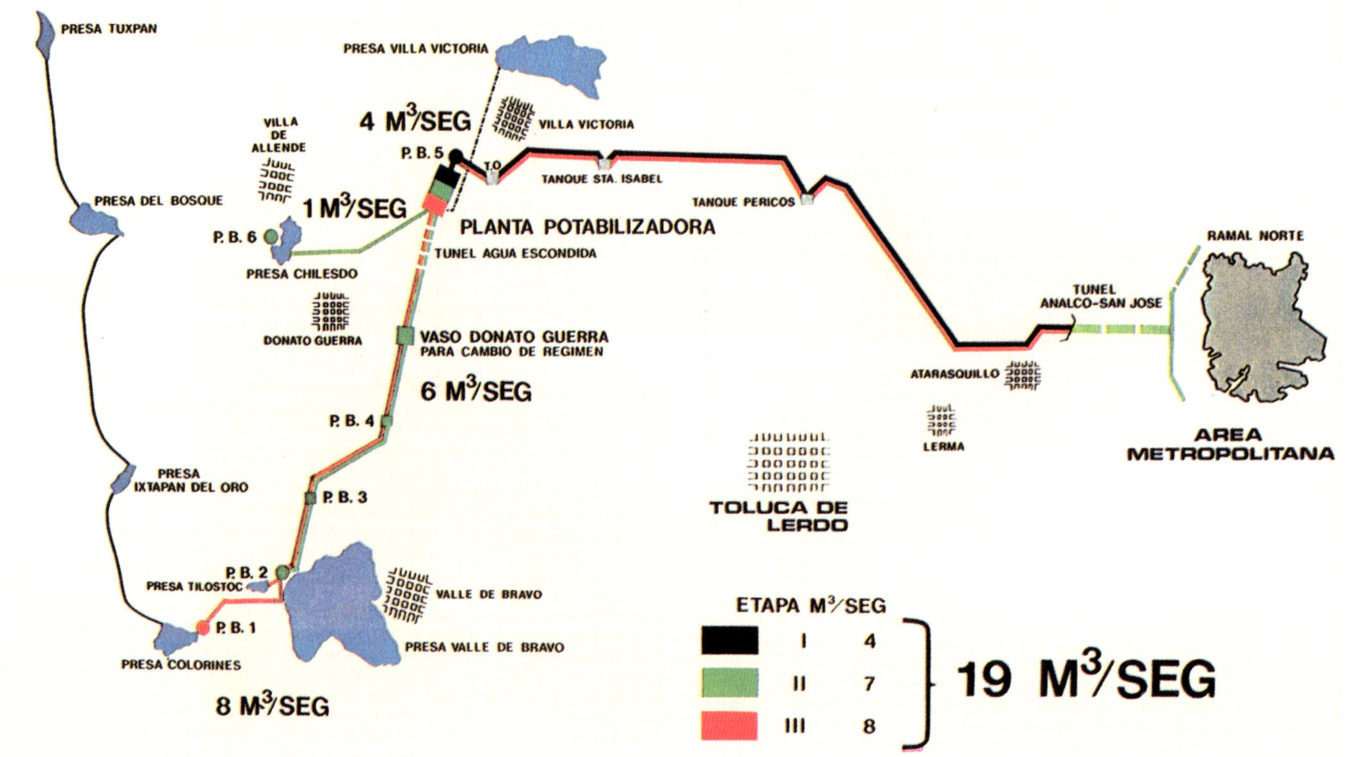

Croquis del Sistema Cutzamala

afectando, incluso, el desarrollo de las mismas, pues si bien se consideran beneficios en el corto plazo, a la larga existen problemas sociales y ambientales.

Perló y González postulan la existencia de una región o complejo territorial en el centro de México que denominan como "la región hidropolitana del centro del país", la cual fue "creada artificialmente para el abasto de la Zona Metropolitana de la Ciudad de México" mediante grandes infraestructuras que vinculan el funcionamiento de cuatro cuencas hidrológicas, que de otra manera, no tendrían conexión natural alguna: Valle de México, Alto Lerma, Cutzamala y Tula. Según la clasificación de la Comisión Nacional del Agua, la cuenca del Valle de México se integra a la Región Hidrológica XIII; la cuenca del Alto Lerma forma parte de la Región VIII: Lerma-Chapala-Santiago; la cuenca del Cutzamala está integrada a la Región IV: Balsas; y por último, la cuenca del río Tula forma parte de la Región IX: Golfo.

Esta región se encuentra integrada funcionalmente, es decir, constituye un sistema cuyos diversos componentes están materialmente relacionados por múltiples vínculos. La región hidropolitana abarca los estados de México, Michoacán e Hidalgo. Es ante todo una región hidráulica, en la que los procesos económicos, sociales y políticos han orientado el sentido de la circulación del recurso hídrico (Perló y González 2005: 130-131). Esos procesos son los de la producción capitalista que explica, en buena medida, la concentración urbana en la ZMVM impulsada por el poder político, así como su creciente necesidad de agua y el consecuente desarrollo regional desigual de las zonas abastecedoras de agua.

El precario abasto del agua para consumo doméstico y productivo ha generado una conflictividad continua en la "región hidropolitana del centro de México". Desde finales de la década de 1960 y hasta la actualidad, se han generado movimientos sociales de poblaciones afectadas por las transferencias de agua de sus localidades a la ZMVM. Por ejemplo: los movimientos campesinos de la zona del Alto Lerma registrados entre 1969-1993. Los campesinos no asumieron tanto una pertenencia étnica –otomí en este caso– sino regional. Las demandas formuladas giraban en torno de sus actividades económicas, la agricultura de riego y la pertenencia del agua a las comunidades locales y no al gobierno federal (Cirelli 1997: 190).

Dentro de esta "región hidropolitana" consideramos en particular la subregión del Cutzamala, su problemática y la protesta social que ha suscitado. La construcción del sistema contribuyó a la configuración de un megaespacio peculiar; dentro de éste se constituyó una región *abastecedora de agua*, ocupada por varias poblaciones de la cuenca del río Balsas y por varios municipios del sur del Estado de México: Donato Guerra, Villa de Allende, Villa Victoria, Valle de Bravo. En el cuadro 3 puede verse que los cuatro municipios mazahuas fueron incluidos progresivamente dentro del proyecto (mapa 2. Estado de México y municipios mazahuas).

Cuadro 3. Distribución del Sistema Cutzamala por presa

Presa	litros/segundo		Total
	México	Distrito Federal	
Villa Victoria	2 000	2 000	4 000
Chilsedo	571	429	1 000
Valle De Bravo	3 629	2 471	6 100
Colorines	4 658	3 242	7 900
Total	10 858	8 142	19 000

Fuente: elaboración de Corona (2010) con base en Acuerdo de la Secretaría de Agricultura y Recursos Hidráulicos para entregar agua en bloque al Departamento del Distrito Federal y al Estado de México del 22 de junio de 1982.

Es una zona con las mínimas condiciones para la acumulación de capital, altos índices de marginación y un porcentaje considerable de población indígena mazahua, pero que es valorizada por sus recursos hídricos, especialmente los del municipio de Villa de Allende, aprovechados por el SC, para ser distribuidos en la ZMVM

Mapa 2. Estado de México y municipios mazahuas

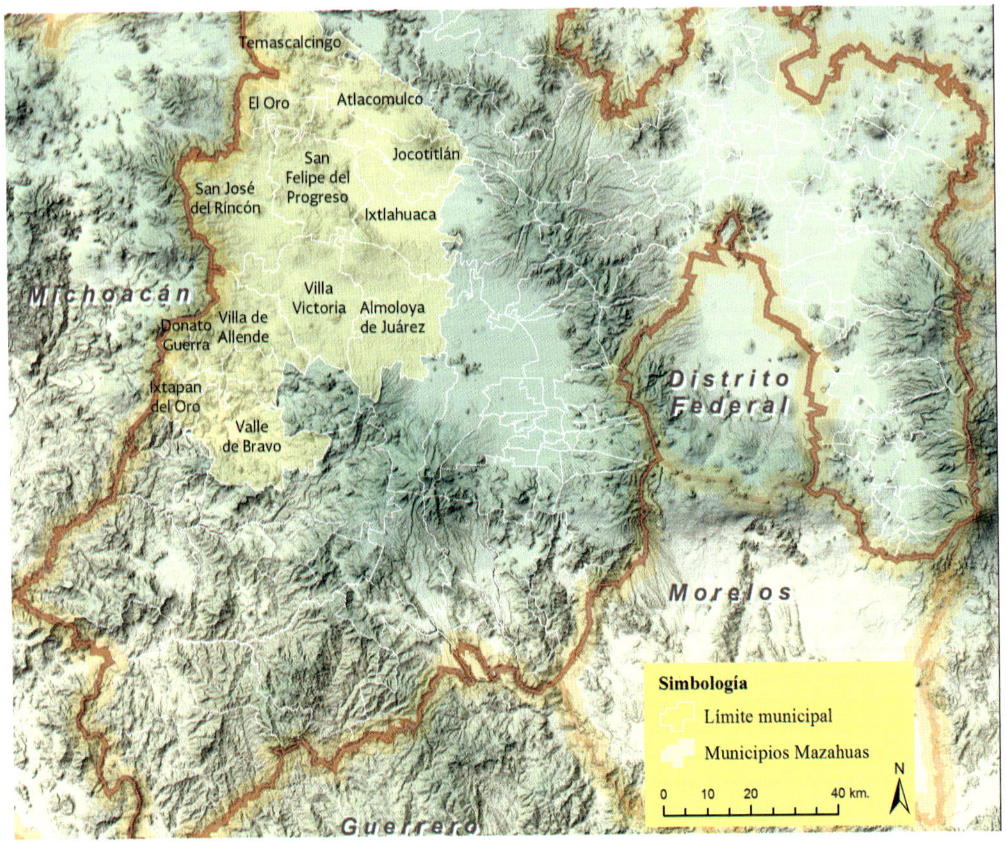

y algunos municipios conurbados a la ciudad de Toluca y a la zona norte de dicha ciudad, convertida en la *región receptora* (croquis SC).

Las relaciones económicas y políticas establecidas entre las dos regiones son de gran asimetría. Las características del sistema de trasvase llevado a cabo por el SC distorsionan la dinámica de la región abastecedora, que no sólo no ha logrado beneficios, sino que ha tenido varias consecuencias graves: la mayoría de estas comunidades no cuenta con un acceso adecuado y suficiente al agua, la cual suele estar controlada por Juntas de Agua locales; en ocasiones, ésta se encuentra contaminada o no está potabilizada, y no llega a las poblaciones que presentan un patrón territorial disperso. La falta de agua suficiente para las actividades productivas ha obligado a los campesinos mazahuas a convertirse en asalariados pobres o migrantes (Vega 2009: 111-113). Esta situación ha traído consigo protestas sociales. Entre 1996 y 1998 se suscitó el movimiento de los campesinos de Temascaltepec en contra de la cuarta etapa del SC. Entre 2003 y 2007 los mazahuas del municipio de Villa de Allende protagonizaron un movimiento de amplia repercusión política y mediática. Fue en ese municipio donde dieron inicio las obras del Cutzamala y el lugar donde más tiempo duraron. En 2003 se suscitó la inundación de 300 hectáreas de cultivos de maíz por el desbordamiento de la presa Villa Victoria, perteneciente al SC. Las hectáreas pertenecían a las comunidades de Salitre del Cerro, Los Berros, El Jacal y San Isidro, del municipio de Villa de Allende. Luego se unirían las localidades de Soledad del Salitre, San Felipe Santiago, Loma de Juárez, San Martín y San Cayetano. Resultaron afectados 114 propietarios. A través de los delegados municipales y comisarios ejidales se solicitó el apoyo para la restitución del agua, tierras y los pagos de indemnizaciones así como el de las tierras expropiadas por la Conagua en los años ochenta para construir la presa de Villa Victoria y ser incluidos en la política nacional hidráulica. Finalmente exigieron la racionalidad en el uso del agua, dada la carencia del líquido en las comunidades campesinas. Uno de los argumentos principales del movimiento mazahua era que el agua se iba a la ZMVM dejando sin el líquido a las comunidades de Villa de Allende; los movilizados tenían razón, pero el problema de la inequidad en el abasto se ampliaba a todos los demás municipios mazahuas del Estado de México, participantes en el SC, y a otras poblaciones del Estado de México.

Se incorporaron al movimiento varios integrantes de otros municipios afectados por el SC: Donato Guerra, Villa Victoria y Valle de Bravo. La falta de agua afectó en primera instancia a las mujeres mazahuas que necesitan del líquido para consumo y actividades productivas. Por esta razón la incorporación femenina es temprana; participaron en marchas y manifestaciones, y fueron la cara visible y externa del movimiento, utilizando elementos simbólicos como la vestimenta, discursos en mazahua y elementos culturales y simbólicos como la Virgen de Guadalupe. Ellas demandaron con insistencia un plan integral sustentable para el desarrollo de la región, agua potable para todos los pueblos, restitución de tierras y el pago de daños a 300 hectáreas de cultivos. Los movilizados crearon el "Frente para la defensa de usos y costumbres de los derechos humanos y recursos naturales del pueblo mazahua". Las comunidades de Villa de Allende, que integraron el Frente Mazahua, fueron Los Berros, San Felipe Santiago, El Jacal, Loma de Juárez, Salitre del Cerro, Soledad del Salitre, San Isidro, San Cayetano y Mesas de San Martín, que eran precisamente las que se encuentran más cerca de la planta potabilizadora Los Berros, construida en el territorio del municipio de Villa de Allende (Gómez 2011). De las demandas y actividades del movimiento destacan tres características principales:

1) El movimiento mazahua se inscribe en la expresión de un sector social, las comunidades indígenas latinoamericanas que exigen, en virtud de pertenencia a un grupo étnico, recuperar sus tierras y recursos naturales –disputándoselas al Estado y otros agentes como la iniciativa privada– luchando también por un medio ambiente equilibrado.

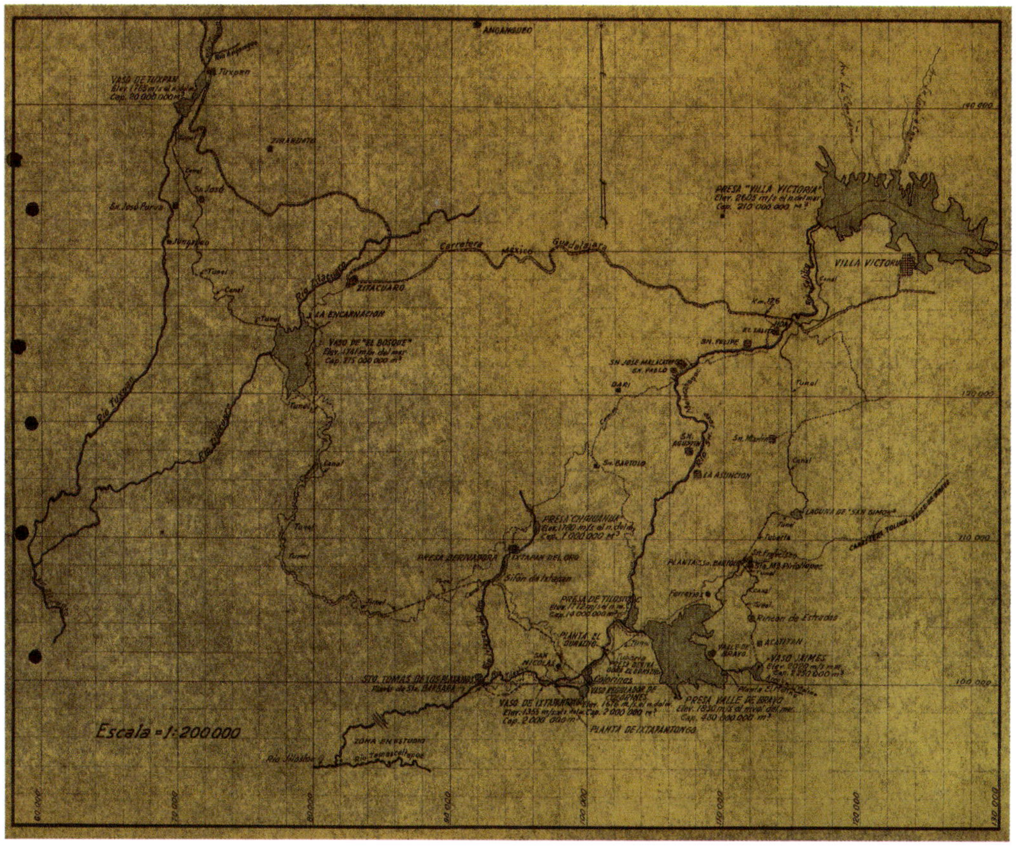

Presas en el Sistema Cutzamala

Cortina de la presa Miguel Alemán, Valle de Bravo [página opuesta]

Estado de México y municipios mazahuas [página opuesta]

2) La clara manifestación de la dimensión política en el movimiento, que apunta a lograr la inclusión de la comunidad mazahua en las decisiones que le competen. En este sentido, es importante anotar que el movimiento pretendió establecer un tipo de desarrollo que funcionara como prototipo para toda la región mazahua y no como un movimiento de gestión o de presión para el gobierno y sus dependencias.

3) La acusada presencia del tema ambiental como bandera de lucha, misma que expresa la protesta por la forma en que el espacio ha sido configurado por los grupos dominantes y su efecto negativo en el ambiente. La relevancia del agua para los mazahuas reside en que es un recurso que pertenece a la colectividad, por lo tanto es una responsabilidad preservarla para garantizar el abastecimiento presente y futuro.

Los problemas ambientales

A pesar de ser una megaobra, el SC ha dado signos de deterioro progresivo, sobre todo a partir de 2009, un año crítico para el abasto de la ZMVM y la ciudad de Toluca. Según un estudio del Instituto Nacional de Ecología, elaborado en 2009, el deterioro de las subcuencas que conforman el SC podría alterar la capacidad proveedora de agua para la ZMCM (Instituto Nacional de Ecología 2009: 2, 6, 21-22). La causa principal reside en el bajo nivel de almacenamiento de las presas registrado en 2009 debido a su grado de azolvamiento, además de fenómenos meteorológicos y fugas en la infraestructura provocando la pérdida de 50% de la capacidad de acopio de las presas. En general, las subcuencas presentan problemas comunes como la dispersión de localidades, lo cual dificulta la instalación de sistemas de drenaje y genera contaminación de los cuerpos de agua. Los aprovechamientos hidráulicos causan contaminación y variabilidad en los embalses de las presas. La degradación de los suelos es otro problema importante, también la detección de tomas clandestinas en los canales del SC y la invasión de los embalses por asentamientos humanos. La disminución de la resistencia de las presas podría agudizarse con la presencia de un escenario de cambio climático.

Las subcuencas presentan varios problemas específicos: Villa Victoria es la más afectada, abarca 60% del municipio del mismo nombre en el Estado de México y casi 40% del municipio de San José del Rincón. La falta de drenaje para aguas residuales genera contaminación de ríos y canales que desembocan en la presa Villa Victoria, adémas de azolvamiento. La cabecera de la subcuenca tiene muy poca vegetación natural primaria y secundaria, lo que ocaciona arrastres y sedimentación que también resultan en azolvamiento. Chilsedo-Colorines, ubicada en el Estado de México, abarca cuatro municipios: 80% de Villa de Allende, 40% de Donato Guerra, 20% de Valle de Bravo y 12% de Villa Victoria. Chilsedo-Colorines aporta parte considerable de su agua a la agricultura, pero el sistema de riego es ineficaz, por lo que se requeriría modernizarlo. Pero de igual manera la práctica de la agricultura ha erosionado la cubierta vegetal. La subcuenca de Valle de Bravo se encuentra también en el Estado de México; comprende casi la totalidad del municipio de Amanalco y 60% de Valle de Bravo. En esta subcuenca la extracción de productos forestales de los bosques está causando un fuerte deterioro que ha formado cárcavas y surcos; los suelos agrícolas presentan desgaste, las fugas del drenaje urbano de Valle de Bravo ocasionan contaminación en la presa del mismo nombre. La subcuenca de Tuxpan, la más grande del SC, se ubica en el estado de Michoacán. Abarca seis municipios: Aporo, Angangueo, Ocampo, Hidalgo, Irimbo y Tuxpan. Los tres primeros entran completamente en la subcuenca, los tres últimos abarcan sólo la mitad de sus territorios y la cabecera municipal dentro de la subcuenca. Se presenta en Tuxpan la cuestión de la falta de drenaje que contamina los ríos y canales que desembocan en la presa de Tuxpan, lo que provoca el azolvamiento de la presa; el crecimiento de las zonas urbanas en la parte alta de la subcuenca amenaza a la presa Tuxpan; las áreas boscosas y los ecosistemas ribereños a lo largo de los afluentes deben ser restaurados para no convertirse en trampas de sedimentos y filtros de agua. Los suelos agrícolas presentan mala calidad. La subcuenca El Bosque, en el estado de Michoacán, abarca un solo municipio: Zitácuaro. Esta subcuenca no cuenta con drenaje adecuado, lo que conlleva la contaminación de ríos y canales que desembocan en la presa El Bosque. Se presentan problemas de erosión hídrica; en este sentido, la extracción de recursos aumenta la erosión del suelo. En la parte alta y media de la subcuenca existen áreas de bosques secundarizados y fragmentados; es necesaria la reforestación. La subcuenca de Ixtapan del Oro es la más pequeña del sistema. Se encuentra en el Estado de México y comprende casi la mitad del municipio de Ixtapan del Oro, cerca de 20% de Donato Guerra y un poco más de 10% de Villa de Allende. Se registra en la subcuenca la desforestación y el deterioro de los suelos agrícolas. Se ha llevado a cabo mantenimiento de las presas, pero se requiere de reparación y modernización de toda la infraestructura.

Desde 2009, la escasa precipitación pluvial se agrega a la problemática que presenta el SC. En los últimos 64 años las precipitaciones pluviales en el Valle de México han registrado un promedio de 718 milímetros al año. Sin embargo, del 1 de enero al 12 de abril de 2009 se tuvo una precipitación acumulada de 11.9 milímetros, cuando en ese periodo normalmente llueve 46.7 milímetros. Para 2013 la Conagua anticipó una "temporada de estiaje crítica para el país, debida la escasez de lluvia durante los meses de febrero, marzo y parte de abril de 2013". El Valle de México experimentaría también condiciones desfavorables, debido a que las presas del SC cuentan con un almacenamiento de 58%, tan solo 3% arriba de la capacidad con la que contaban en 2009, el año más crítico en la baja del volumen de lluvias. Ante este panorama, el Sistema de Aguas de la ciudad de México solicitó a la Conagua ampliar en 5% el caudal de agua del Distrito Federal (Guaschy Saunders 2012). De este modo, a los problemas de abastecimiento de las regiones proveedoras se suma ahora la disminución del líquido para la región receptora, principalmente la ZMCM. La situación precaria del agua es ya casi una constante para los habitantes de las localidades afectadas por el traslado del hídrico al Valle de México. Pero también el escenario se complica para los millones de habitantes de la ZMCM, algunos municipios mexiquenses conurbados al Distrito Federal y zonas de la ciudad de Toluca. El suministro no está ya garantizado debido a la exigua captación de las presas que componen el Sistema Cutzamala.

El fin del proyecto estatista, el arribo del neoliberalismo y el adelgazamiento estatal han dado pie a la irrupción abierta de los actores sociales que disputan al Estado la tierra y el agua fundamentalmente, situación que se agudiza ante la construcción y operación de megaproyectos que damnifican a las comunidades cercanas. En este contexto, el cambio de directrices en los planes y proyectos gubernamentales, la realización efectiva de los planes de manejo integral de las Cuencas, en este caso Lerma, Balsas, Cutzamala y Valle de México, la participación social democrática de los habitantes de dichas cuencas y su inserción en programas de desarrollo local y regional sustentables, podrían revertir las carencias de abasto de agua y los daños al ambiente que hoy amenazan a esos territorios.

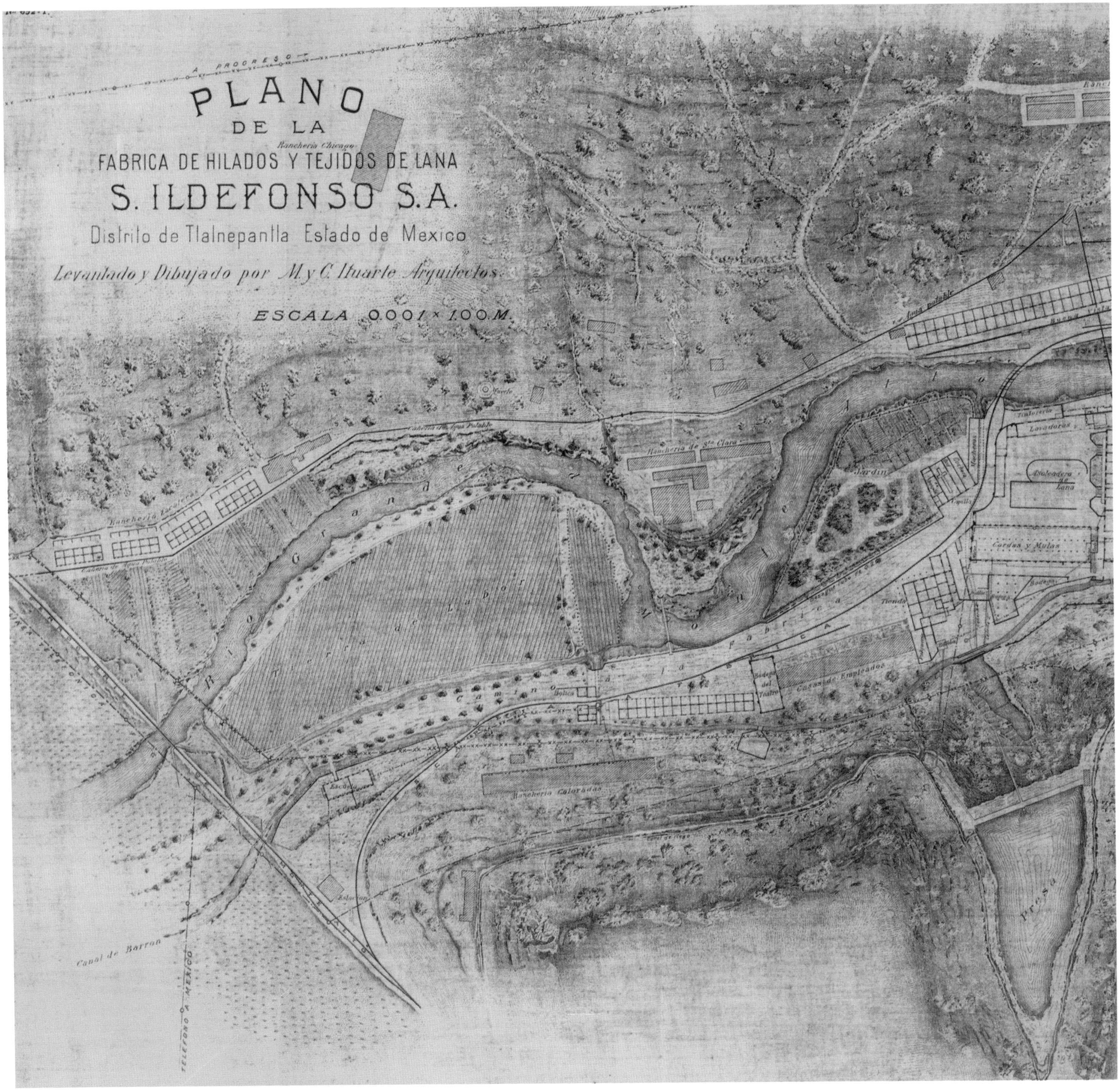
PLANO
DE LA
FABRICA DE HILADOS Y TEJIDOS DE LANA
S. ILDEFONSO S.A.
Distrito de Tlalnepantla Estado de Mexico
Levantado y Dibujado por M. y C. Ituarte Arquitectos
ESCALA 0.001 × 1.00 M.
A PROGRESO
Rancheria Chicago
Rancheria de Sta Clara
Jardin
Tintoreria
Lavadoras
Cardas y Mulas
Tienda
Bodega del Teatro
Casas de Empleados
Botica
Rancheria Coloradas
Estacion
Canal de Barron
TELEFONO A MEXICO
Presa
Rio Grande
Camino de la Fabrica
Monte Alto

La industrialización y el nuevo paisaje hidráulico

César Fernando Escudero Martínez

Después de la segunda guerra mundial se incrementa en México la intervención del Estado a través de la realización de planes regionales que requieren mayor inversión en infraestructura básica. Es en la década de los cuarenta –con el influjo de las teorías desarrollistas– que el Estado mexicano impuso un excesivo centralismo en materia de políticas de desarrollo. La inversión pública centró su prioridad en el desarrollo de transportes y comunicaciones y en la generación de energía eléctrica, aspectos esenciales para tal propósito. La comunicación entre las diferentes regiones era fundamental para el transporte de mercancías. La inversión pública entre los años de 1940 a 1950 dio prioridad a la construcción de carreteras, seguido de la industria petrolera y eléctrica.

Para contribuir al esfuerzo de la industrialización tan pronunciada en los discursos oficiales, el Estado Nacional fungiría temporalmente como el principal inversionista para alentar el crecimiento del consumo interno; asimismo, debía ser el encargado de resolver los problemas por falta de crédito que tenían los industriales mexicanos, creándose para ese fin el Fondo de Fomento a la Industria y de Garantía de Valores Mobiliarios en 1941, sustituida por la Comisión Federal de Fomento Industrial en 1944 (Torres 1984, t. 19: 283).

En este contexto la energía hidroeléctrica se convirtió en un elemento fundamental para alcanzar la óptima industrialización del país, como lo deja entrever el Plan de Desarrollo Sexenal del presidente Lázaro Cárdenas del Río. En este plan se proponía que la generación de energía eléctrica debía dirigirse principalmente al desarrollo de la industria y la producción agrícola. Las directrices del plan señalaban que el sistema de distribución de la electricidad debía ramificarse en el territorio nacional con el fin de desarrollar los núcleos regionales productores existentes y la conformación de nuevos polos industriales. Lo anterior deja entrever que la política de desarrollo de Cárdenas iba encaminada a la creación de una industria nacional que tuviera la mejora y garantía de un abasto óptimo de energía hidroeléctrica.

La construcción del Sistema Hidroeléctrico "Miguel Alemán" y los cambios en la política de aprovechamiento de agua

En julio de 1936 el Sindicato de Electricistas estalló en huelga en perjuicio de la Compañía Mexicana de Luz y Fuerza S.A. Parte de las consecuencias fueron los constantes apagones que afectaron a la ciudad de México y a sus industrias. El 2 de marzo de 1937 el gobierno del general Lázaro Cárdenas creó la Comisión Federal de Electricidad (CFE), para organizar y dirigir un sistema nacional de generación, transmisión y distribución de energía. Desde ese momento, el gobierno federal incursionó en la producción de energía hidroeléctrica (Aboites 1998: 102). La recién creada CFE retomó el proyecto de construcción de un sistema de presas hidroeléctricas. El proyecto consistía en la construcción de una presa hidroeléctrica en el municipio de Valle de Bravo. Esta obra

El agua para usos industriales
[página opuesta]

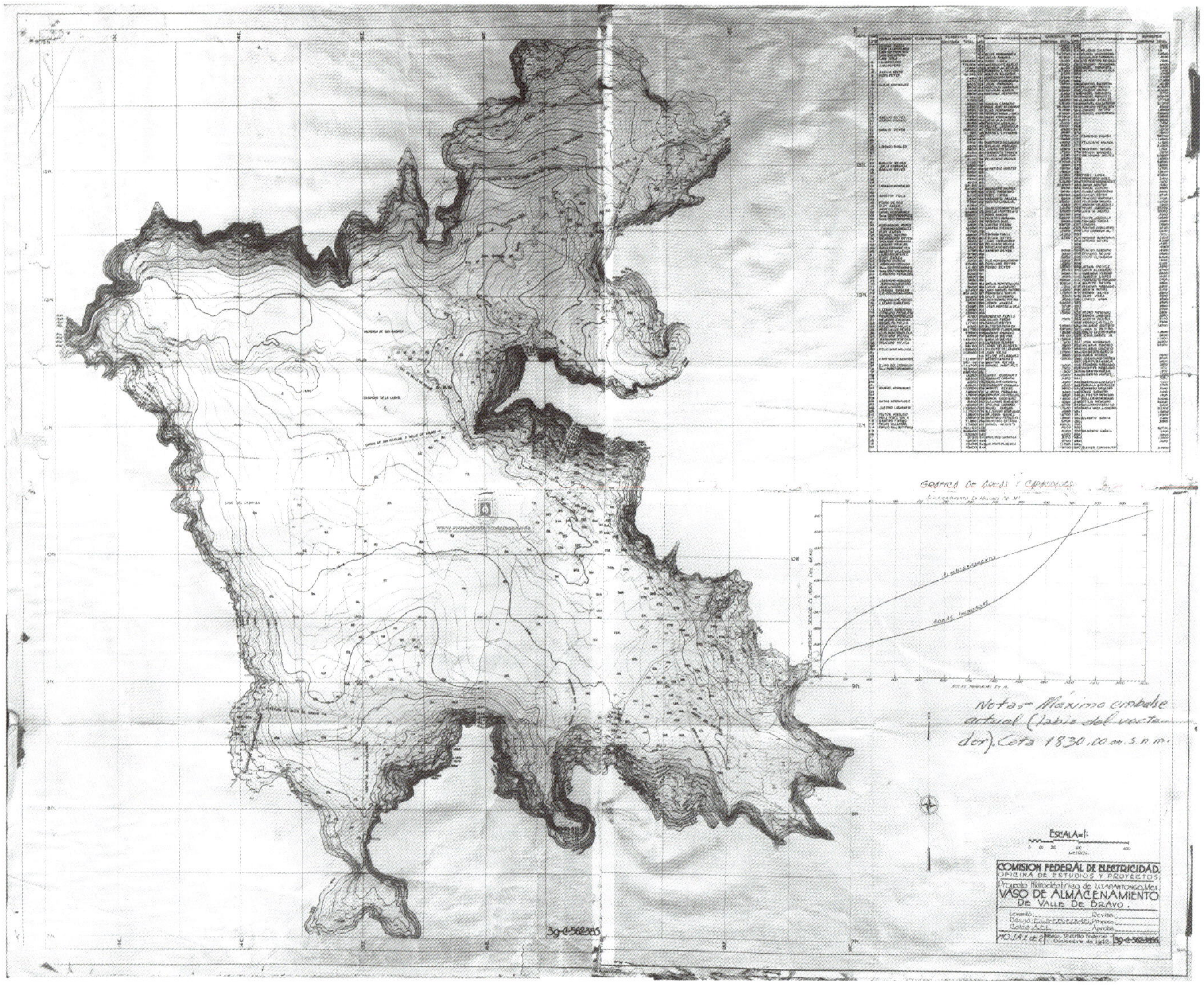

Presa hidroeléctrica en el municipio de Valle de Bravo

sería equiparable al sistema hidroeléctrico de Necaxa, en cuanto a magnitud y capacidad de producción de electricidad. En 1924 el proyecto había sido concesionado a una empresa privada: la Compañía de Fuerza del Sureste de México, filial de la Mexican Light and Power Co. La concesión inicial a la Compañía de Fuerza del Sureste era para aprovechar los afluentes del río Valle de Bravo (Tilostoc), San José o Asunción, Malacatepec e Ixtapan del Oro. Sin embargo, en 1936 el proyecto mostraba un nulo avance, la Secretaría de Fomento decidió revocar la concesión a la mencionada empresa con el fin de que la recién creada CFE fuera la encargada de llevar a cabo su construcción.

En este contexto y ante la necesidad de establecer una política de desarrollo en materia energética, en el reglamento de la Ley de Aguas de Propiedad Nacional de 1936 el gobierno federal creó las figuras de Reservas Nacionales de Aguas para Riego y Reservas Nacionales de Energía Hidráulica. De acuerdo con el artículo 196 de esta ley, los afluentes de propiedad nacional "susceptibles de una explotación agrícola con base en la irrigación y la explotación hidroeléctrica" estaban sujetos al control federal. Es decir, estas aguas debían reservarse para el riego o la energía eléctrica y sólo podían ser aprovechadas en forma definitiva en los sistemas que desarrolló la Comisión Nacional de Irrigación, o las obras de generación de energía eléctrica.

La diferencia sustancial fue que en el caso de las aguas dedicadas al riego las personas afectadas podían hacer uso mediante permisos expedidos por la Comisión Nacional de Irrigación. Todas estas concesiones pagaban derechos por el uso del agua. En tanto, el artículo 92 mencionaba que las aguas dedicadas a la electricidad tenían un régimen de excepción ya que las concesiones o aprovechamientos quedaban suspendidos para que el Estado mexicano las explotara con un solo fin: generar electricidad.

Ante este panorama, la CFE retomó los estudios realizados por la anterior concesionaria. Inicialmente sólo se aprovecharon la confluencia de los ríos Tilostoc y Asunción Malacatepec para construir un vaso de almacenamiento que se conectaría con un vaso regulador de donde debía partir un túnel de presión de aproximadamente 4 500 metros de longitud. La CFE decidió que el lugar para construir la planta fuera el paraje conocido como Ixtapantongo, aprovechando la ubicación y altura que ascendía a 1 352 msnm, utilizando la caída en el desnivel de 350 metros.

Ante la necesidad de garantizar el suficiente flujo de agua en la hidroeléctrica "Miguel Alemán" el gobierno federal formó el territorio de la primera Reserva Nacional de Energía Hidráulica. En 1938 la CFE fue responsable de establecer y operar la primera Reserva Nacional de Energía Hidráulica. Esta Reserva comprendió las aguas mansas y broncas de los ríos San José Malacatepec y Tilostoc en los municipios de Valle de Bravo y Santo Tomás de los Plátanos, ambos en el sur del Estado de México. Las aguas del río Tilostoc deseaban ser aprovechadas por medio de la construcción de una presa de concreto que quedaría situada en el punto en que se estrecha el llano del pueblo, ubicado a 700 metros debajo de la confluencia de los ríos San Gaspar y El Salitre. La cortina de concreto proyectada para esta presa tenía una longitud de 155 metros, con una altura de 30 metros.

En tanto que el aprovechamiento de la corriente del río Asunción Malacatepec se captaría a través de una presa construida un kilómetro aguas arriba del puente denominado Tilostoc. Las dimensiones que se estipularon para esta segunda presa sería una cortina de 180 metros de longitud con una altura de 30 metros, la que se estimaba podría captar 15 millones 200 mil metros cúbicos. Con esta garantía de suministro de agua, la CFE inició los trabajos de construcción de la presa de Valle de Bravo y la planta hidroeléctrica de Ixtapantongo. El

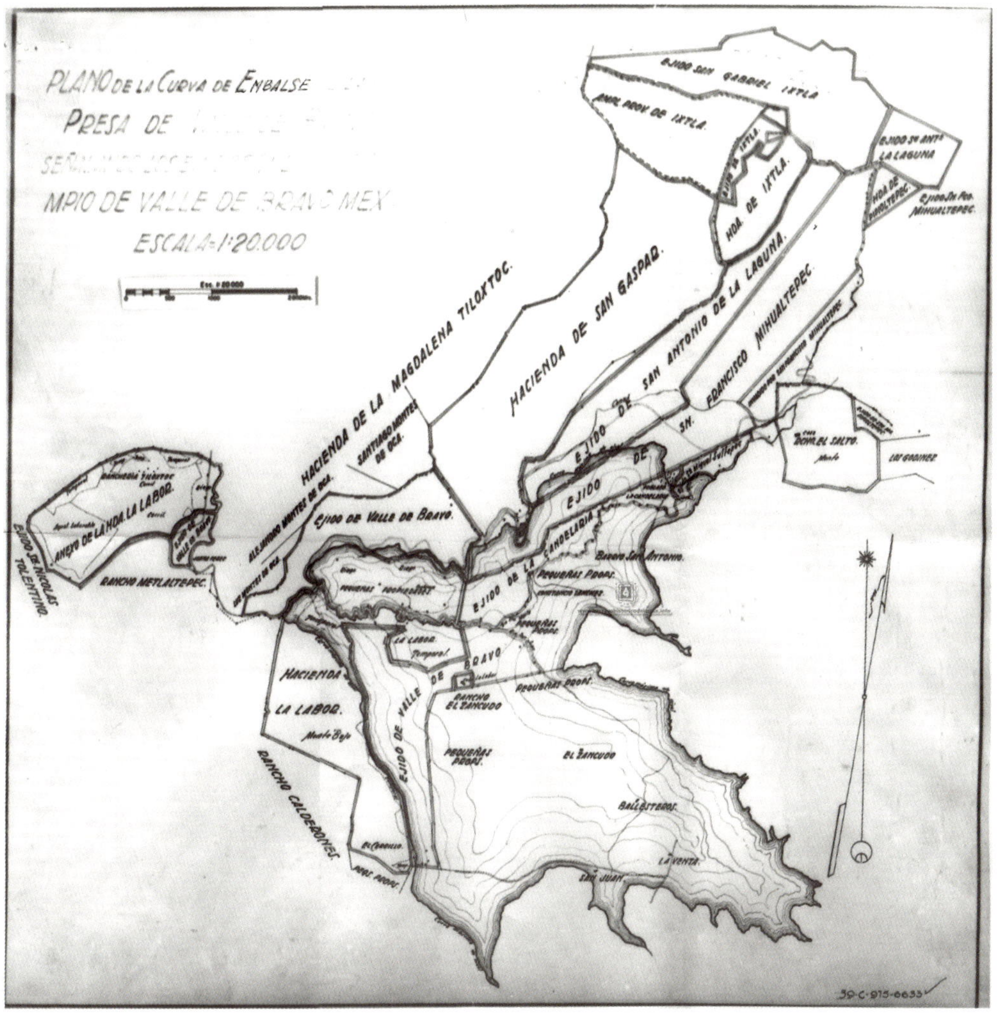

Propiedades que circundaban la curva de embalse de la presa Valle Bravo

La presa de Necaxa en 1930

30 de agosto de 1944 la CFE concluyó la construcción de la primera unidad de la planta Ixtapantongo y el gobierno federal inauguró la primera presa del Sistema Hidroeléctrico "Miguel Alemán". La conclusión de la hidroeléctrica tardó aproximadamente veinte años.

La segunda reserva fue conformada el 6 de diciembre de 1938 y comprendió las aguas mansas y broncas del río Ixtapan del Oro desde su nacimiento hasta su confluencia con el río Tilostoc, en los municipios de Ixtapan del Oro y Santo Tomás de los Plátanos. Las aguas mencionadas debían ser utilizadas para la generación de energía eléctrica. Finalmente, el 18 de junio de 1940 se crearon las Reservas Nacionales de Energía Eléctrica en las aguas del río Balsas en el estado de Guerrero, cuya finalidad fue la misma que las anteriores: abastecer de agua a las presas hidroeléctricas construidas en la zona (DOF, 6 de enero de 1938, 7 de enero de 1938, 18 de junio de 1940).

Con la entrada en operación de la primera unidad de Ixtapantongo el 30 de agosto de 1944, se incrementó 28 000 kw la energía eléctrica enviada a la ciudad de México, lo que en lugar de aminorar los constantes cortes eléctricos o las restricciones en su consumo dejó entrever la urgencia de acelerar los trabajos en la segunda y tercera unidad de Ixtapantongo, lo que motivó mayor inversión presupuestal. En ese mismo año se emprendió la construcción de las presas de Valle de Bravo y Villa Victoria, las cuales servirían como vasos reguladores que abastecerían la segunda y tercera planta de Ixtapantongo, así como la construcción de la presa de El Durazno en Valle de Bravo, Santa Bárbara en Santo Tomás de los Plátanos y Tingambato en Otzoloapan al sur del Estado de México (*Memoria del Sistema* 1958: 153).

La política hidroeléctrica

En 1947 estaban en operación las dos plantas generadoras de Ixtapantongo y junto con el sistema de Necaxa garantizaban un abasto de 28 mil kw. La energía eléctrica fue distribuida en orden de preferencia al Distrito Federal, Estado de México y Morelos, así como a algunos municipios de Guerrero. La prioridad hacia la ciudad de México se explica en cuanto a la demanda de servicio por las nuevas industrias que se ubicaban en ese centro de producción.

En 1947, dentro de la ceremonia de inauguración de la segunda unidad de Ixtapantongo, el presidente Miguel Alemán planteó que de concluirse en tiempo y forma el sistema hidroeléctrico, el suministro de energía hacia la ciudad de México quedaría garantizado por varios años, ya que calculaba que la producción máxima alcanzada por este sistema de presas produciría alrededor de 1 747 millones de kw/h. Además la Presidencia consideraba que la totalidad de presas del

Sistema "Miguel Alemán" estarían concluidas en 1951. La inauguración de esta segunda planta fue vista como un gran paso pues según los cálculos de la CFE, se aumentaría en 135% el abasto de energía a la ciudad de México en comparación a lo que suministraba el sistema de Necaxa, propiedad de la Compañía Mexicana de Luz y Fuerza Motriz S.A.

El optimismo que manifestaba el gobierno federal era compartido por el gobierno estatal. En el primer informe del gobernador Alfredo del Mazo Velez, éste mencionó que obras como el Sistema "Miguel Alemán" eran de interés público y de beneficio nacional. Si bien con la entrada en operación de las unidades de generación de electricidad de Ixtapantongo, Valle de Bravo y la construcción del resto de las presas –que conformaron el Sistema Hidroeléctrico "Miguel Alemán"– aminoraron el desabasto de energía en la ciudad de México con fines industriales, los regantes del río Tilostoc y los vecinos de Santo Tomás de los Plátanos fueron afectados con la entrada en vigor de la declaratoria de la Reserva Nacional de Energía Hidráulica.

Con la creación de la reserva, los vecinos de Santo Tomás de los Plátanos se vieron limitados en cuanto al acceso que tenían al agua para el riego de sus terrenos. Los regantes del río Tilostoc debieron sujetarse a los requerimientos que les impuso la Secretaría de Agricultura y Fomento para continuar con el aprovechamiento del agua.

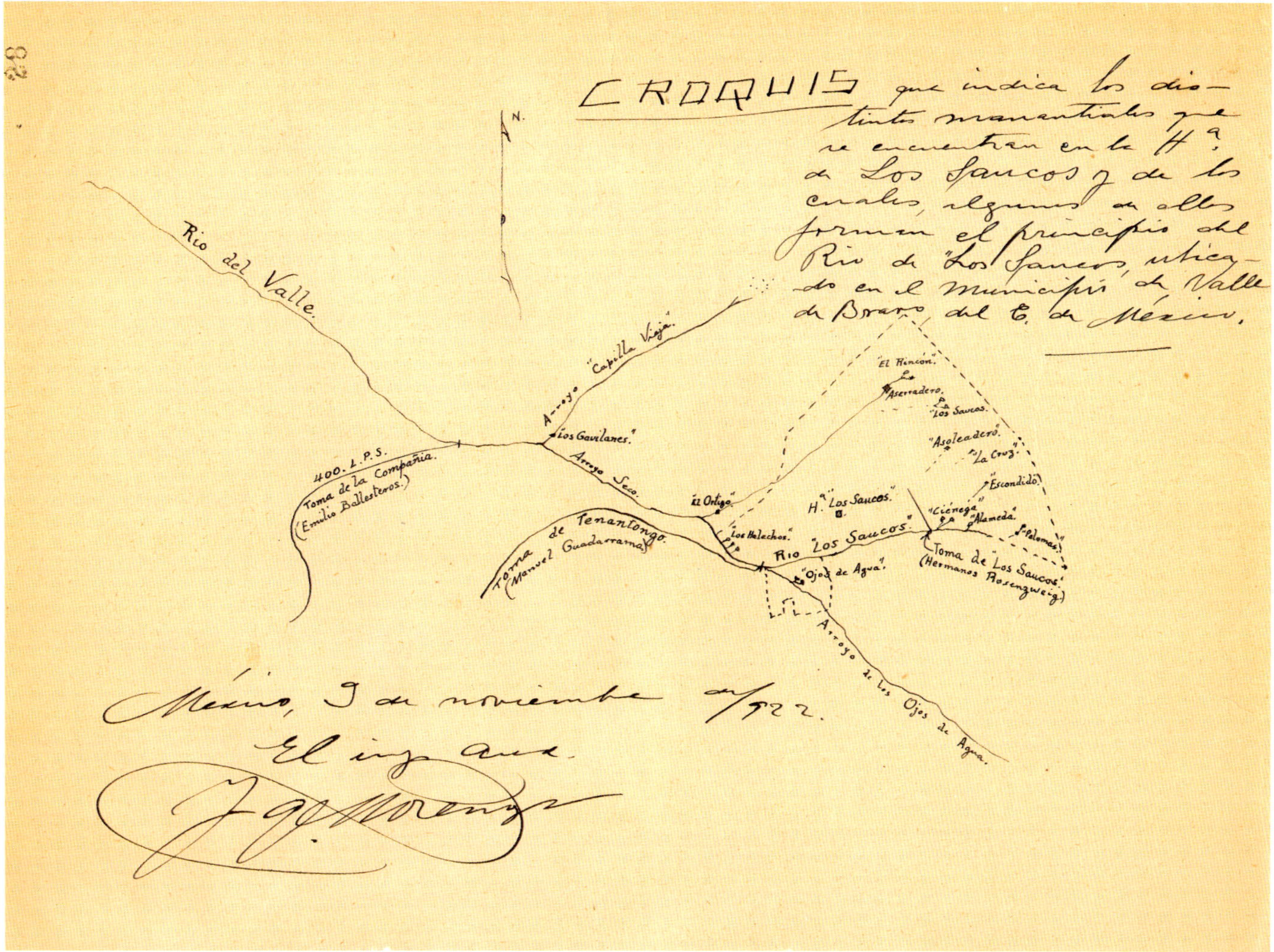

Manantiales que se encuentran en la hacienda de Los Sancos

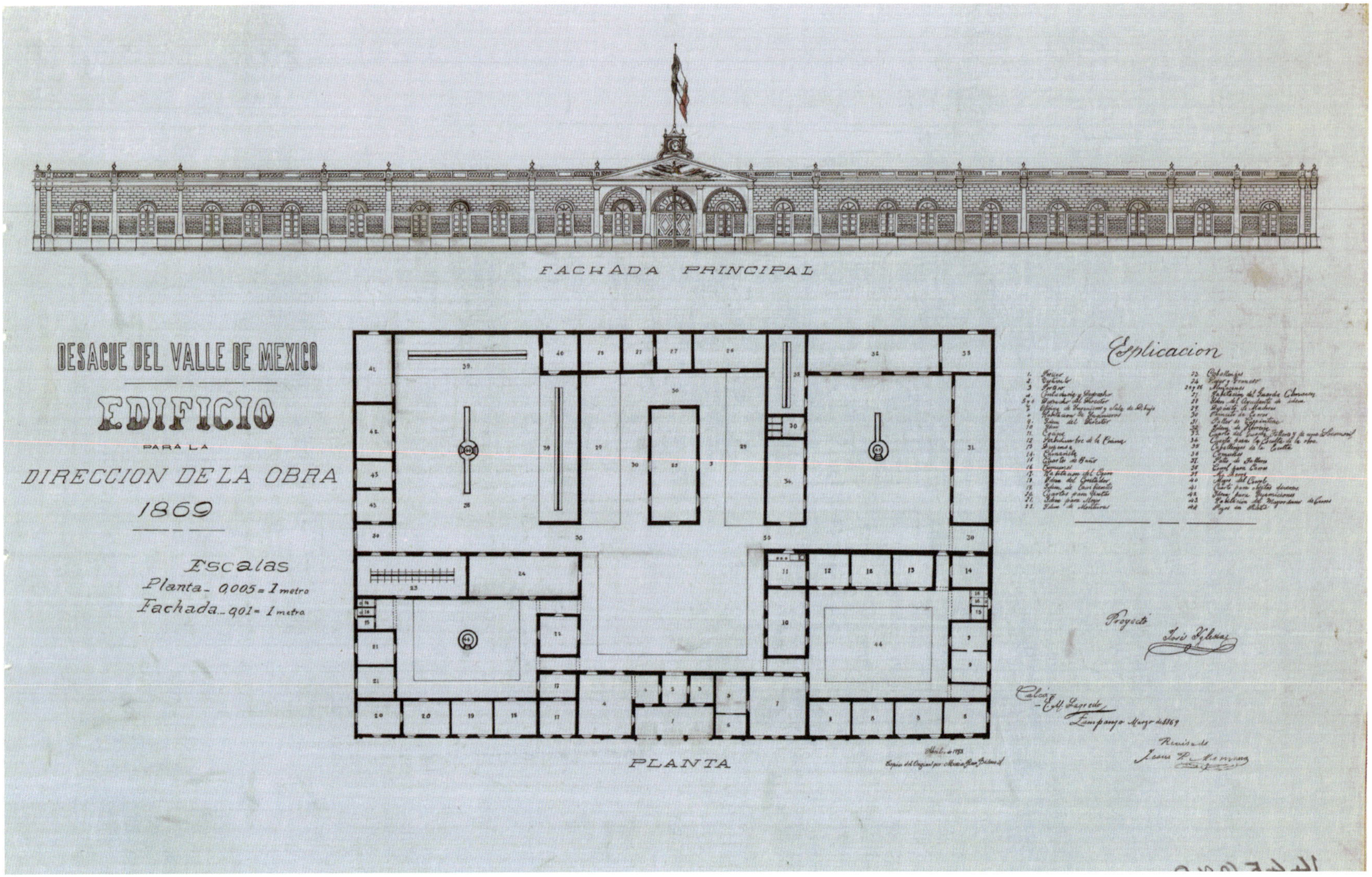

Fachada del edificio para la dirección de la obra del desagüe del Valle de México

Cambios en el paisaje hidráulico

Los pobladores más desfavorecidos por la construcción de las Reservas Nacionales de Energía Hidráulica fueron los de Santo Tomás de los Plátanos. La política de reservar agua de los ríos Malacatepec y Valle de Bravo indicaba que no podía aprovecharse el líquido con otros fines que no fueran los de la generación de energía eléctrica. Los habitantes de Santo Tomás manifestaron su desacuerdo por el aprovechamiento irregular que se hacía, pues con la construcción de varios canales de riego se les negaba el acceso al afluente del río Valle de Bravo. Los vecinos quejosos hacían evidente la imposibilidad de regar los terrenos comunales que cultivaban dadas las restricciones que impuso la creación de la Reserva de Energía Hidráulica, por lo que solicitaban a la Secretaría de Agricultura y Fomento su intervención para la solución del problema. En una primera respuesta, la Secretaría de Agricultura y Fomento recordó que las aguas en cuestión habían sido declaradas como propiedad nacional en el año de 1924 y reafirmadas con esta categoría a partir de 1938 con la creación de la Reserva de Energía Hidráulica, además que en la dependencia no había ningún permiso de aprovechamiento otorgado a un usuario en particular. Por tanto, la Secretaría de Agricultura y Fomento hizo un llamado para regularizar el aprovechamiento que se venía haciendo por parte de los vecinos de Santo Tomás de los Plátanos.

Así, la Secretaría de Agricultura y Fomento señaló que las personas debían obtener un permiso de extracción de agua. La única limitante que impedía el otorgamiento de la concesión era que la explotación de agua no interfiriera con los trabajos de la CFE. Algunos vecinos del poblado presentaron solicitudes de forma individual. La Secretaría de Agricultura y Fomento, ante la necesidad de resolver las peticiones, pidió la opinión del presidente municipal de Santo Tomás con el fin de conocer el parecer de la autoridad municipal. La autoridad respondió que este terreno ya tenía un canal abierto, y que lo único que se perseguía al solicitar el aprovechamiento de las aguas mansas del río Grande era obtener concesión para la ampliación del canal. El presidente municipal estaba a favor de la concesión, ya que ninguno de los propietarios que hacían uso de las aguas del canal resultarían perjudicados, sino al contrario, recibirán grande beneficio por la razón de que aumentaría la cantidad de agua con lo cual facilitaría más el riego de sus terrenos.

Lago de Texcoco

Ante la opinión favorable enviada por el presidente municipal de Santo Tomás, la Secretaría de Agricultura y Fomento aprobó la solicitud de aprovechamiento de las aguas del río Valle de Bravo, sólo se condicionó su otorgamiento hasta que la petición se publicara en la *Gaceta de Gobierno* con el fin de conocer si existía alguna persona que se opusiera a la autorización (*Gaceta de Gobierno,* 12 de noviembre de 1941, 7 de noviembre de 1942).

Casi de manera simultánea, a finales de 1941, apareció una nueva solicitud ante la Secretaría de Agricultura y Fomento en la que se hacía la petición para obtener los derechos de utilizar las aguas broncas del manantial mineral ferruginoso existente en el municipio de Santo Tomás de los Plátanos con la finalidad de construir unos baños medicinales. El manantial se encontraba a cinco metros de la orilla del río con una producción de 10 litros por segundo. Las aguas se tomarían en el margen sur de la orilla del lugar denominado El Salitre, en la hacienda San Nicolás Ixtapantongo, que distaba aproximadamente 30 metros aguas arriba del puente de la Comisión Federal de Electricidad.

En octubre de 1943, después de hacer los trámites necesarios, la concesión fue otorgada. Se iniciaron los trabajos de construcción en junio de 1944, lo que provocó una protesta por parte de la CFE, puesto que ésta consideraba que la concesión afectaría los trabajos que venía realizando en el proyecto de construcción de la presa Santa Bárbara, en el mismo municipio, a lo que la Secretaría de Fomento respondió que la utilización de las aguas del manantial se hiciera por medio de las obras construidas y mientras la CFE no realizara el proyecto hidroeléctrico de Santa Bárbara. Esta resultó una concesión precaria. Se aclaró además que el permiso no otorgaba ningún derecho definitivo sobre el uso de las aguas en cuestión, con el fin de garantizar que por motivo alguno pudiera hacer alguna reclamación a la Secretaría, cuando ésta le ordenase la suspensión del aprovechamiento o cuando la CFE concluyera la construcción del proyecto de Santa Bárbara. Conforme se aproximaron los inicios en los trabajos de la construcción de la presa Santa Bárbara en Santo Tomás, los conflictos con los vecinos que se beneficiaban del río Tilostoc fueron en aumento.

Al final los vecinos debieron sujetarse a las condiciones que impuso la CFE, ya que en 1949 pasó a ser un organismo descentralizado de la Secretaría de Economía, por lo que las Reservas de Energía Hidráulica quedaban bajo su jurisdicción. Con ello, el control de los afluentes de las Reservas que abastecían al Sistema Hidroeléctrico "Miguel Alemán" se hizo más rígido, pues la mayor preocupación del gobierno federal era garantizar el óptimo abasto de energía eléctrica a la ciudad de México con el fin de proteger el desarrollo de la industria a costa de perjudicar a los vecinos que practicaban una agricultura en pequeña escala.

En la planeación elaborada por la CFE, la insuficiencia de energía eléctrica se extendería posiblemente hasta el año de 1952, pues las señales de escasez pluvial eran muy latentes y eso afectaba directamente la producción y distribución de corriente. Para contrarrestar lo anterior, la Comisión comenzó a estudiar la posibilidad de desarrollar pequeñas plantas generadoras de electricidad con base en diesel y la construcción de unidades adicionales de producción de energía en algunas de sus presas y de la Compañía Mexicana de Luz y Fuerza Motriz, esta tendencia en cuanto a dejar de utilizar el recurso hidráulico con fines de generación de electricidad tardaría años en ser tomada en consideración. Por lo pronto era importante cuidar de las Reservas de Energía Hidráulica, con lo que la CFE se convirtió en el principal perseguidor de aquellas personas que hacían uso de esas aguas, ya que desde su visión se afectaba el desarrollo nacional. La entrada en operación de este sistema se conjugó con la electricidad generada por el Sistema de Necaxa.

Conclusiones

Con la construcción de sistemas de presas hidroeléctricas el gobierno federal buscó reflejar su poderío al llevar a cabo obras de gran magnitud, aunque en el proceso se topó con un desconocimiento acerca de los recursos disponibles en el país. En este sentido, al percatarse de la ignorancia de los recursos naturales con que contaba el país y de las deficiencias, el gobierno federal buscó la manera de investigar las características geográficas y fisiológicas del territorio nacional. La intención del Estado por conocer a detalle la geografía del país tenía funciones pragmáticas, económicas, académicas e incluso para la educación de básica en la formación de los futuros ciudadanos mexicanos. Además de que la política de desarrollo industrial impulsada en el gobierno de Lázaro Cárdenas y continuada hasta la presidencia de Adolfo Ruiz Cortines, consideraba al agua como un elemento fundamental en el desarrollo de la misma, pues el recurso hídrico fue utilizado con fines de generación de electricidad o bien para riego, lo que significó un cambio considerable en el aprovechamiento que hacían los habitantes de diversas comunidades, como lo es el ejemplo de los vecinos de Santo Tomás de los Plátanos.

Gráfica 1. Suministro de energía eléctrica por sistema (millones de kw). 1950-1970

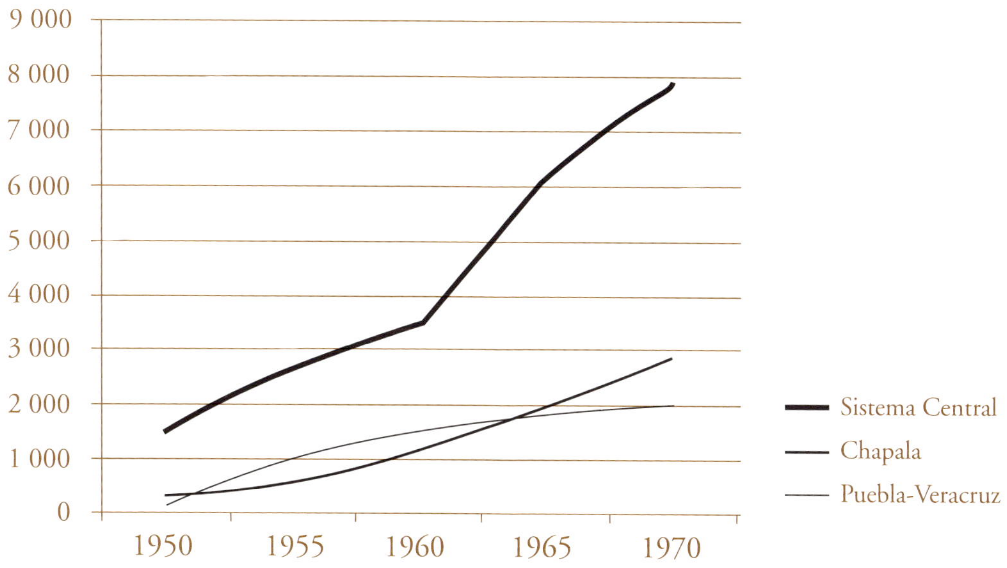

Fuente: *Estudio sobre la industria eléctrica*, s.p.

Al declararse constituidas las Reservas Nacionales de Energía Hidráulica, la Secretaría de Agricultura y Fomento debió vigilar puntualmente que los vecinos regularizaran sus aprovechamientos con el fin de controlar quiénes hacían uso del agua siempre y cuando no interfiriera con la generación de electricidad, lo que confirma la idea de que el desarrollo industrial de la ciudad de México fue más importante que el desarrollo regional de municipios como Santo Tomás de los Plátanos. Con lo anterior se puede establecer que una de las mayores preocupaciones del gobierno federal era el control del agua en esta zona para garantizar el suministro de energía eléctrica, puesto que en años anteriores habían existido cortes en el suministro de electricidad, dado que la producción en muchas ocasiones era superada por la demanda existente.

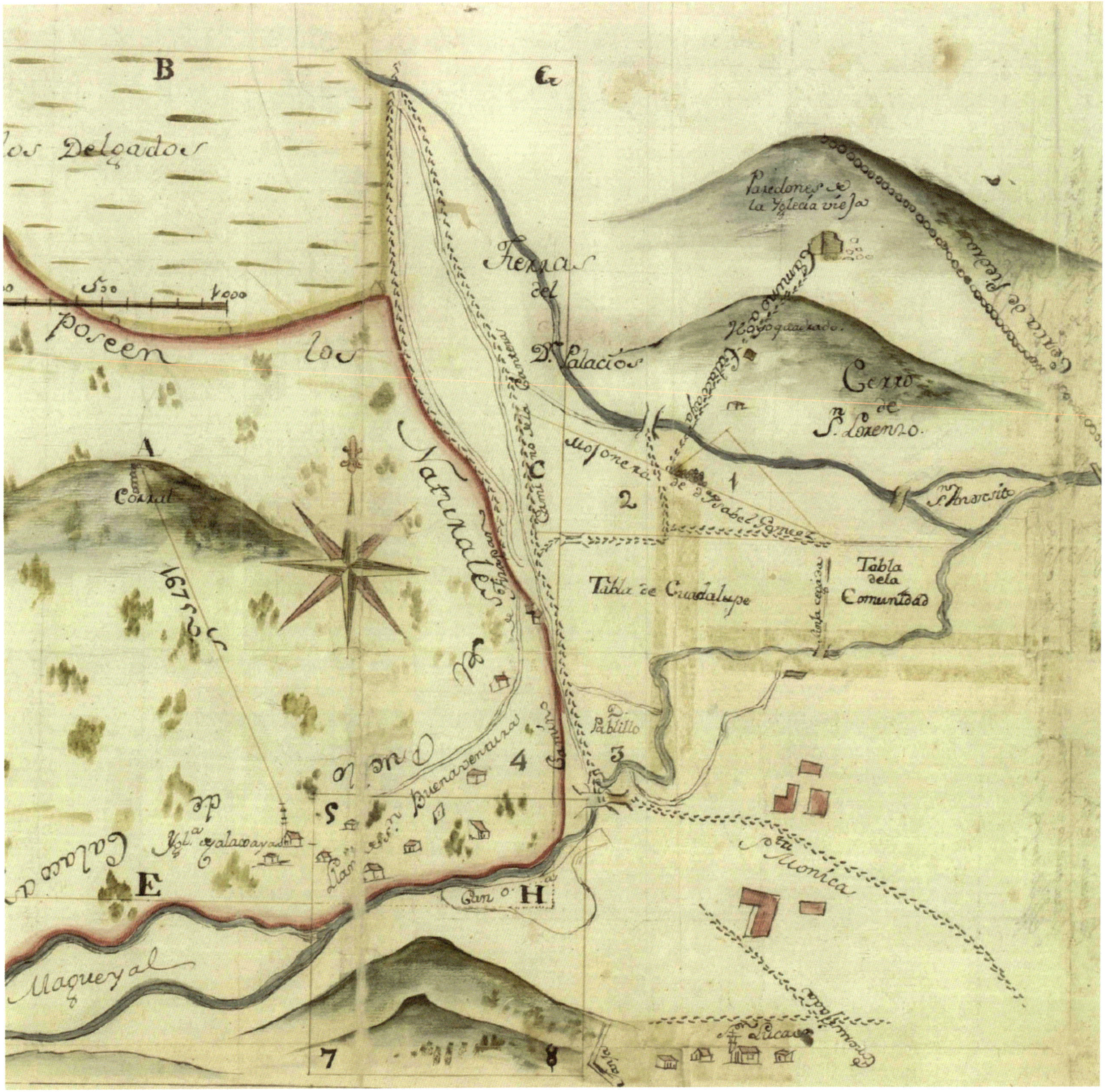
B
los Delgados
500
1000
poseen
los
Tierras
del
D. Palacios
Paredones de
la Yglesia vieja
Cerro
de
Sn. Lorenzo
A
Corral
C
1
2
Tabla de Guadalupe
Tabla
de la
Comunidad
Naturales
de
Pueblo
Buenaventura
4
3
Pablillo
5
E
H
Sta.
Monica
Maguey al
7
8

Conclusiones

La cartografía antigua ha carecido de espacios especializados para el estudio e interpretación de los hechos históricos. Las dificultades para localizar mapas, croquis, lienzos en los archivos o repositorios relegó su uso entre investigadores, quedando como meras referencias de apoyo documental. En esta revisión de la cartografía hidráulica del Estado de México encontramos que la primera afirmación no resulta tan cierta, puesto que en los expedientes o legajos existe una cartografía de uso cotidiano que fue empleada para localizar lugares. En hojas se representan las líneas necesarias para ubicar los recursos hidrícos o las obras hidráulicas en diversos poblados. La historia que podemos reconstruir va del siglo XIX con los usos agrícolas de pueblos y haciendas hasta el siglo XX con la formación de los Distritos de Riego y el trasvase a la ciudad de México.

Así, a través de la cartografía localizada para esta edición vemos que en el siglo XIX y principios del siglo XX los pueblos y haciendas en el Estado de México contaban con obras de riego, considerando como tales a las presas, los depósitos de agua (jagüeyes), bordos, cajas de agua, entre otros. En el centro oriente del Estado hay obras de pequeña irrigación, es decir, pozos o derivaciones sencillas de algunas corrientes de agua. En el noroeste y cuenca del río Lerma están las presas más importantes; pero aun en esta clase, fuera de las obras de Arroyo Zarco, muchas de ellas son derivaciones sencillas de ríos o presas de muy pequeña capacidad.

El Estado de México poseía un número considerable de manantiales y arroyos, éstos eran de pequeños caudales y la mayoría se utilizaban para el consumo doméstico. Las aguas de riego eran empleadas sólo en áreas limitadas, individuales o de pocos propietarios. Las grandes obras de riego en el Estado de México no pudieron llegar a tener la magnitud observada en otras entidades por dos razones de peso: primero por la topografía montañosa de la entidad. En las regiones en donde hay corrientes de agua que pudieran prestarse para grandes almacenamientos, la orografía impidió por regla general que se realizaran obras de esa cuantía, si no era efectuando cambios trascendentales en la misma hidrología de las regiones. Segundo porque aun en caso de poder llevar a cabo obras de gran envergadura, las tierras beneficiadas no se ubicaban de manera inmediata ni en cantidad suficiente para justificar un proyecto de tal magnitud, por el carácter de la misma topografía agrícola, que es de pequeñas mesetas, valles o riberas de tierras cultivables, dispersas entre las montañas. Así, tanto la parte meramente hidráulica como las posibilidades de tierras regables limitaron la cuantía o envergadura de las obras de riego y esto hizo que adquiriera más importancia el aspecto de utilizar al máximo los manantiales que el Estado de México tenía distribuidos en casi todo su territorio. El agua representaba la vida de los pueblos. Los cambios políticos del siglo XX impulsaron cambios notables en la gestión y administración del agua.

La Constitución del 5 de febrero de 1917, en su Artículo 27, estableció que la mayor parte de las aguas en el país eran de la nación. Son propiedad de la nación las aguas de los mares territoriales en los términos que marca el Derecho Internacional, las lagunas y esteros que

San Miguel Calacoaya
[página opuesta]

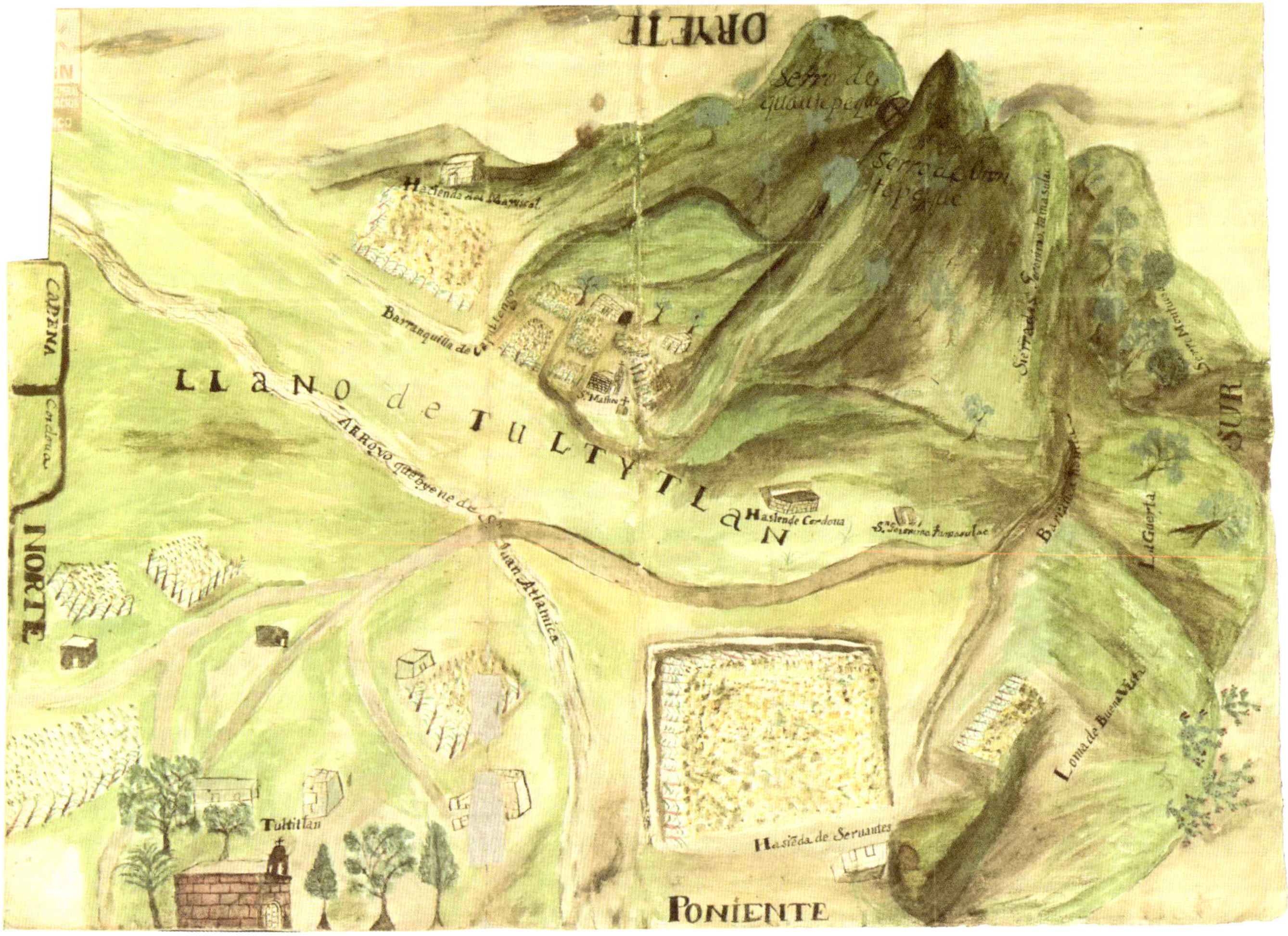

San Mateo, Hacienda de Córdoba de Mariscal y de Cervantes, Tultitlán

se comuniquen con el mar, los lagos interiores, los ríos y sus afluentes directos desde el cauce que inicia permanentemente hasta su desembocadura en el mar. A partir de esta disposición constitucional, el gobierno federal comenzó a expedir leyes que regularon las aguas nacionales destinadas a la irrigación y a la producción de energía eléctrica. Asimismo, fueron creadas diversas comisiones y secretarías de Estado para el manejo y administración del agua. En 1926 se formó la Comisión Nacional de Irrigación (CNI), encargada de la construcción de las grandes presas de nuestro país y los distritos de riego. En 1937 se creó la Comisión Federal de Electricidad (CFE), la cual se encargó de la construcción de presas hidroeléctricas y hoy tiene como función producir la energía eléctrica del país.

A finales de la década de 1940 se crearon varias comisiones ejecutivas para planear el desarrollo regional y la construcción de las obras de infraestructura en el Estado de México. Su mayor auge se dio en las décadas de los años cincuenta y sesenta. En 1946 se creó la Secretaría de Recursos Hidráulicos, que posteriormente se transformó en la Secretaría de Agricultura y Recursos Hidráulicos. En 1976, esta secretaría se fusionó con la de Agricultura y Ganadería. A finales de la década de los ochenta se reconoció que la administración del agua debía tener una organización propia y separada de un sector de usos, en particular de la irrigación. En 1989, el gobierno mexicano formó la Comisión Nacional del Agua (CNA), un organismo federal desconcentrado de la Secretaría de Agricultura y Recursos Hidráulicos.

En este contexto, la cuenca del Lerma fue objeto de interés por el hídrico que podía aportar a la ciudad de México. Así, las aguas de ese río fueron utilizadas para el riego, la energía eléctrica y en particular para el abasto urbano. La federación extrajo agua de los manantiales de Almoloya del Río y de varias ciénegas en San Mateo Atenco y Lerma. La mayor parte de las corrientes superficiales se encuentra altamente contaminada; las zonas de mayor problema son las que rodean al exlago de Texcoco y Chalco. En varios municipios se han agotado los manantiales. La causa principal de este deterioro de los caudales se relaciona directamente con la deforestación de los bosques. Los acuíferos de todas estas cuencas han sido sobreexplotados, requiriéndose importar grandes volúmenes de agua de otras cuencas.

En el Estado de México resulta prioritario revalorizar el agua como un recurso finito. Hasta hace pocos años persistía la visión tradicional de tratar el manejo y gestión de los recursos hídricos como un problema de tipo biofísco o de ingeniería hidráulica. La importancia capital del agua radica en que su disponibilidad está relacionada con cambios climatológicos; además, como factor económico tiene usos diferentes como insumo o servicio y, por último, el agua tiene una importancia política fundamental para la supervivencia de la población.

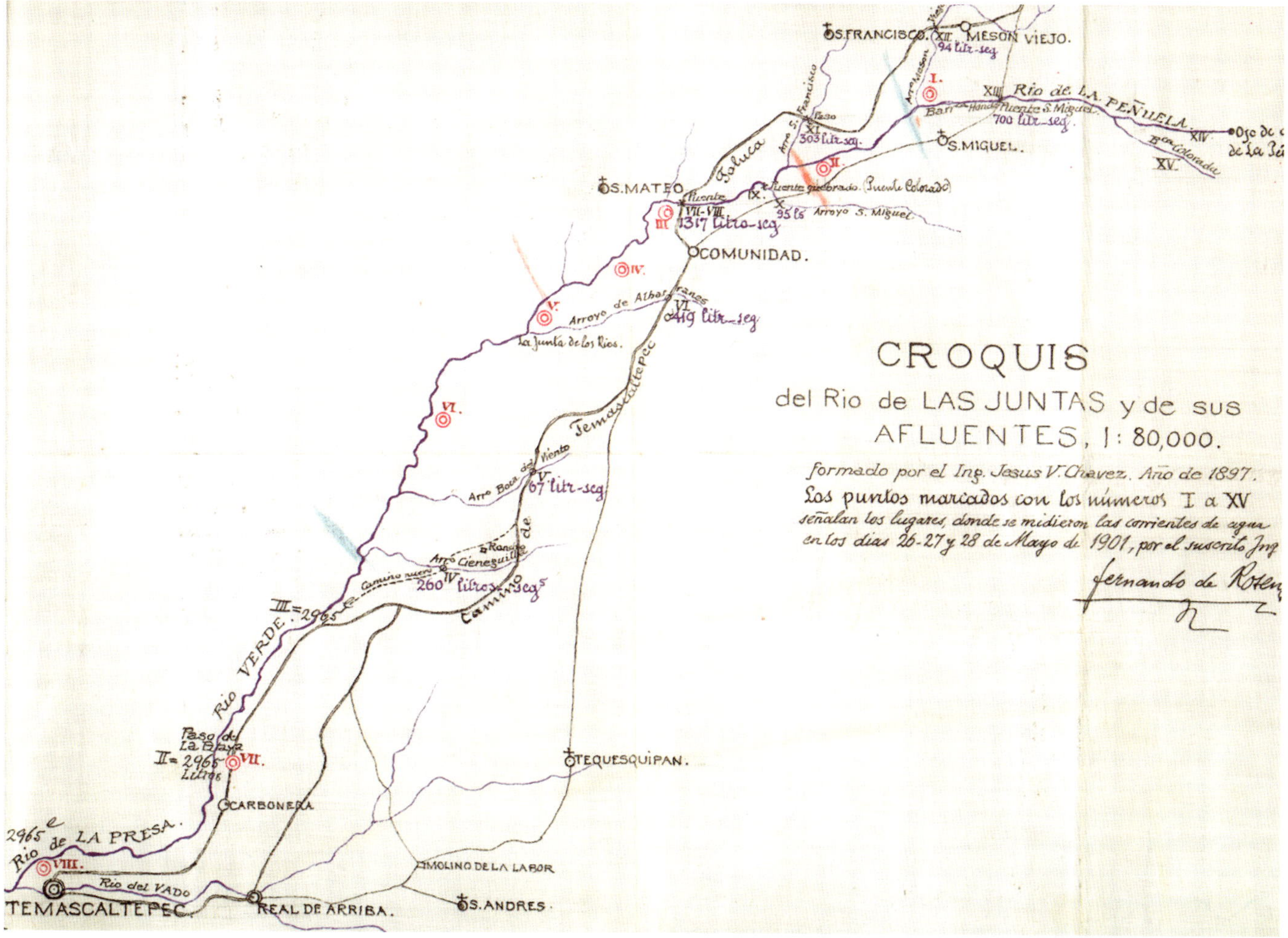

Río de Las Juntas

Segunda parte

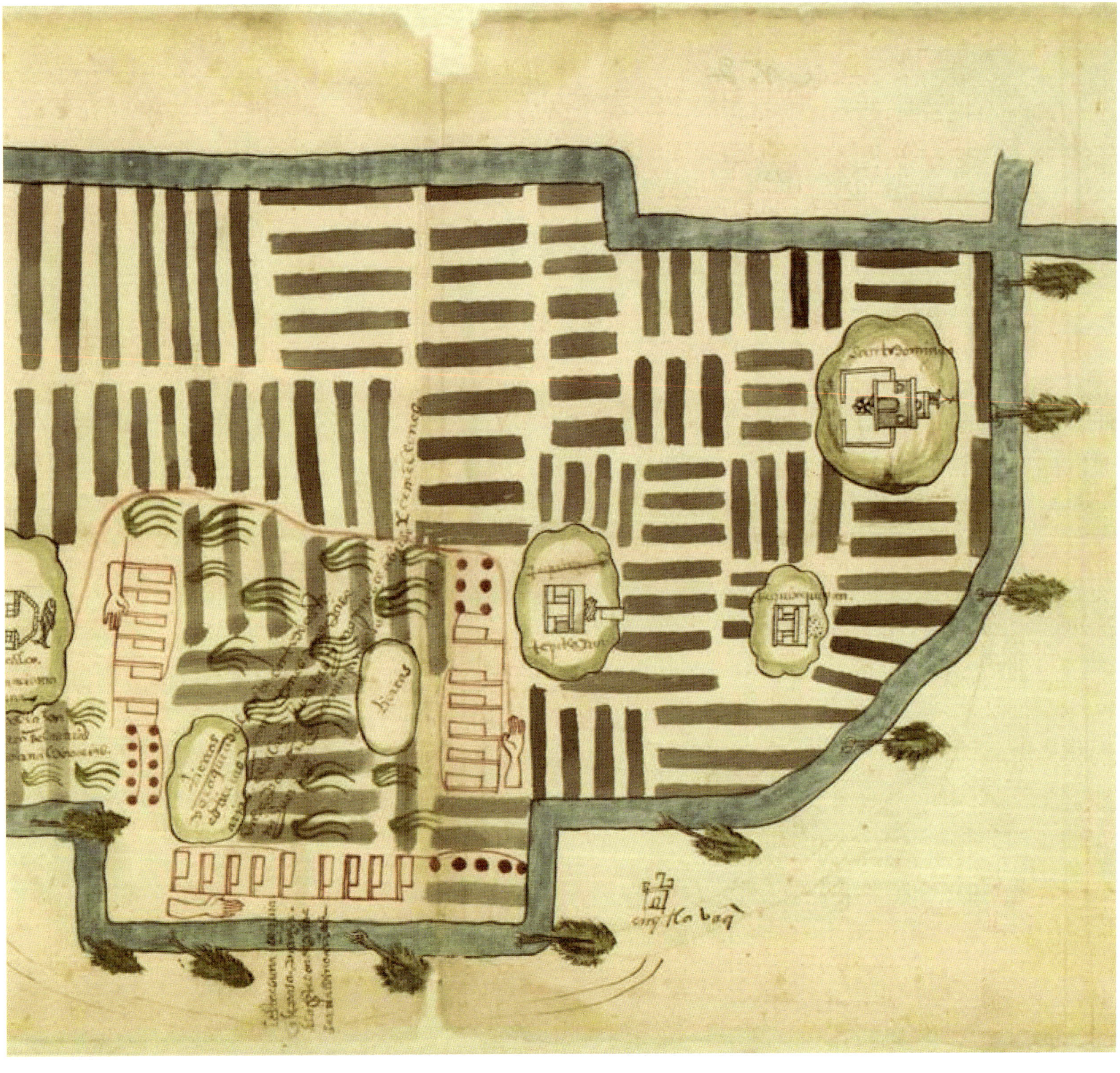
tierras

Láminas

Cuitlahuaca
[página 172]

San Luis de las Peras y hacienda de Tlaximay, Jilotepec

San Felipe Sacatepeque,
Axapusco, 1699

San Luis de las Peras y hacienda
de Tlaximay, Jilotepec

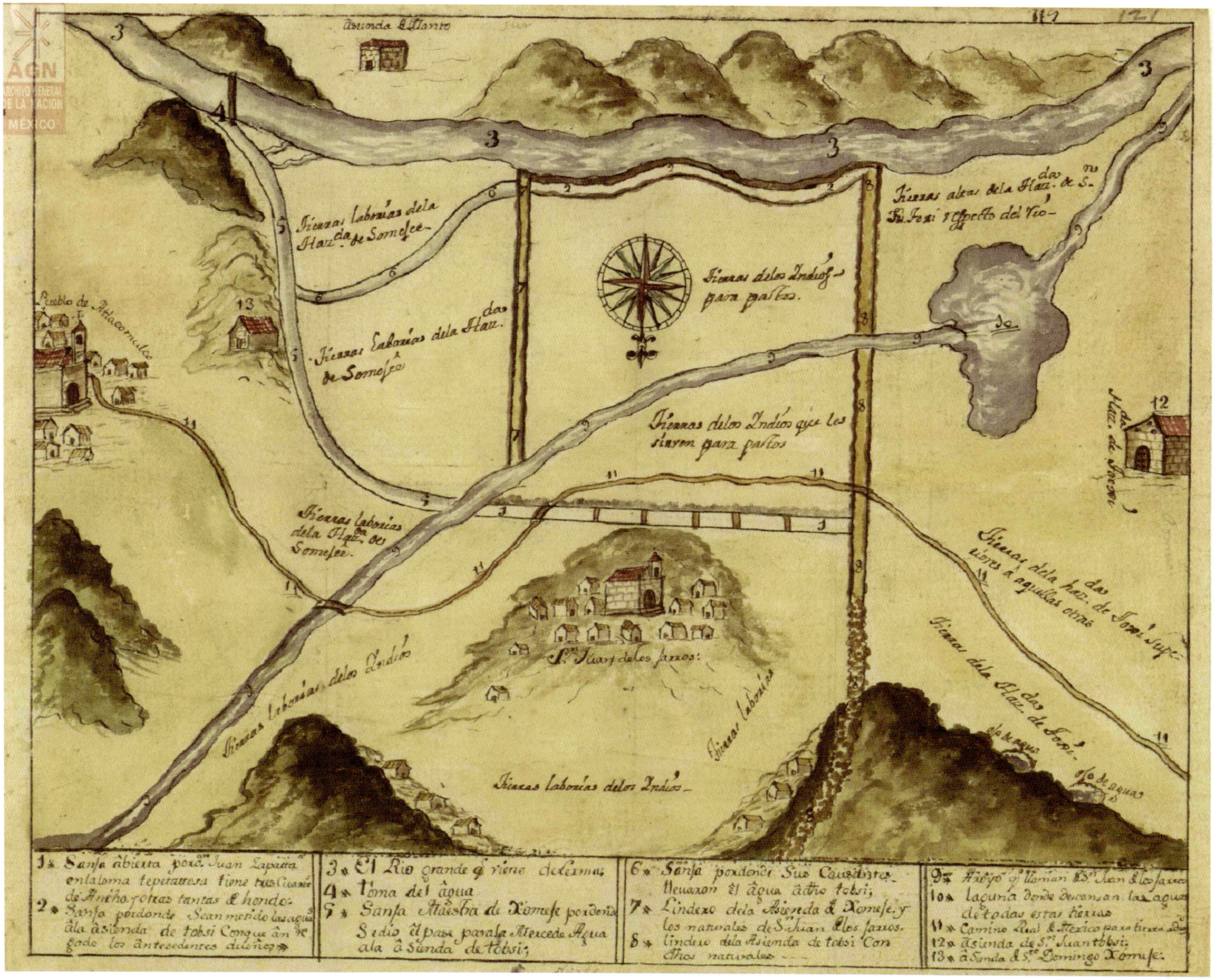

San Juan de los Xarros,
Atlacomulco

Hacienda del Rosario y Hacienda de San Miguel, Naucalpan

Hacienda de Mazapa, Texcoco

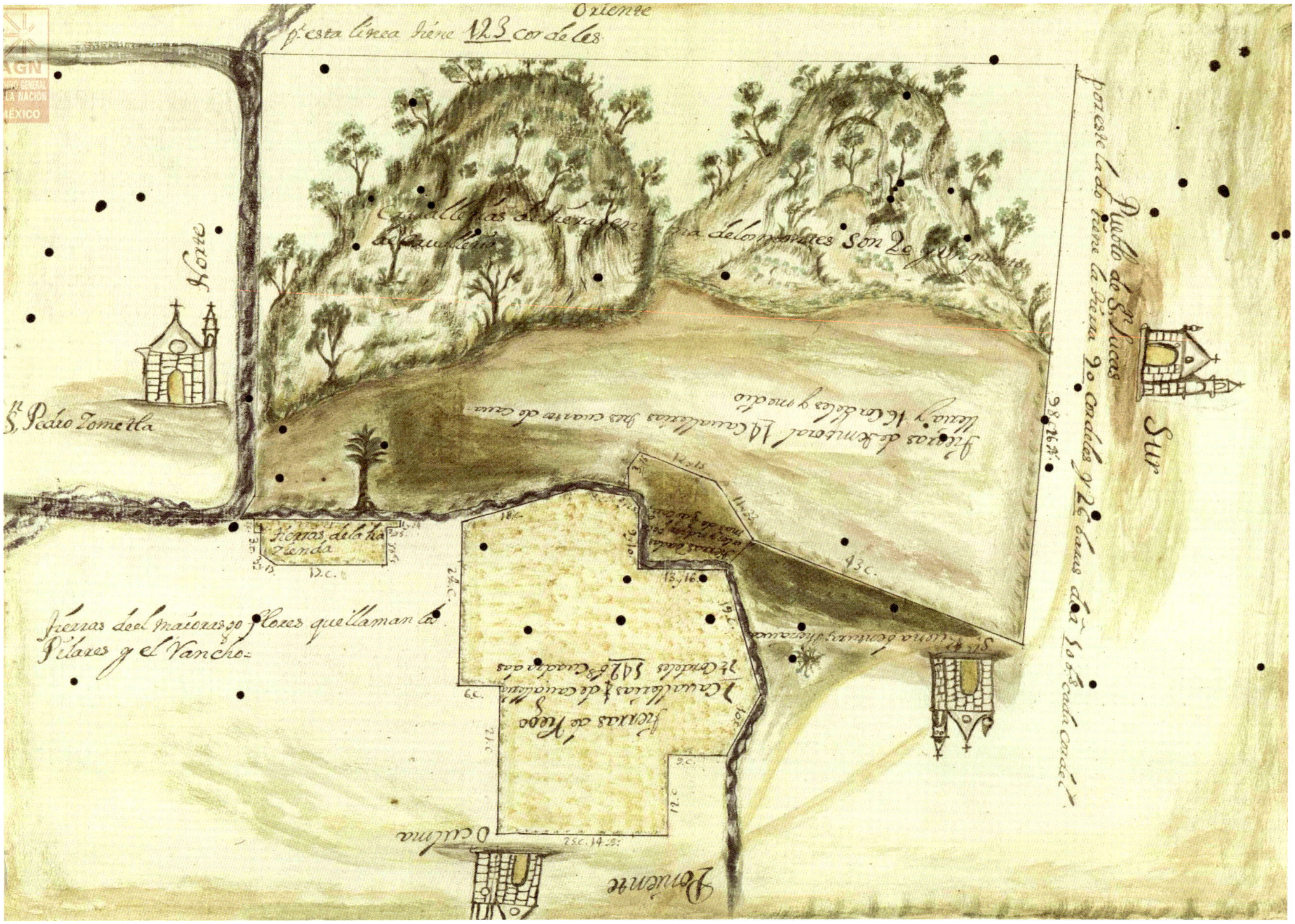

San Pedro Zometla, San Buenaventura Thezaiuca y Oculma, Texcuco

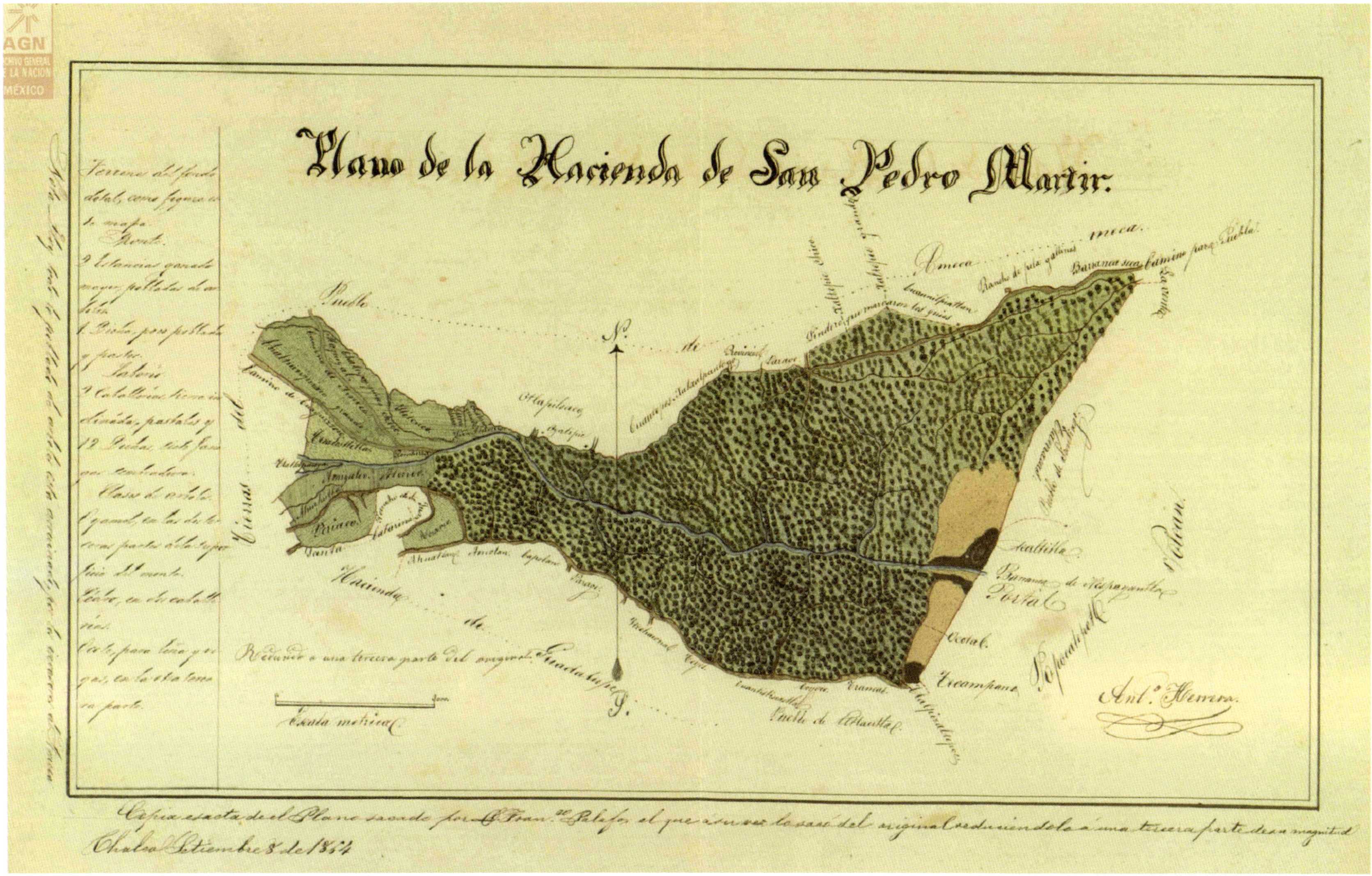

Hacienda de San Pedro Mártir,
Chalco

Hacienda de San José
de los Leones, 1841

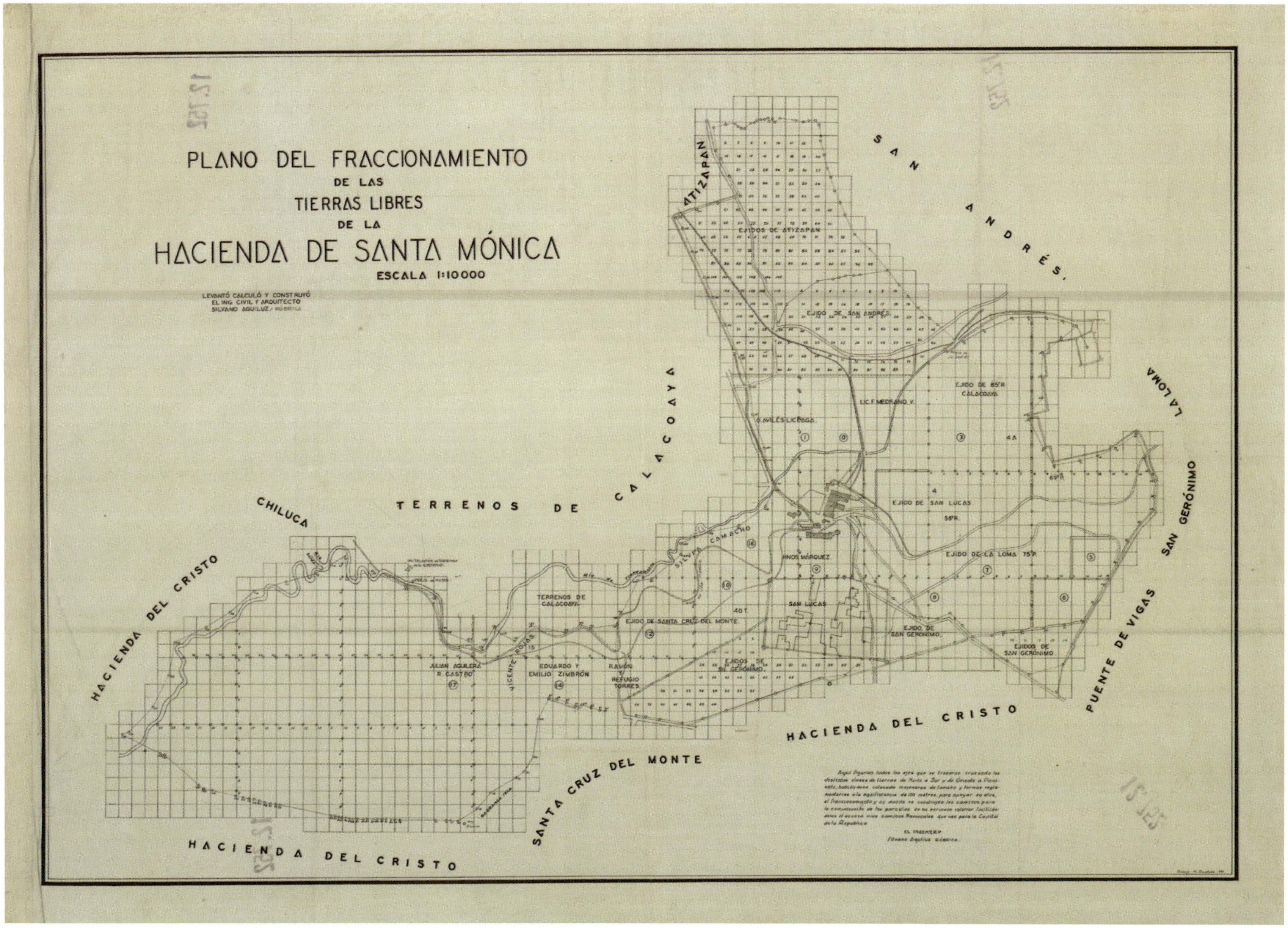

Hacienda de Santa Mónica

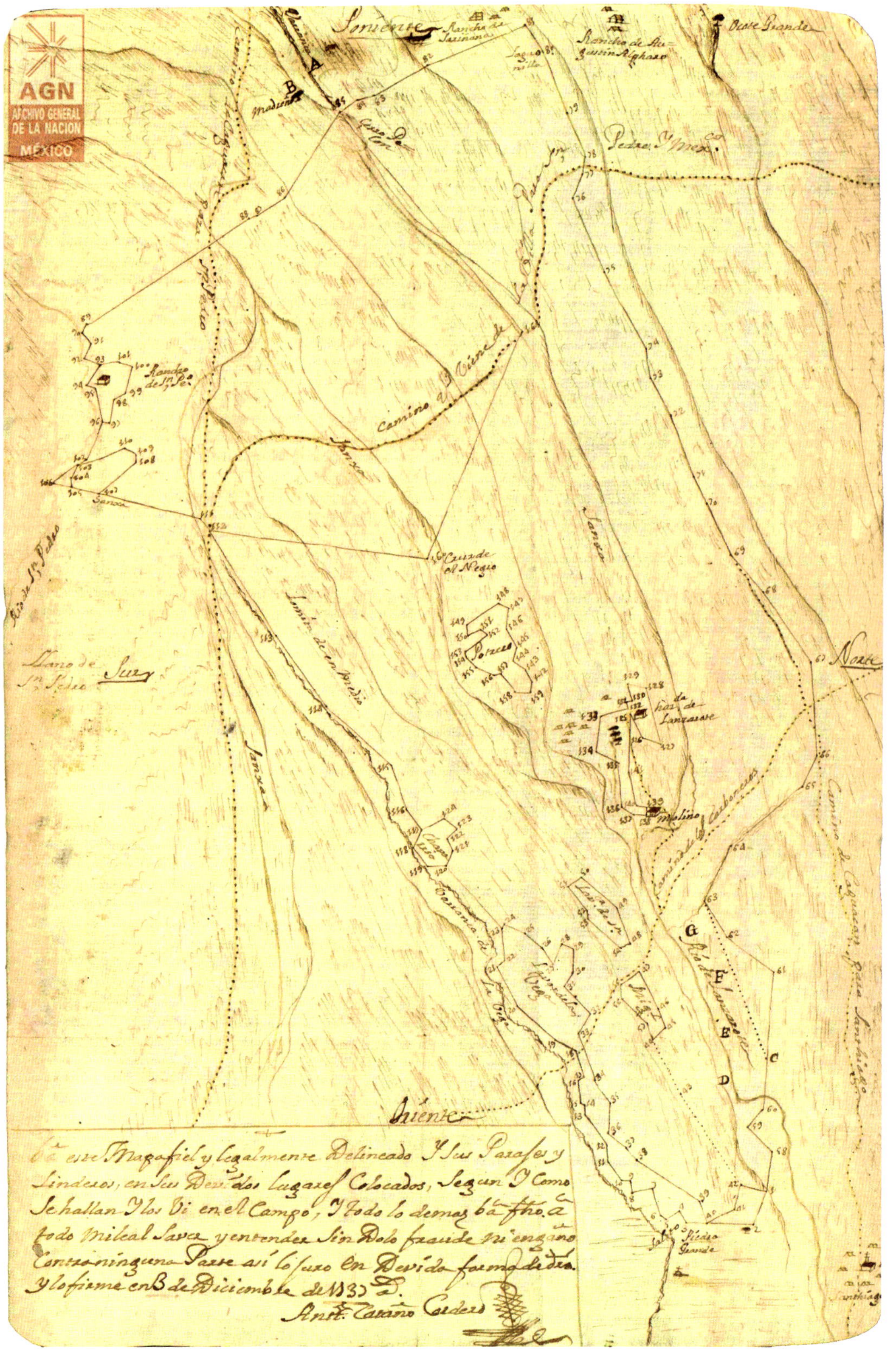

Hacienda de San Nicolás
Lazaronte, Tlanepantla

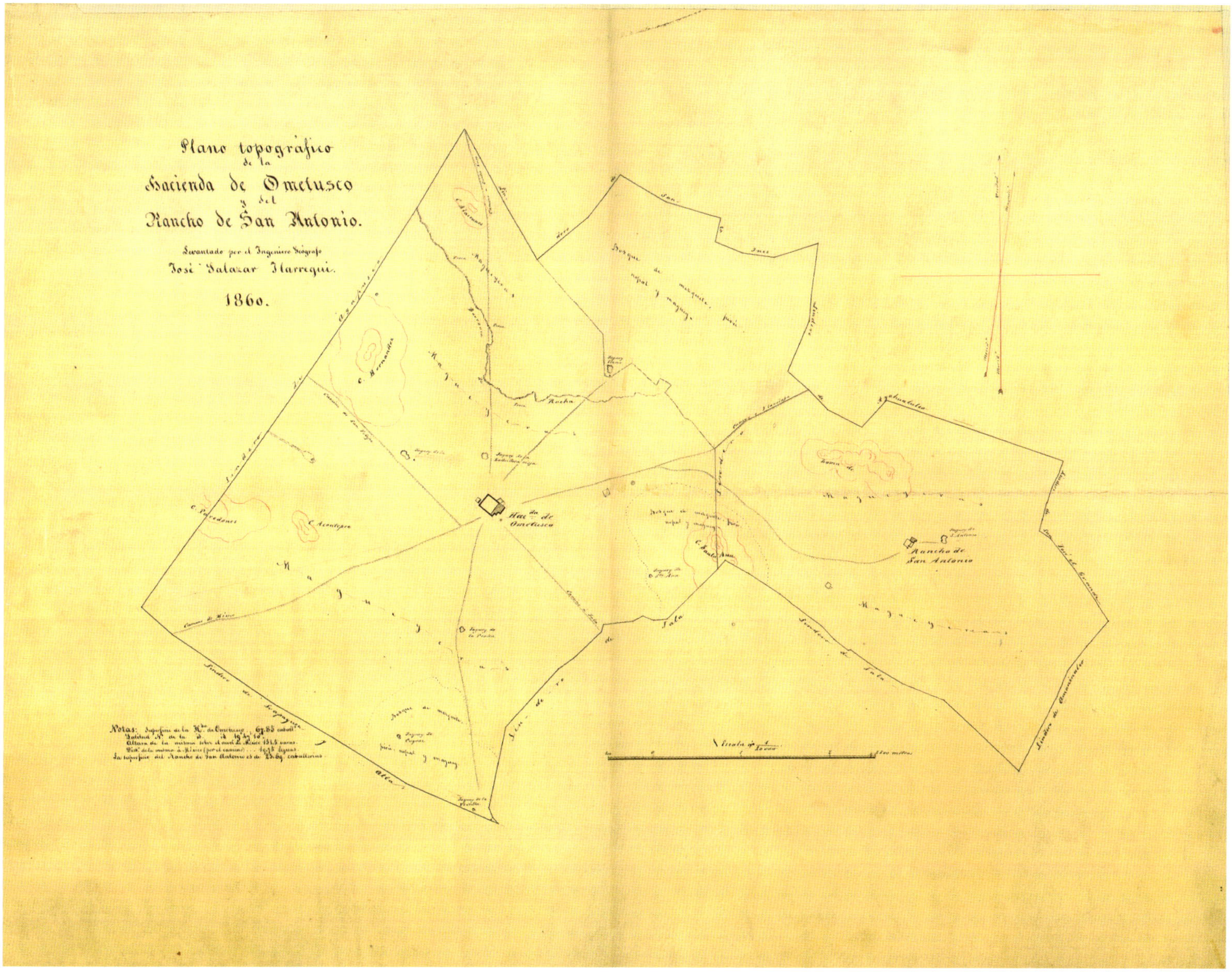

Hacienda de Omelusco

Hacienda de San Miguel Solís, Ixtapa

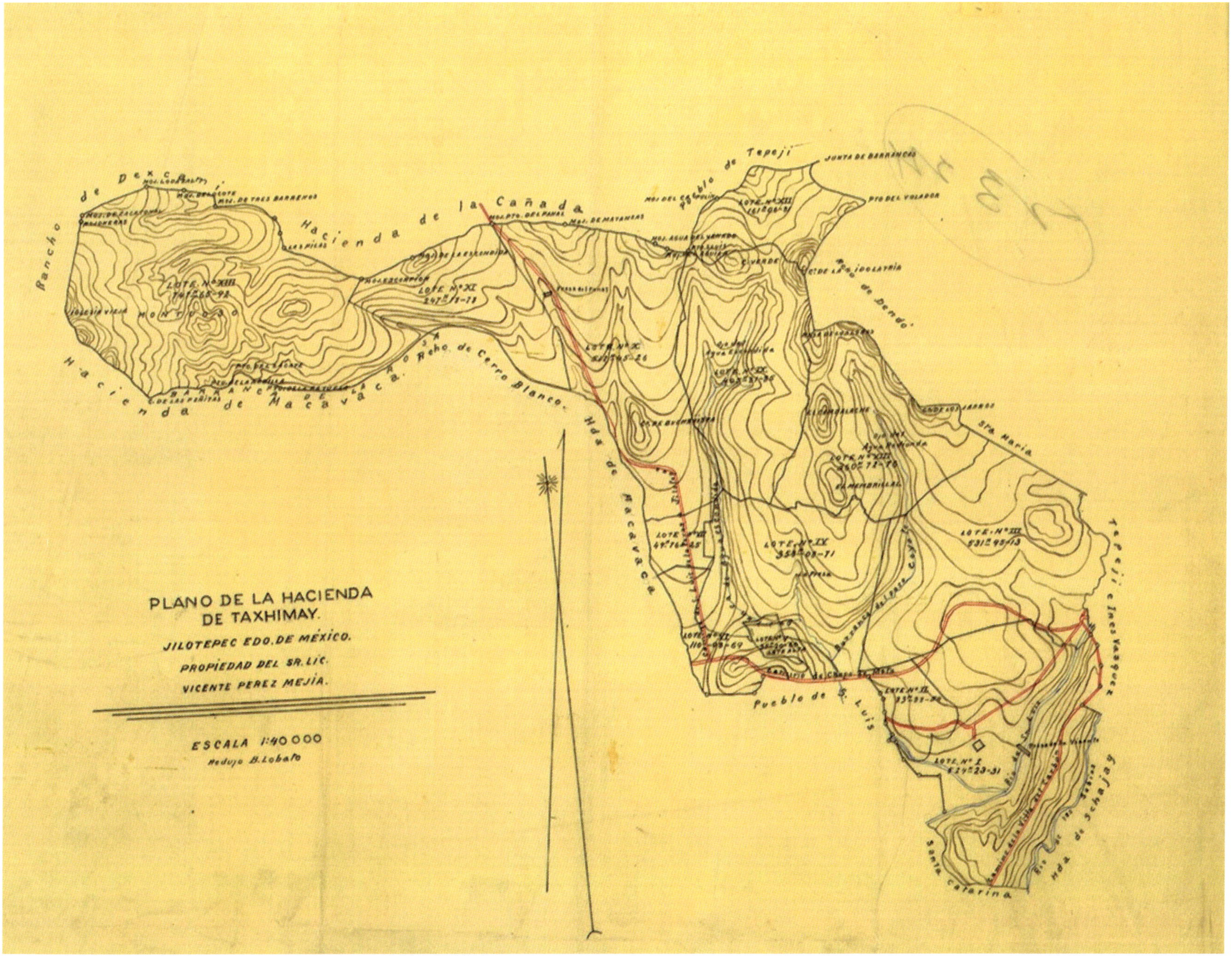

Hacienda de Taxhimbay

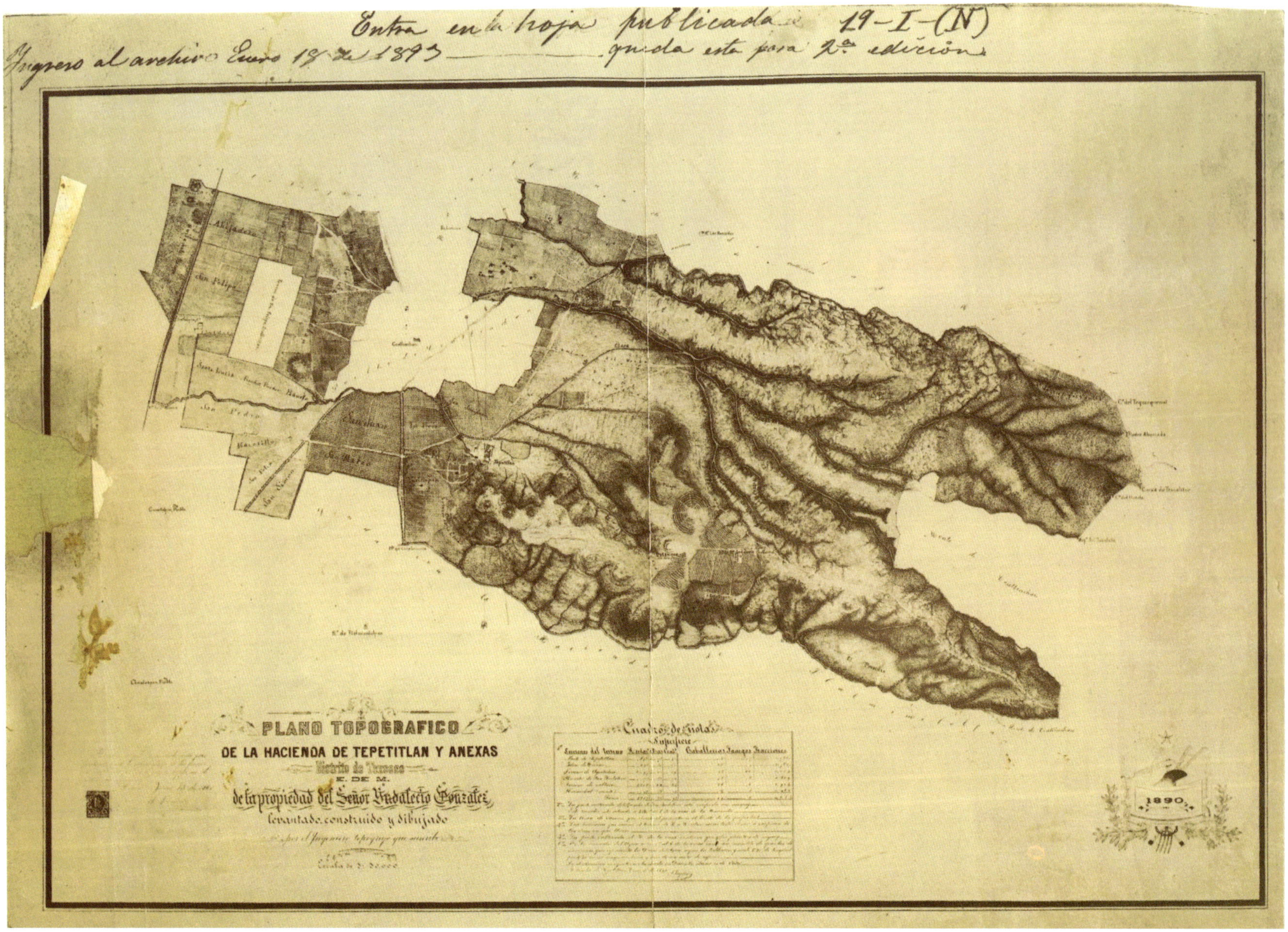

Hacienda de Tepetitlán y Anexas, 1890

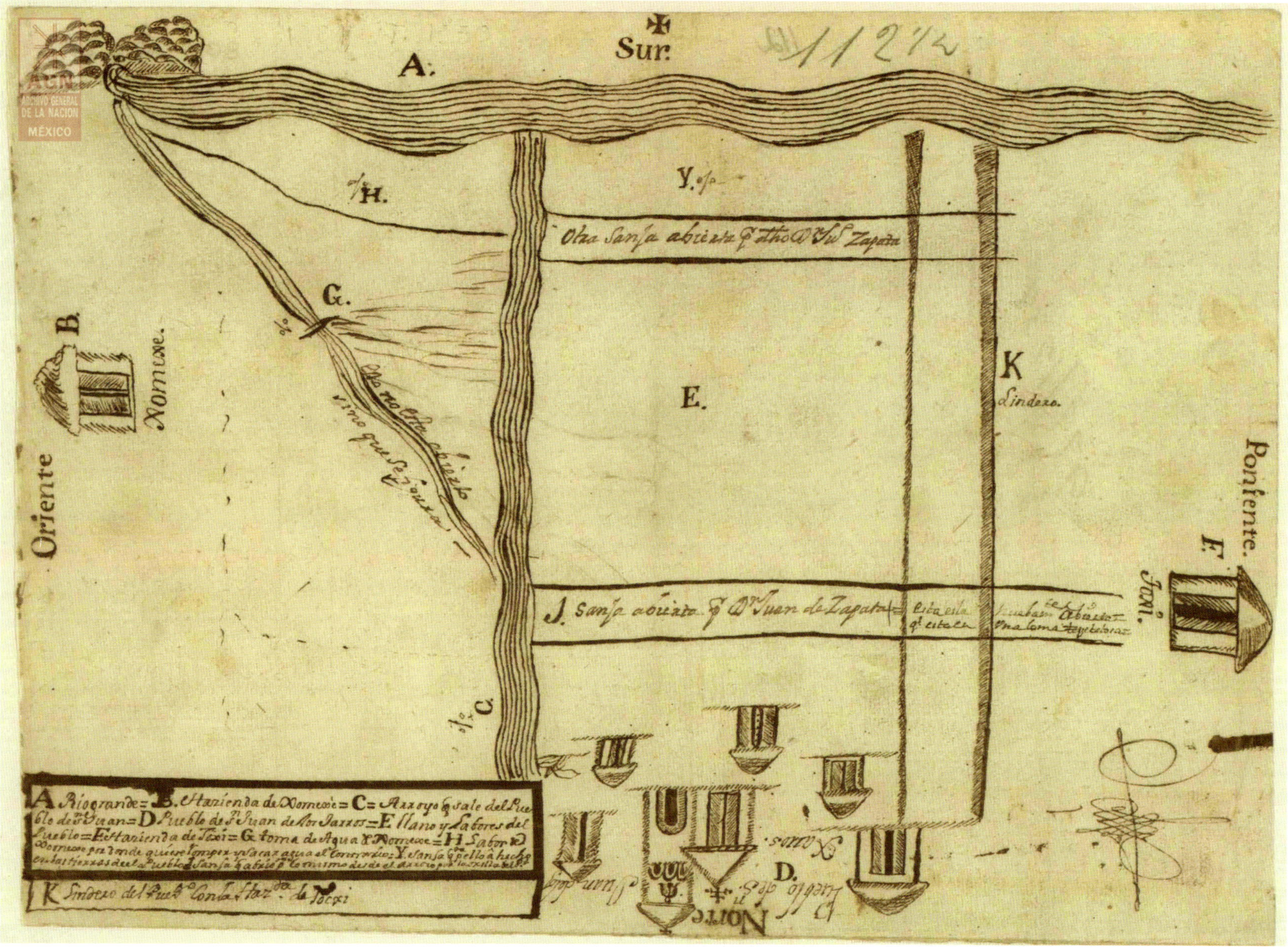

San Juan de los Xarros, Atlacomulco

Coacan, San Francisco Nacas y Rancho de Nuestra Señora de Guadalupe, Tlalnepantla y Tacuba

Santa Isabel Chalma, Tlalmanalco

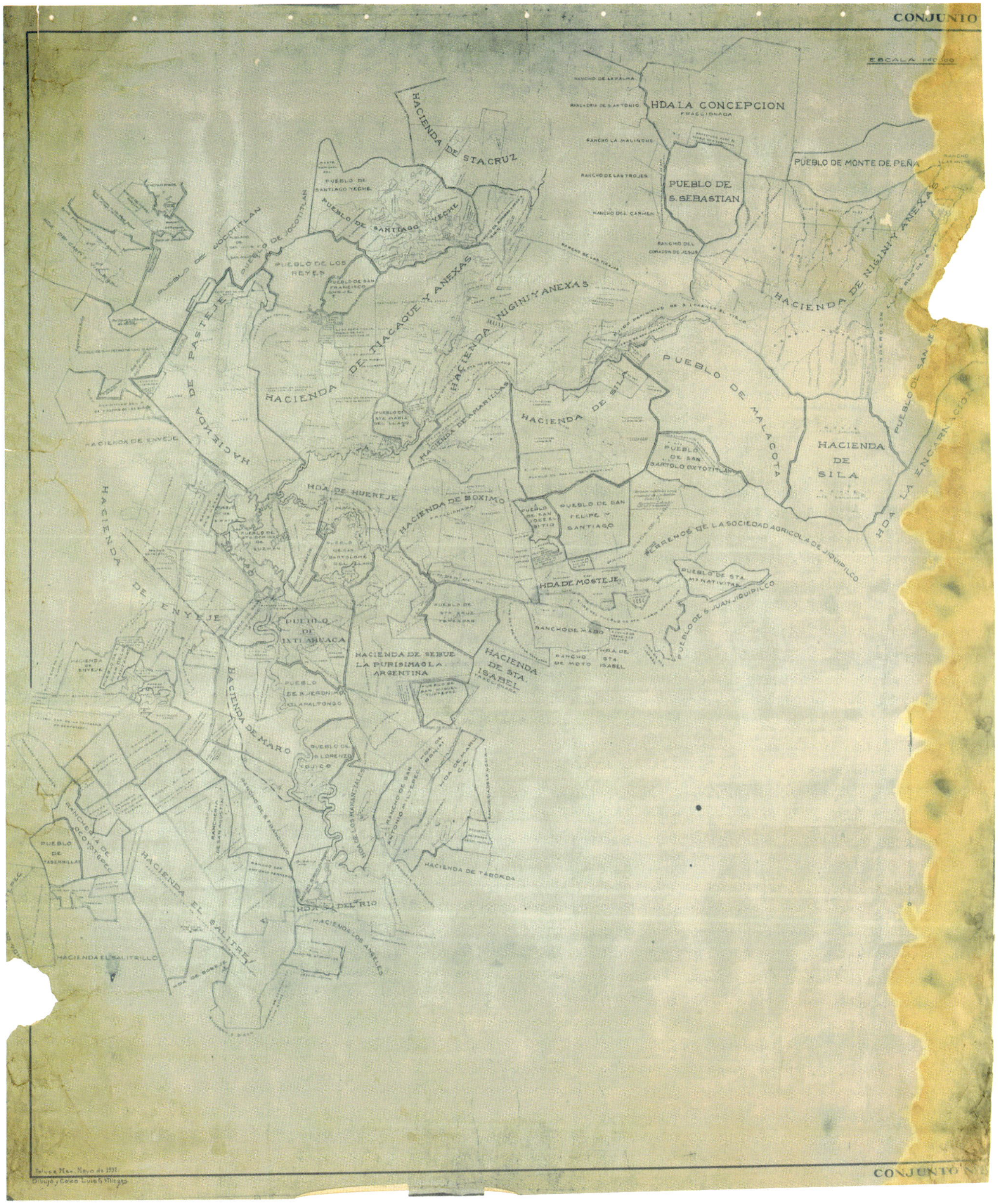

Ixtlahuaca, Malinanlco, San Sebastián y haciendas circunvecinas

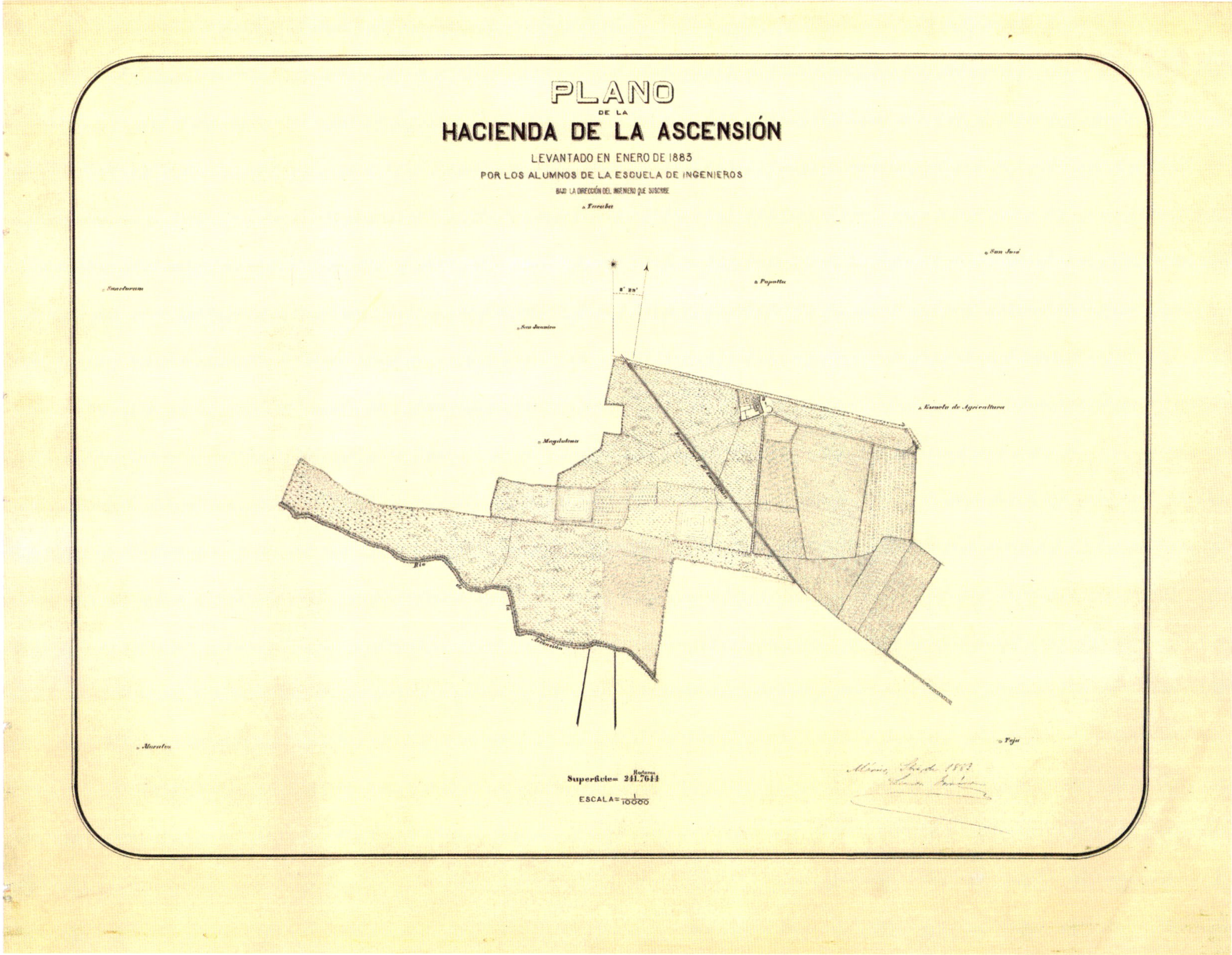

Hacienda de la Ascensión

Plano de la hacienda
de San Antonio Cala, 1879

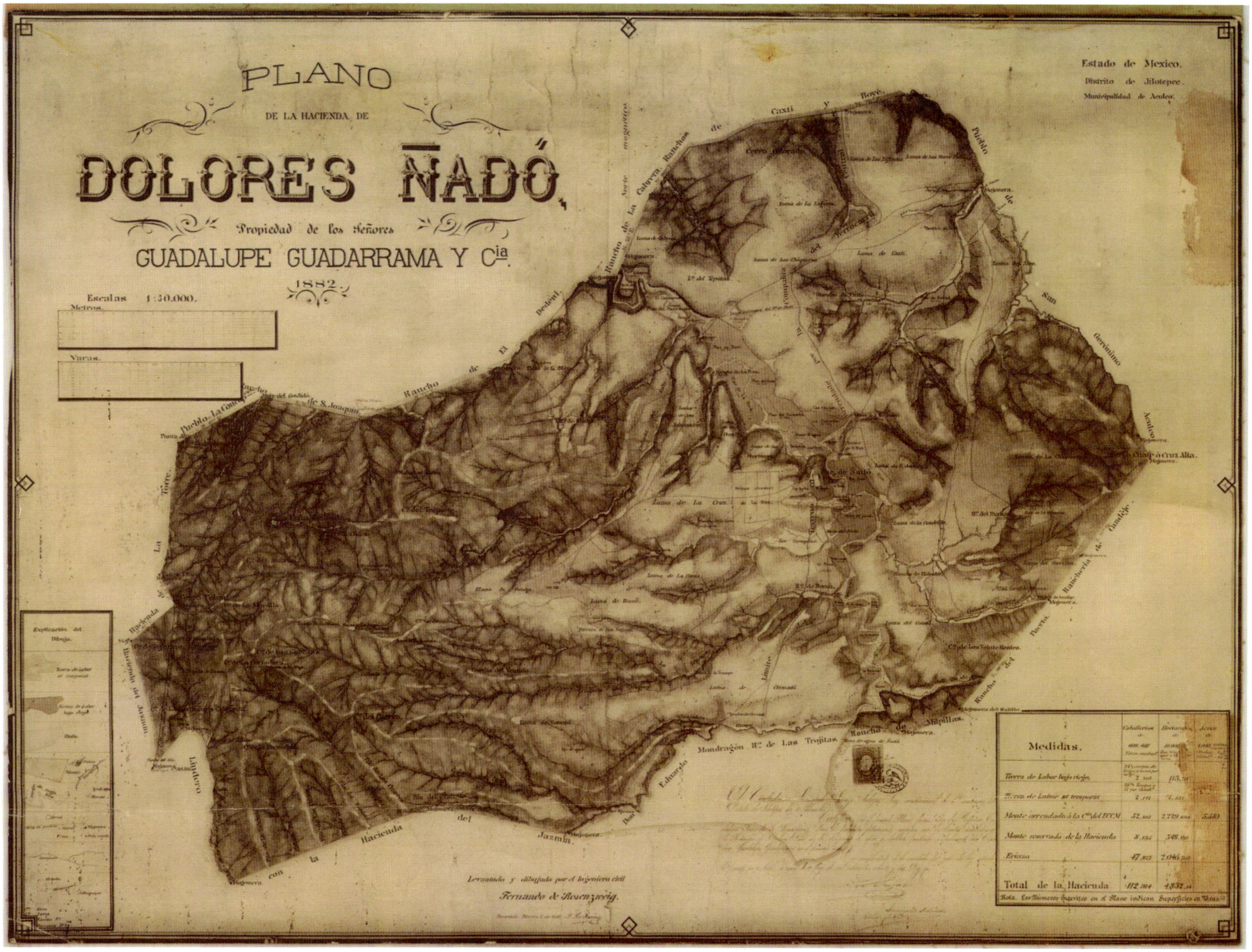

Plano de la hacienda
de Dolores Ñado, 1896

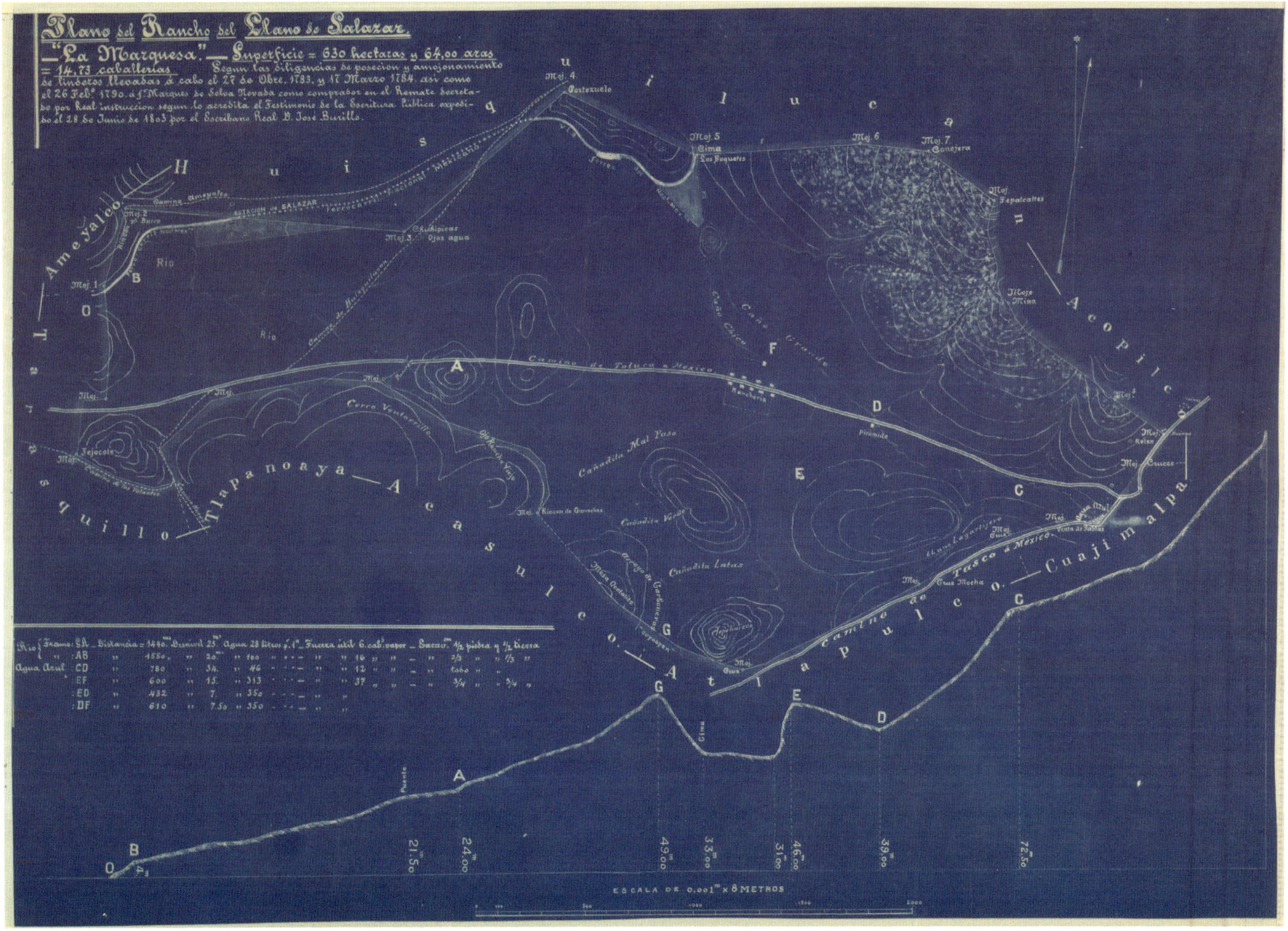

Plano del rancho del Llano de Salazar, La Marquesa

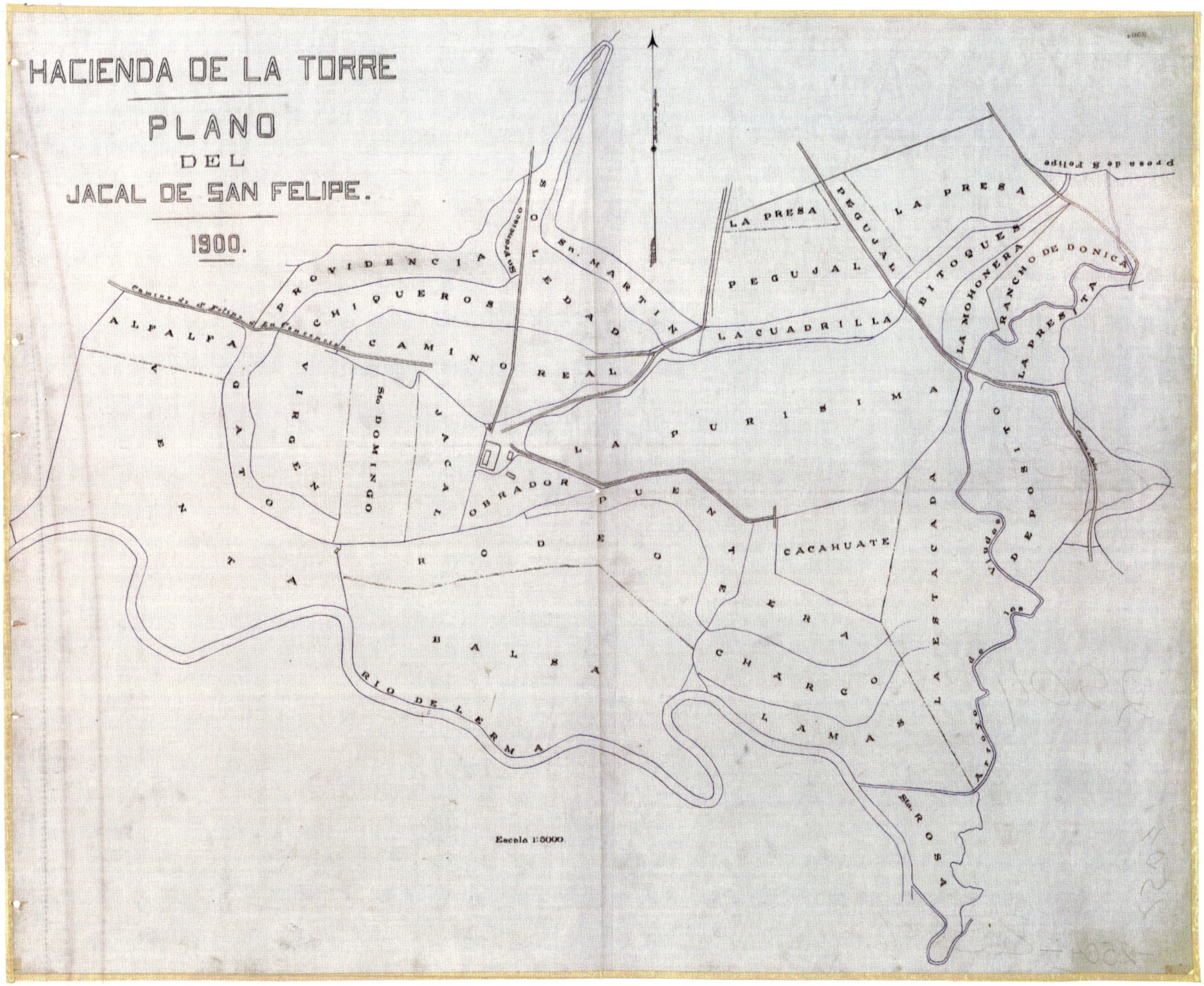

Plano del Jacal de San Felipe.
Hacienda de La Torre, 1900

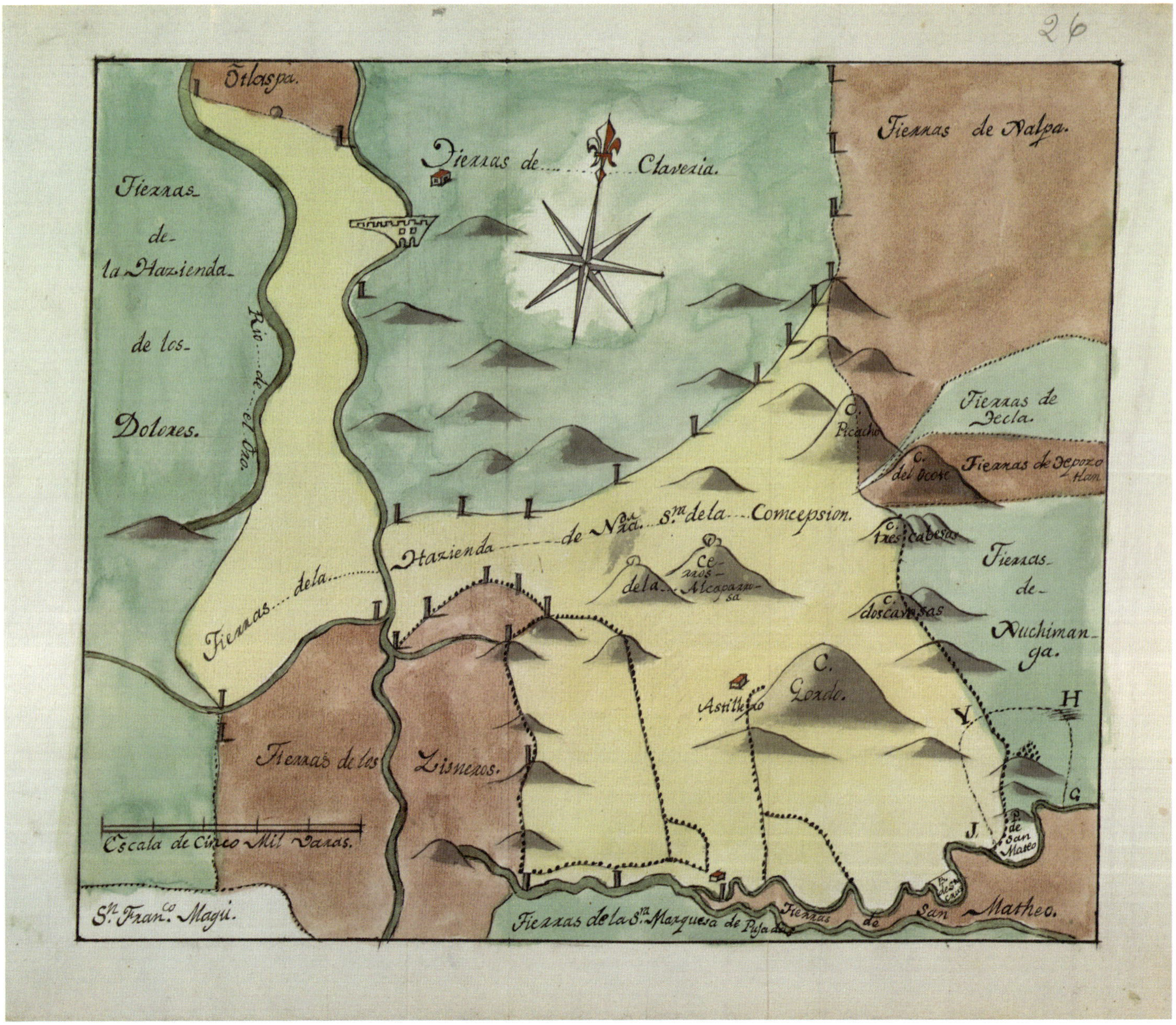

Hacienda de Nuestra Señora de la Concepción, Clavería, Utlaspa, Xalpa, Tepozotlán, San Mateo

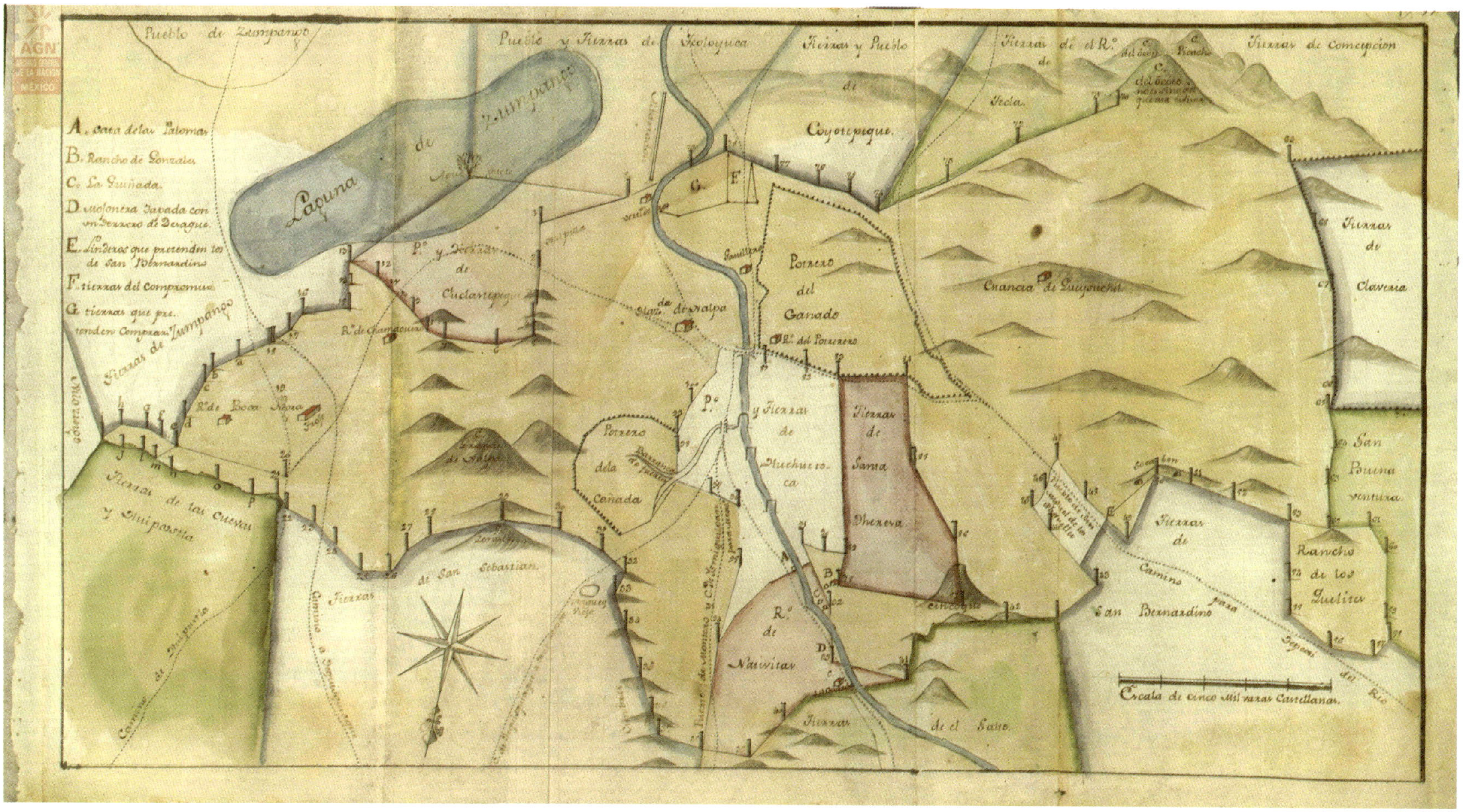

Hacienda Xalpa y Auehuetoca, Cuautitlán

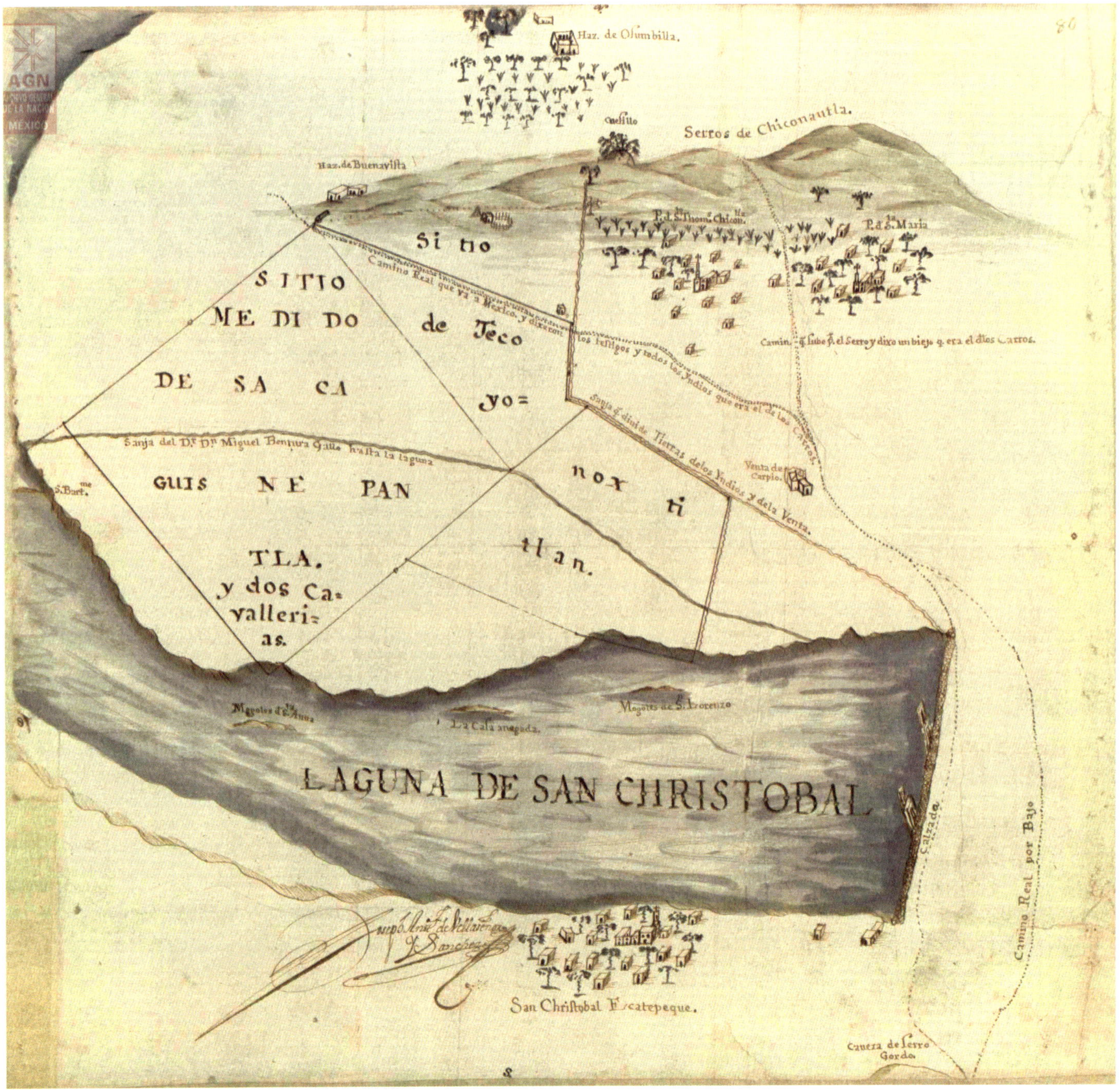

San Cristóbal Ecatepec
y Santo Tomás Chiconautla

Santa María Sitindeje, Ixtlahuaca

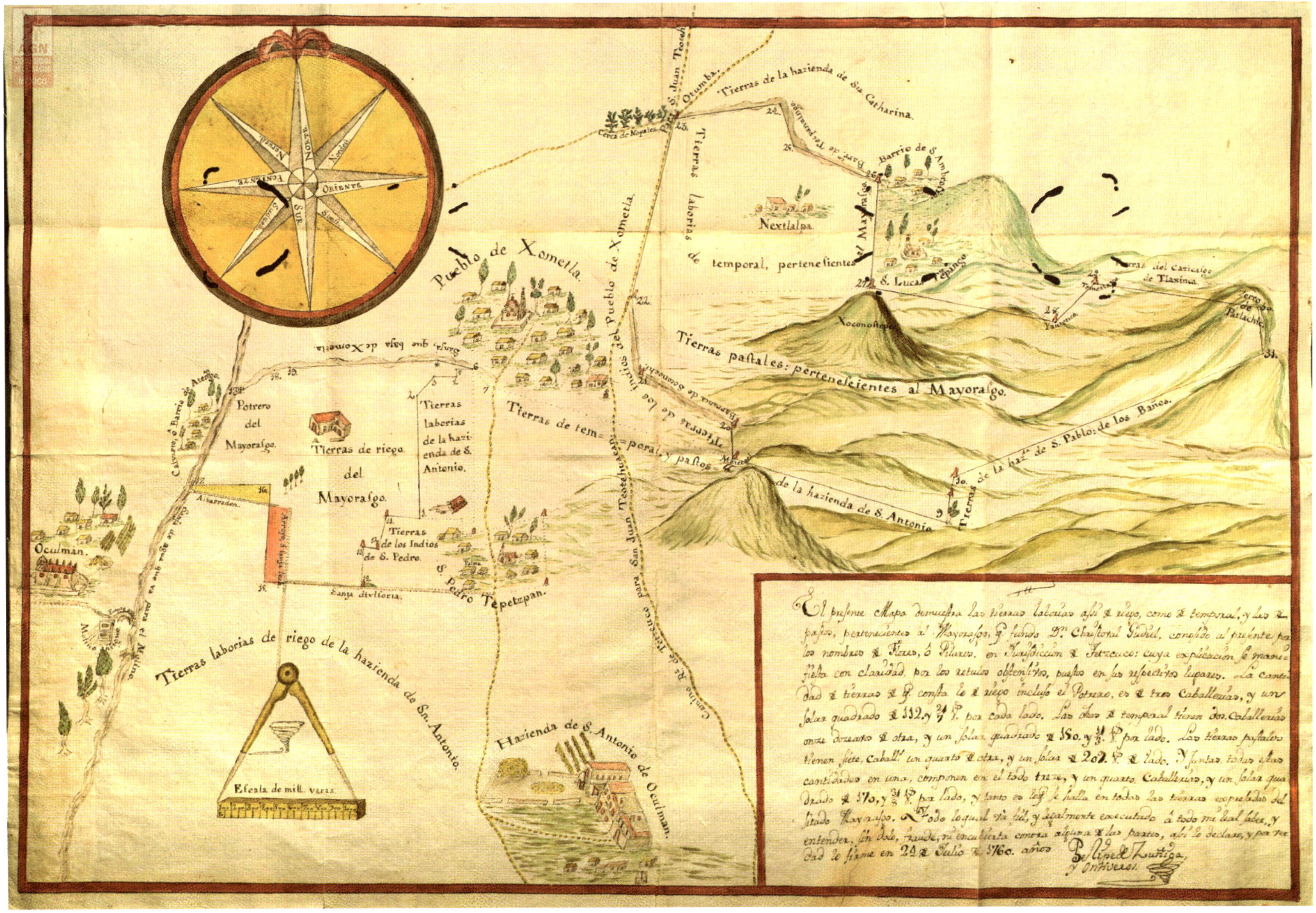

Oculman, San Pedro Tepetzpan
y San Lucas Tetepango, Tetzcuco

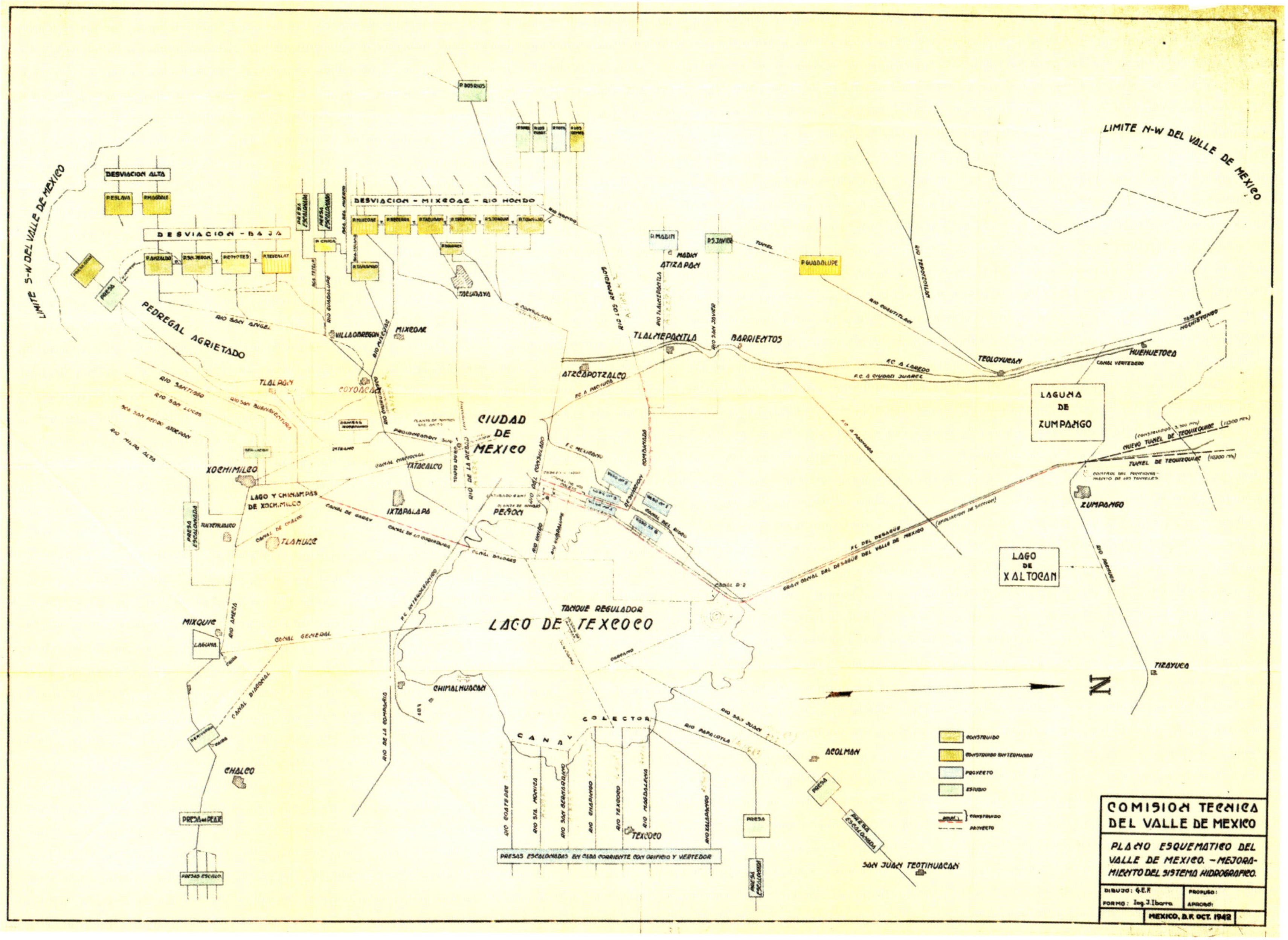

Cuautitlán, Teoloyuca
y Zumpango

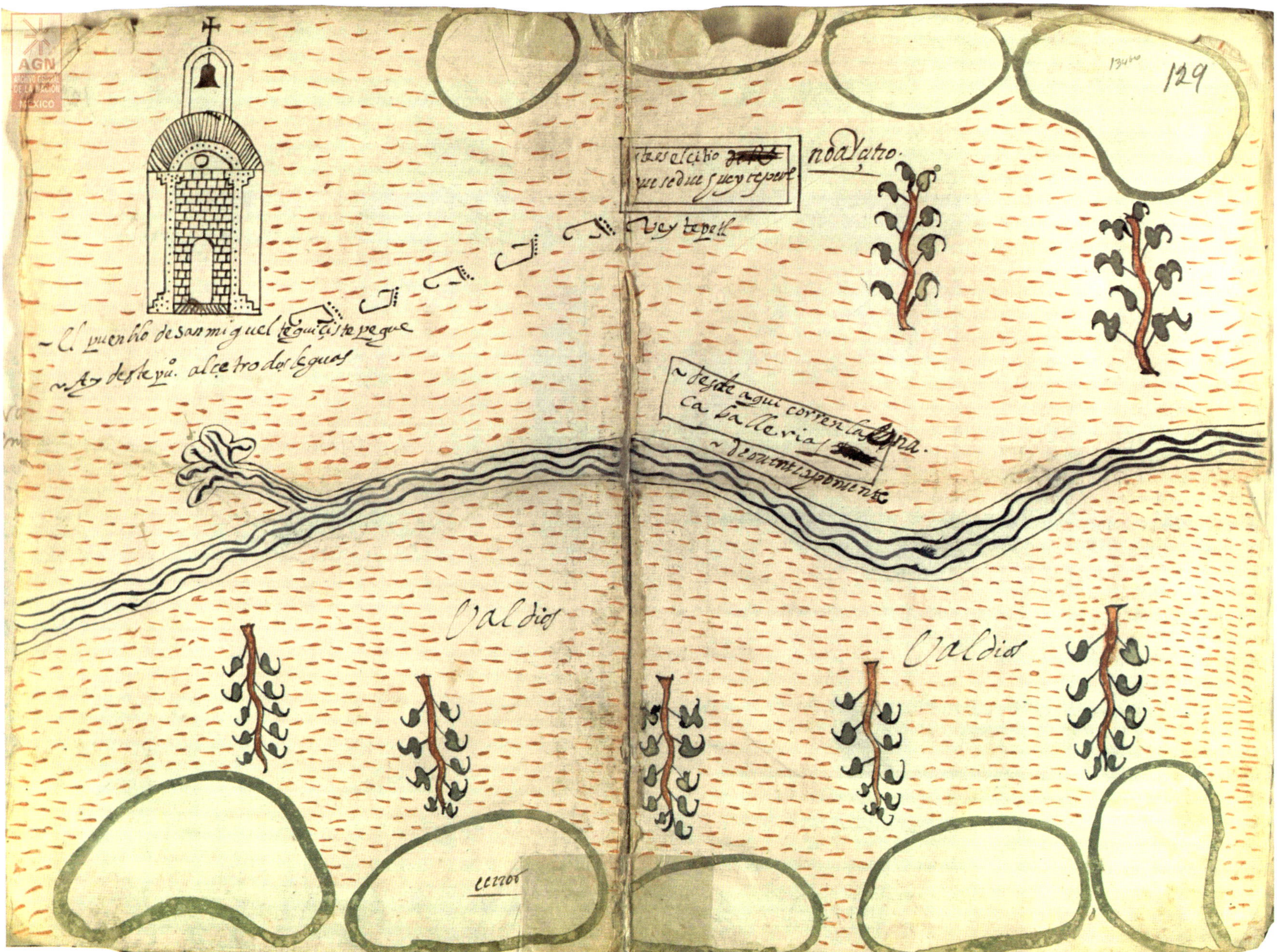

San Miguel Tequizistepec

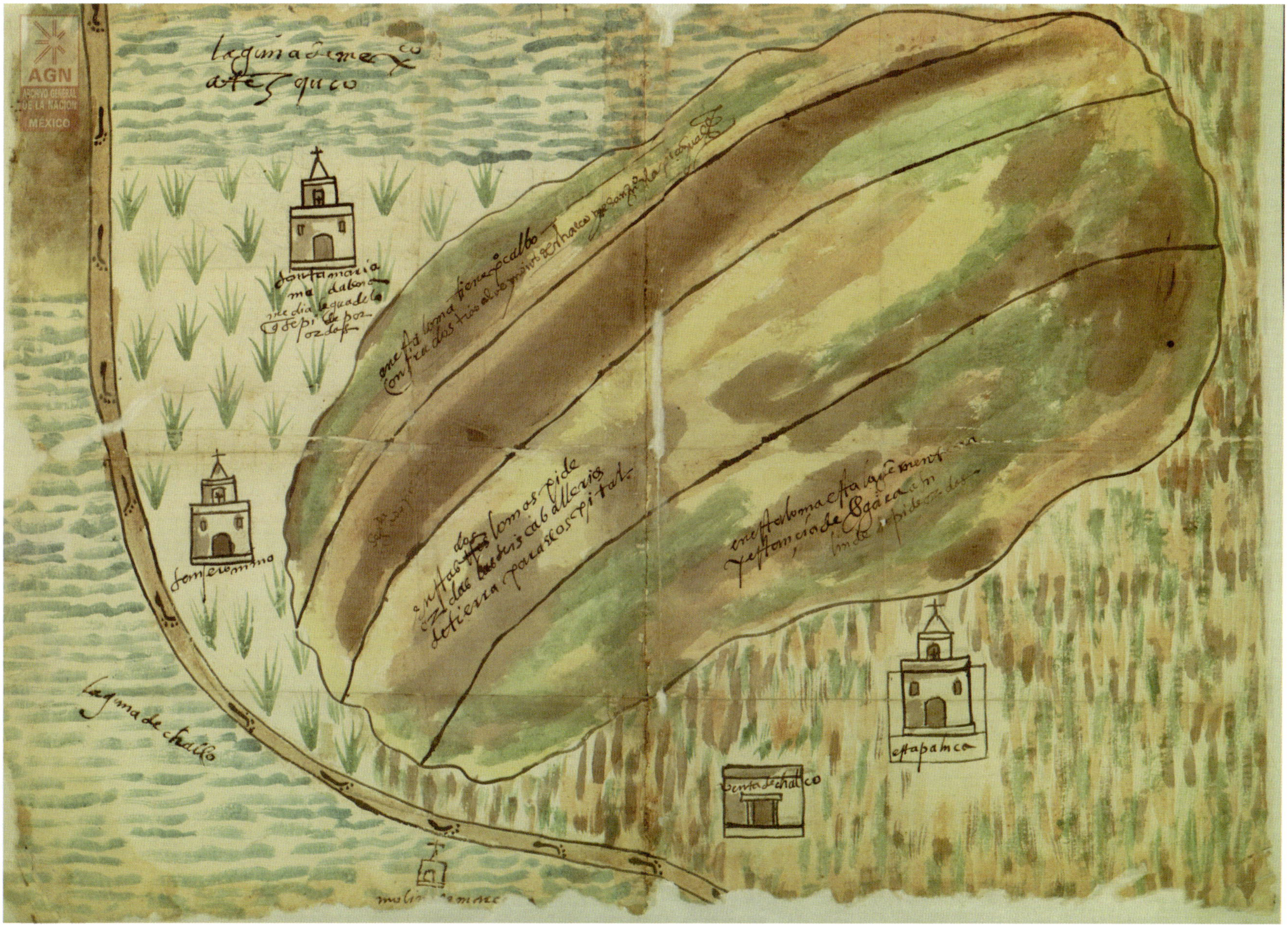
AGN
ARCHIVO GENERAL DE LA NACIÓN
MÉXICO
laguna de chalco
venta de chalco

Chalco

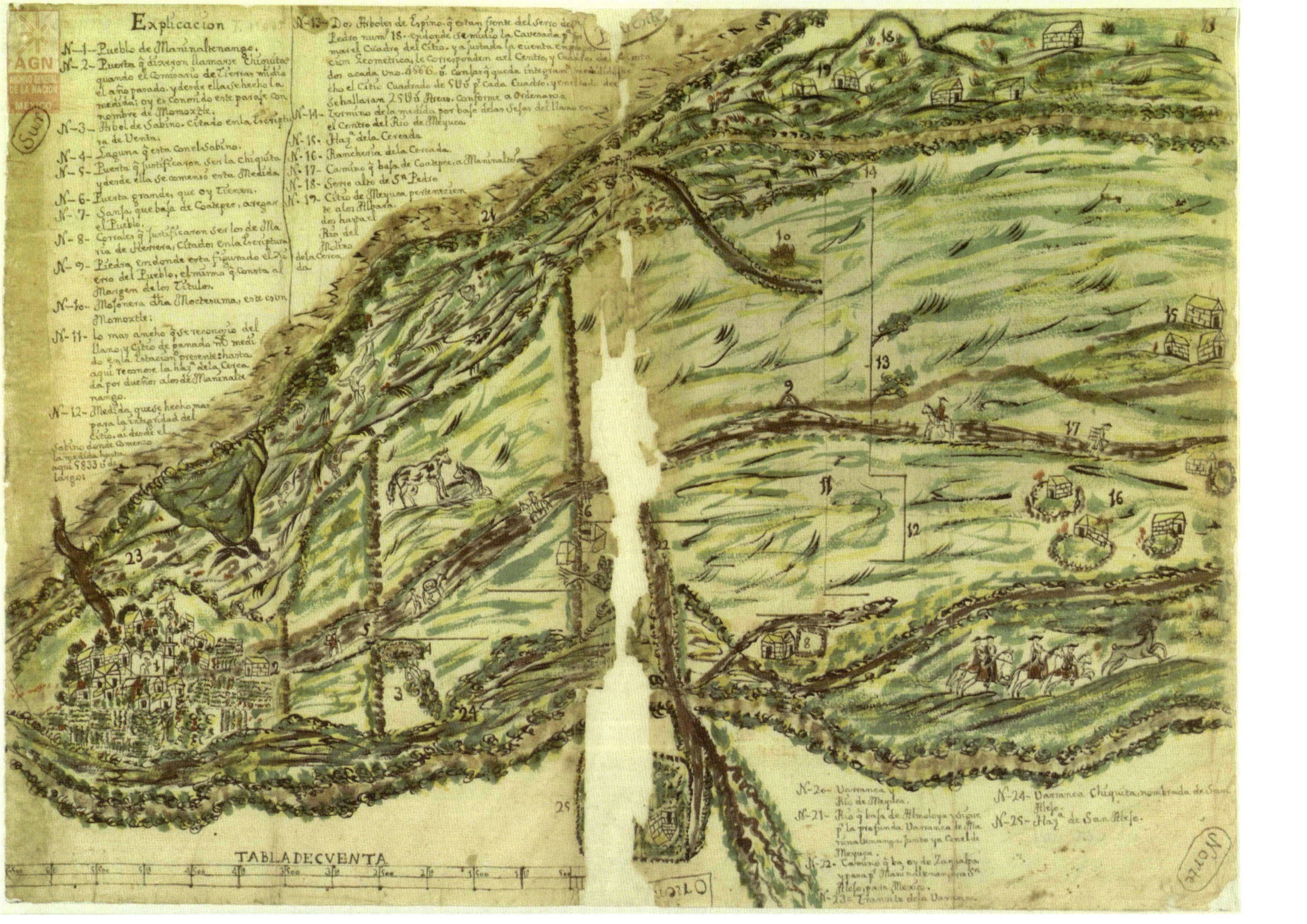

Malinaltenango, Zacualpan

San Mateo Capultenco y Tultitlán

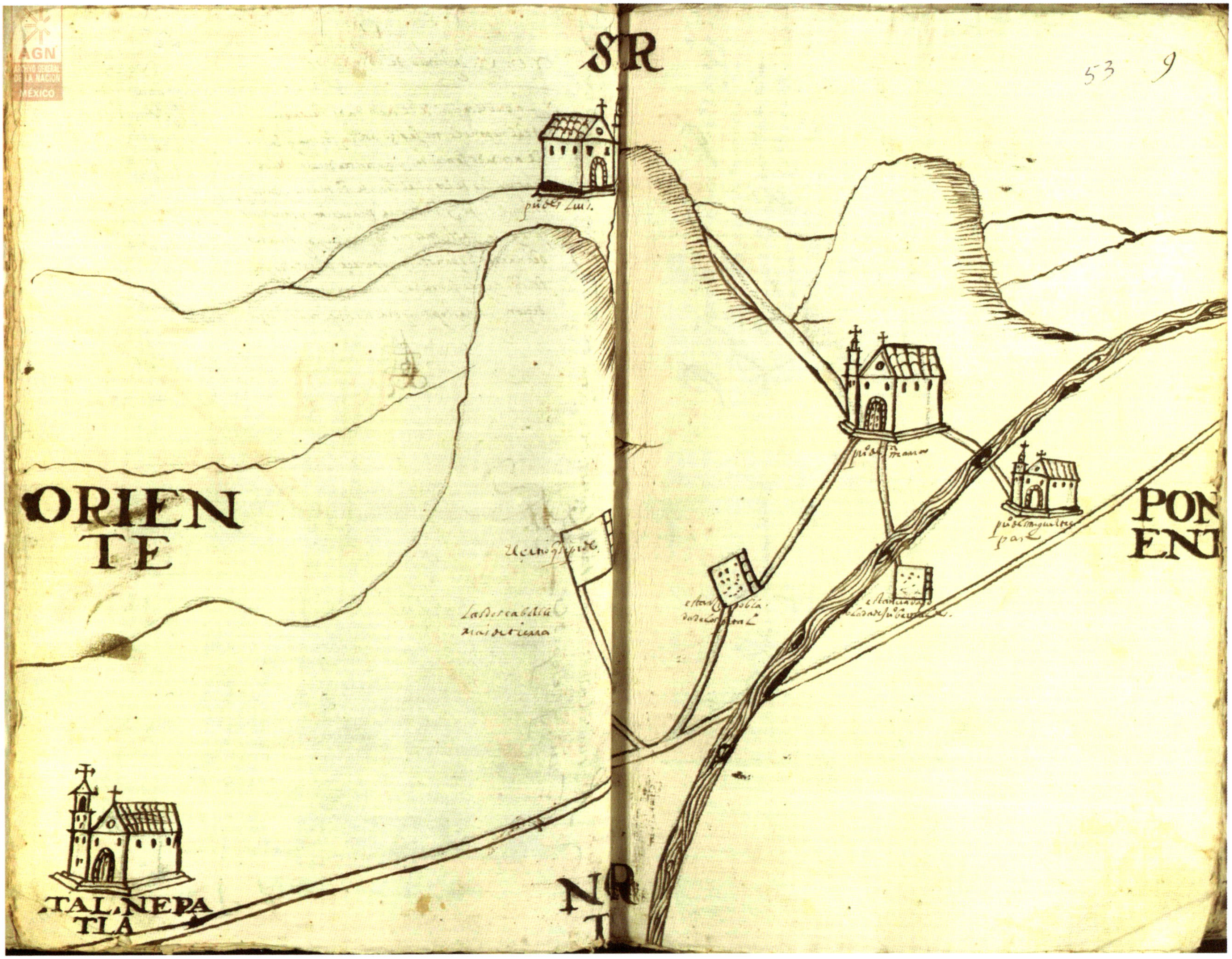

Tlalnepantla y San Miguel Tecpa, Tacuba

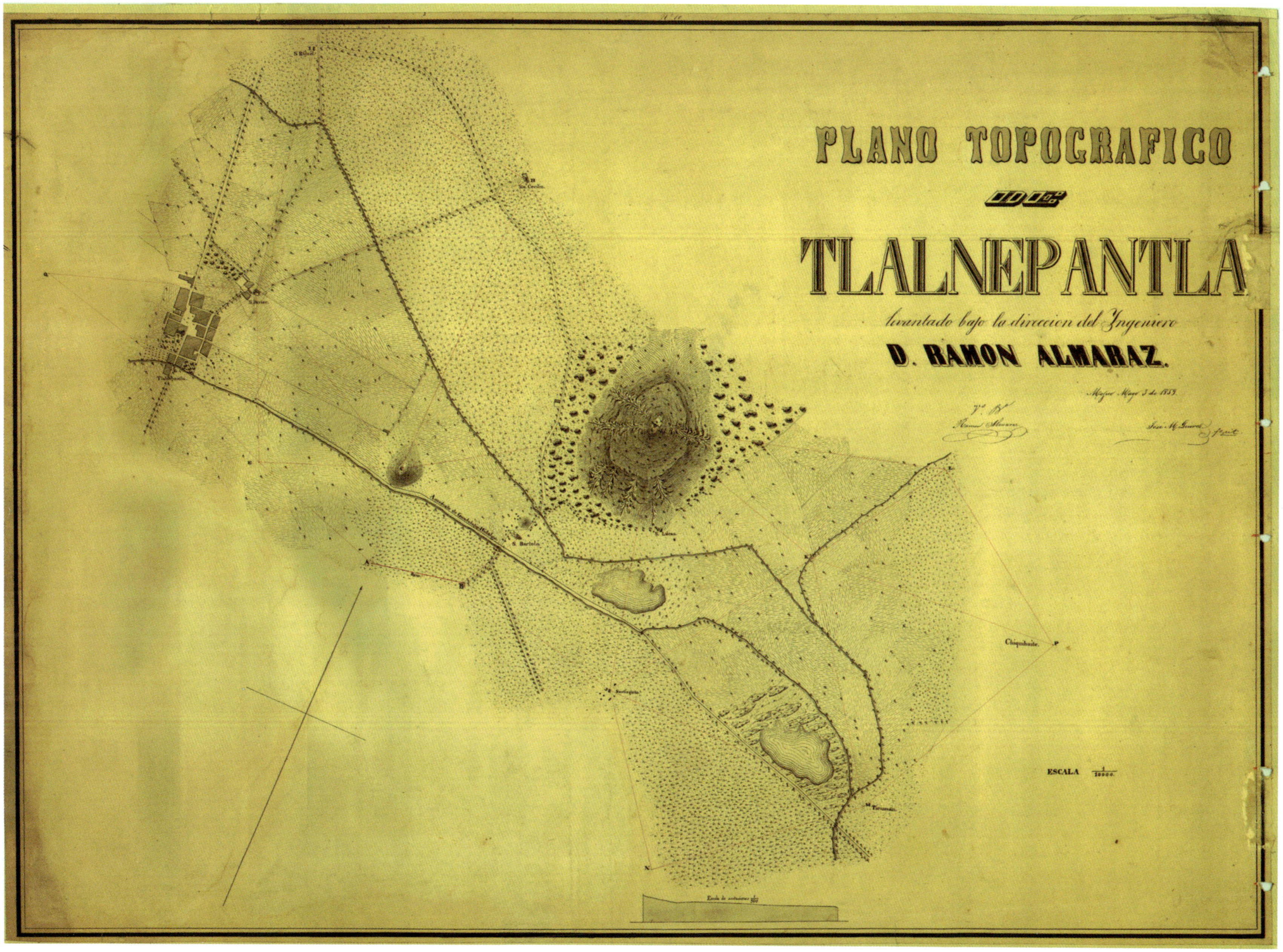

Plano topográfico de Tlalnepantla

Distrito de Tlalnepantla

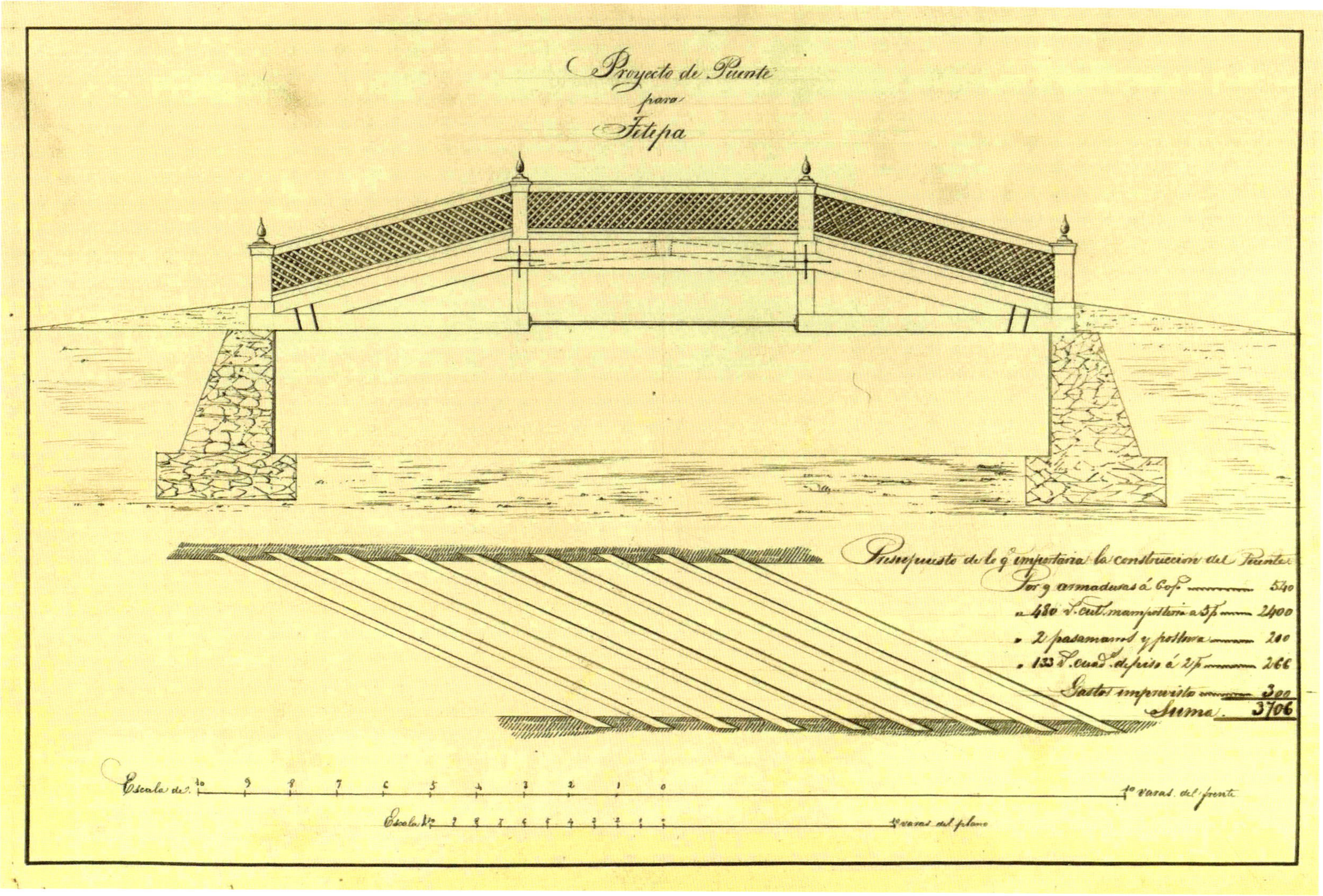

Construcción de un puente
en el pueblo de Tepepa, Toluca

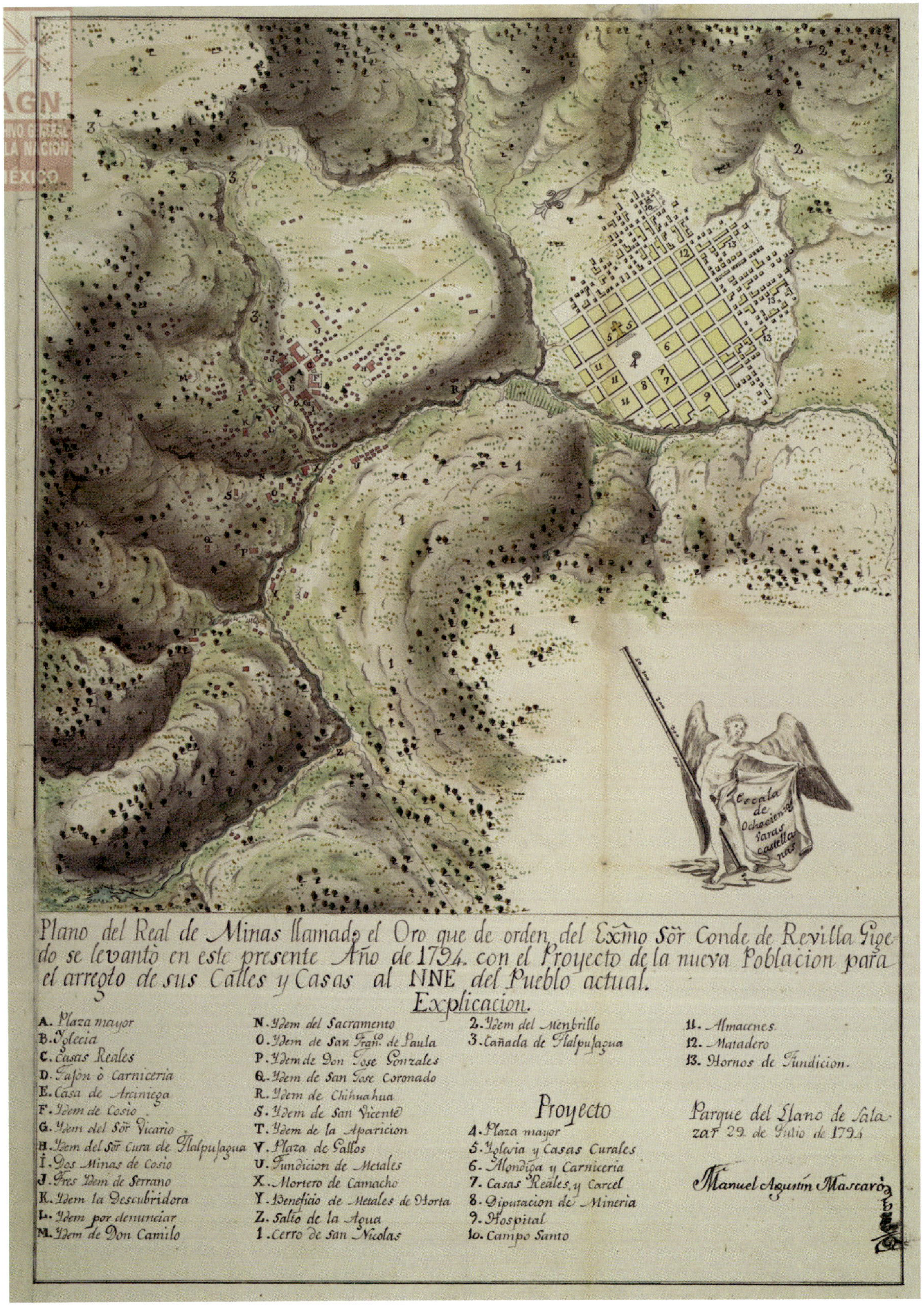

Real de Minas El Oro, Ixtlahuaca

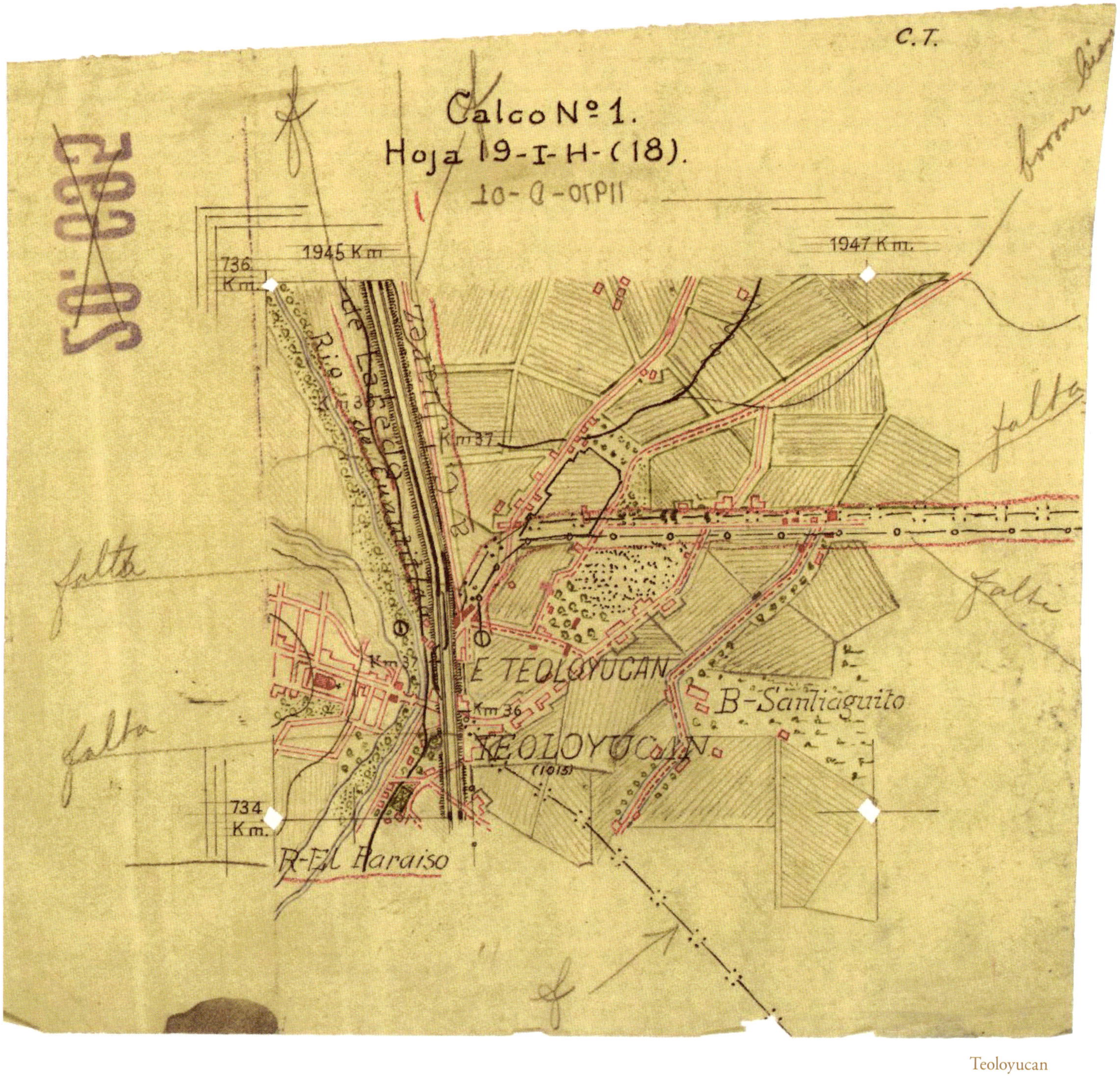
C.T.
Calco Nº 1.
Hoja 19-I-H-(18).
1945 Km
1947 Km.
736 Km.
734 Km.
Km 37
Km 37
Km 36
E TEOLOYUCAN
B-Santiaguito
TEOLOYUCAN
(1015)
R-El Paraiso
falta
falta
falta

Teoloyucan

C.T
Calco N°3
Hoja 19-I-H-(18)
XALTENCO
1949 Km.
E DE MEXICO
1951 Km
falta
falta negro

Xaltenco

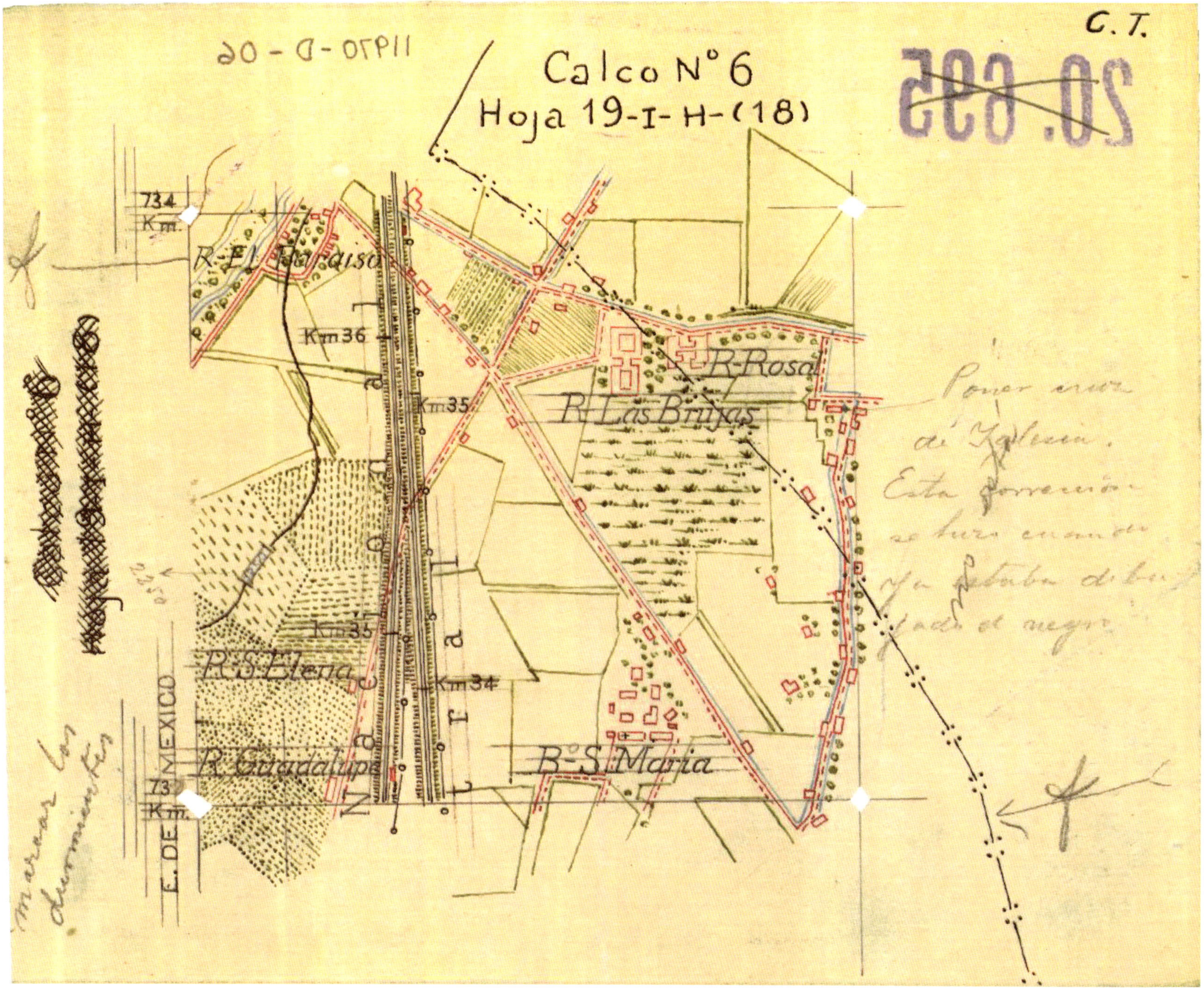

Rancho Rojas y rancho Las Brujas

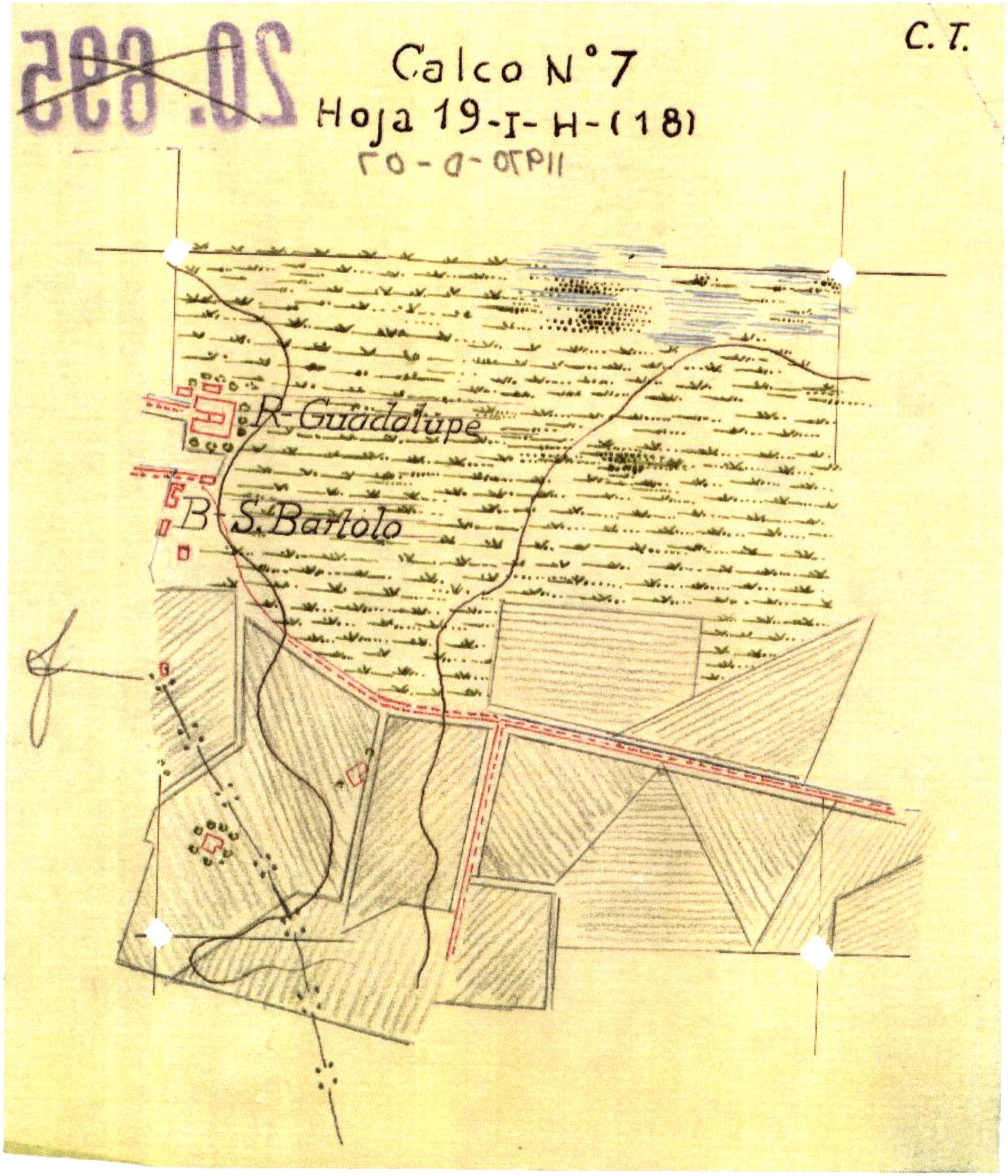

Rancho San Bartolo y rancho Guadalupe

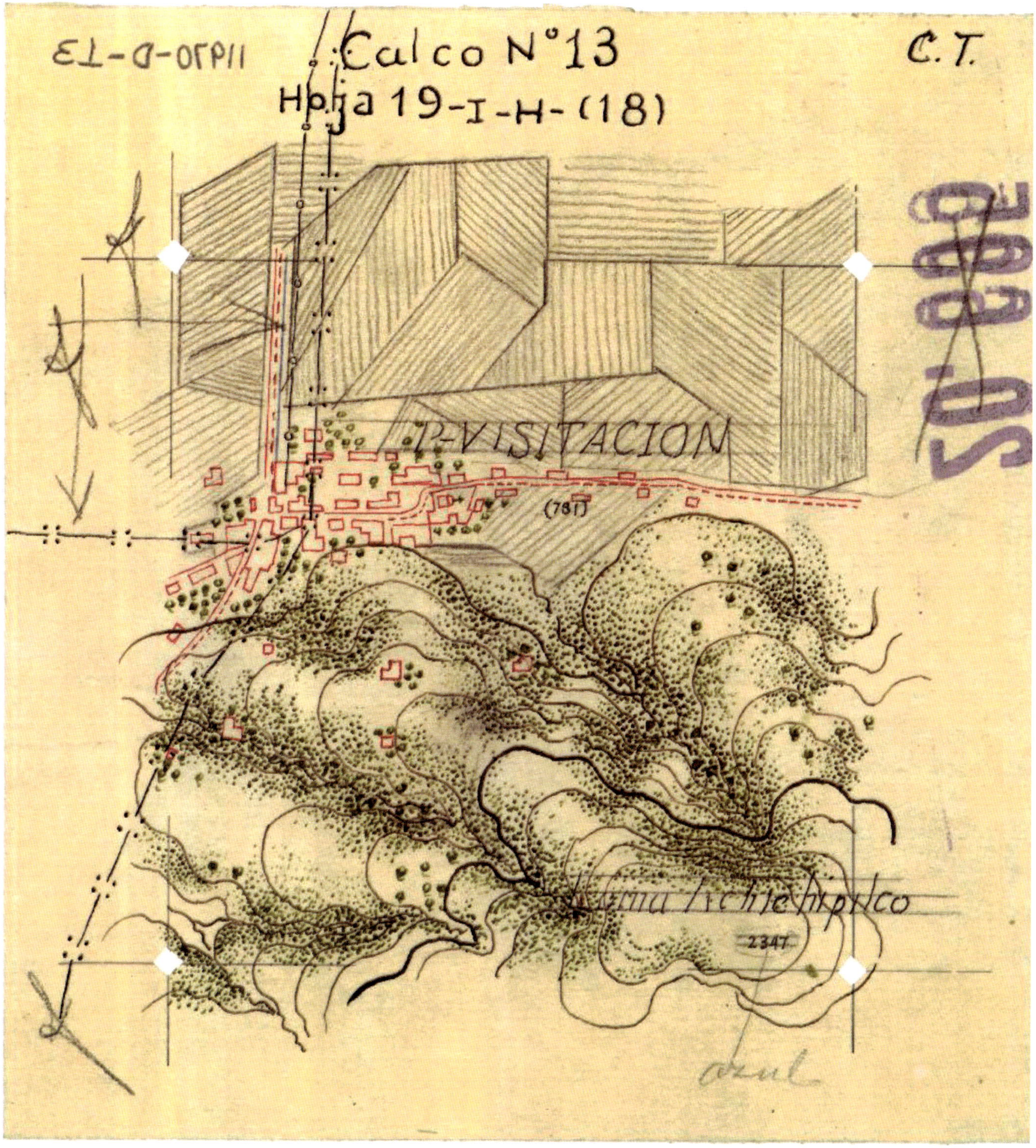

Pueblo Visitación

Pueblo Tenopalco

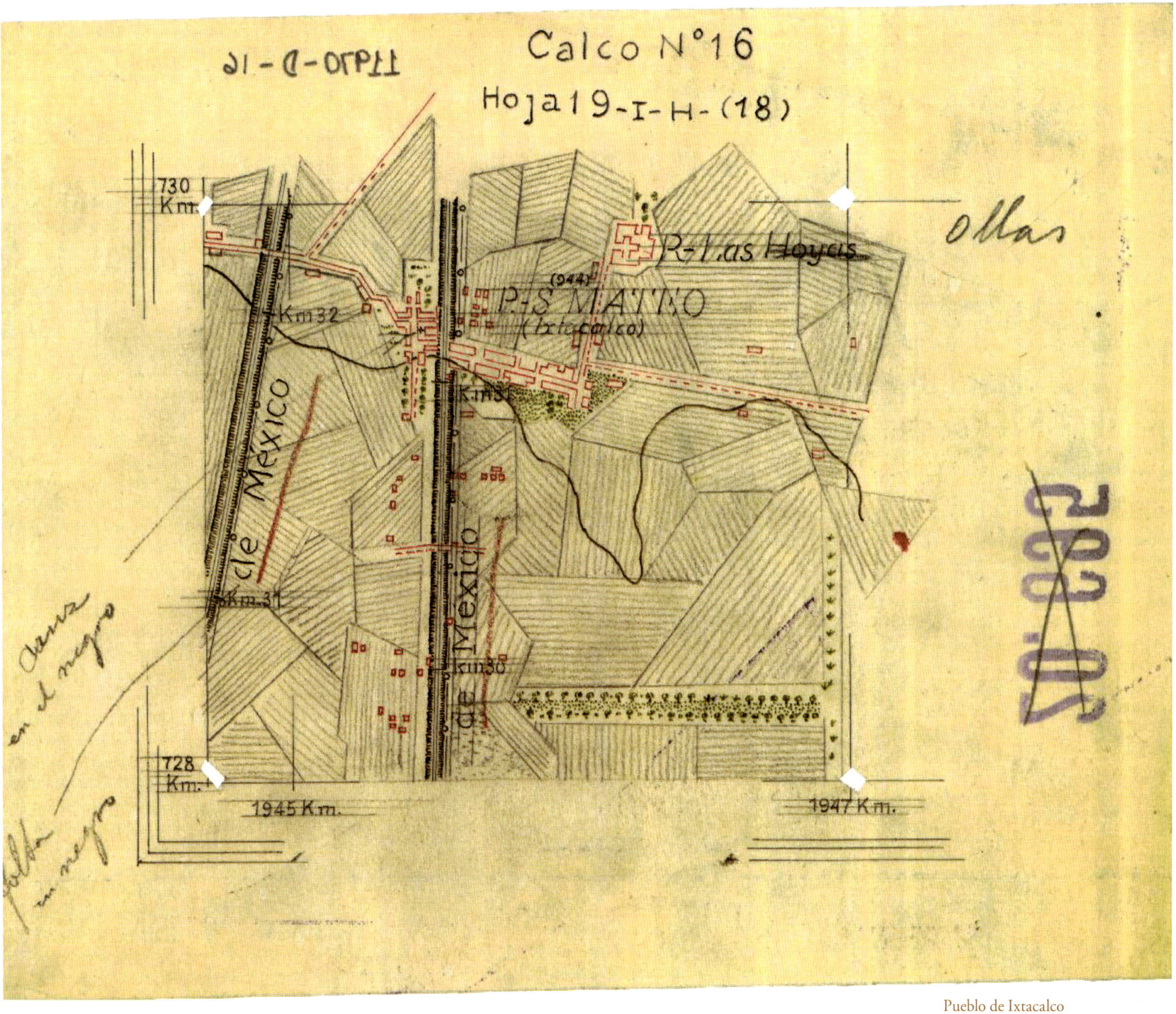

Pueblo de Ixtacalco

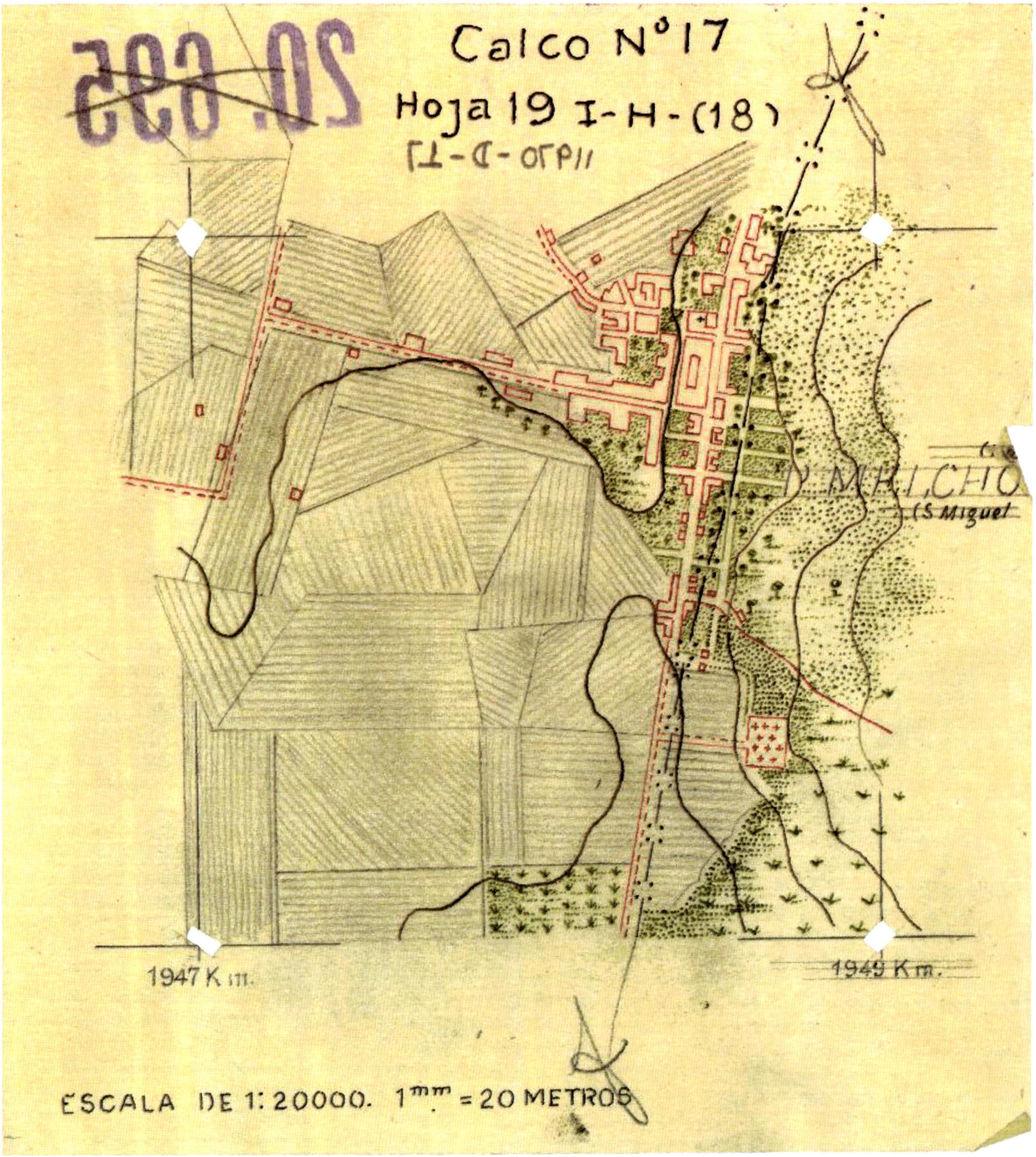

Pueblo de San Miguel

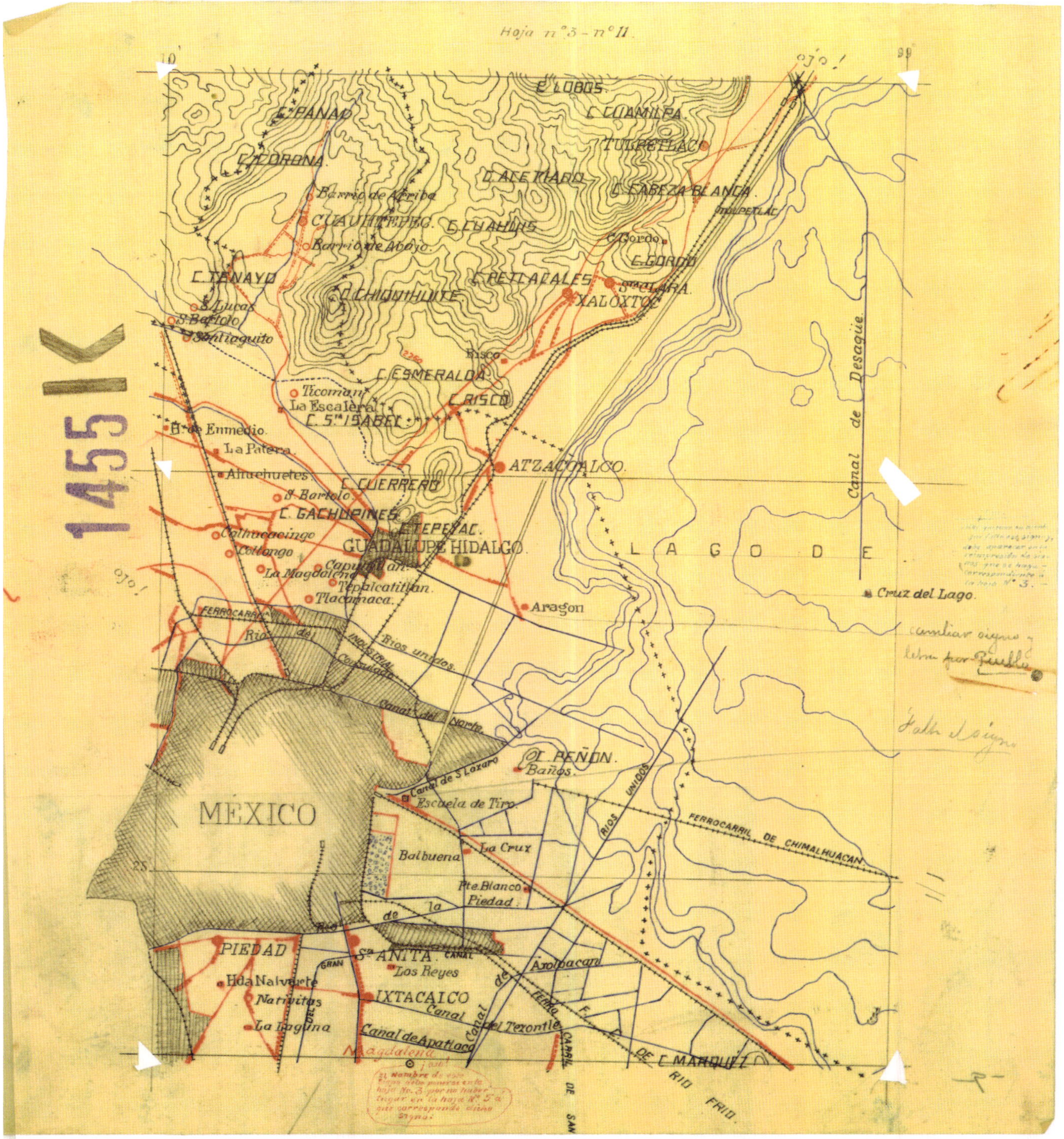

Ciudad de México y sus alrededores

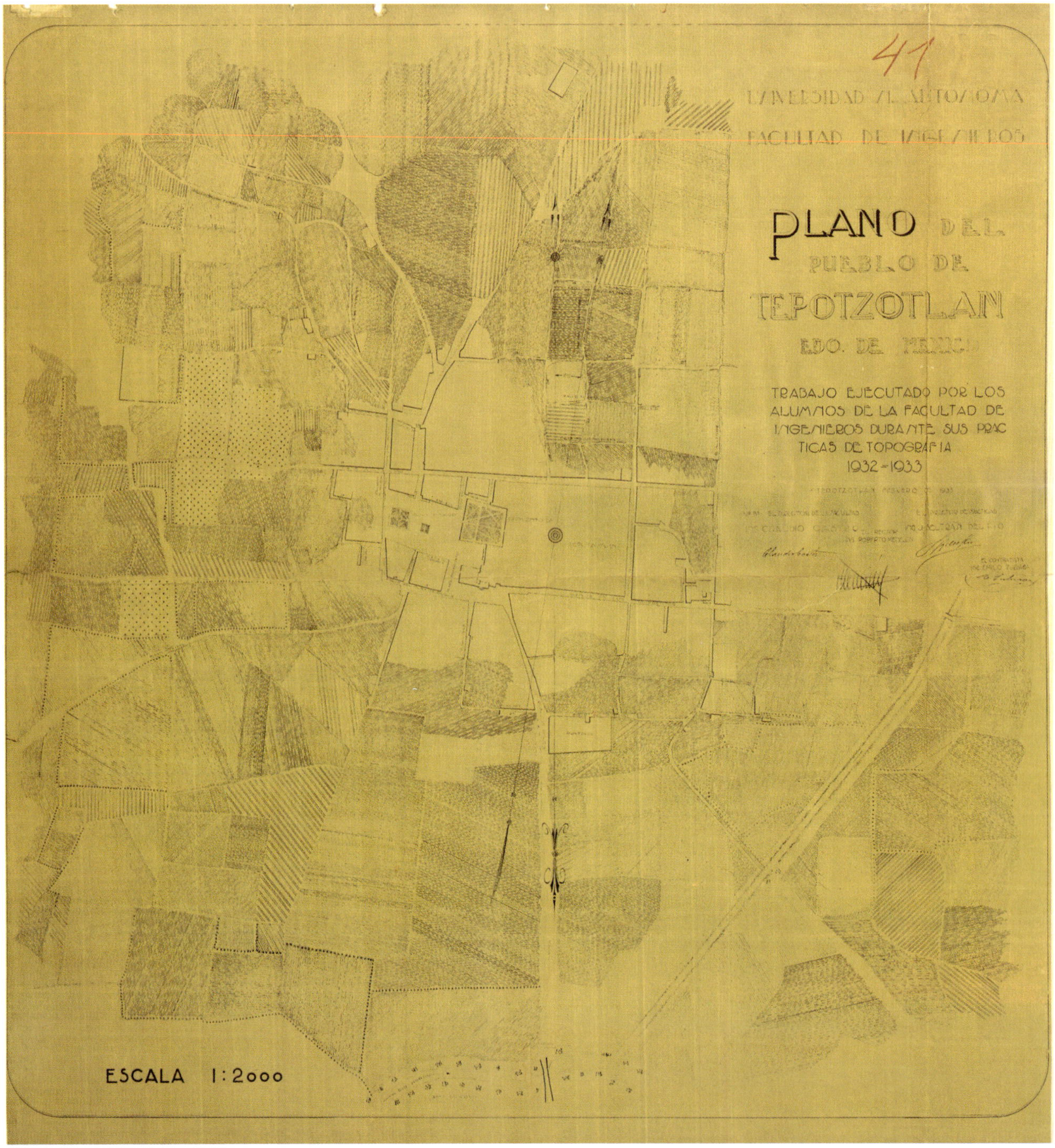

Plano del pueblo de Tepotzotlán

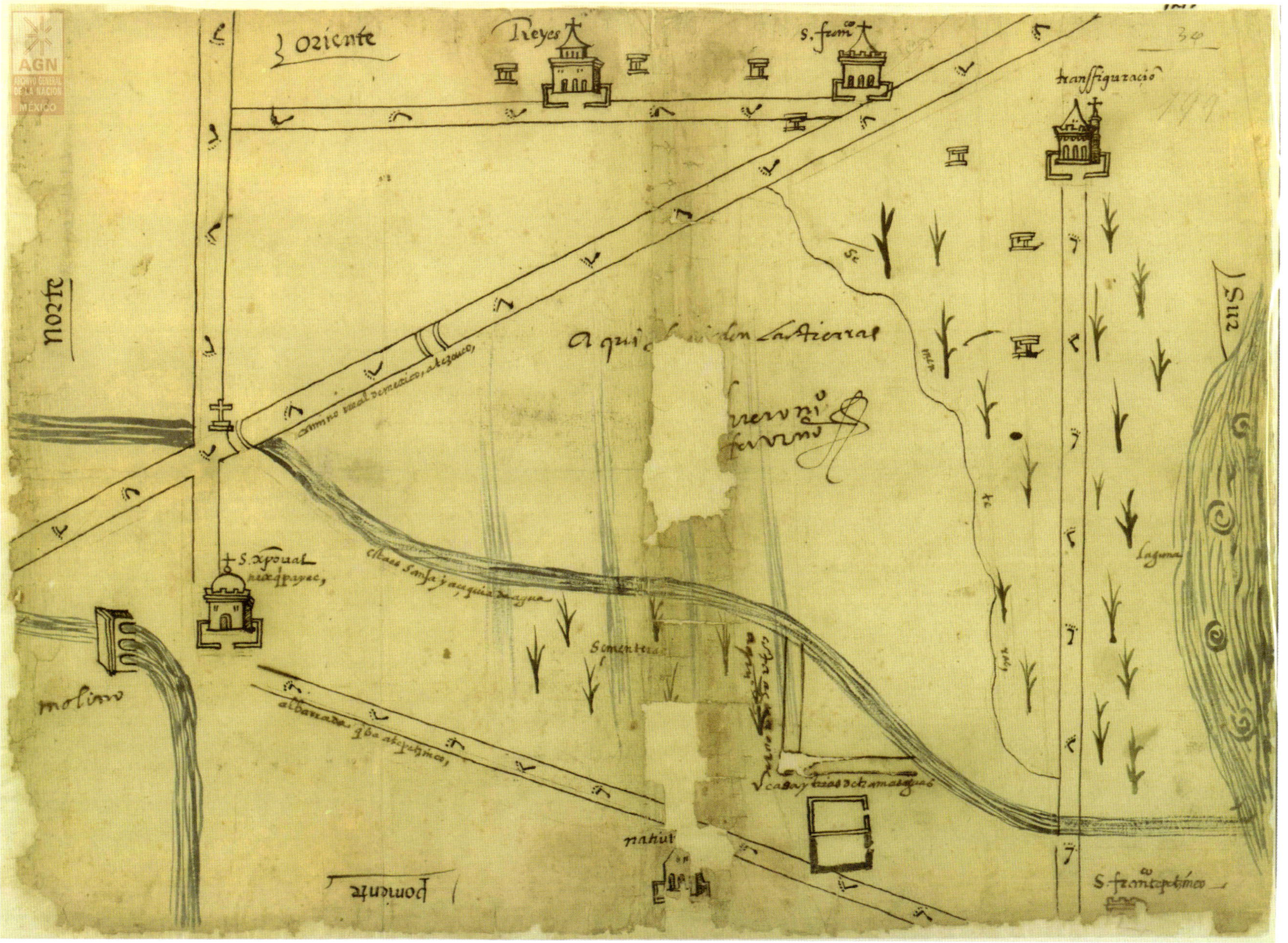

San Cristóbal, Los Reyes
y Transfiguración, Texcoco

San Martín Obispo, Teotihuacan

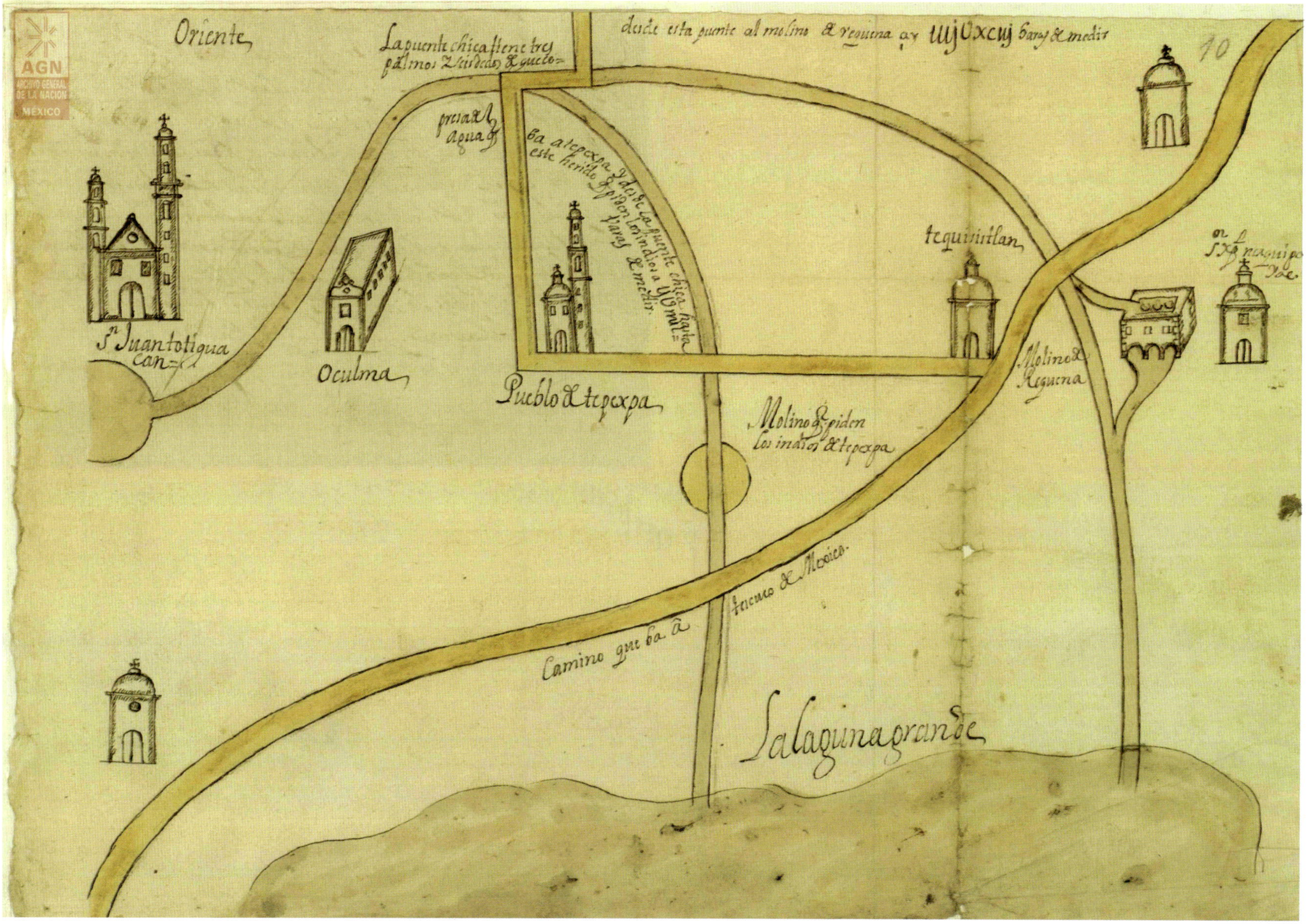

Teotihuacan y Tepexpan, Teotihuacan

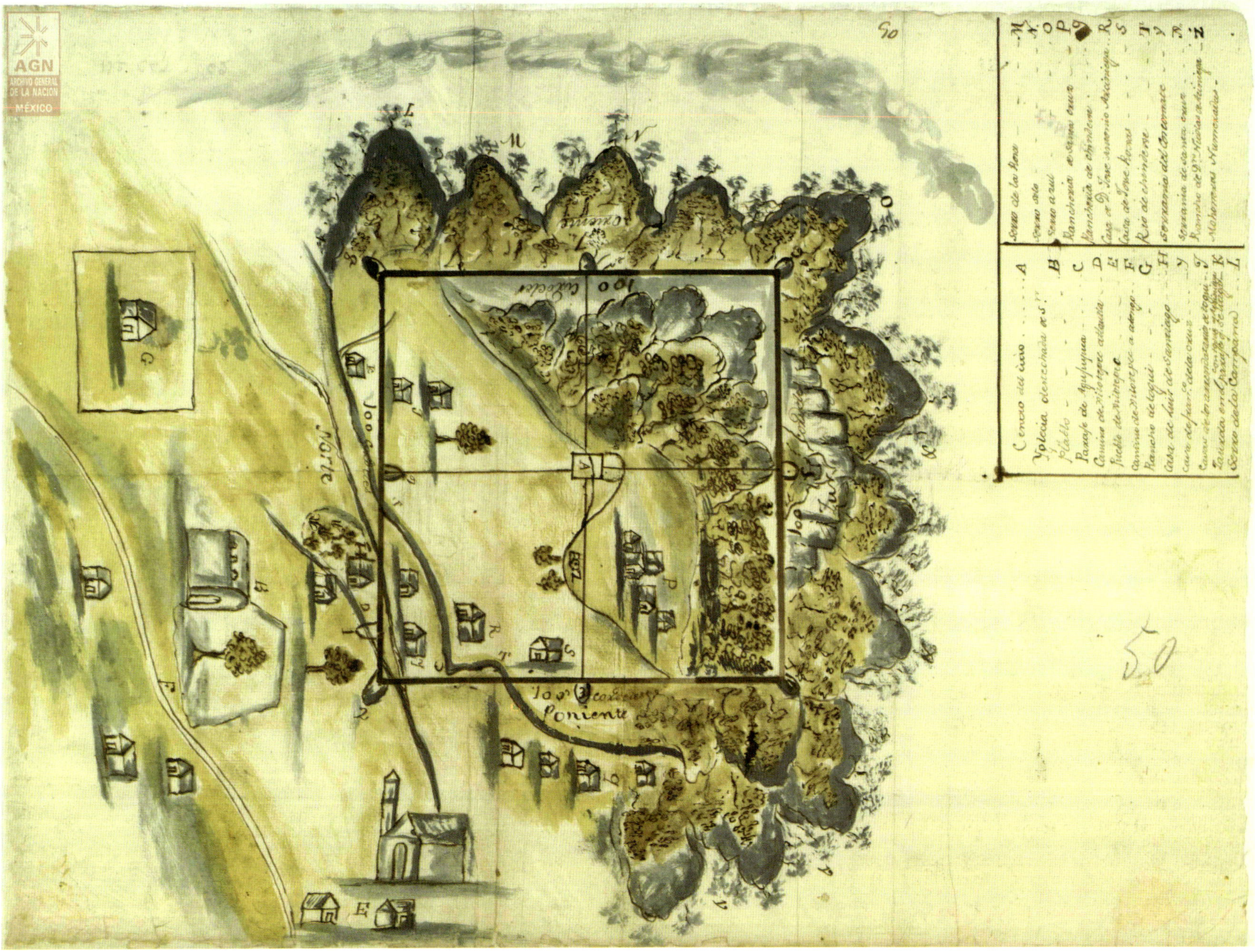

Xilotepec

San Jerónimo Amanalco, Sinacantepec

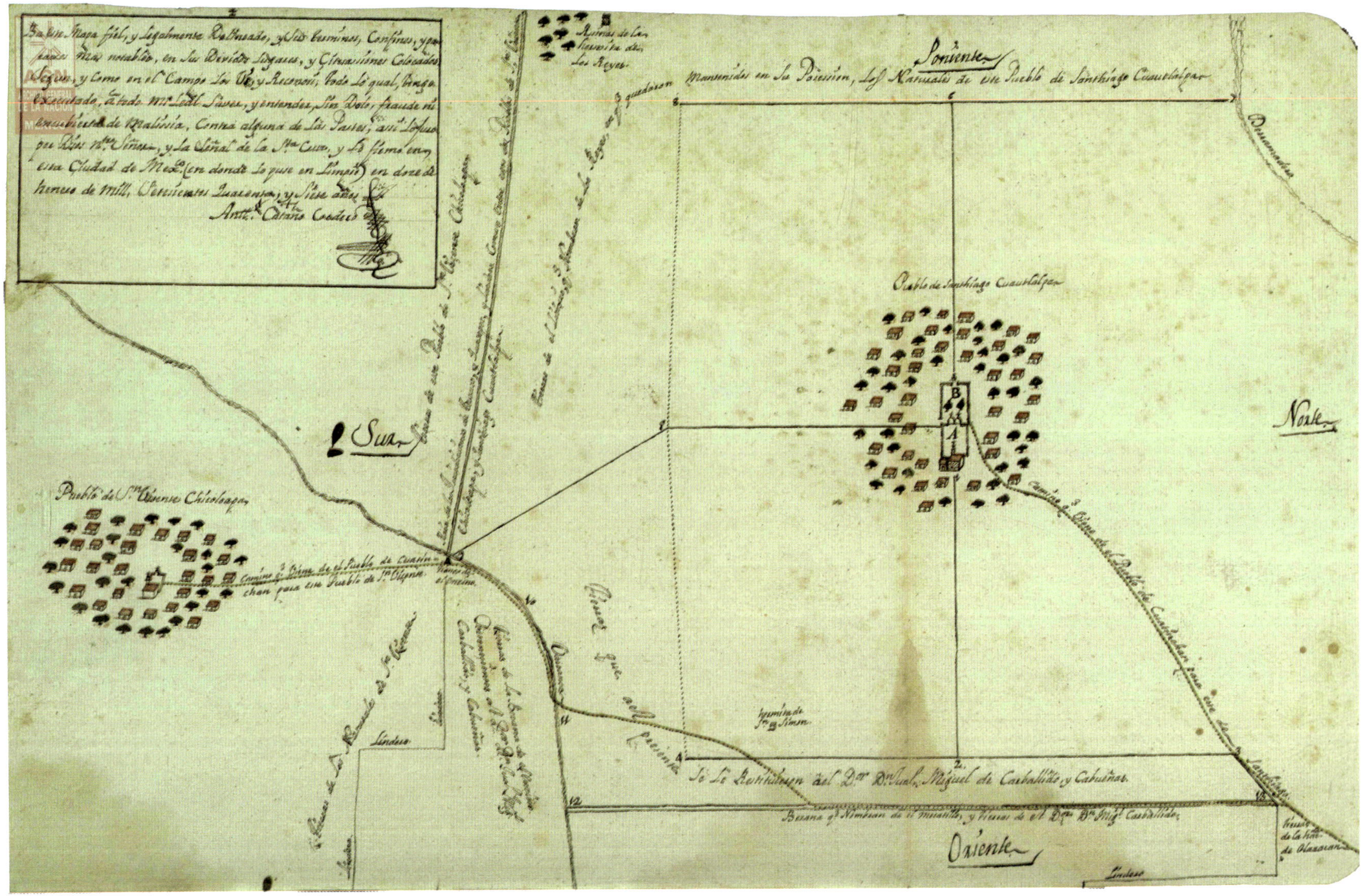

Cuatepec, Zacualpa

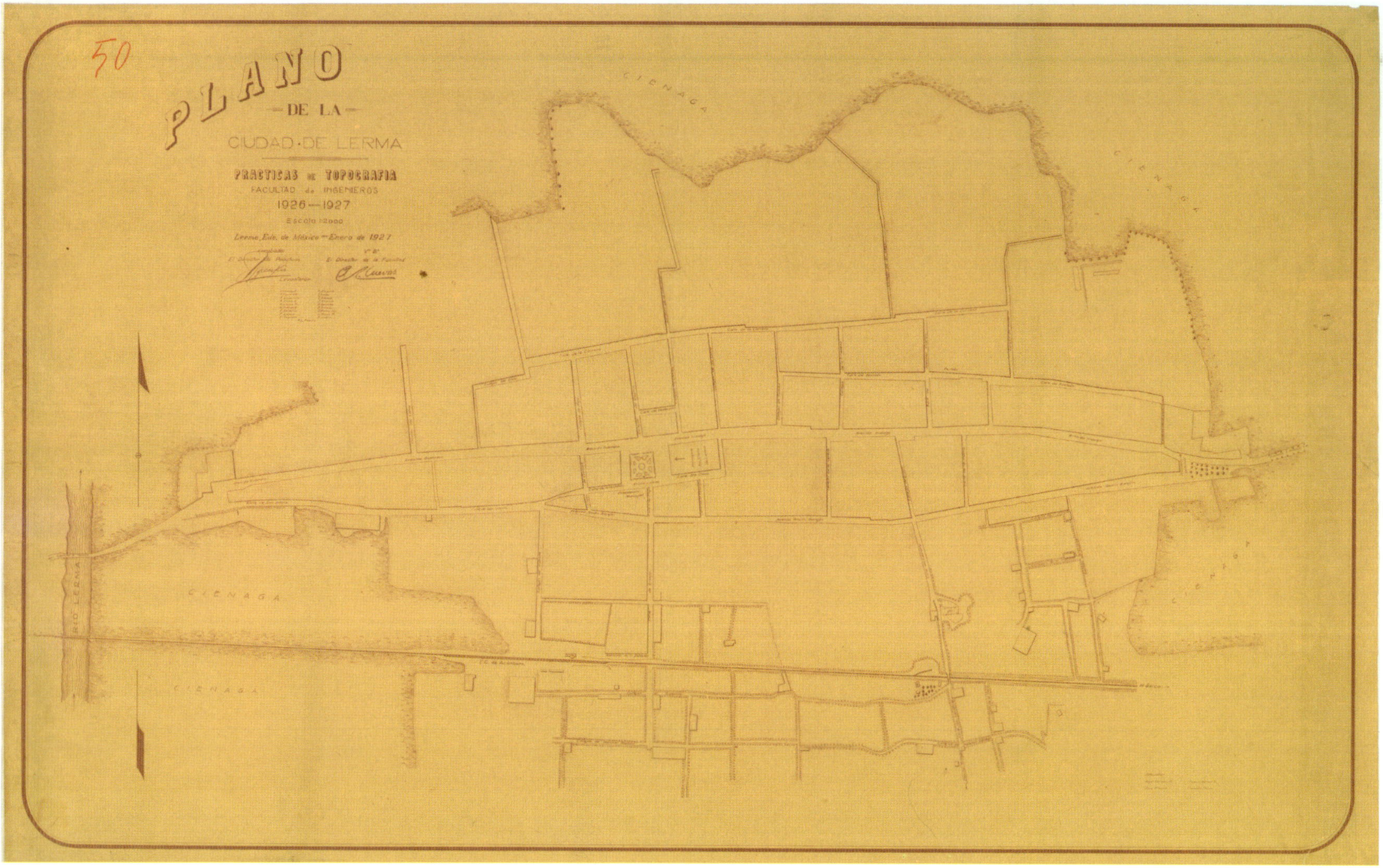

Plano de la ciudad de Lerma

Plano de Ozumba, alrededores

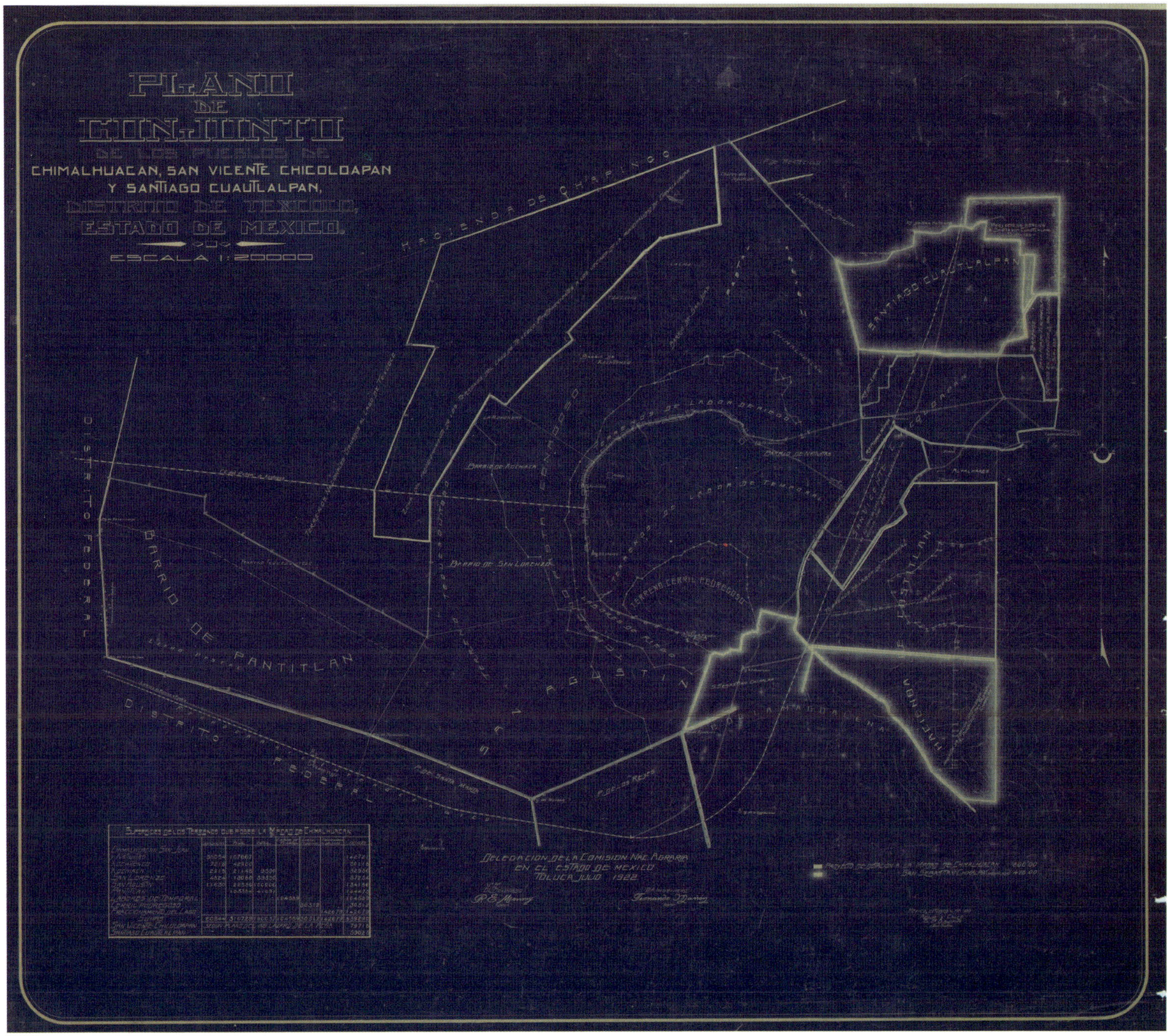

Pueblos de Chimalhuacan, San Vicente Chicoloapan y Santiago Cuautlalpan

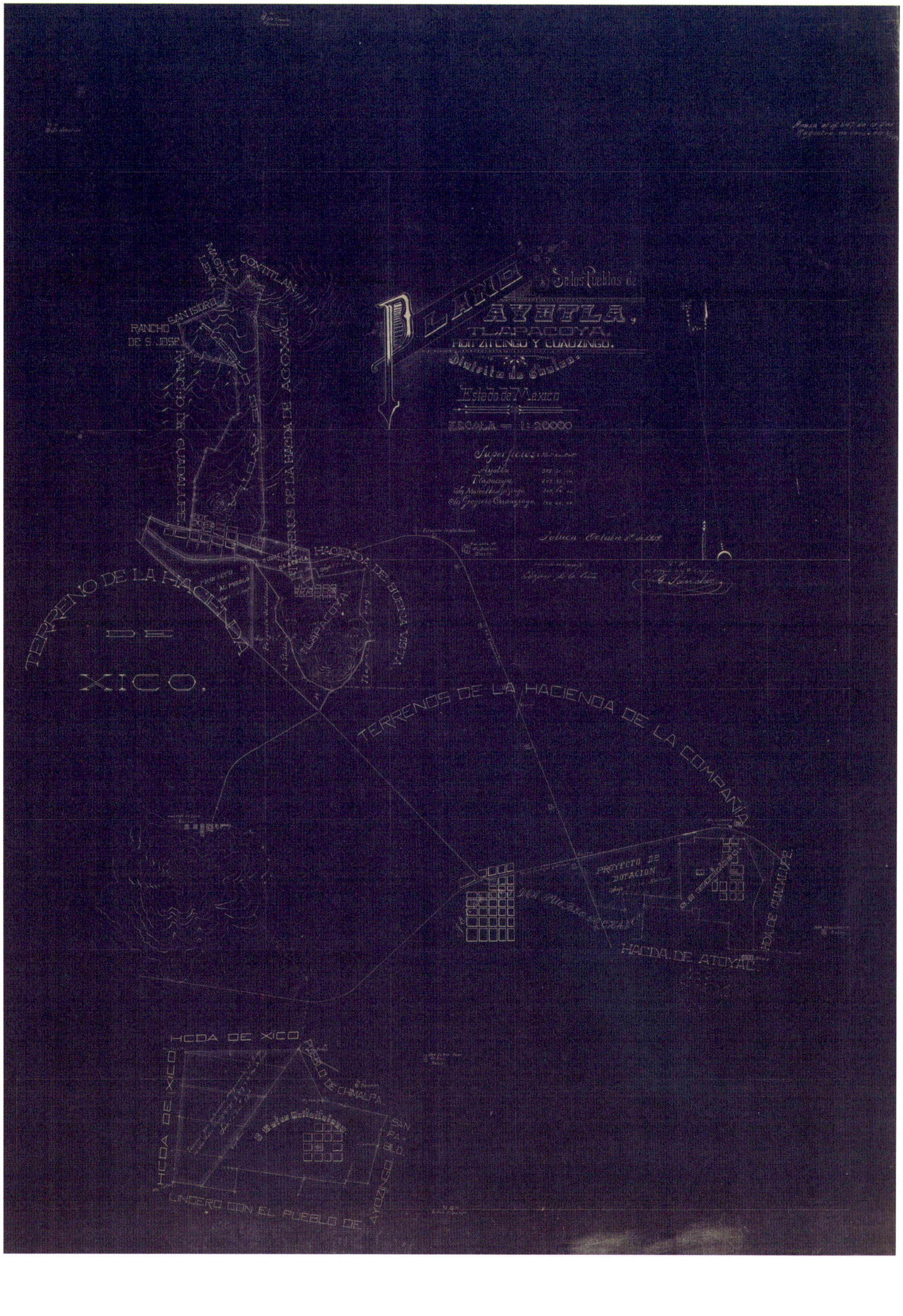

Pueblos de Ayotla, Tlapacoya,
Huitzitzingo y Cuauzingo

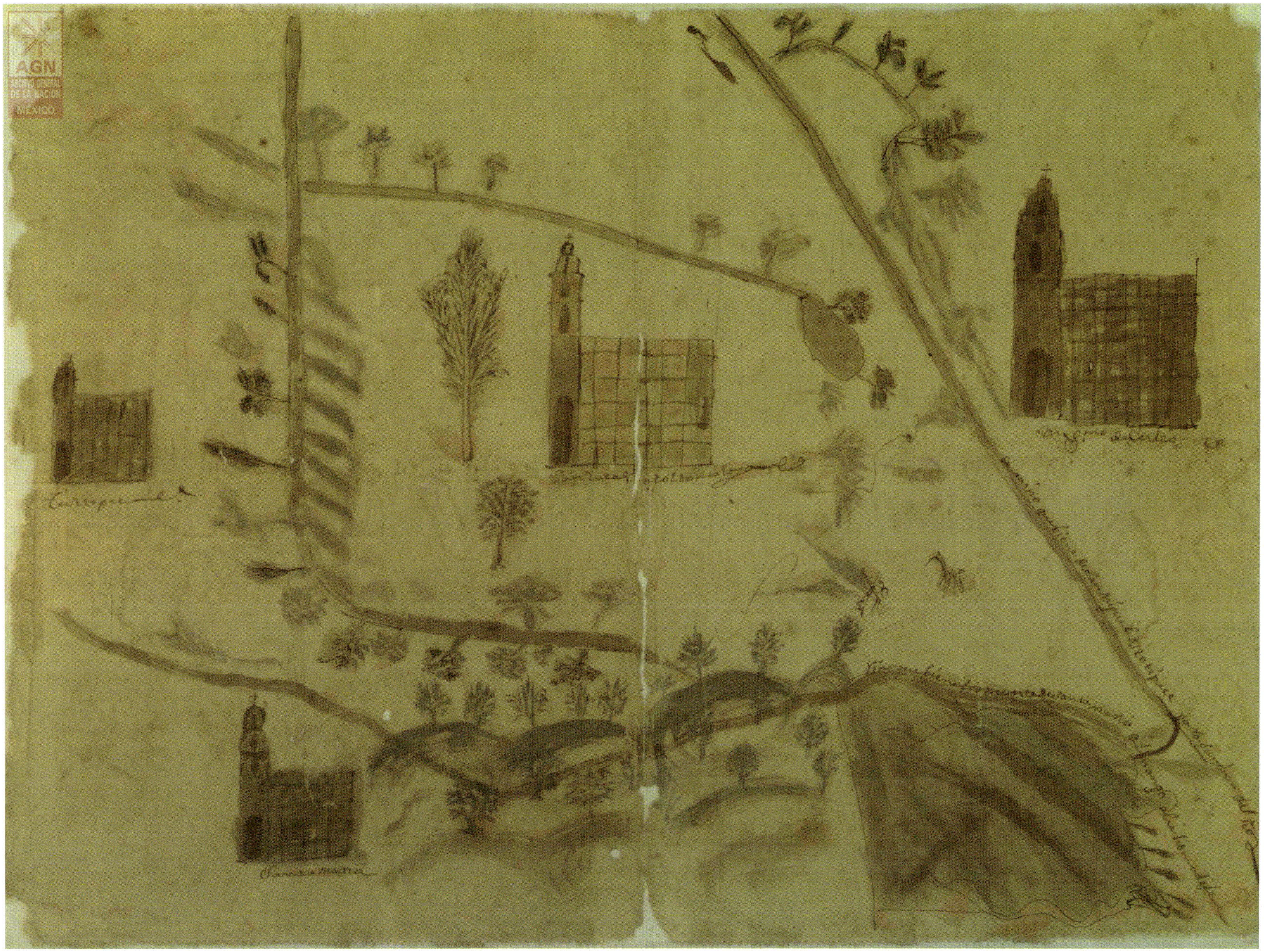

San Lucas Atoltomaloya, Tustepec
y San Gerónimo Aculco

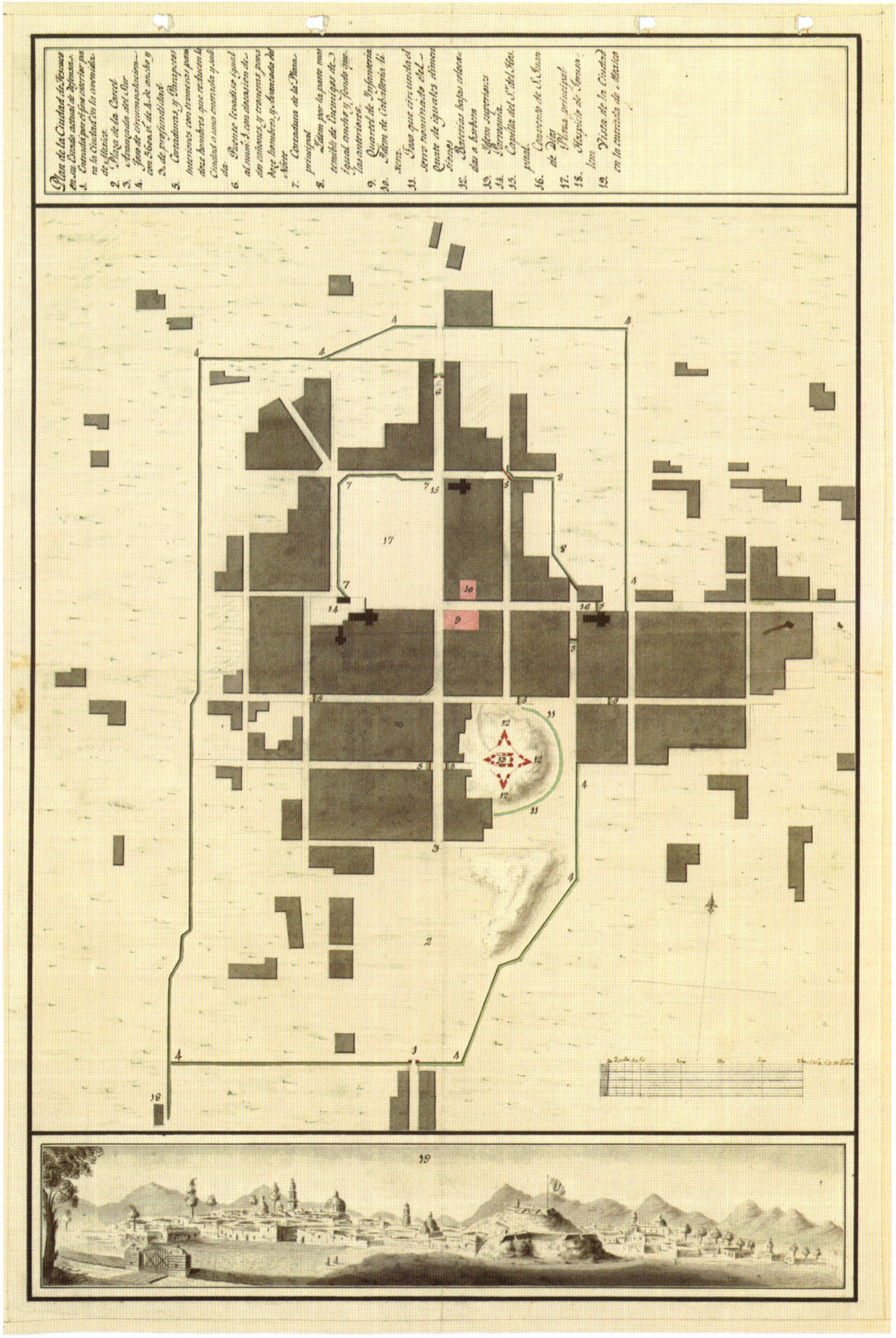

Plano de Texcoco

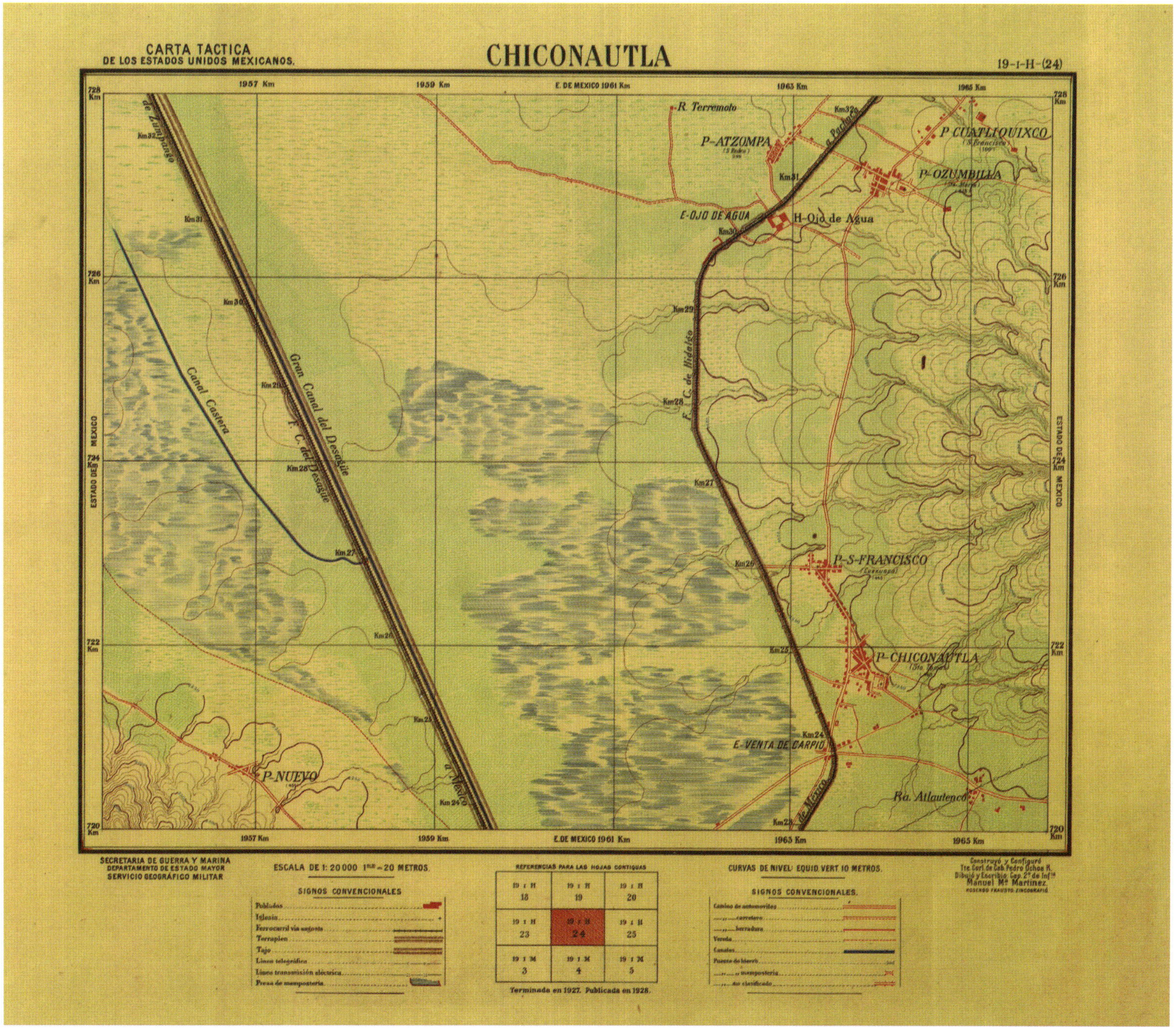

Chiconahutla

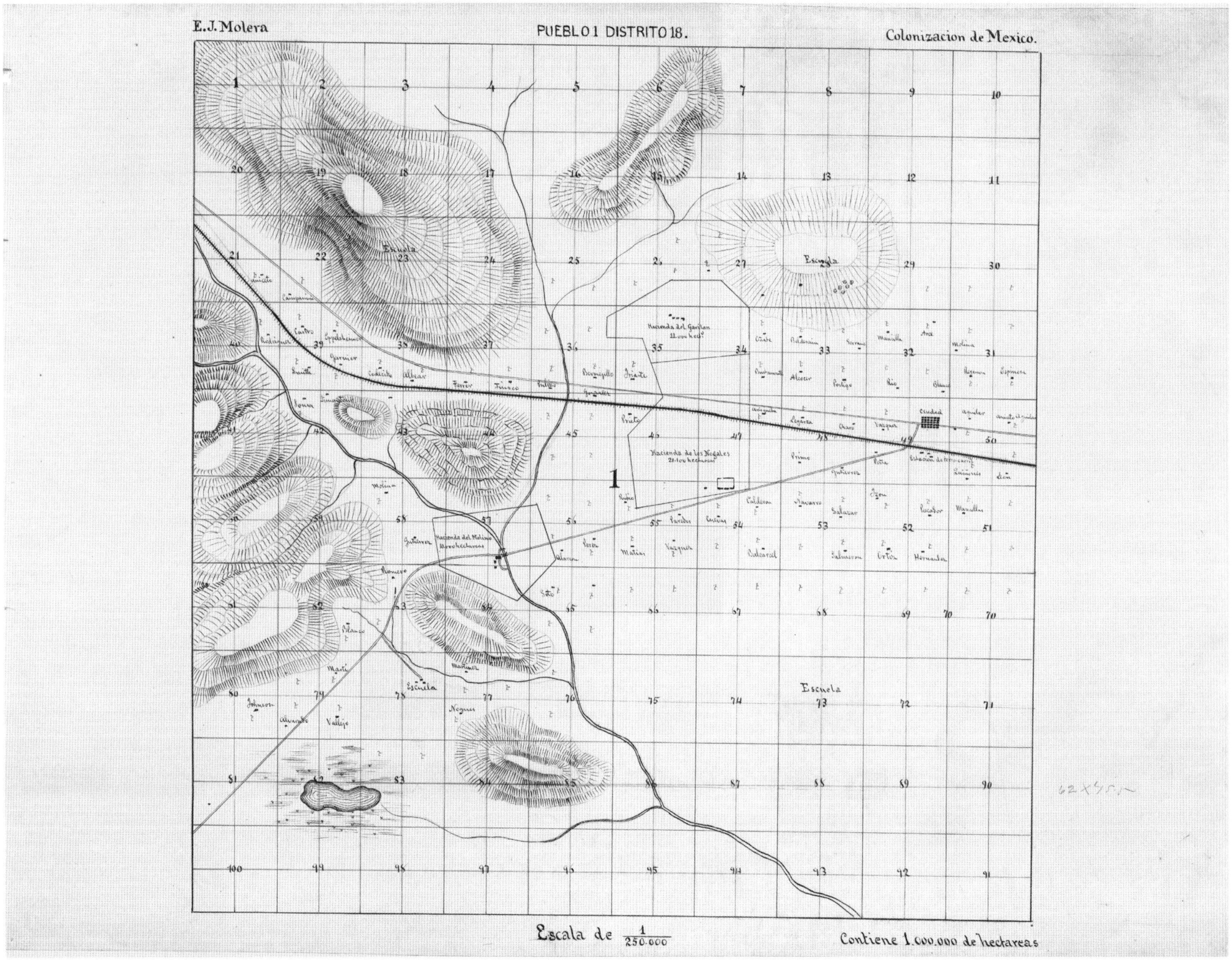

Colonización de México

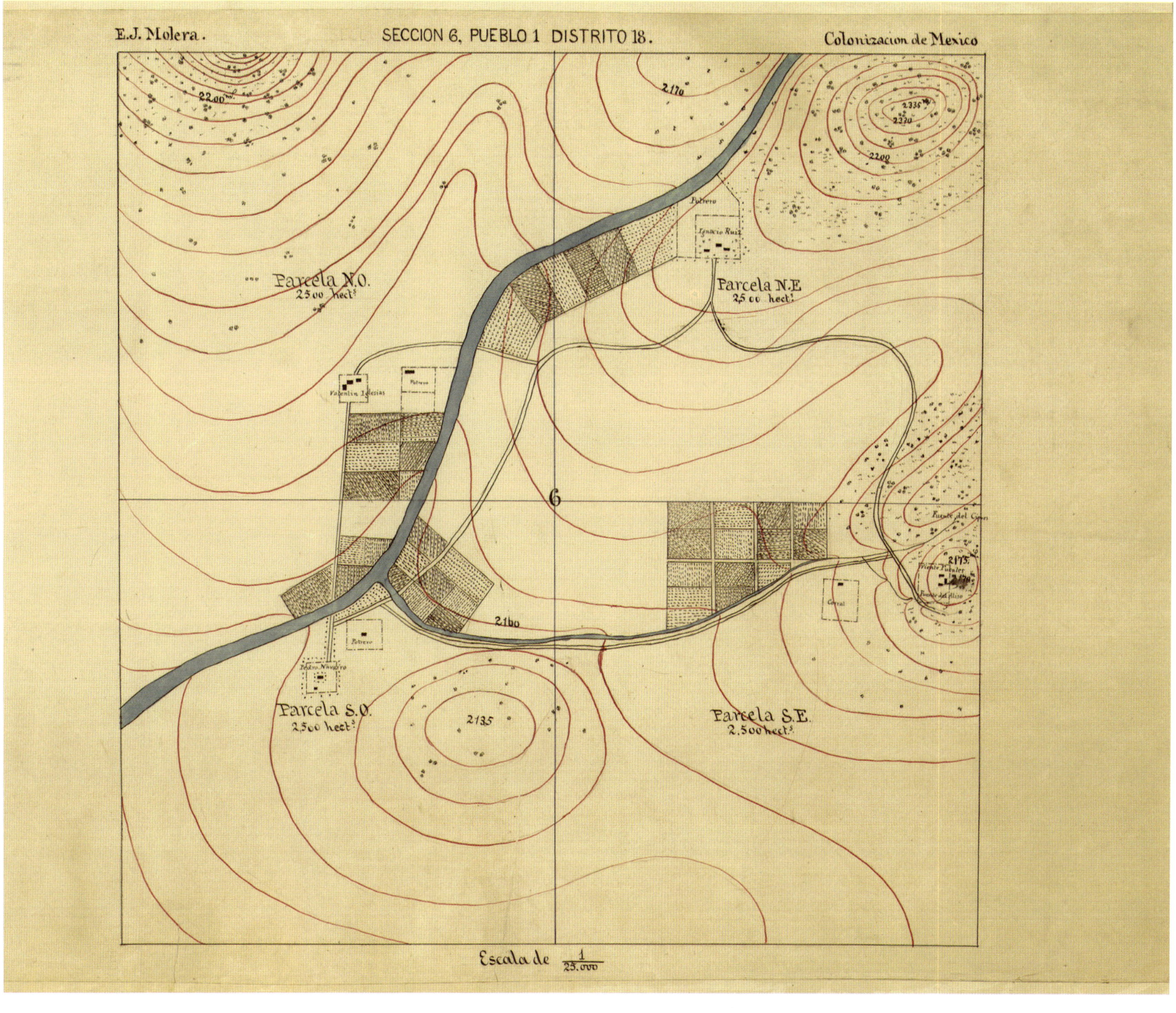

E.J. Molera.
SECCION 6, PUEBLO 1 DISTRITO 18.
Colonizacion de Mexico
2170
2200
Potrero
Ignacio Ruiz
Parcela N.O.
2500 hect.s
Parcela N.E
2500 hect.s
Valentin Iglesias
Potrero
6
Fuente del Cipres
2175.
Fuente del Aliso
Corral
2160
Potrero
Pedro Navarro
Parcela S.O.
2500 hect.s
2135
Parcela S.E.
2,500 hect.s
Escala de 1/25.000

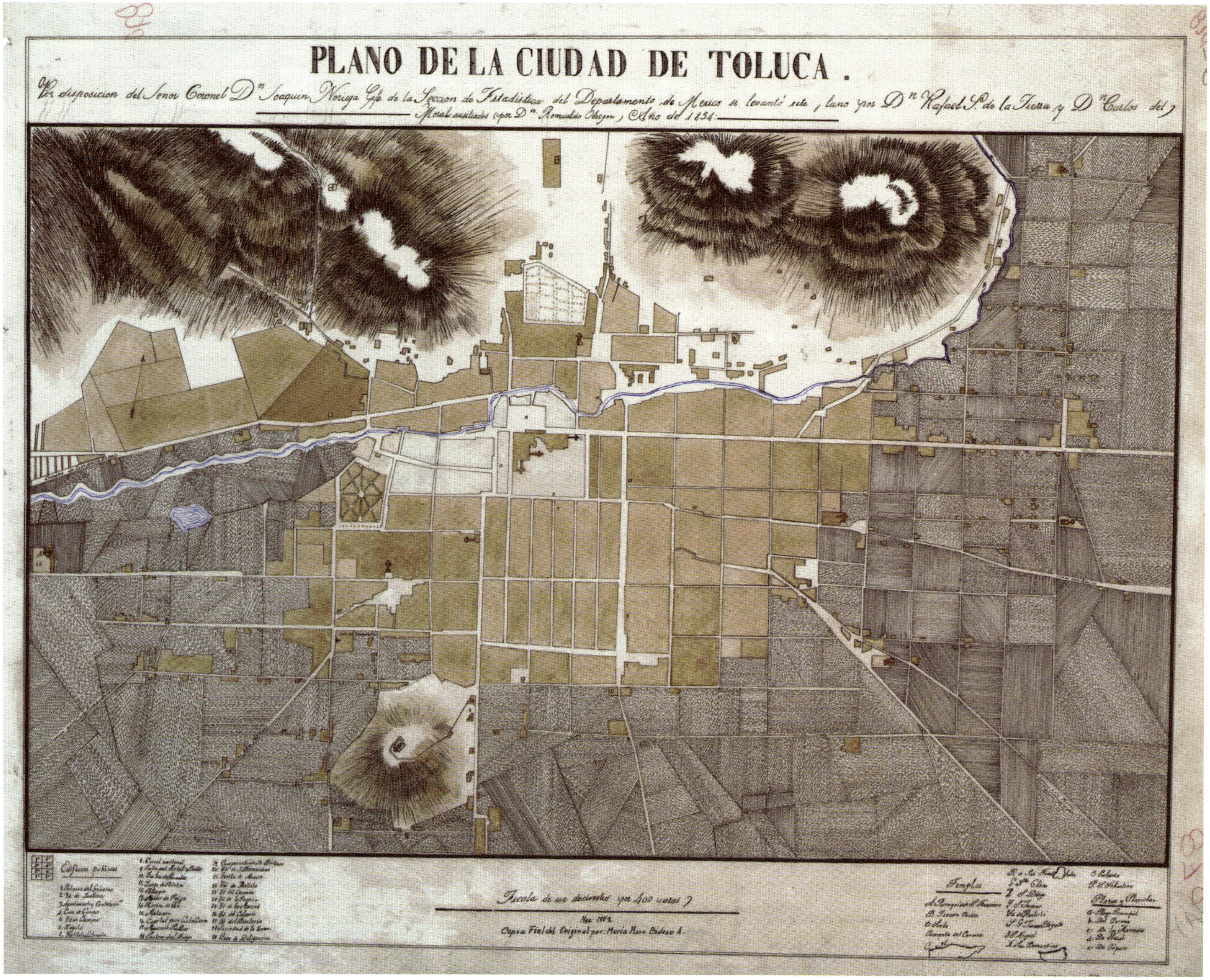

Plano de la ciudad de Toluca, 1954

Proyecto del Departamento
de Toluca

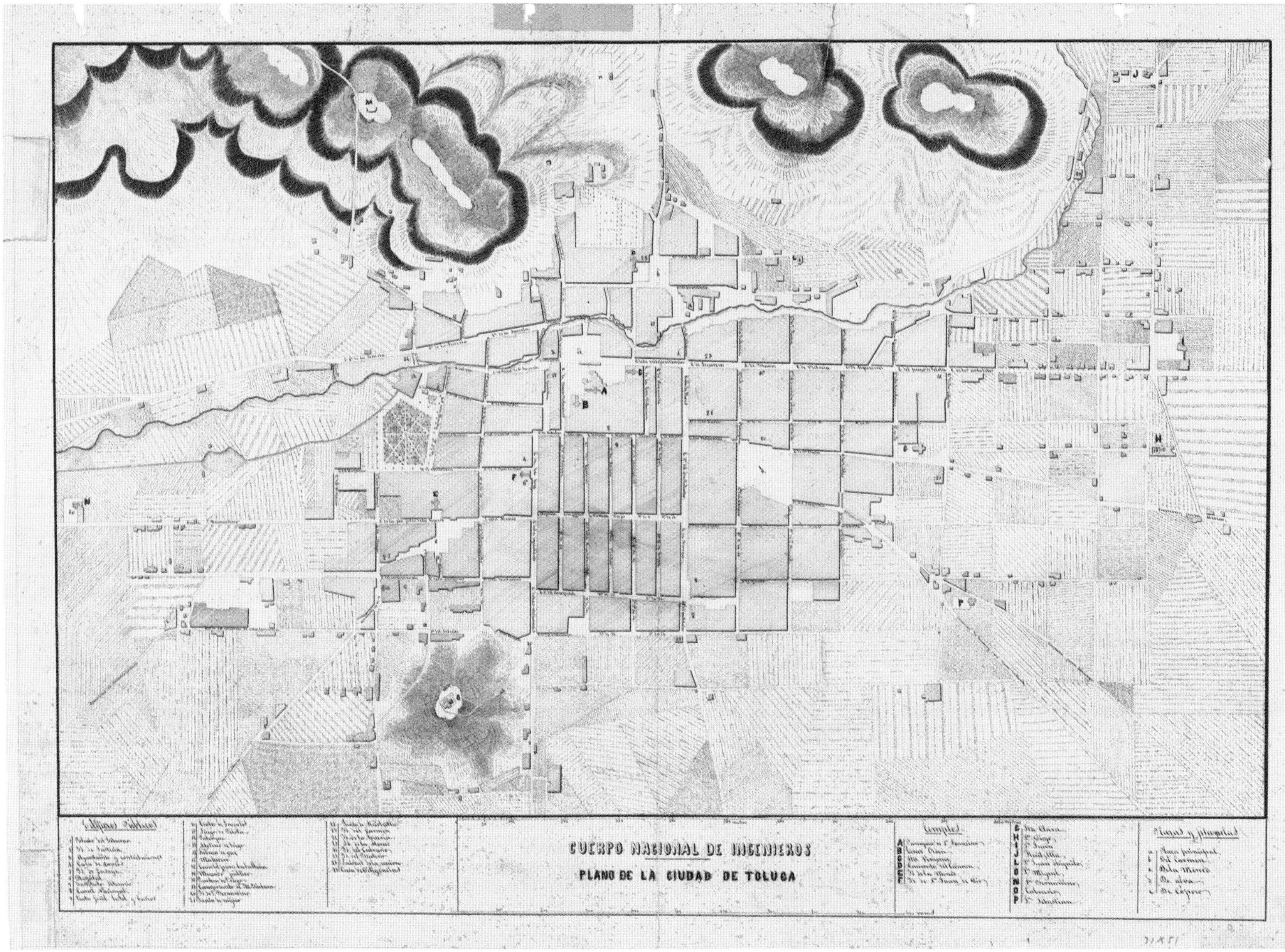

Plano de la ciudad de Toluca

Plano de la ciudad de Toluca, 1883

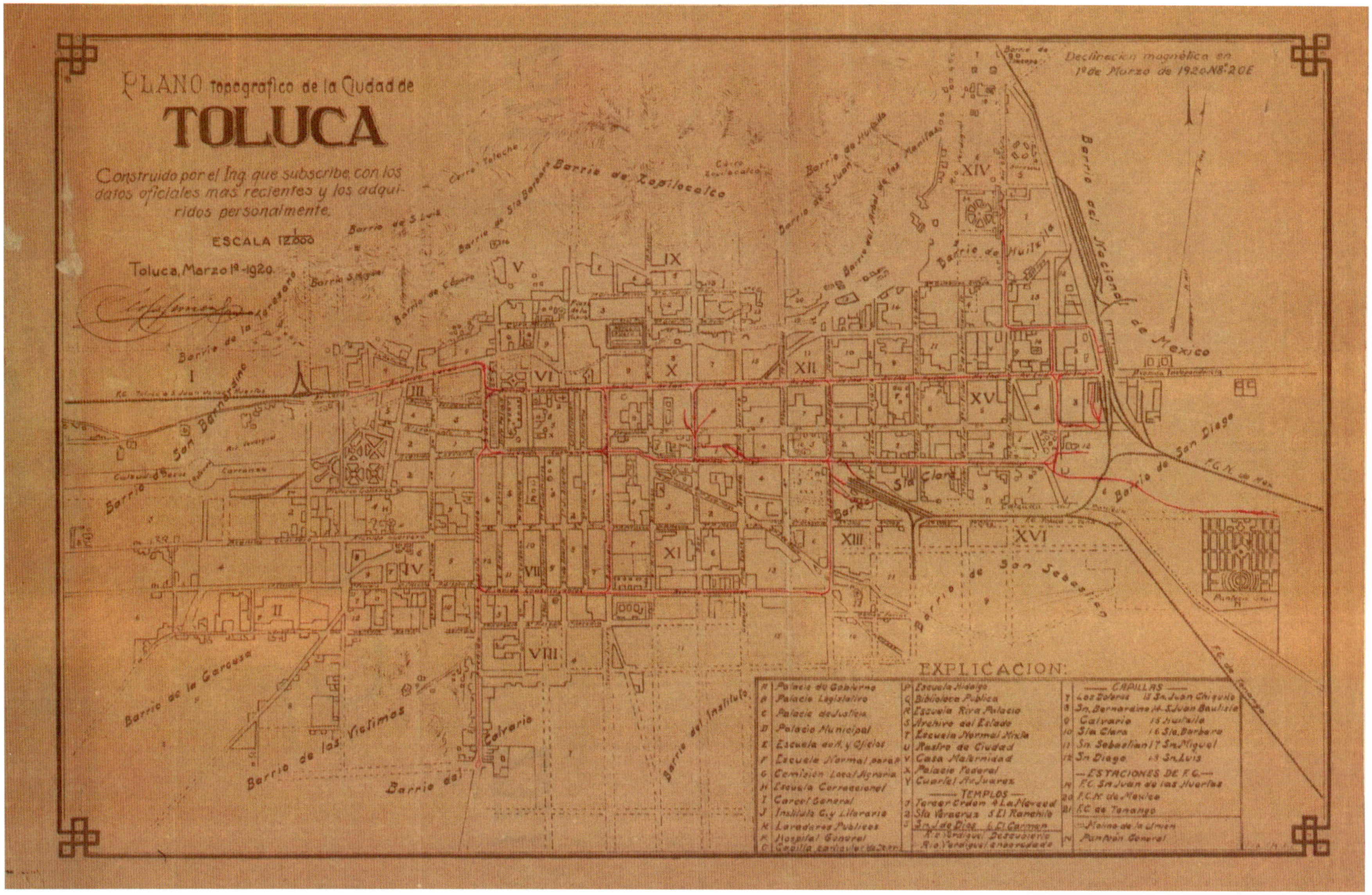

Plano de la ciudad de Toluca, 1920

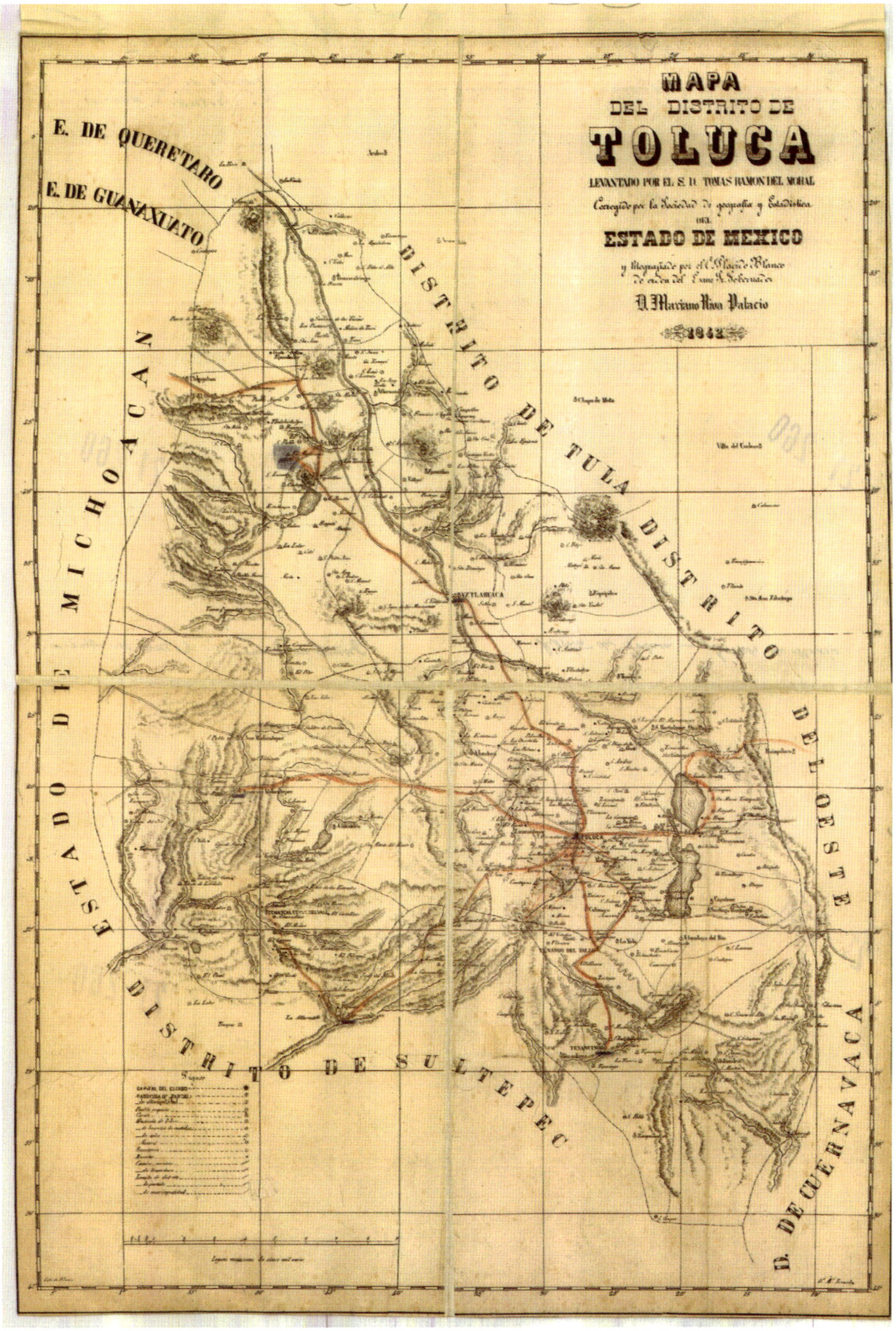

Mapa del distrito de Toluca

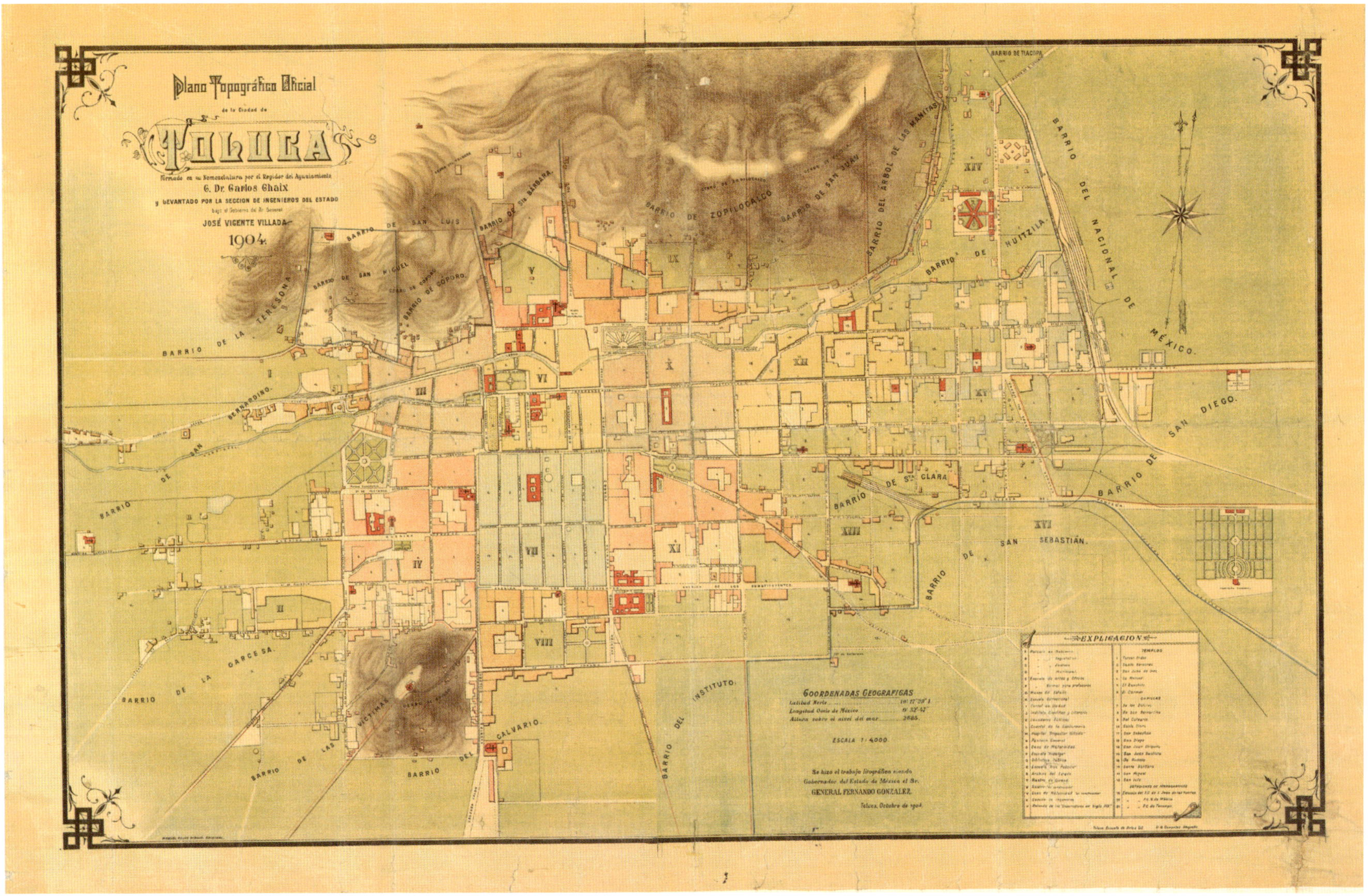

Plano de la ciudad de Toluca, 1904

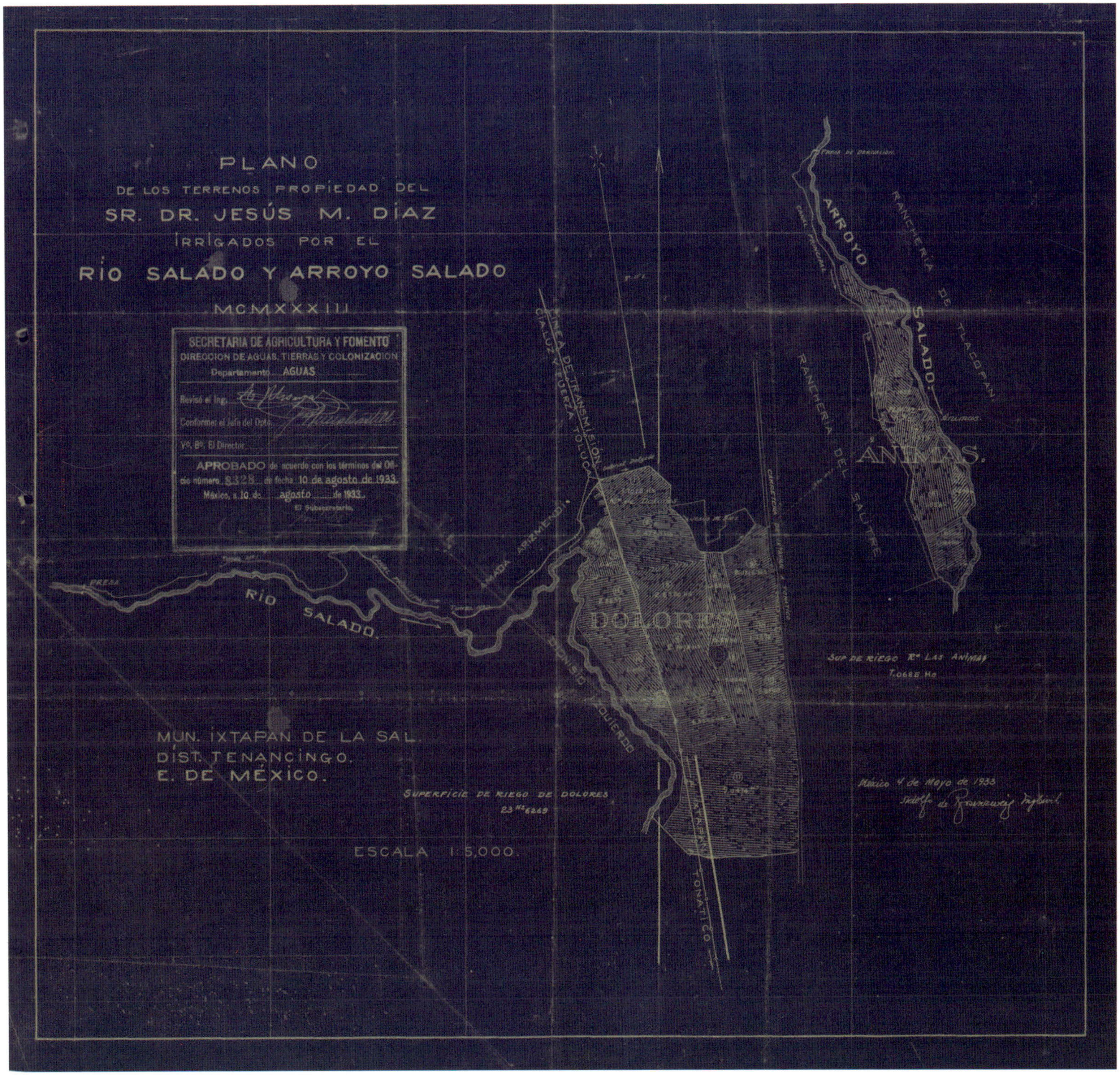

Terrenos de Jesús M. Díaz, 1923

Plano de la hacienda El Jazmín

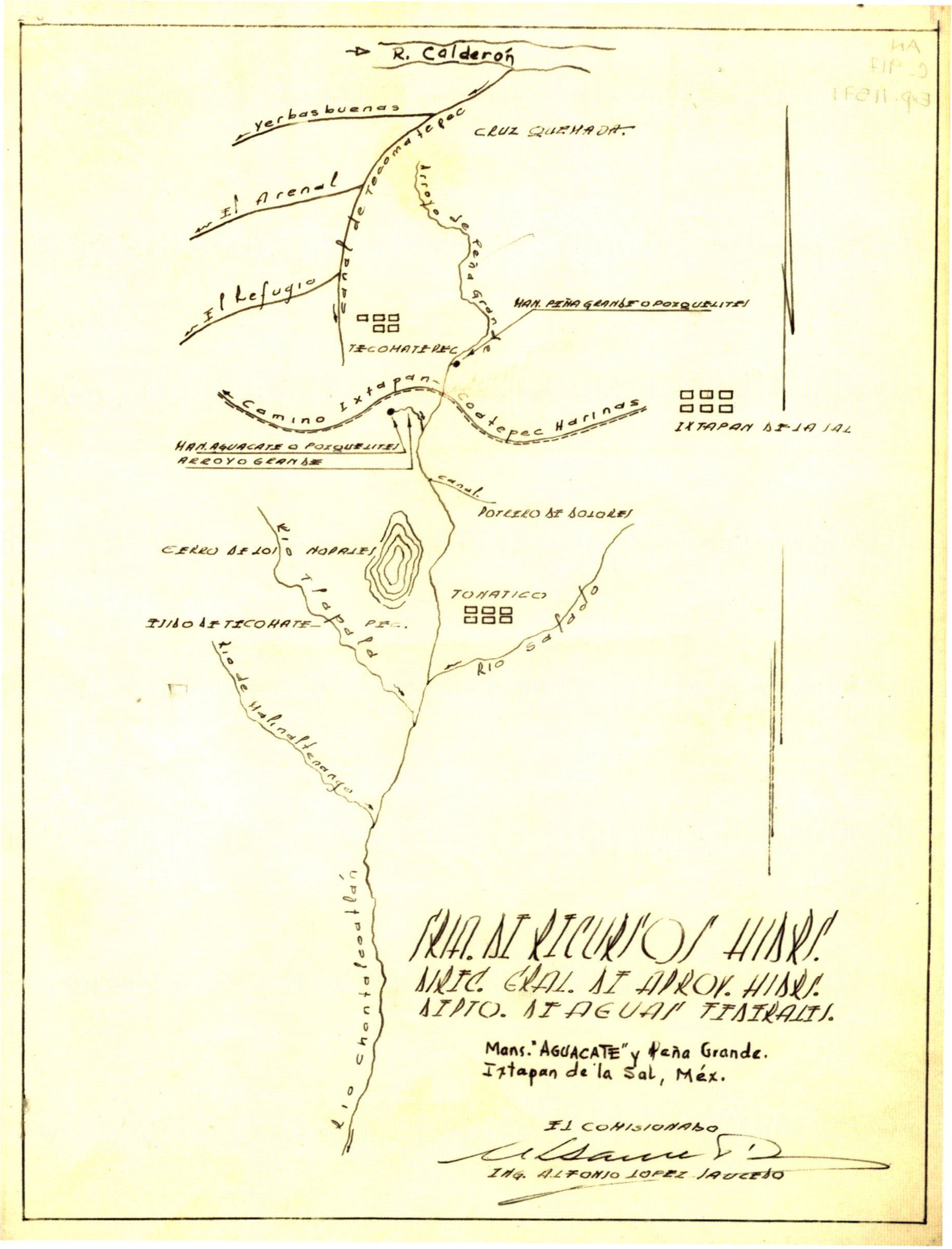

Río Chontalcotlán

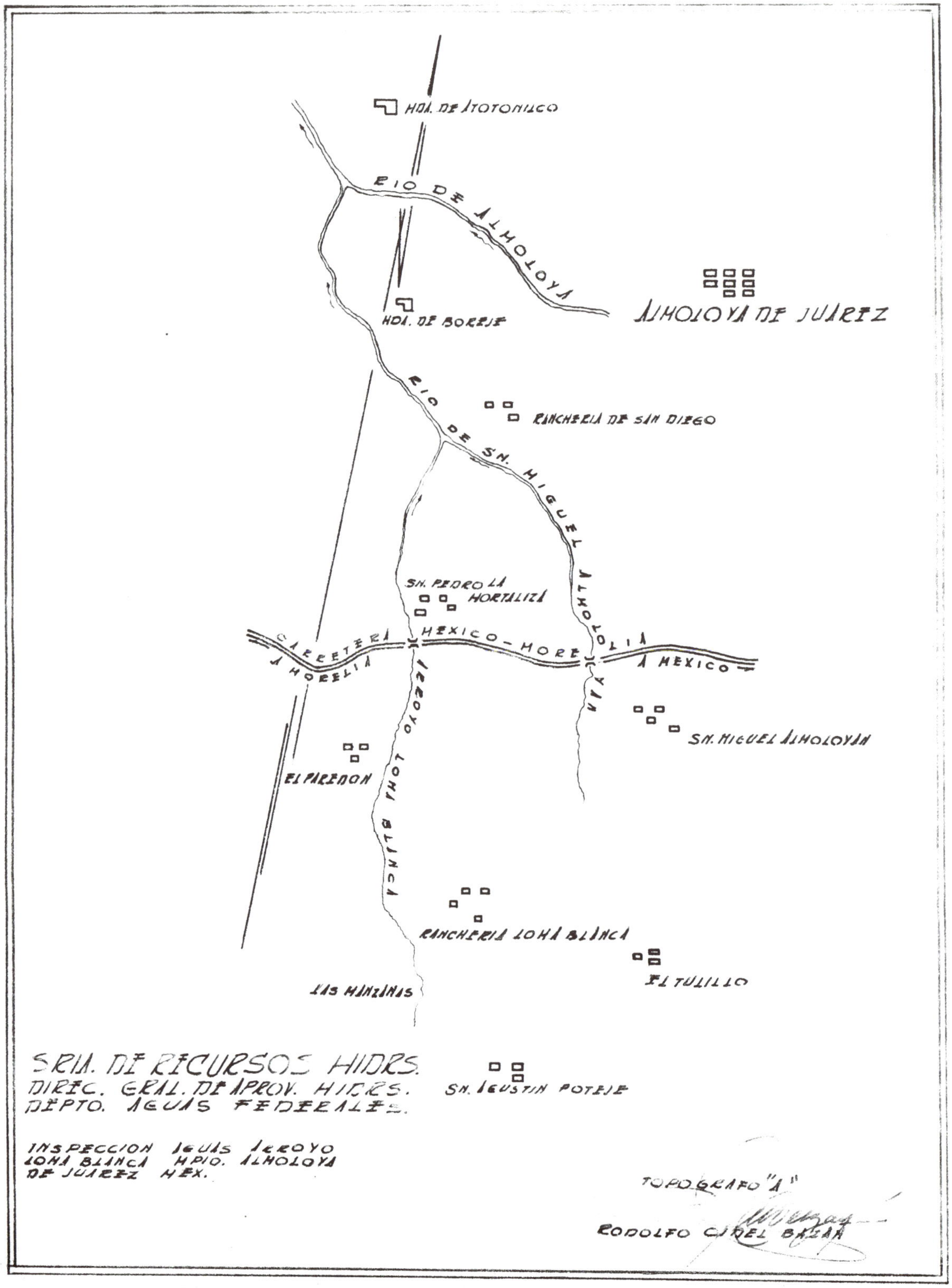

Río de Almoloya

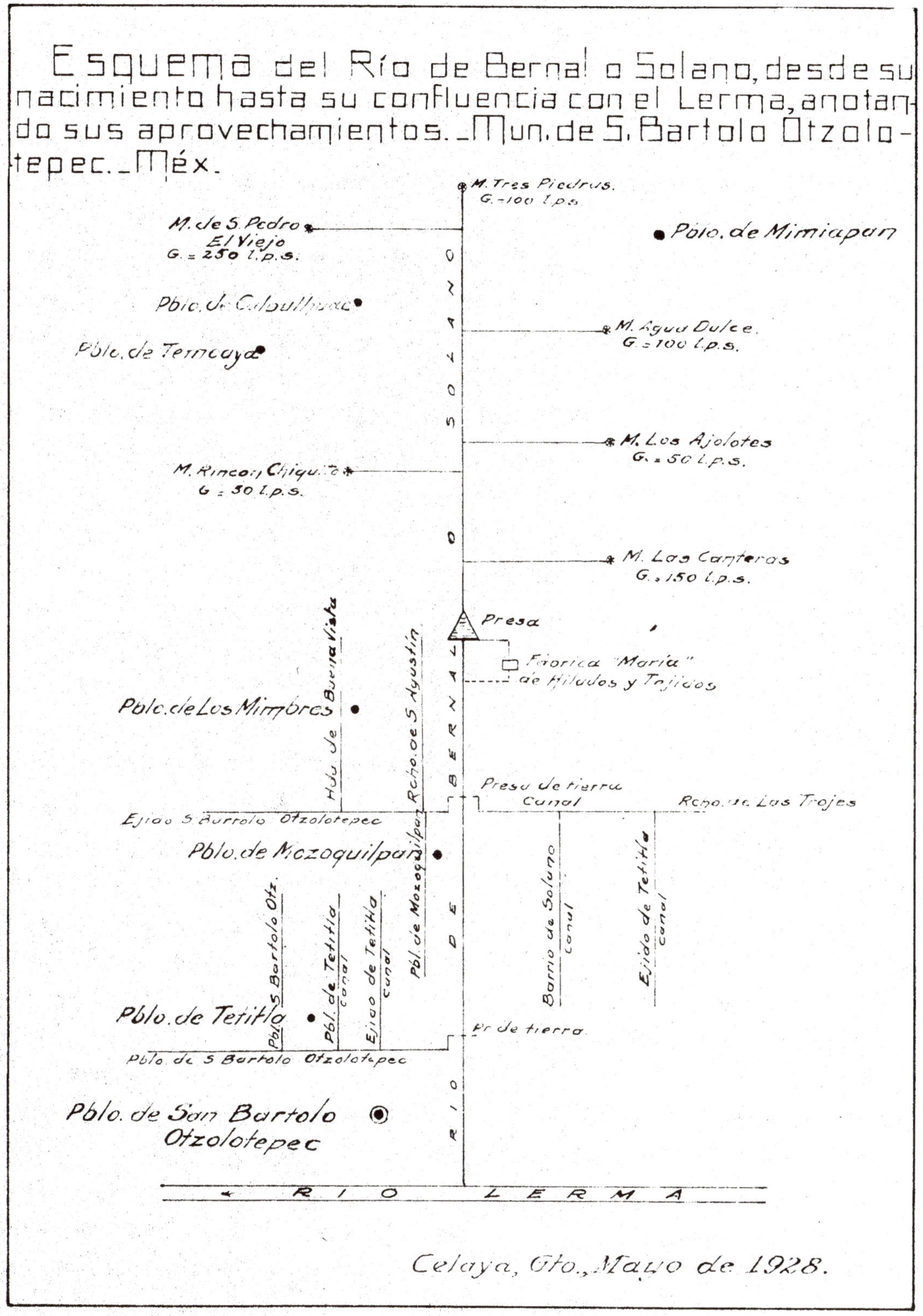

Esquema del río Solano, 1929

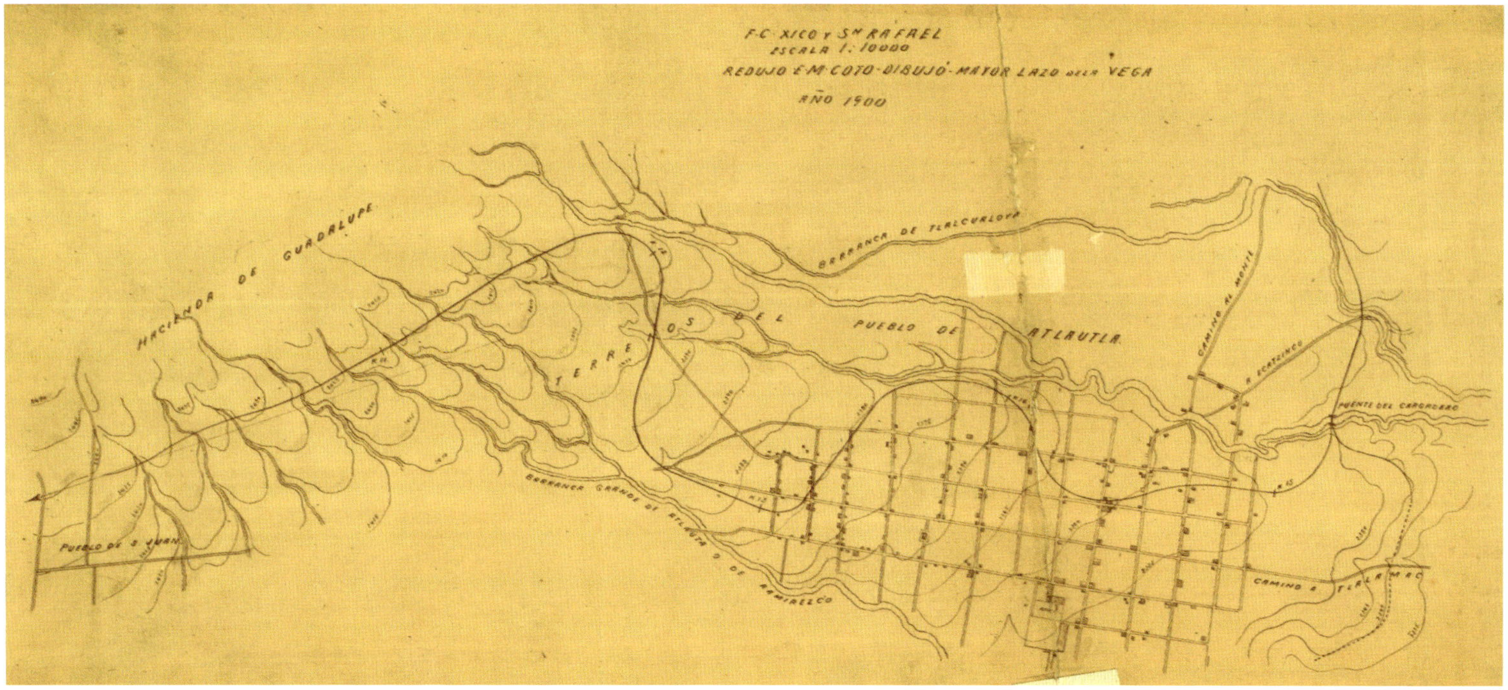

Ferrocarril Xico San Rafael

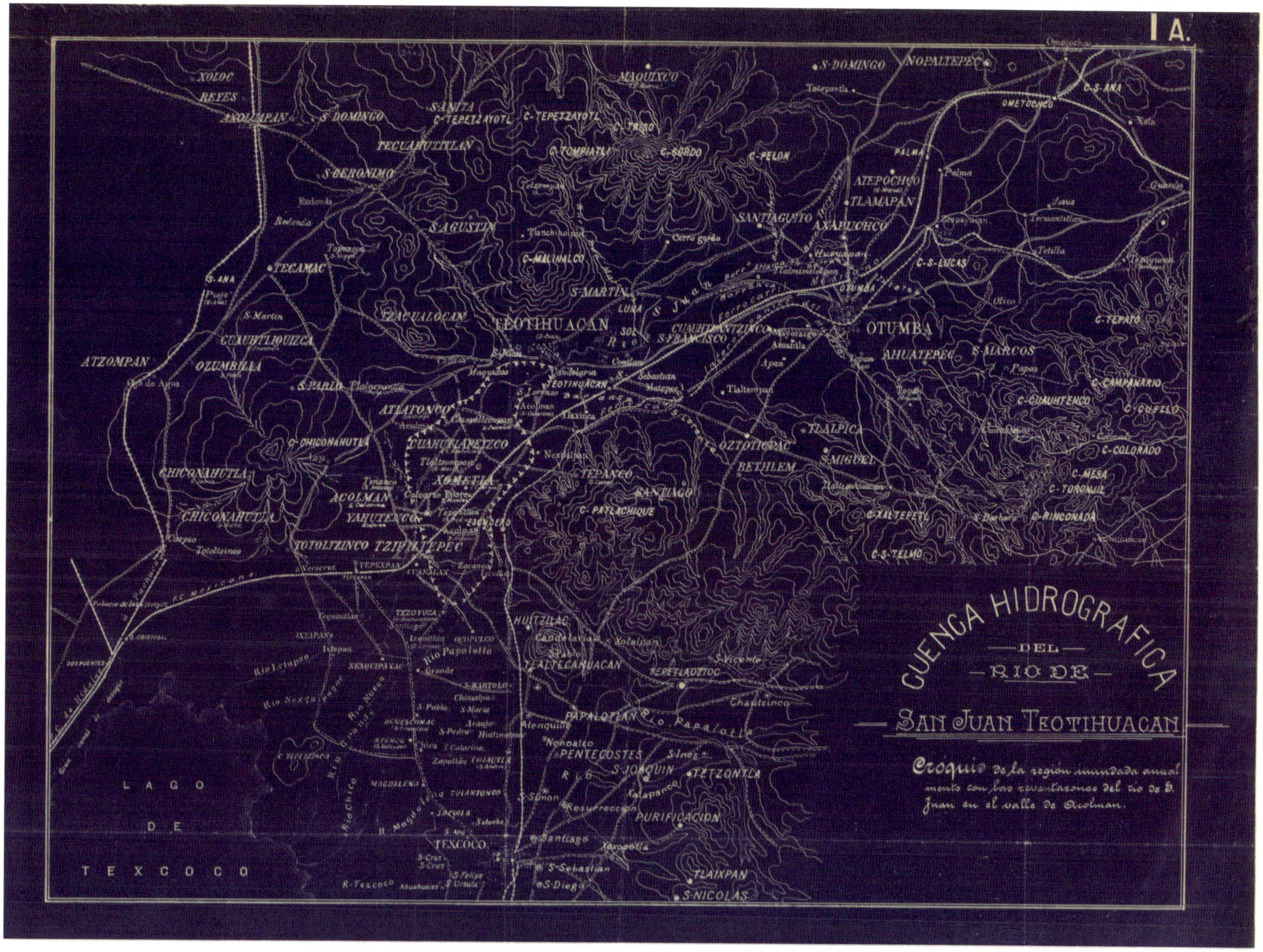

Cuenca hidrográfica del río
San Juan Teotihuacan

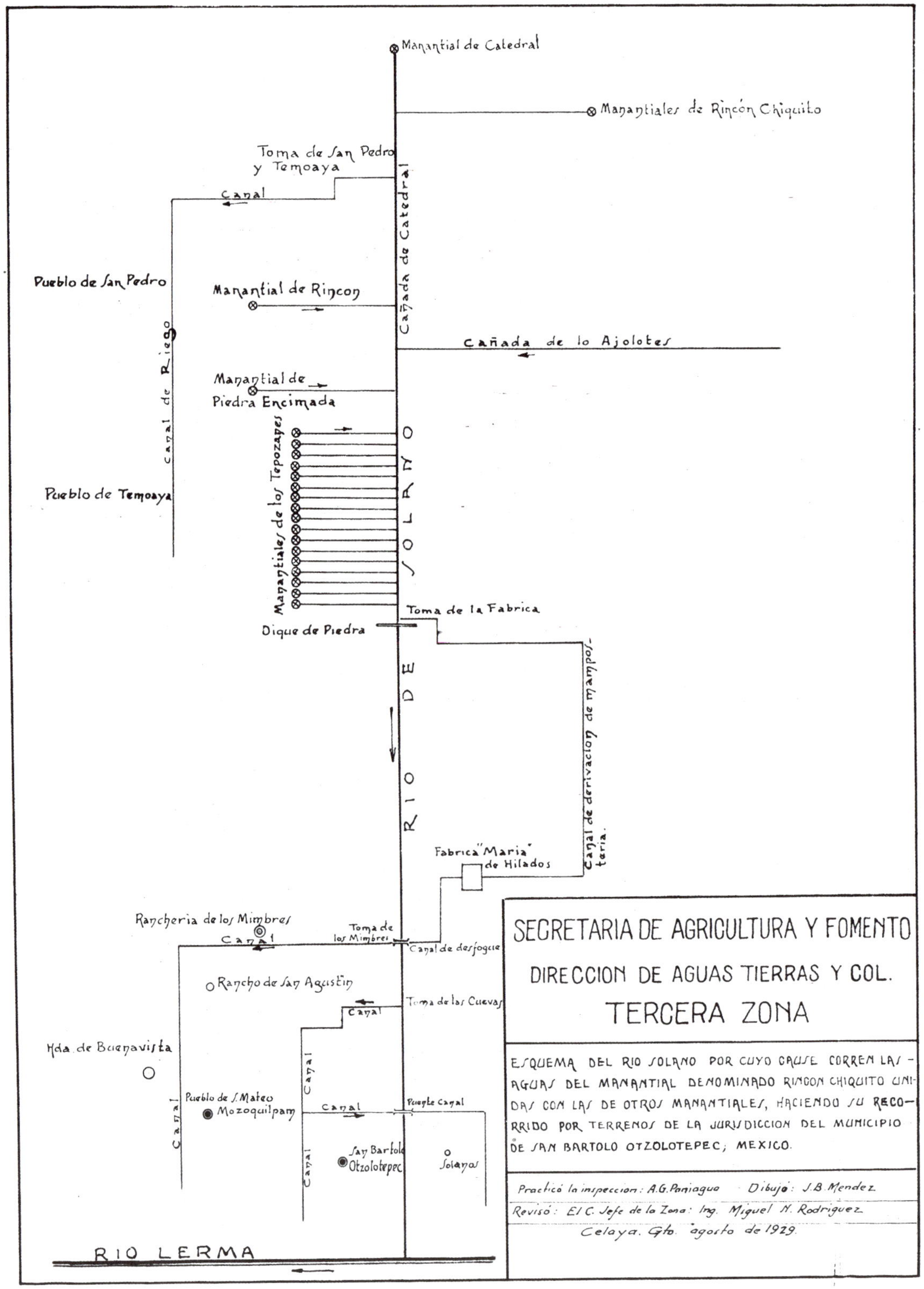

Esquema del río Solano

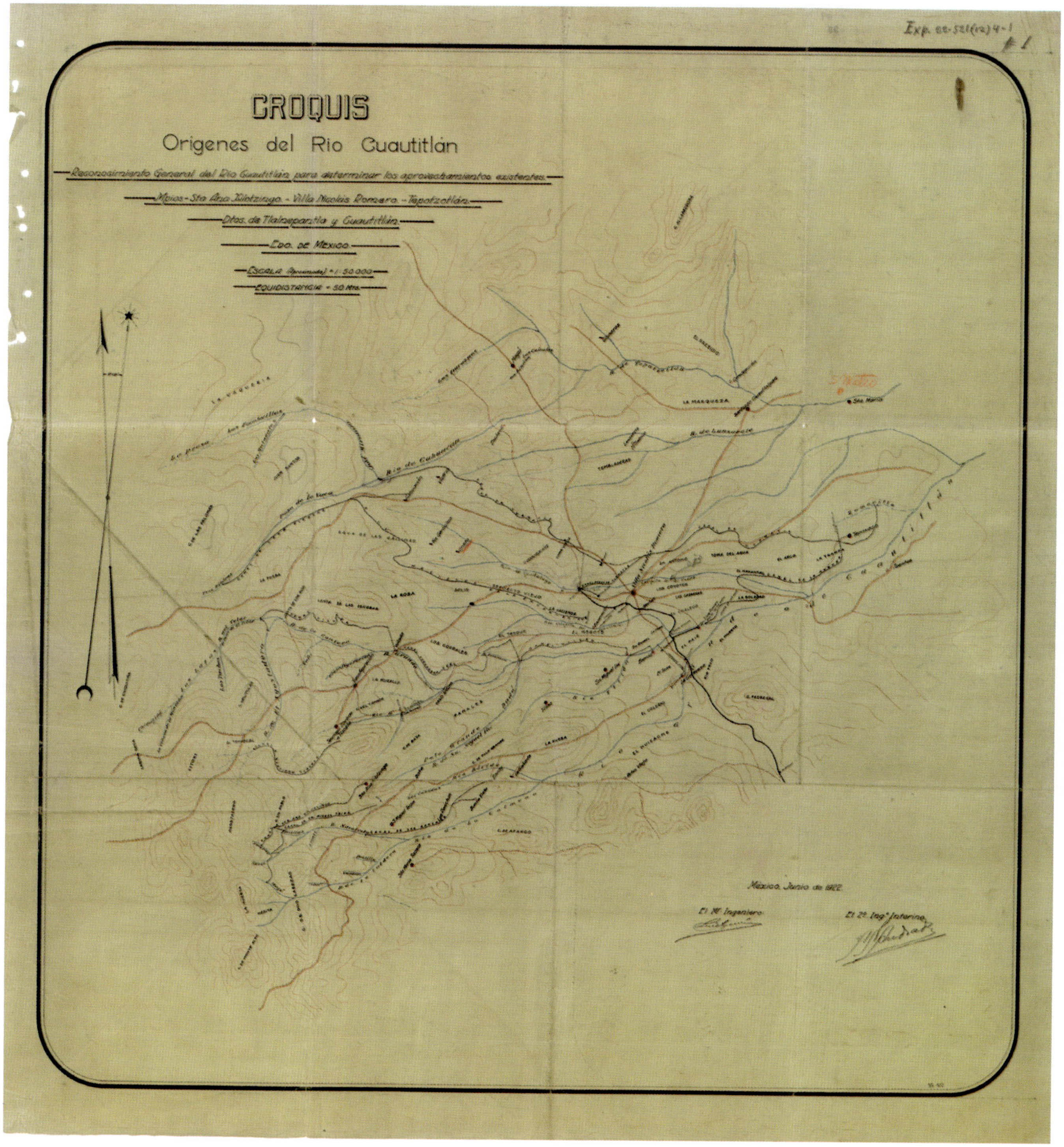

Orígenes del río Cuautitlán, 1922

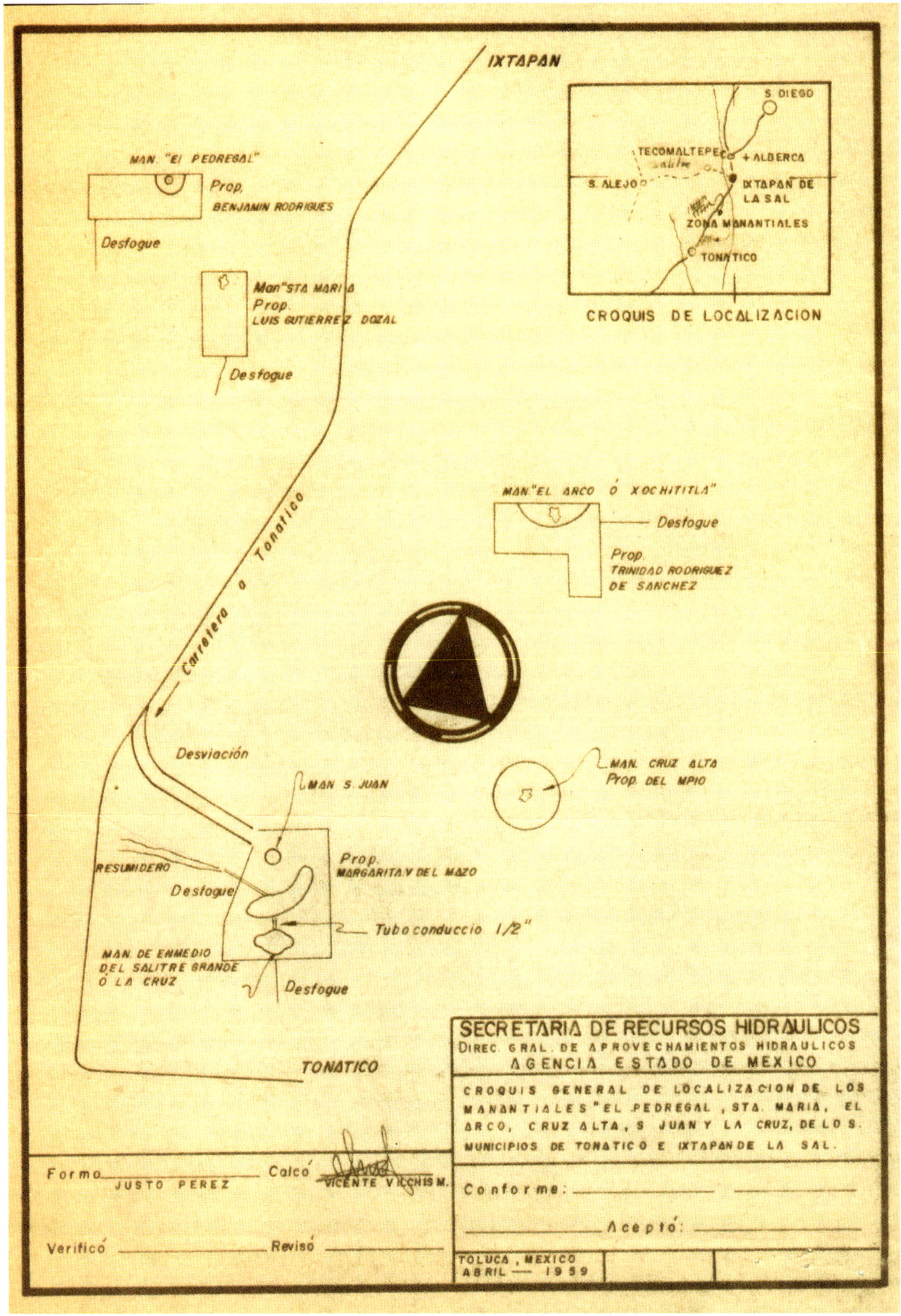

Localización de los manantiales en los municipios de Tonatico e Ixtapan de la Sal

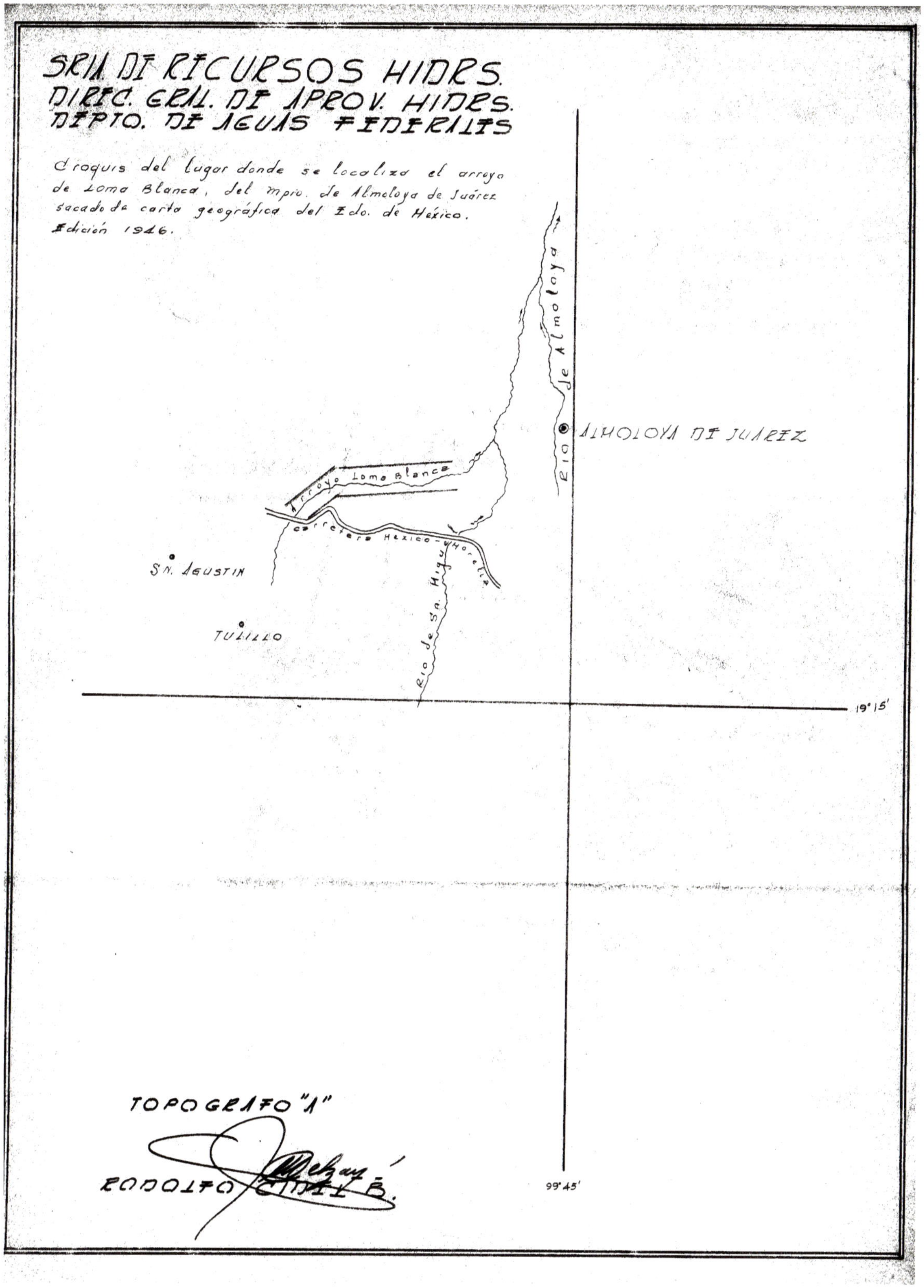

Arroyo de Loma Blanca,
municipio de Almoloya de Juárez

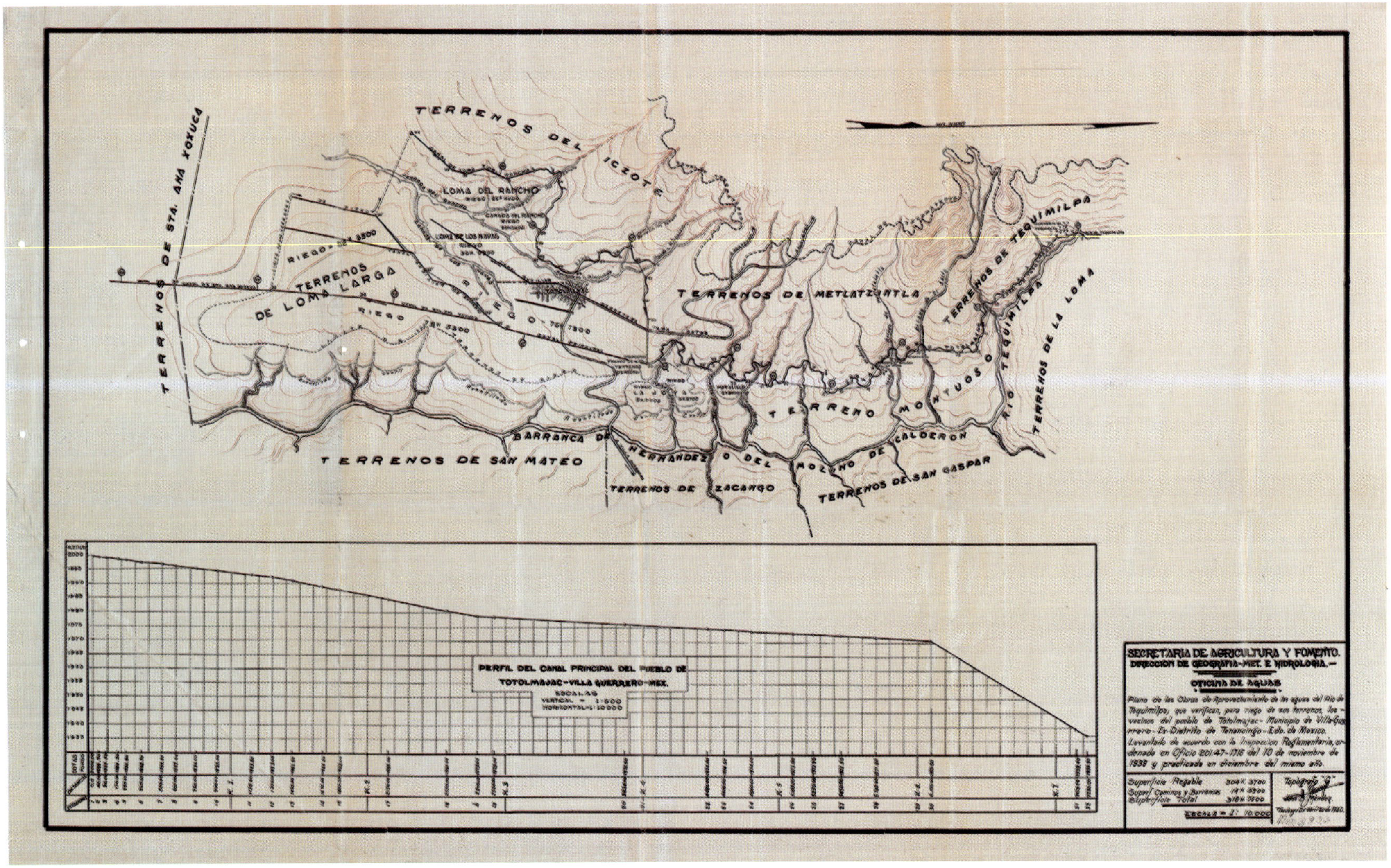

Aprovechamiento de las aguas del río Taquimilpa, municipio de Villa Guerrero

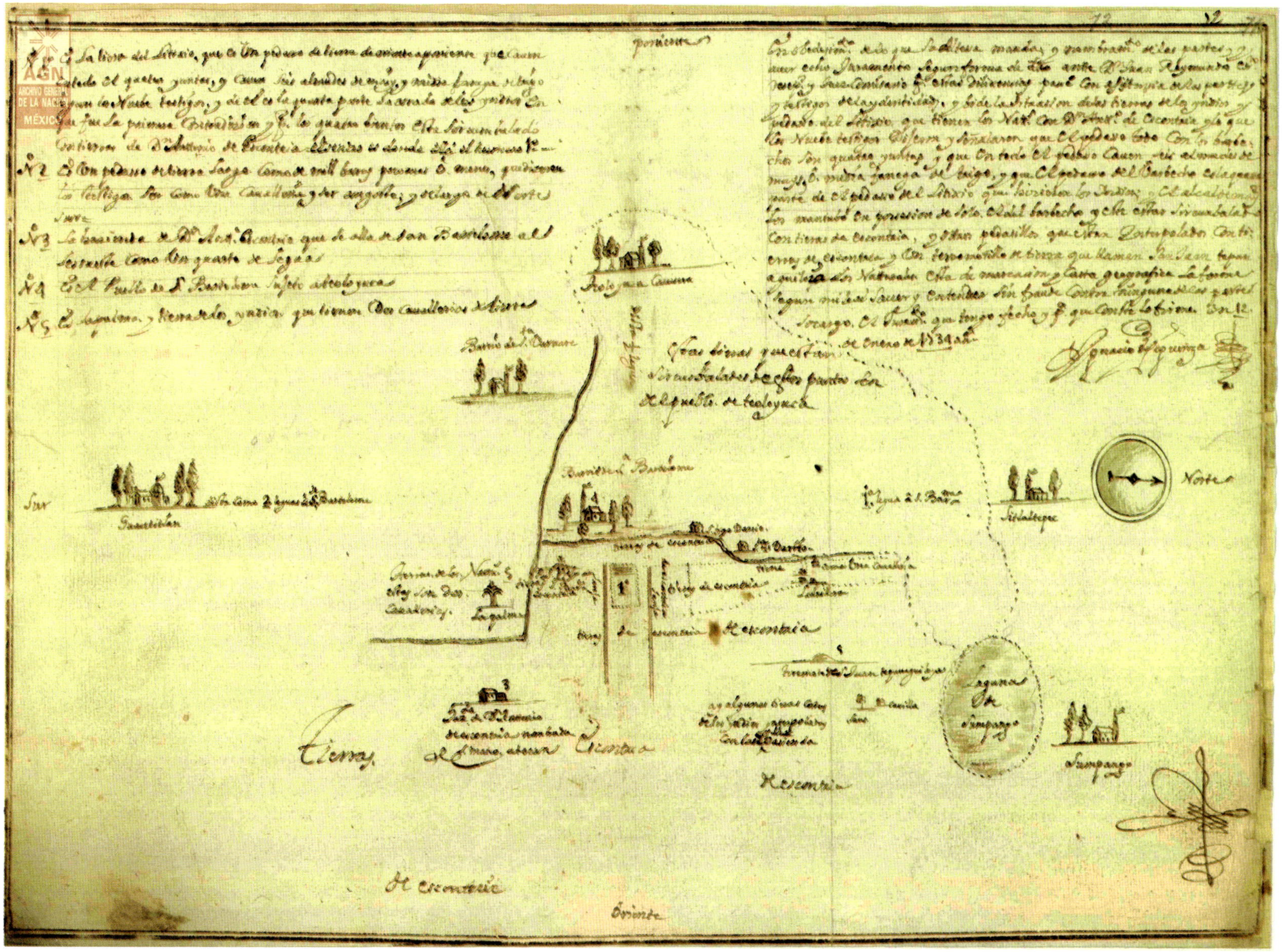

Plano esquemático del Valle de México

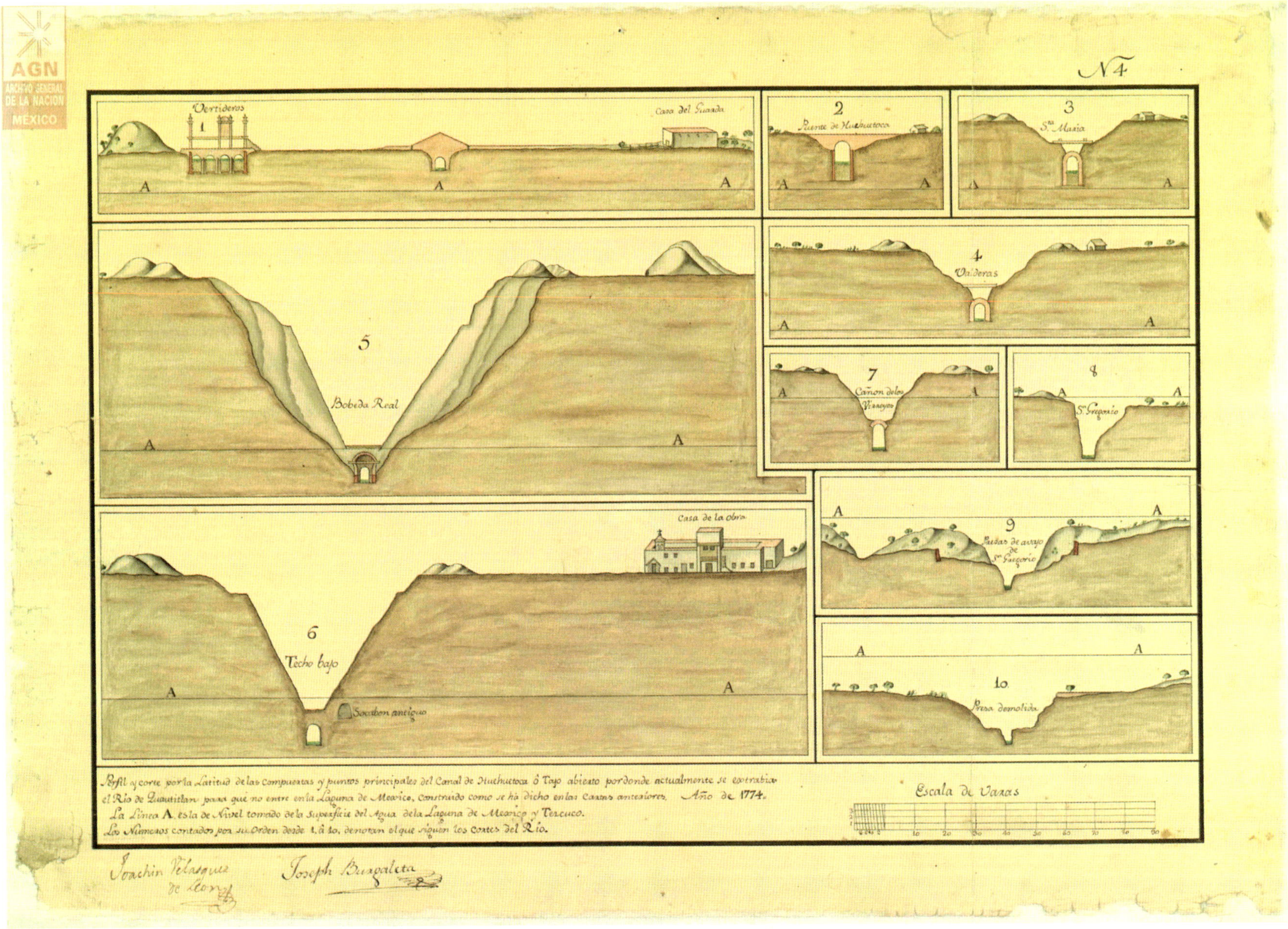

Canal de Huehuetoca y río de Cuautitlán

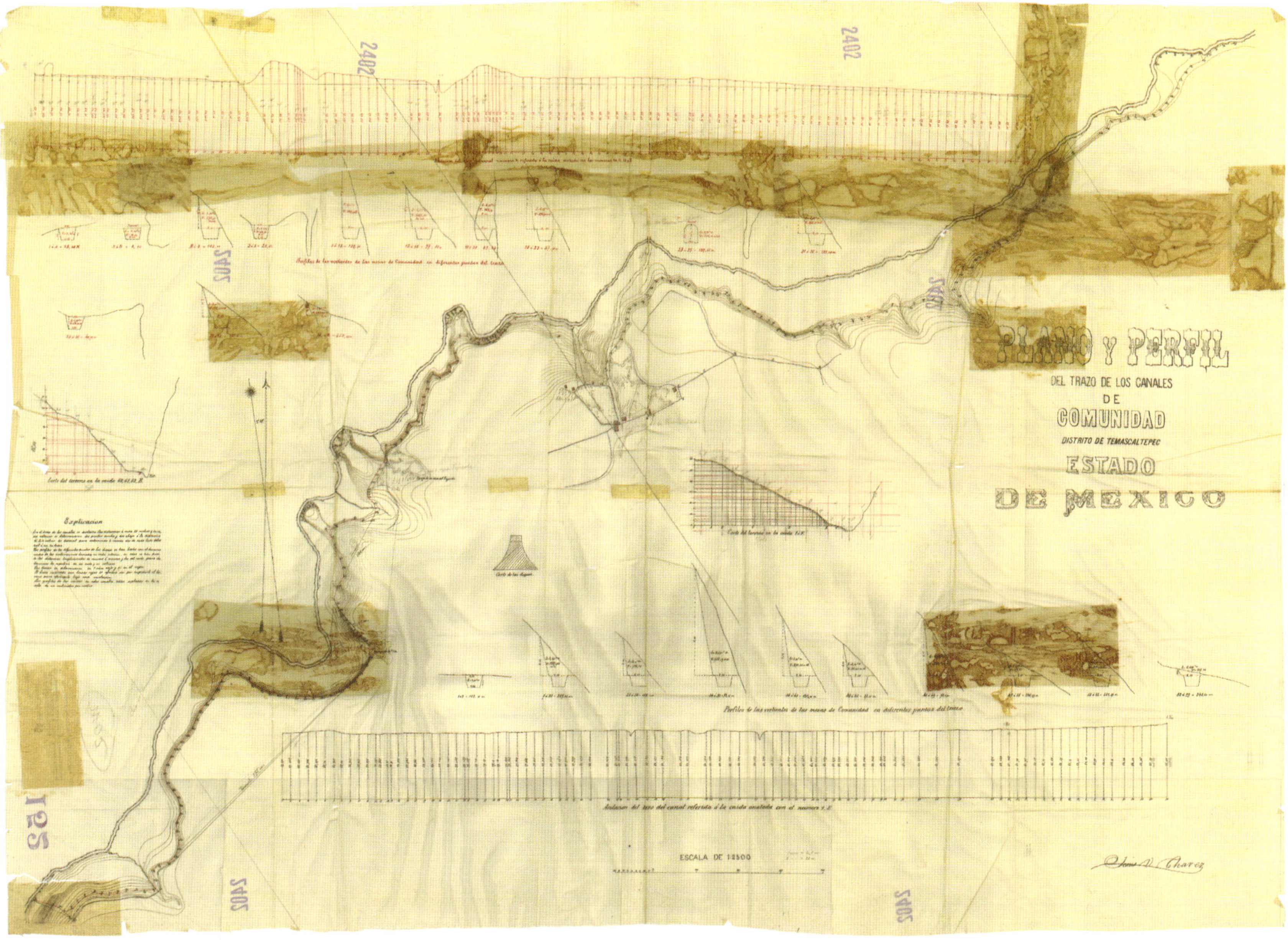

Canales de la comunidad, distrito de Temascaltepec

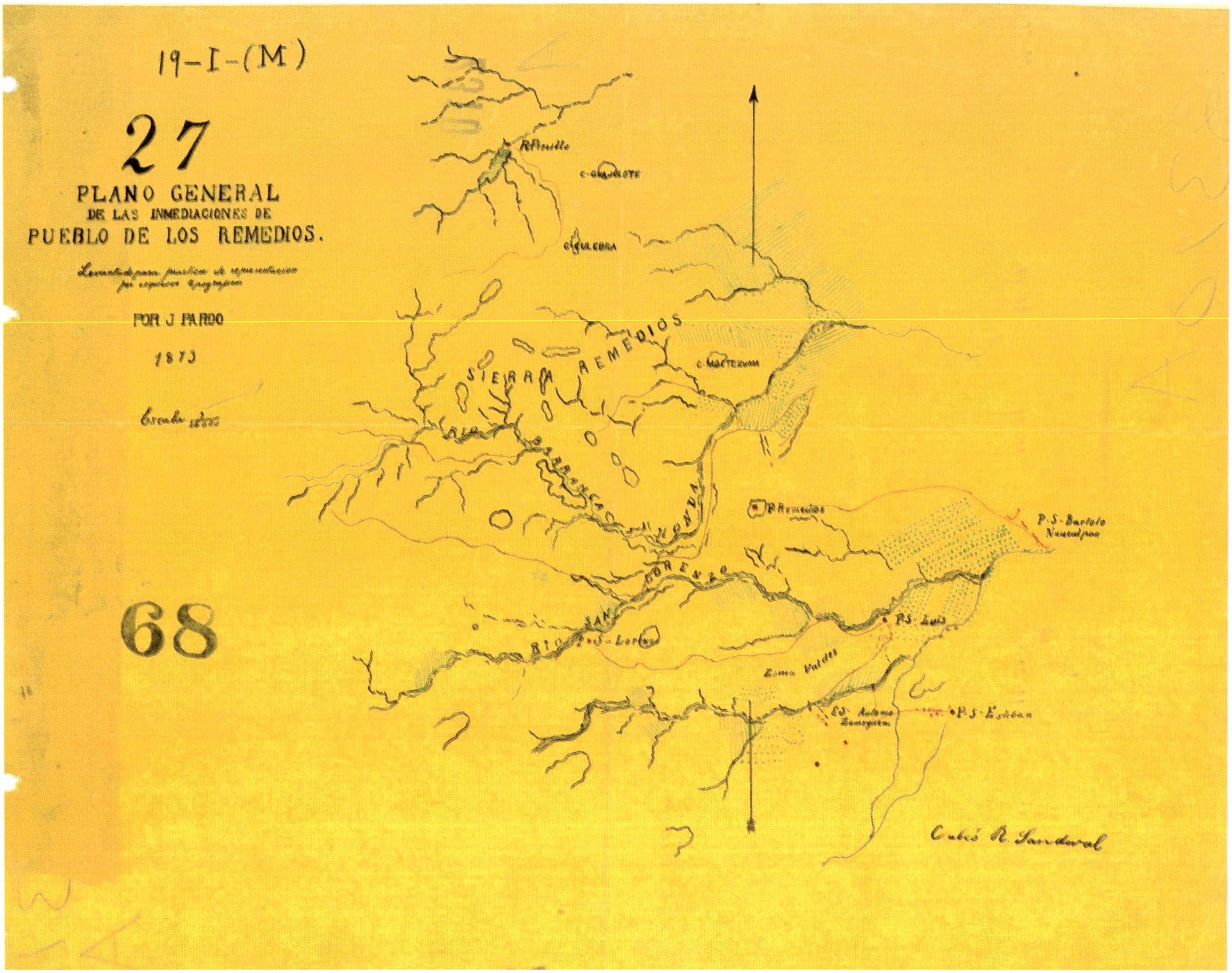

Plano general de las inmediaciones
del pueblo de Los Remedios

Plano general de las instalaciones de la Compañía Hidroeléctrica de Malinalco

Santiago Mamatla, Zagualpan

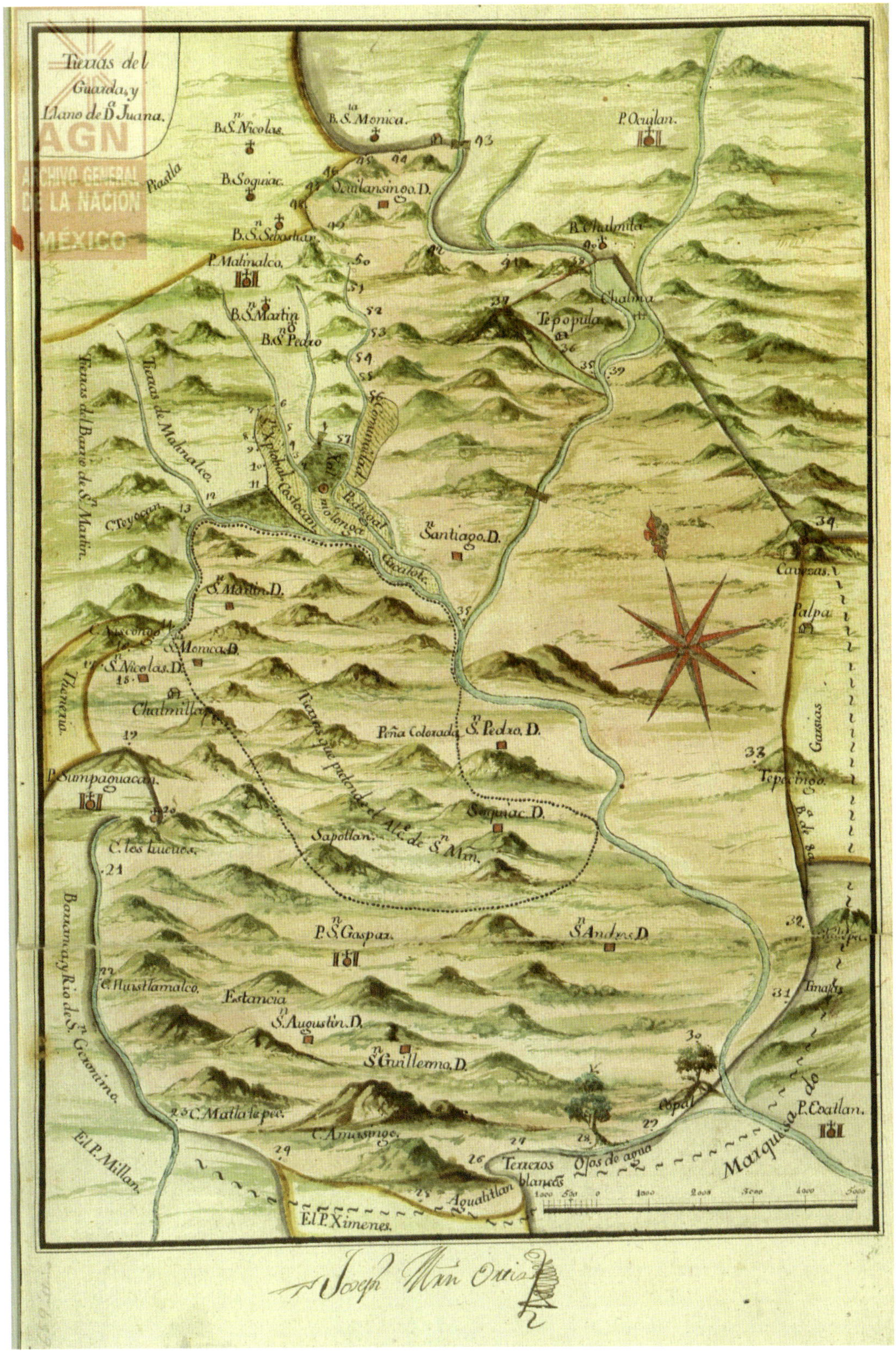

Ingenio de Xalmolonga, Malinalco

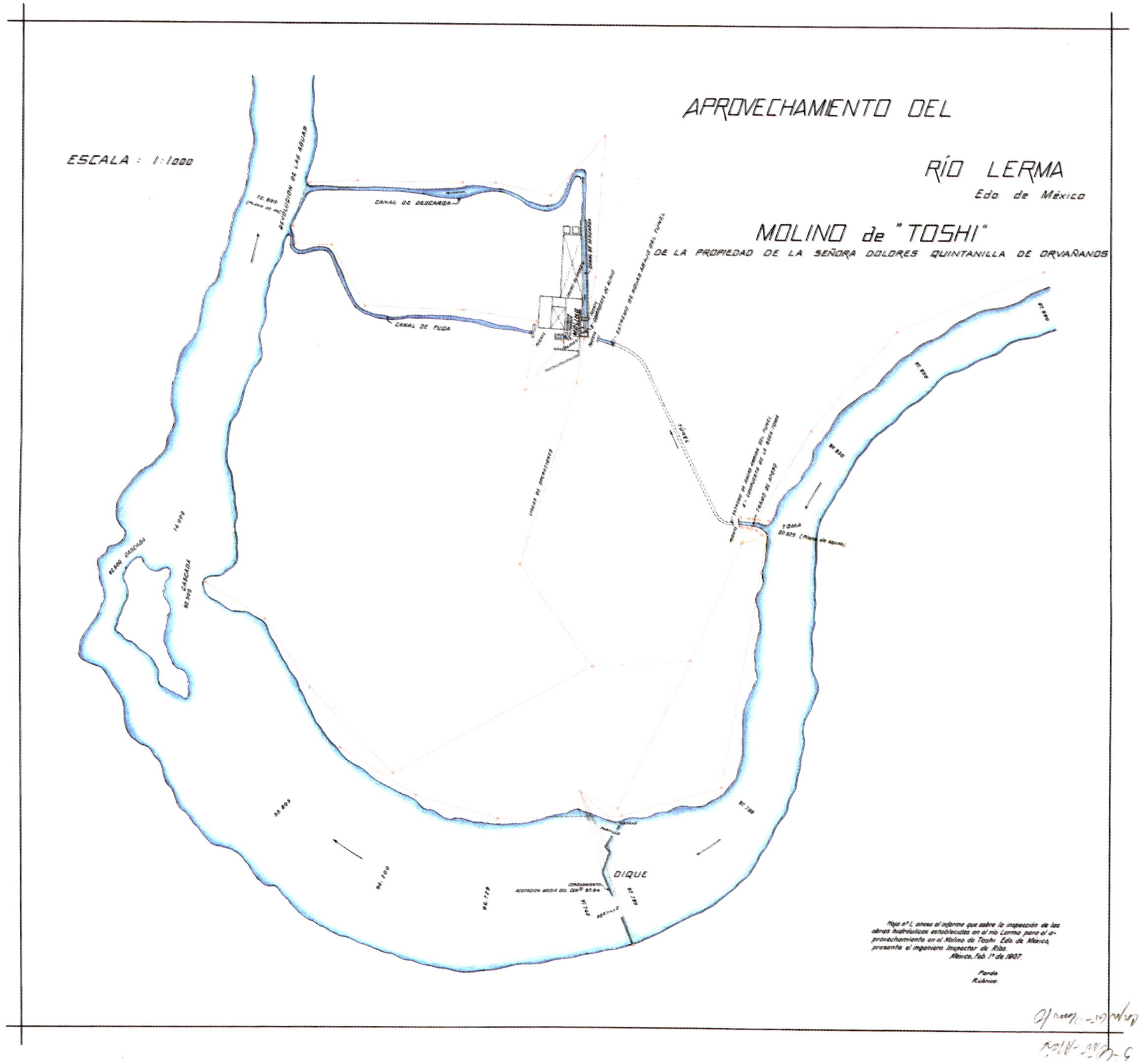

Molino del Toshi

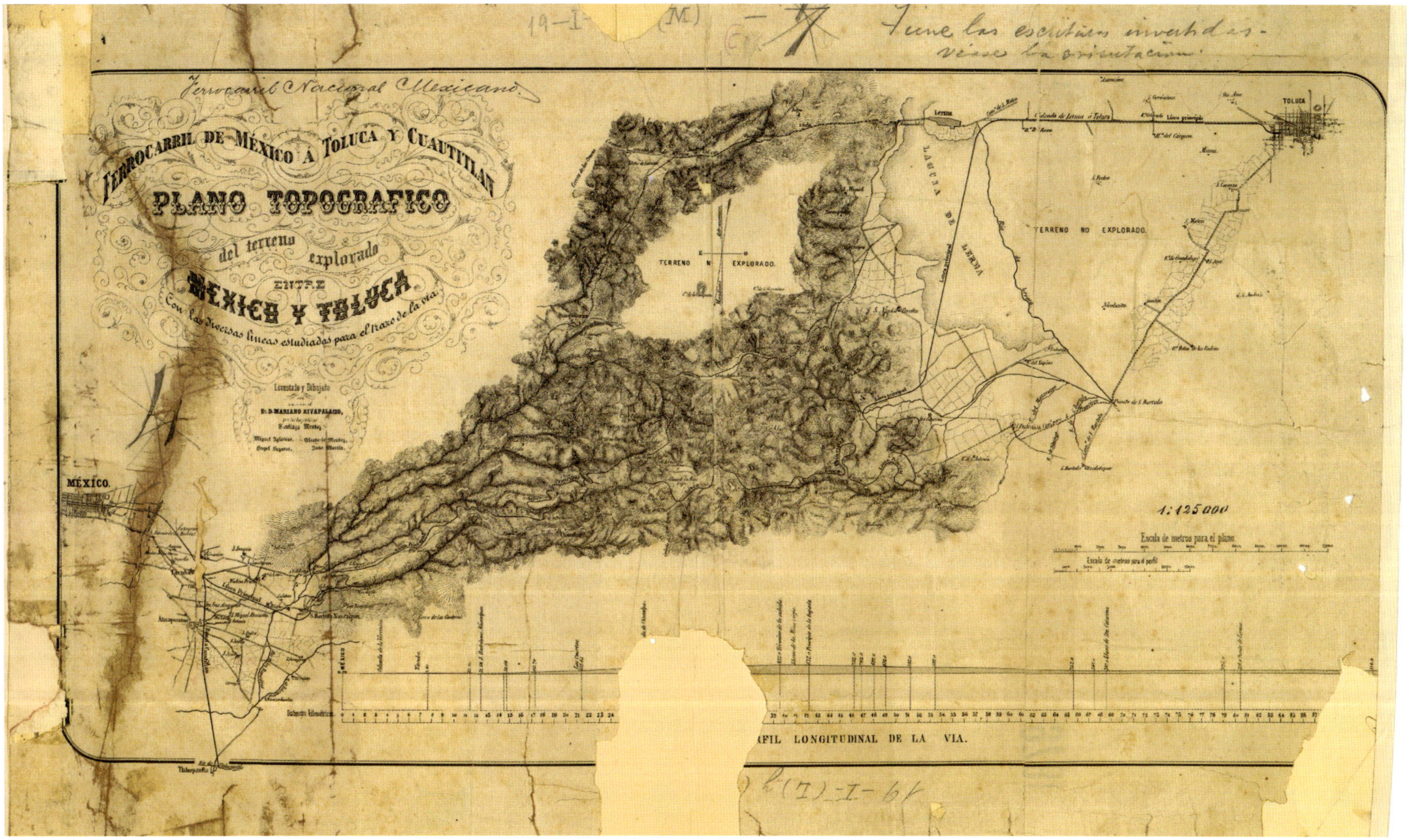

Ferrocarril de México a Toluca

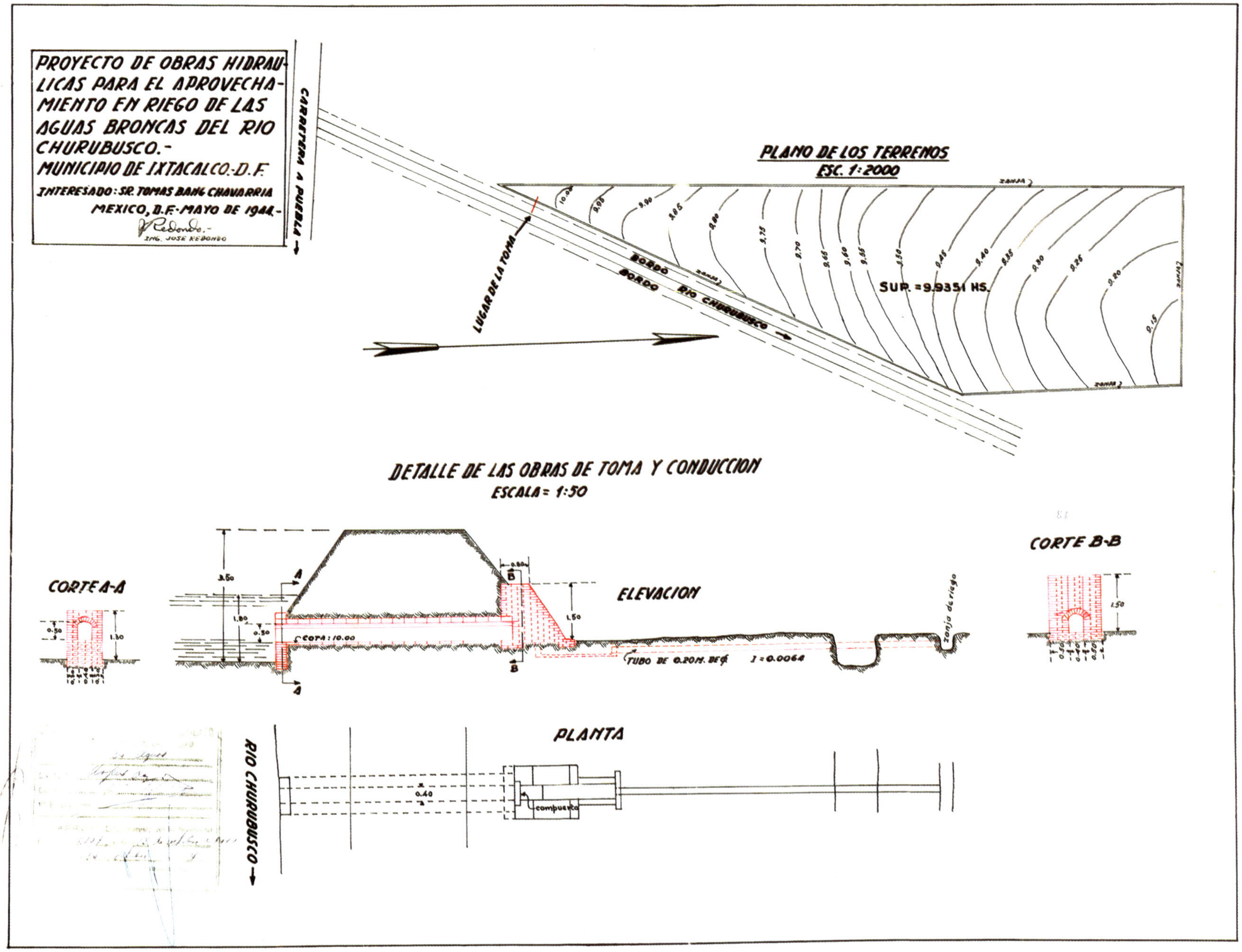

Aprovechamiento de aguas
broncas del río Churubusco

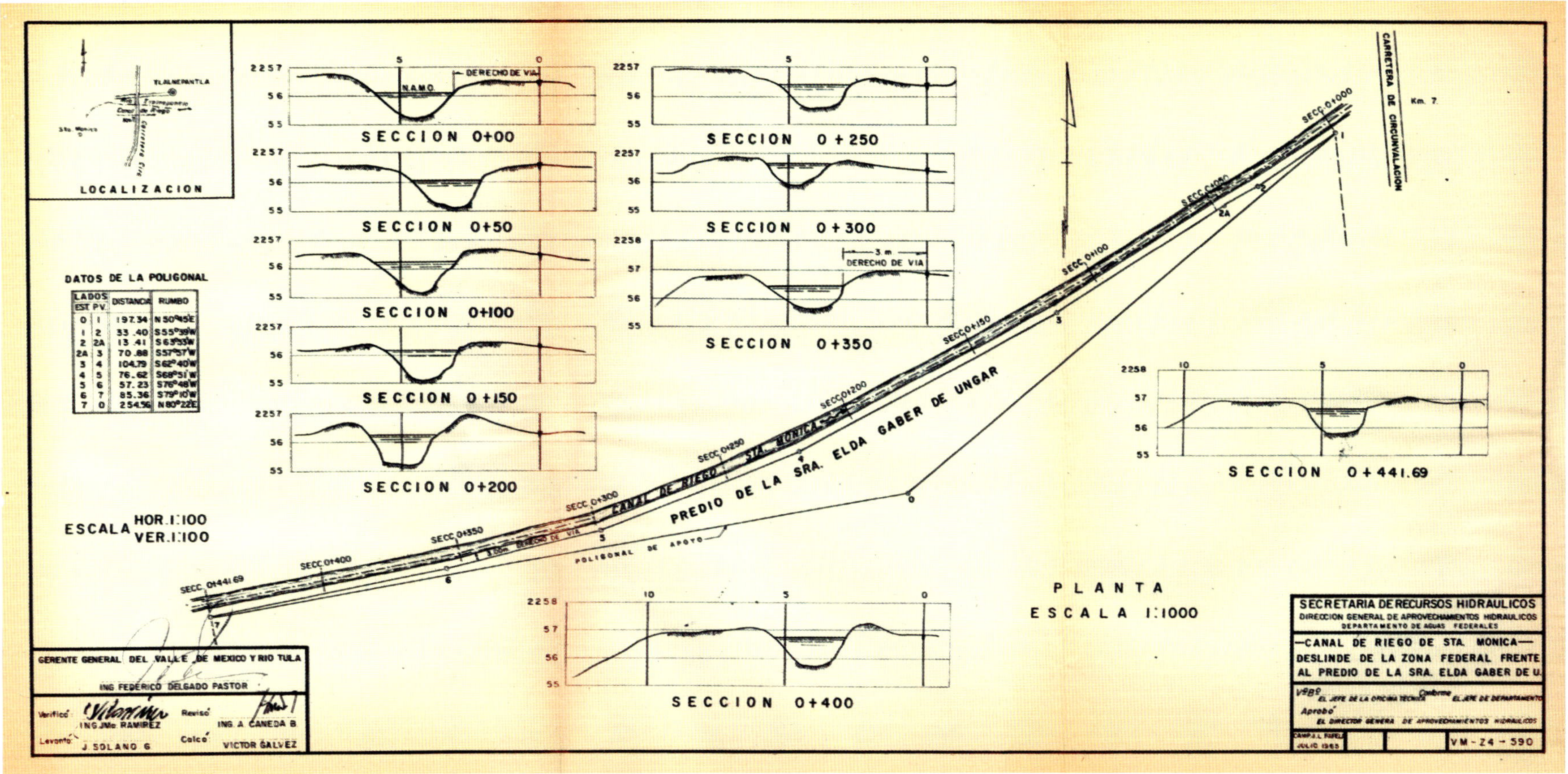

Canal de riego de Santa Mónica

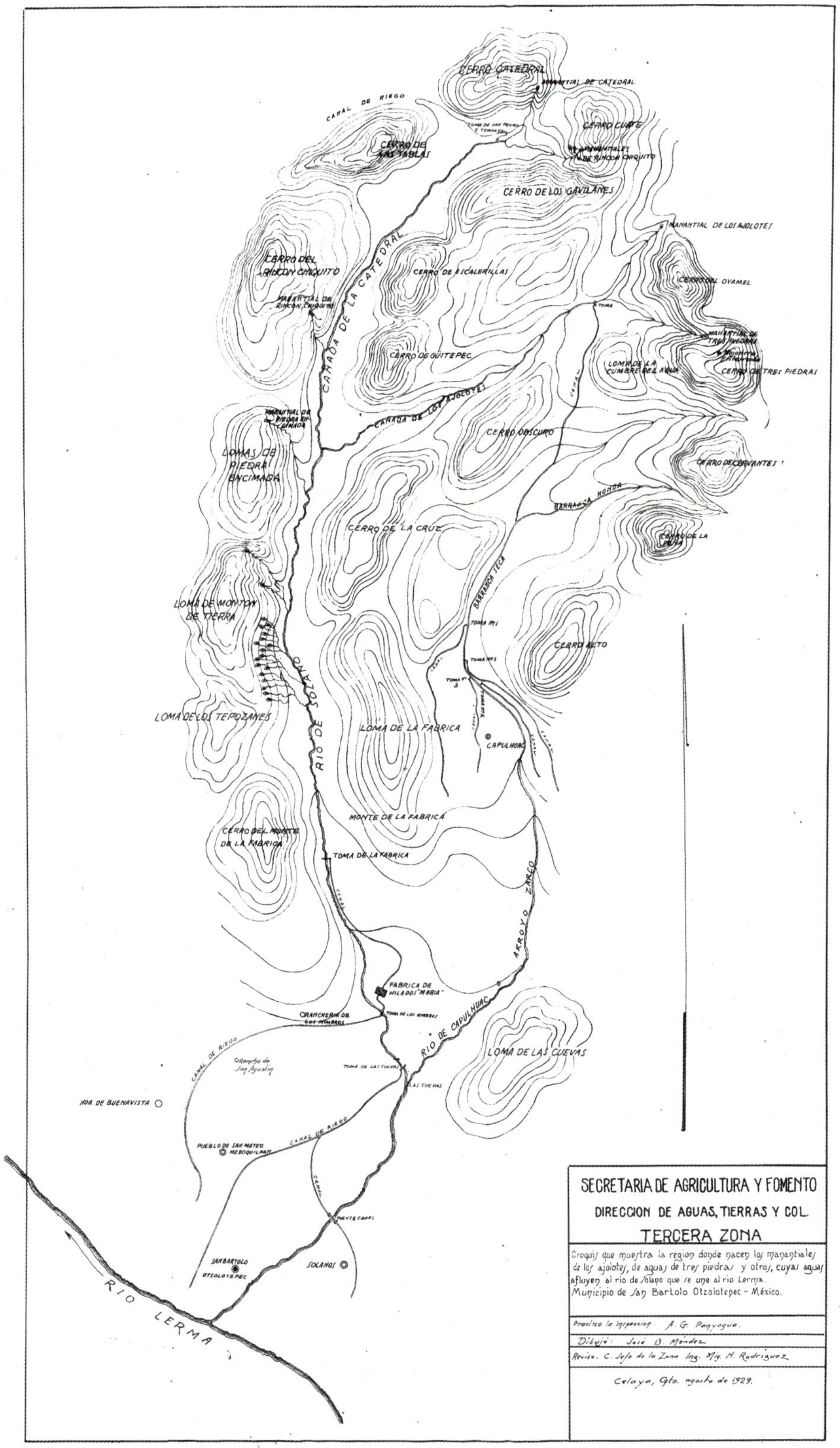

Manantiales de los Ajolotes,
municipio de San Bartolo Ozolotepec

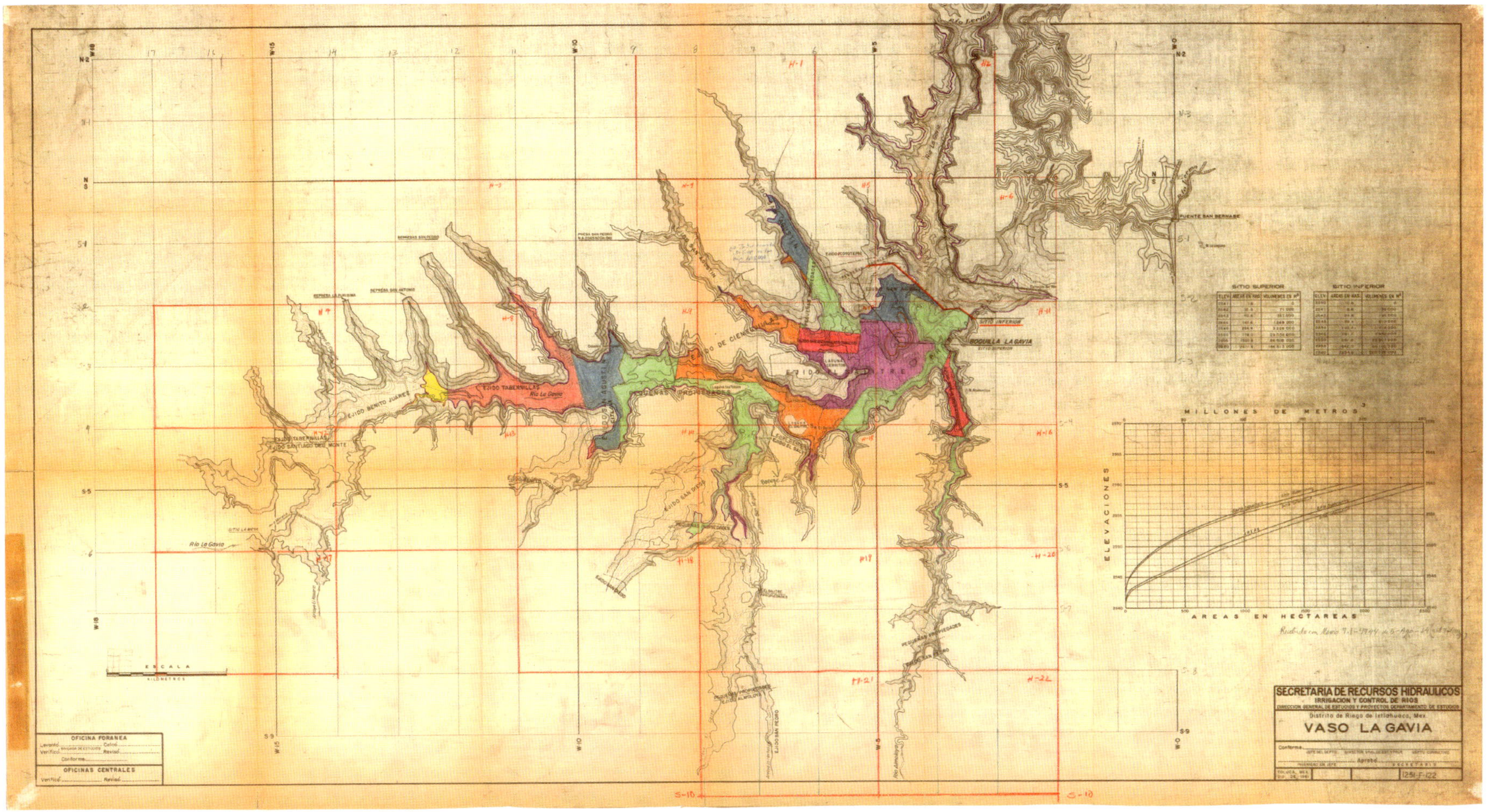

Vaso La Gavia

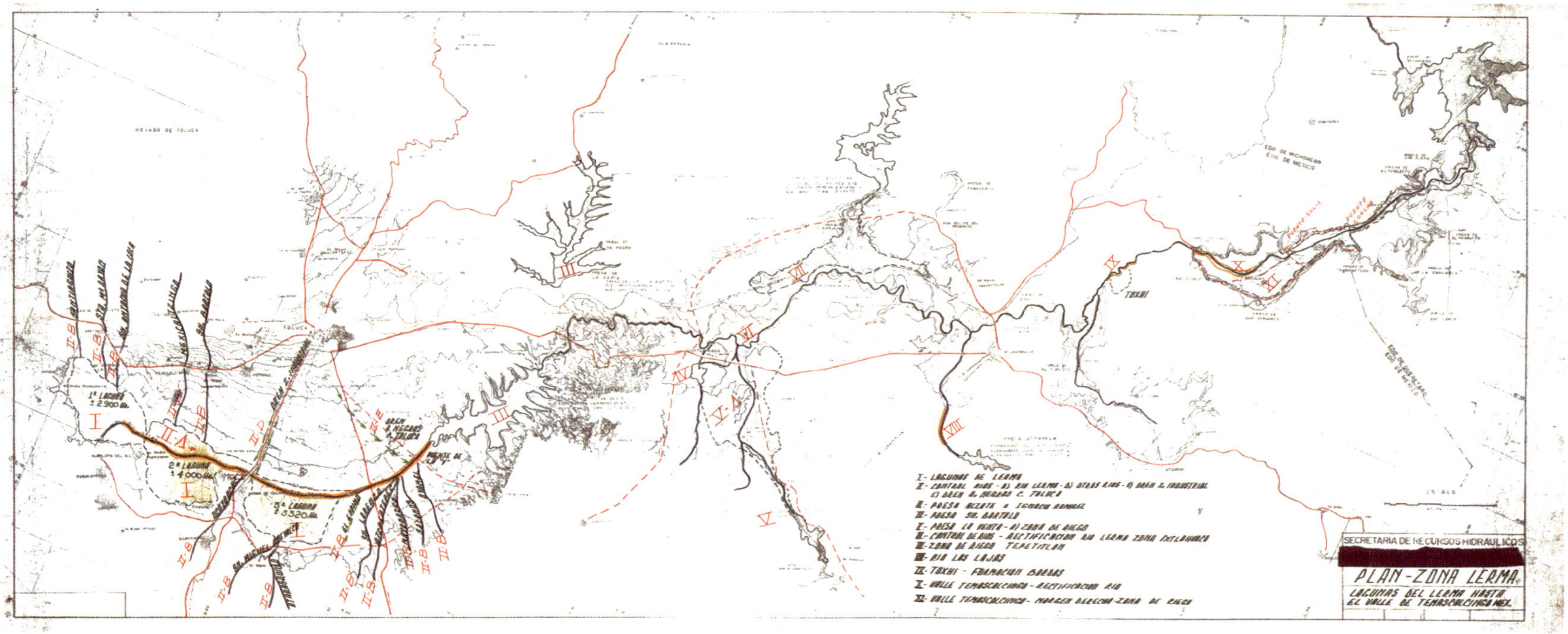

Lagunas del Lerma hasta
el valle de Temascalcingo

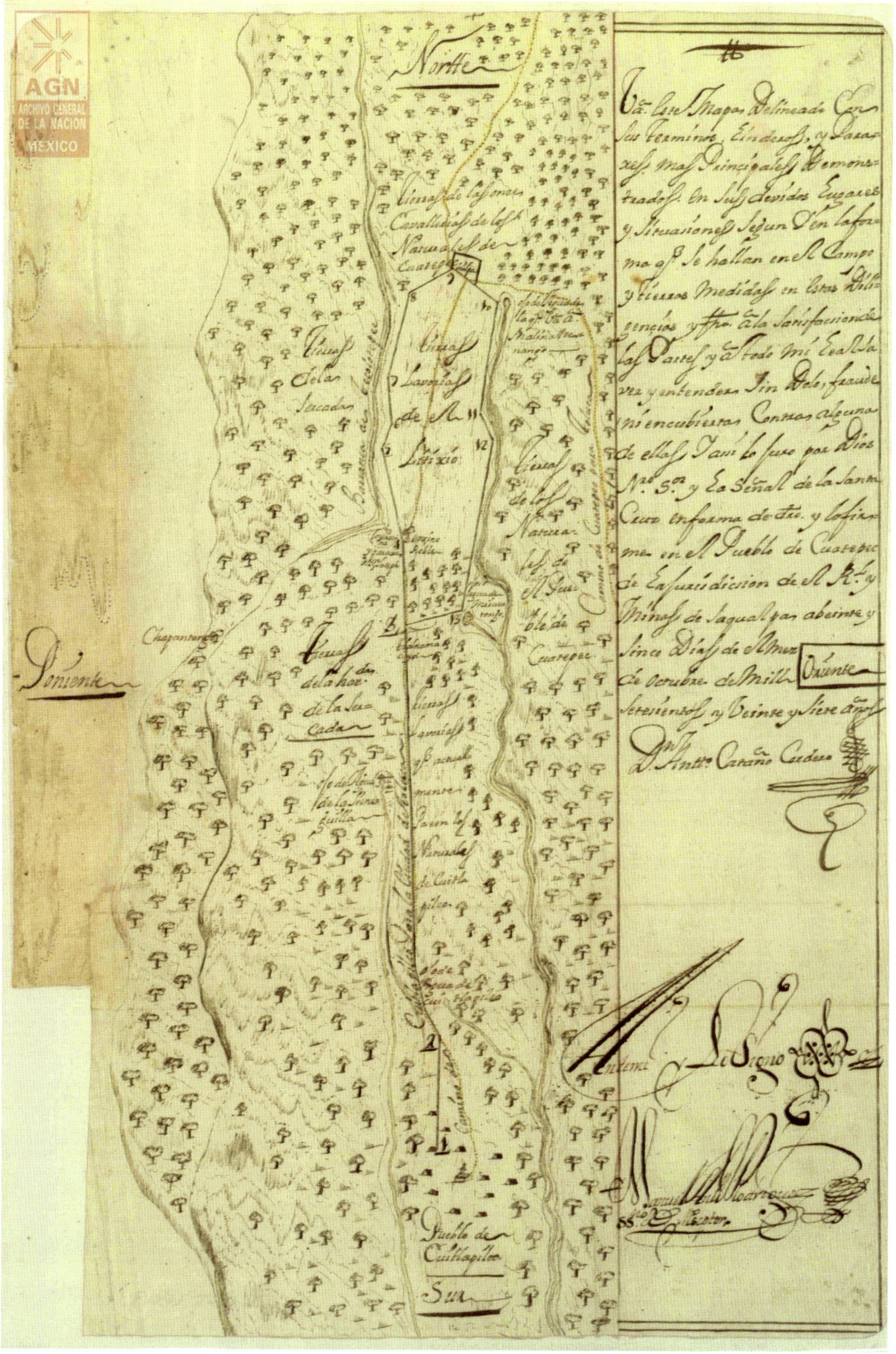

Santa Cruz Tepepan, Ixtlahuaca

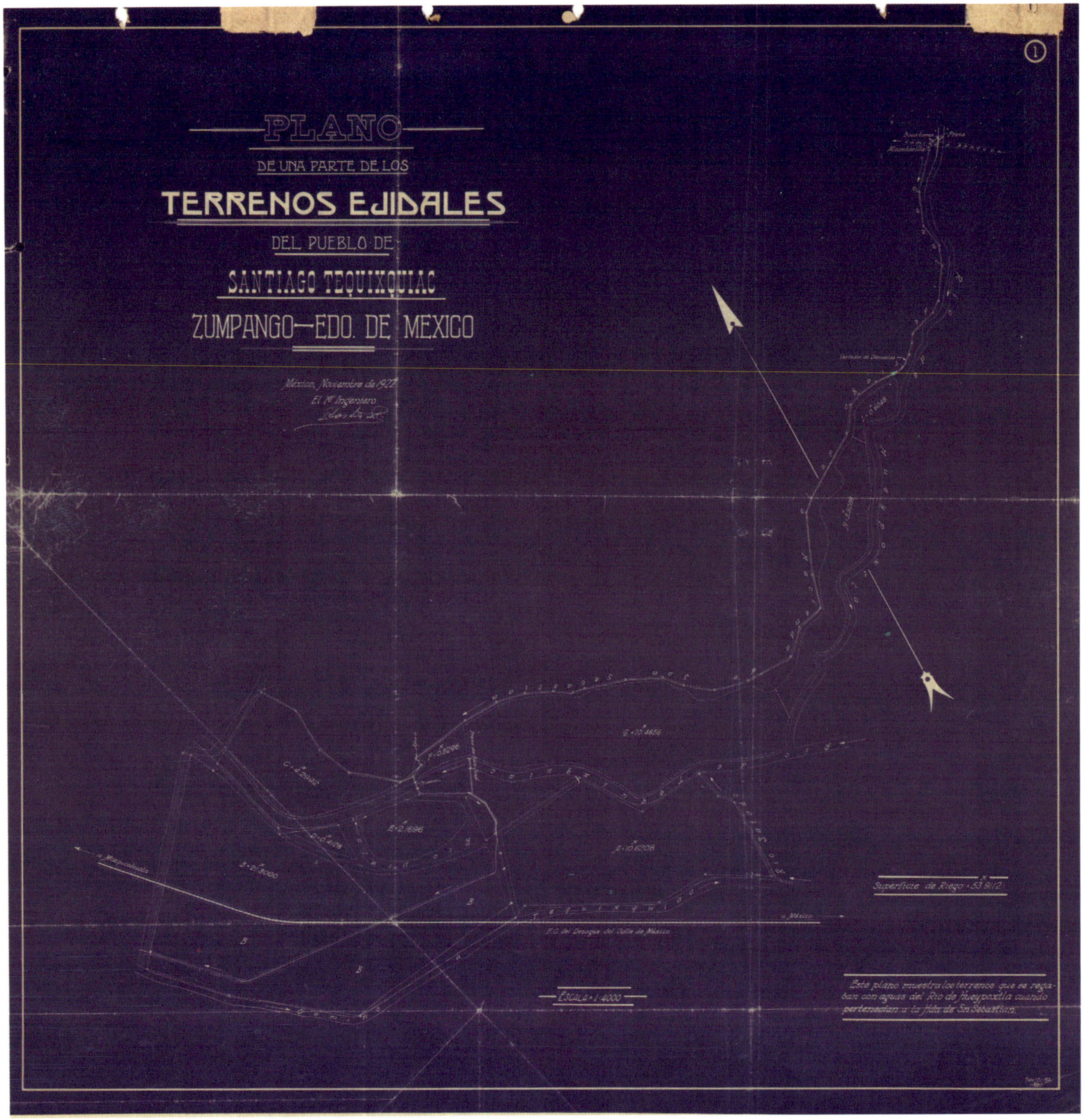

Terrenos ejidales de Santiago Tequixquiac

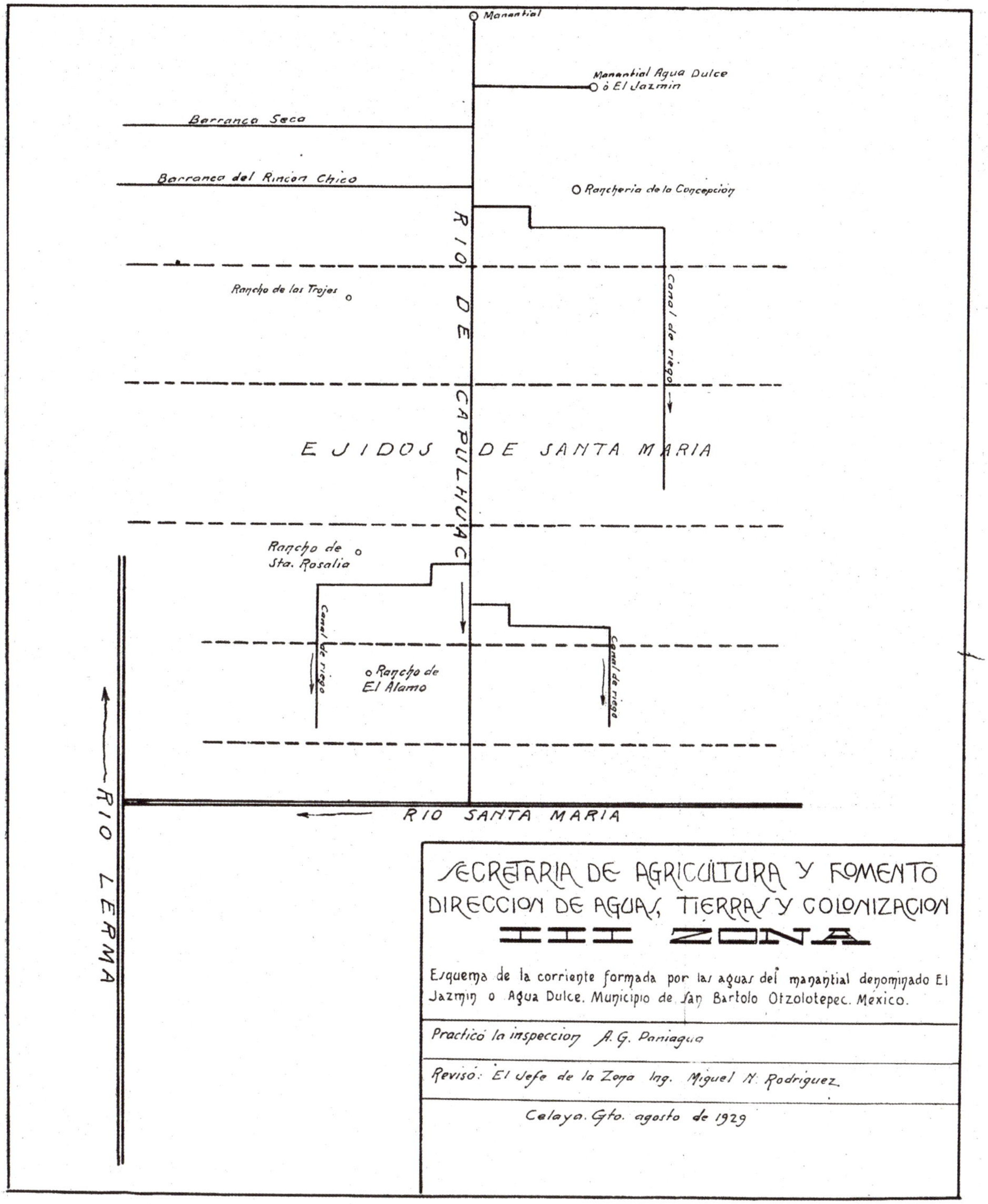

Esquema de los mananitiales del Jazmín o Agua Dulce, municipio de San Bartolo Otzolotepec, 1929

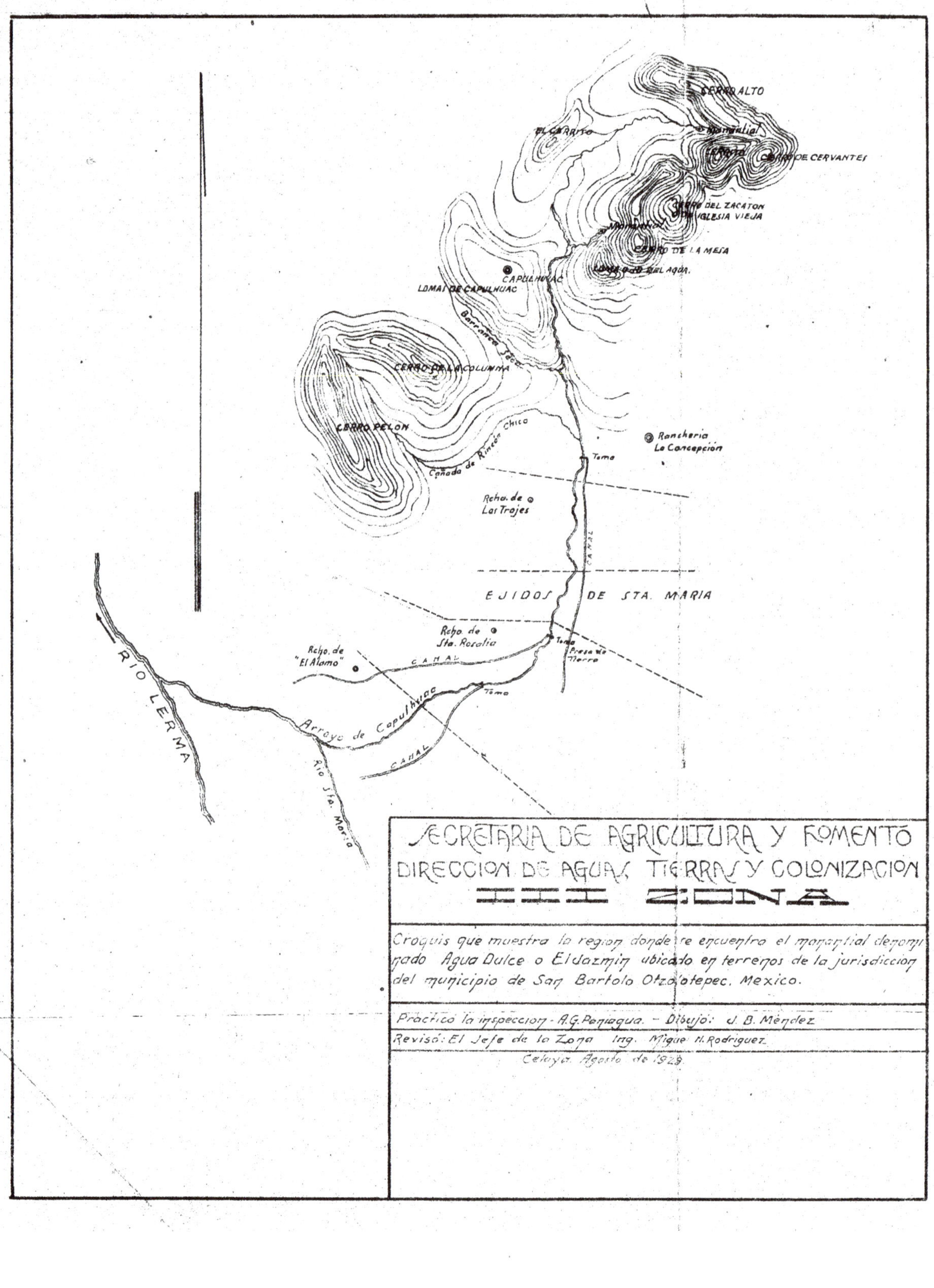

Croquis de los manantiales del Jazmín, 1929

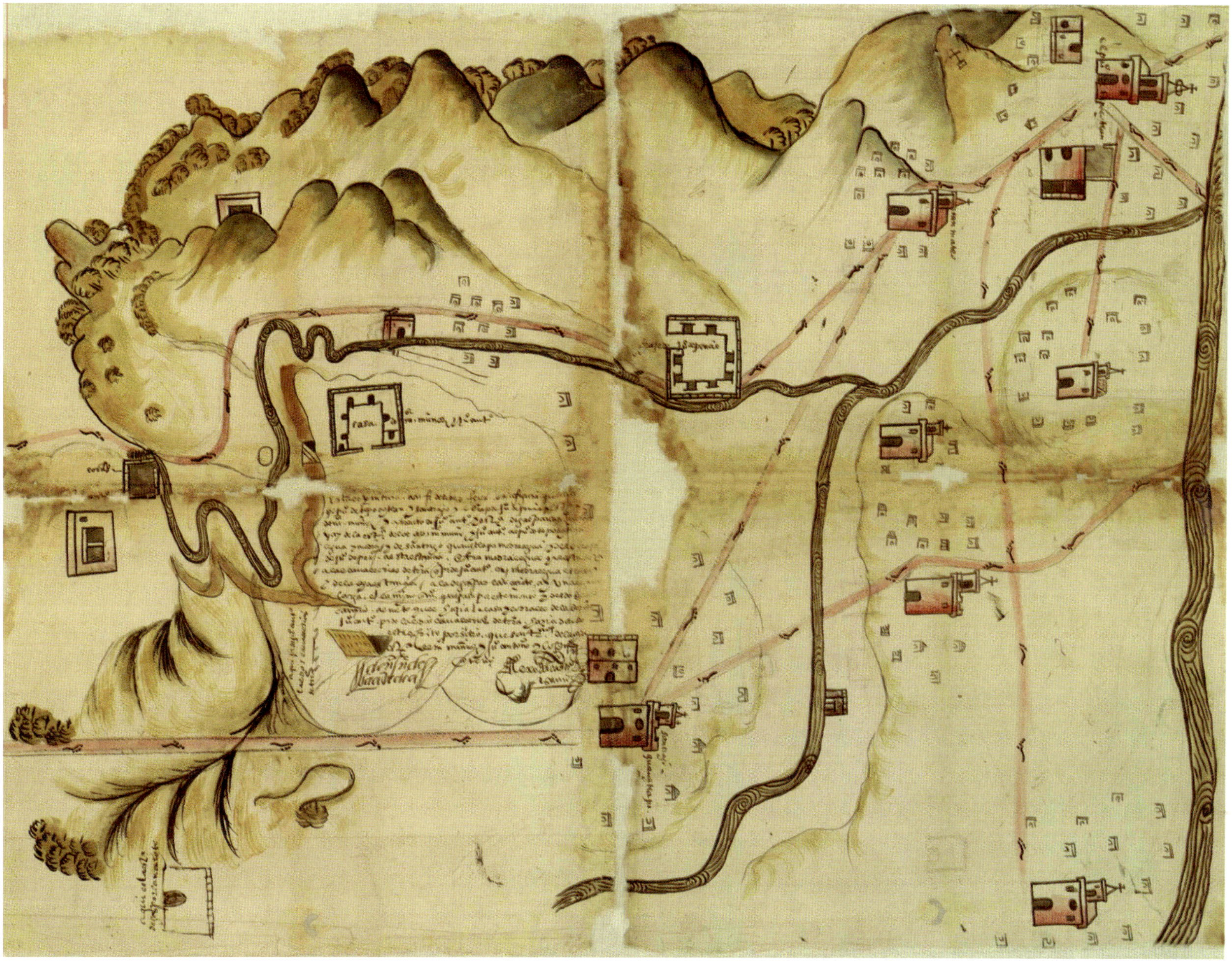

Tepozotlán, San Mateo
y Santiago Qualtlapa, Cuautitlán

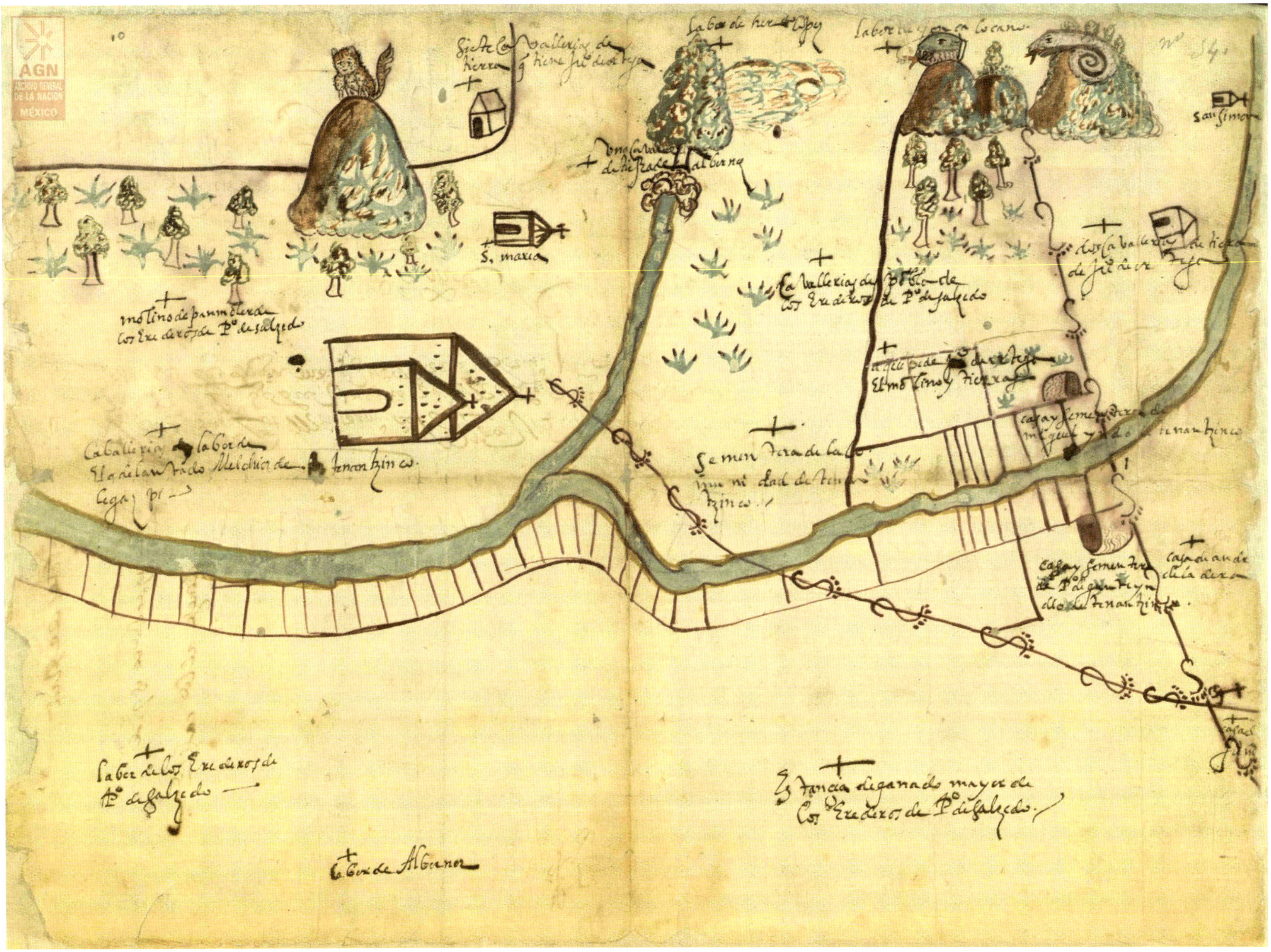

Tenancingo, Malinalco

Real de Temascaltepeque, Sacualpá y Metepeque

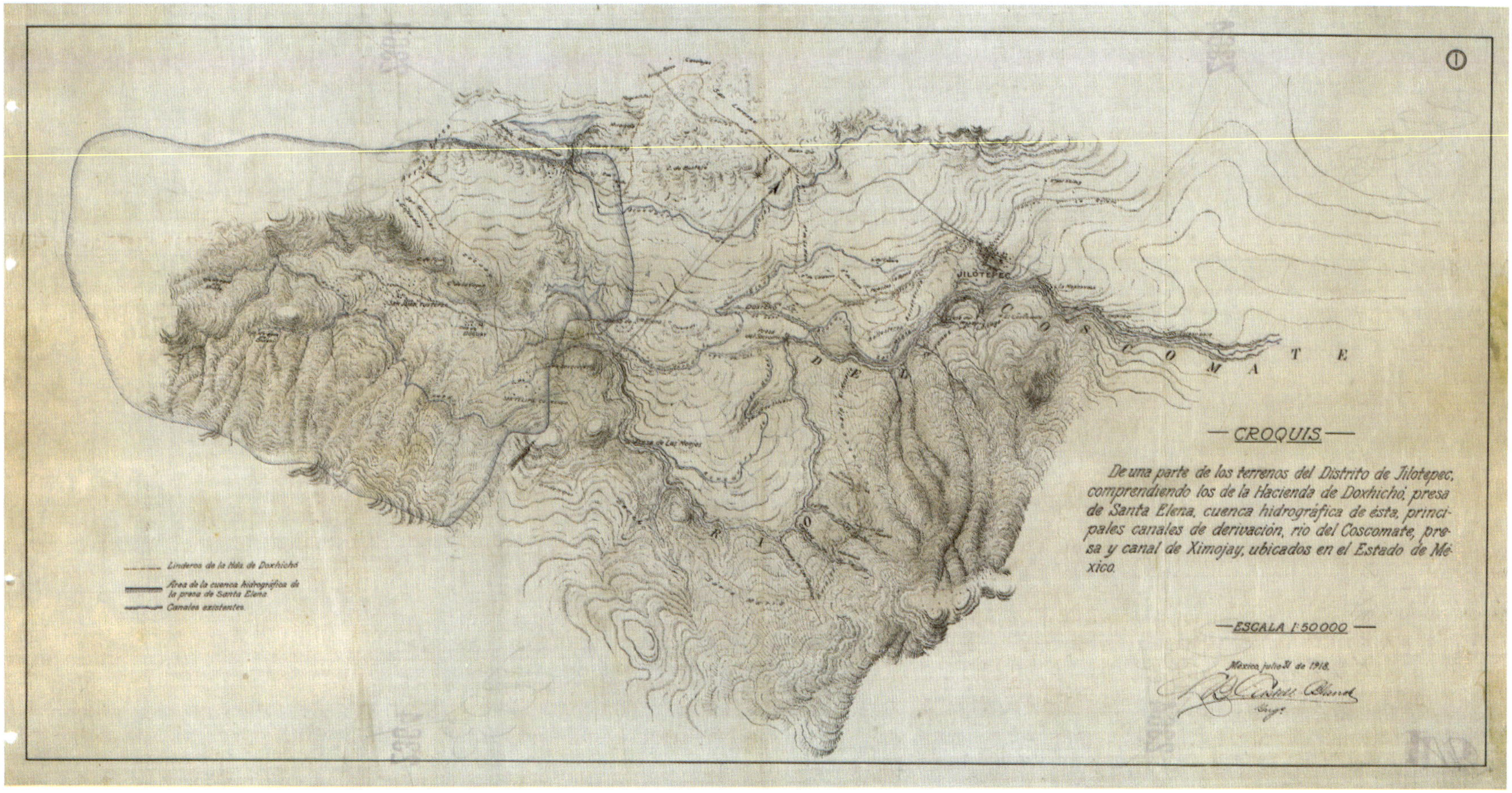

Distrito de Jilotepec

Rio de Coscomatepec, Jilotepec

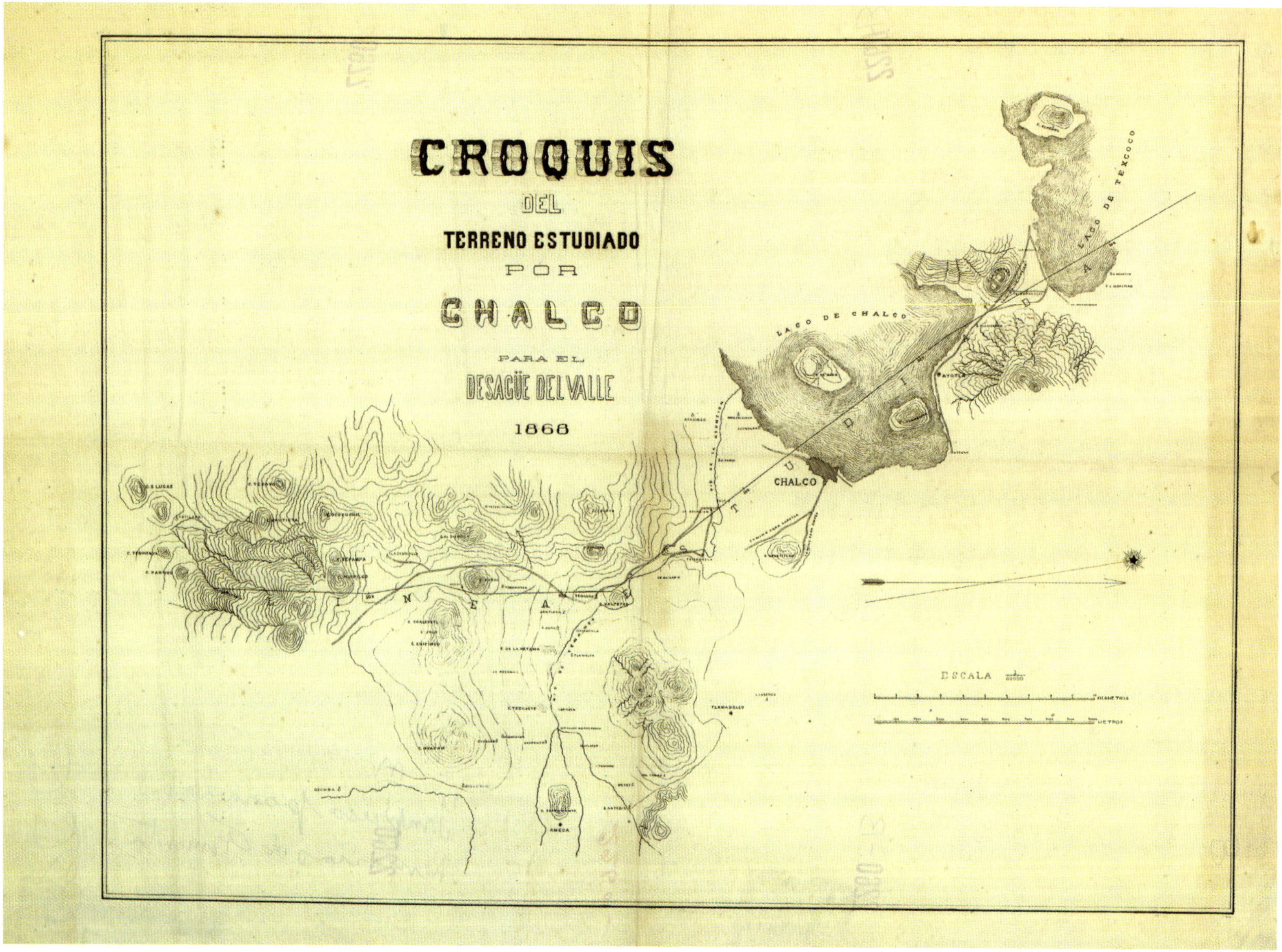

Desagüe del Valle de México, 1868

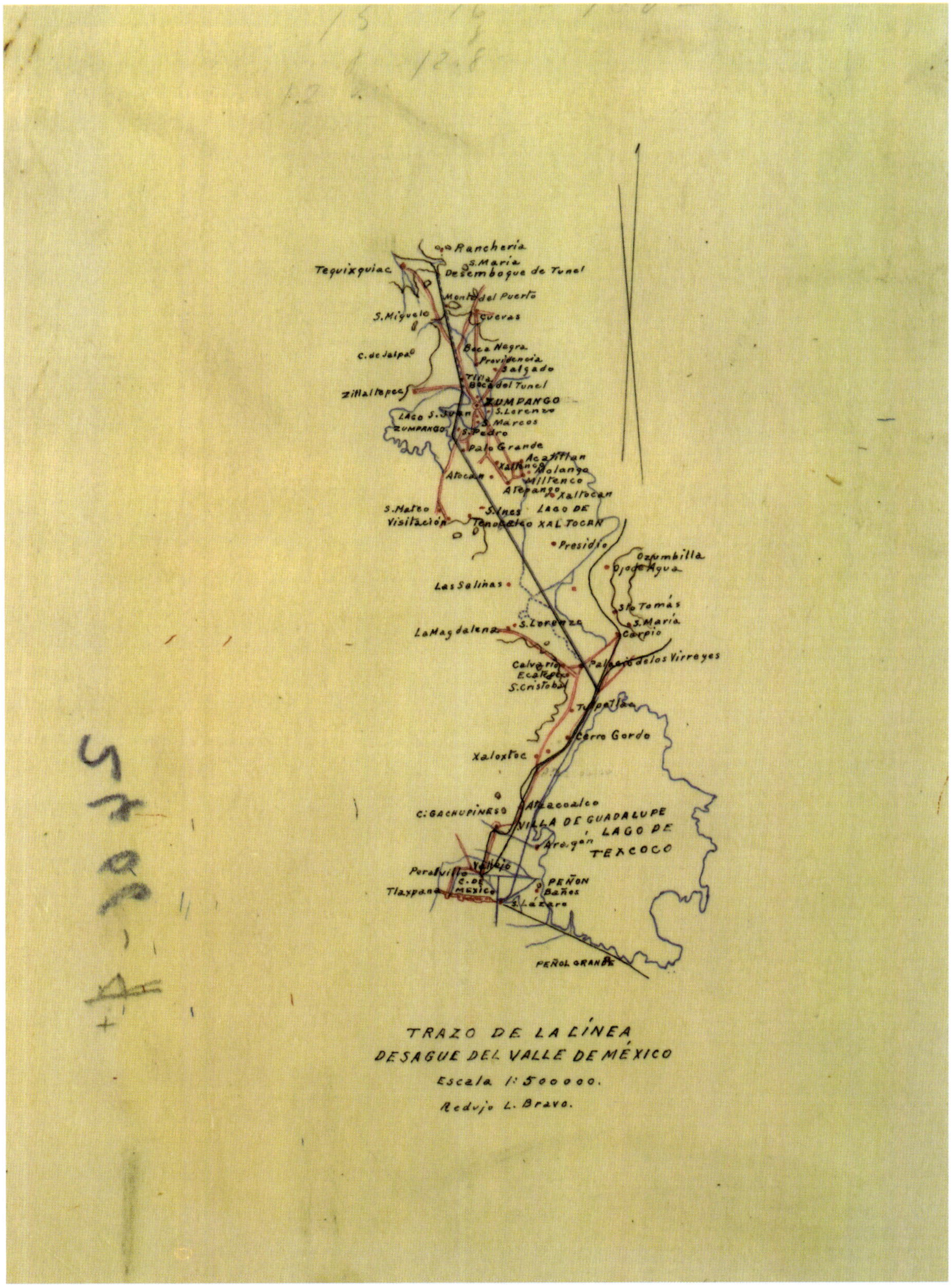

Desagüe del valle de México

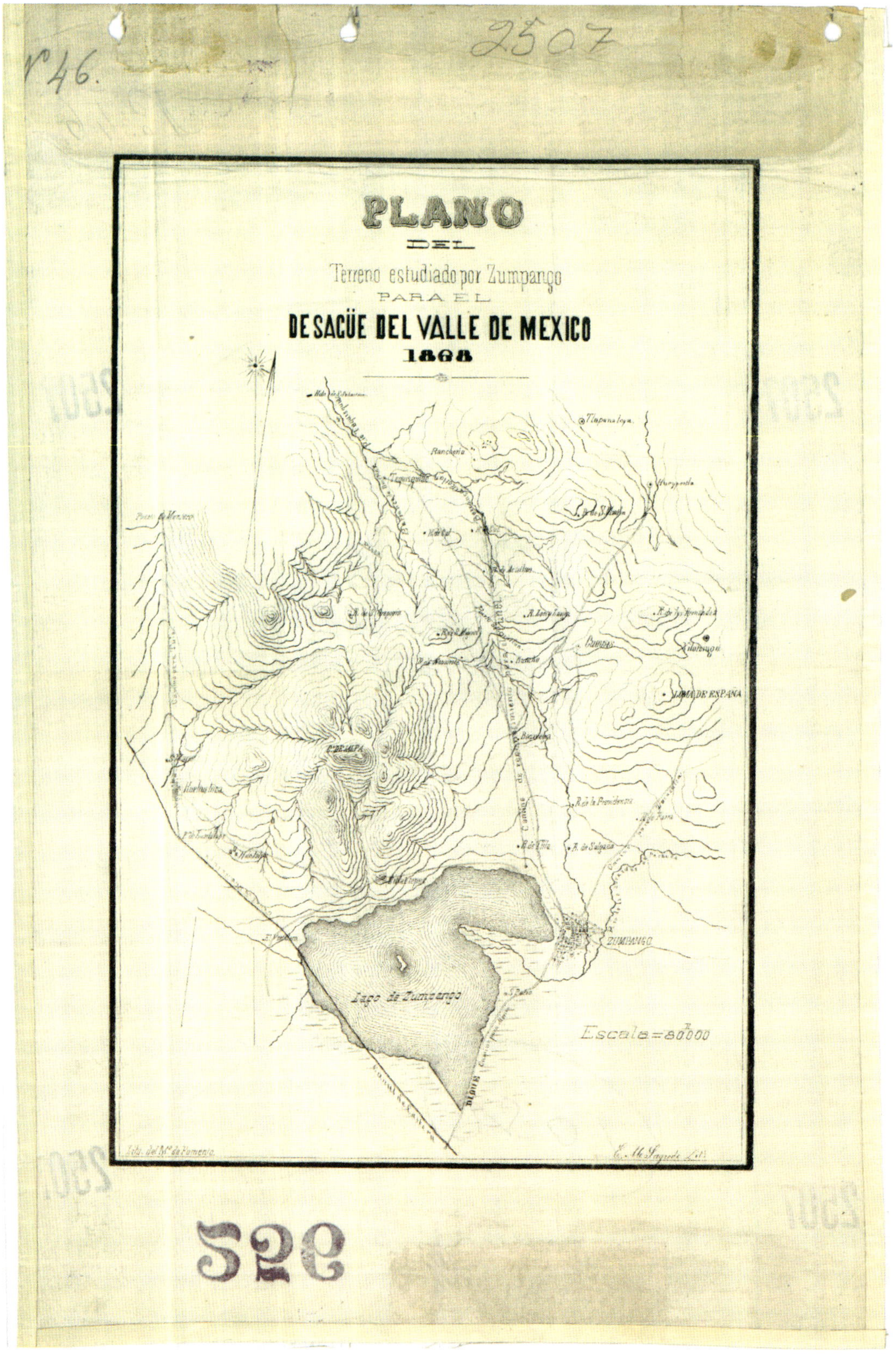

Desagüe del Valle de México.
Zumpango, 1868

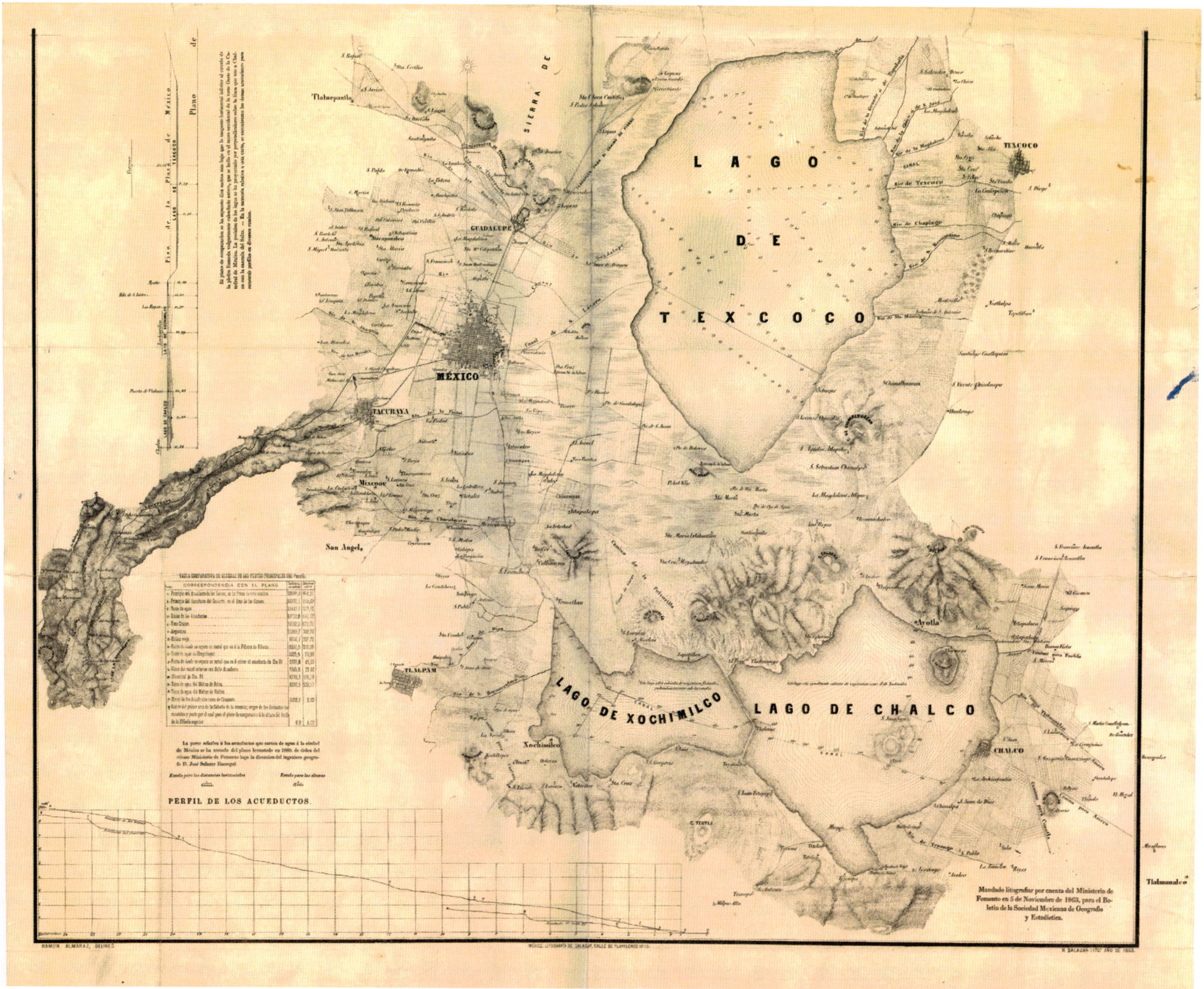

Los lagos en el Valle de México, 1863

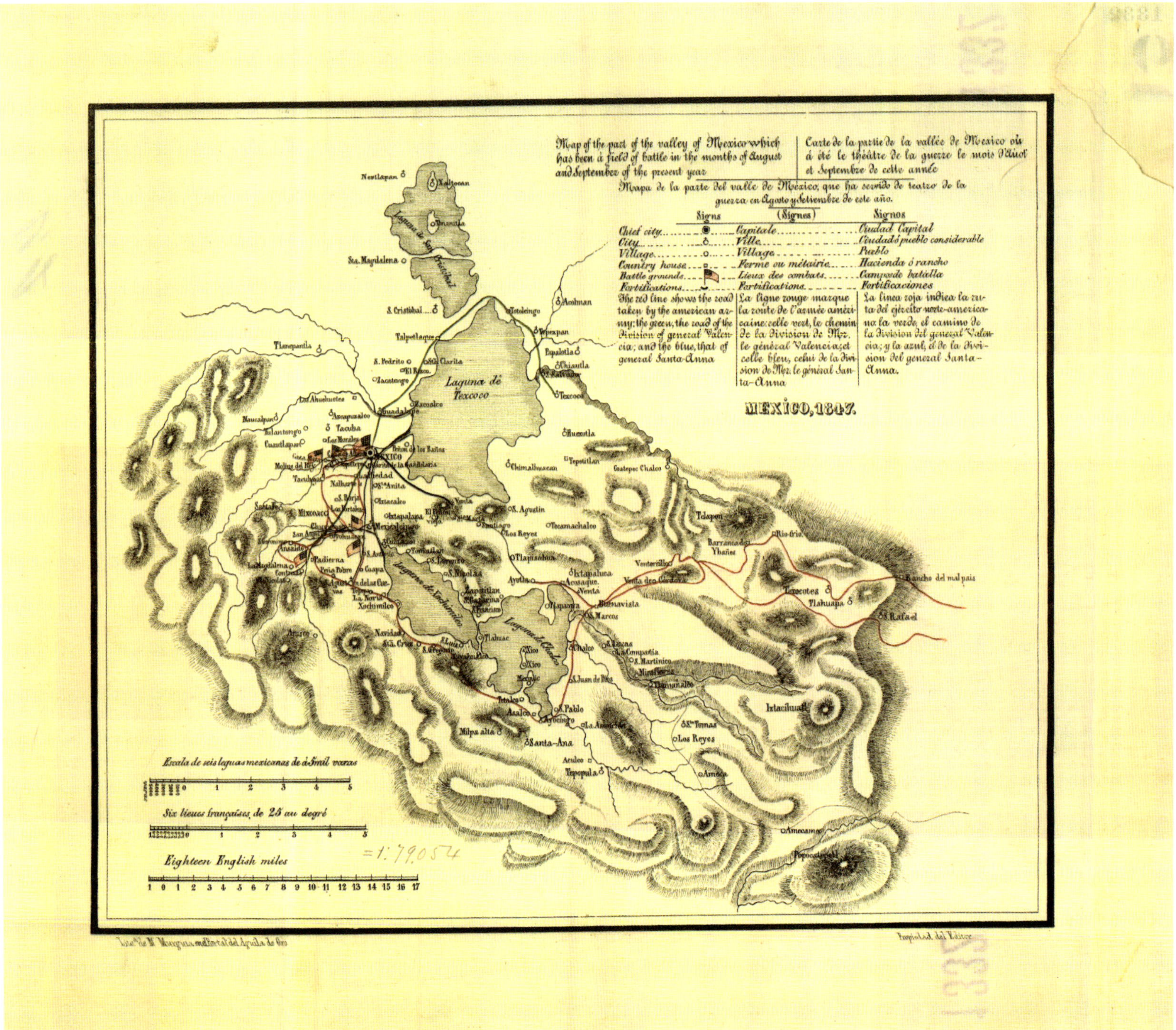

Mapa de la parte del Valle de México, 1847

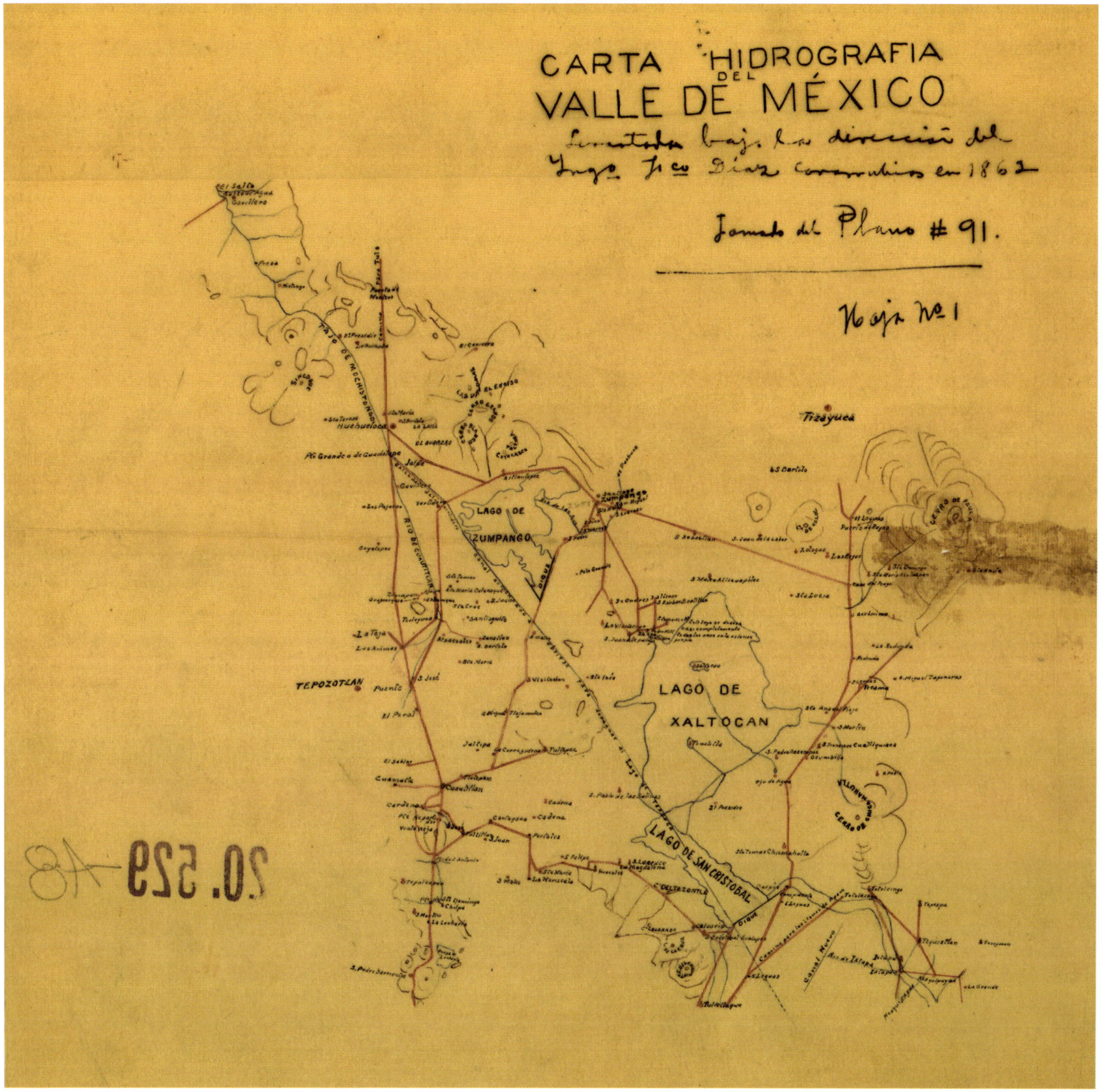

Carta Hidrográfica del Valle de México

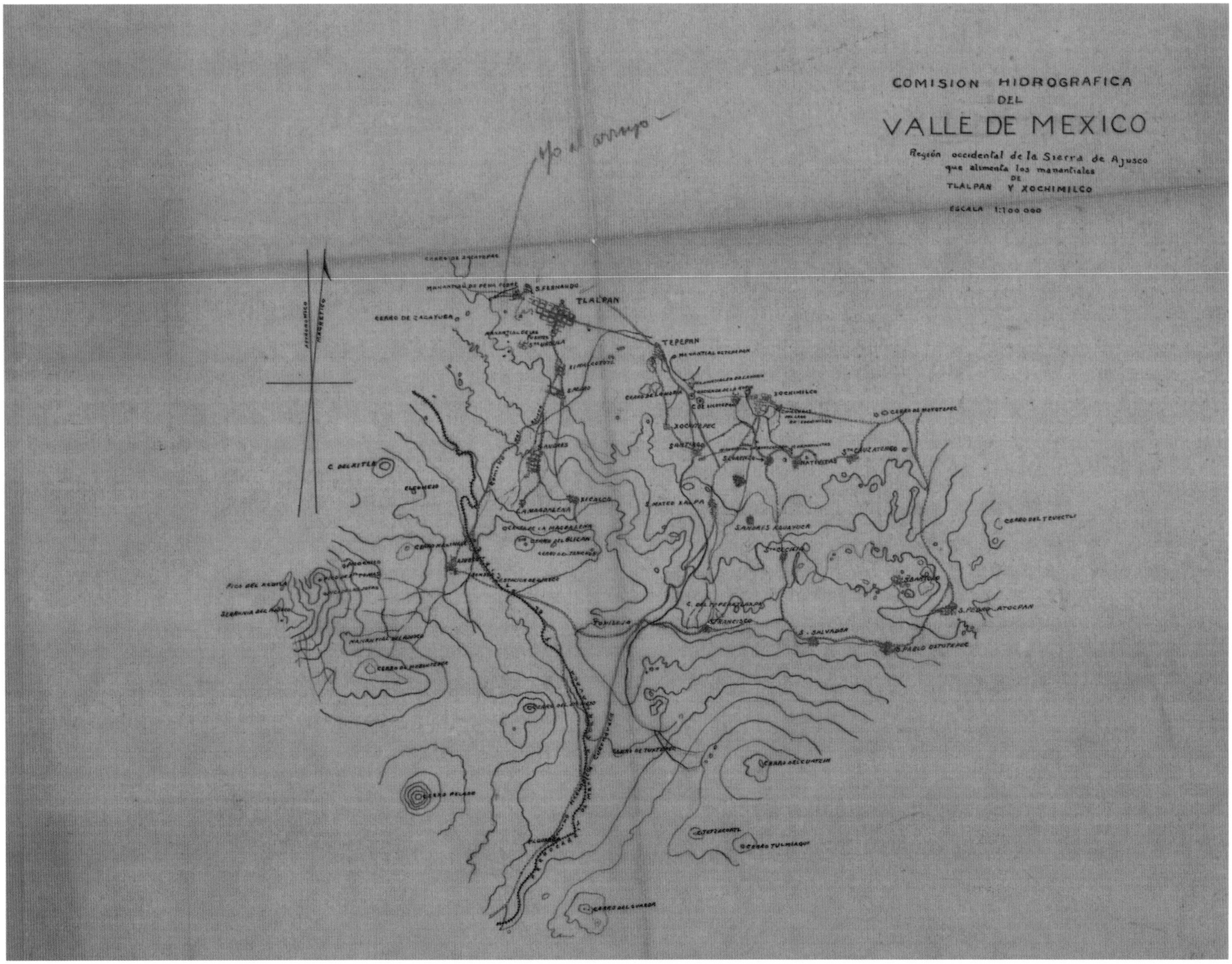

Valle de México

Huehuetoca, Xalpa y Zumpango

Ystlahuacan, Texcoco

Plano del vaso de Texcoco, 1906

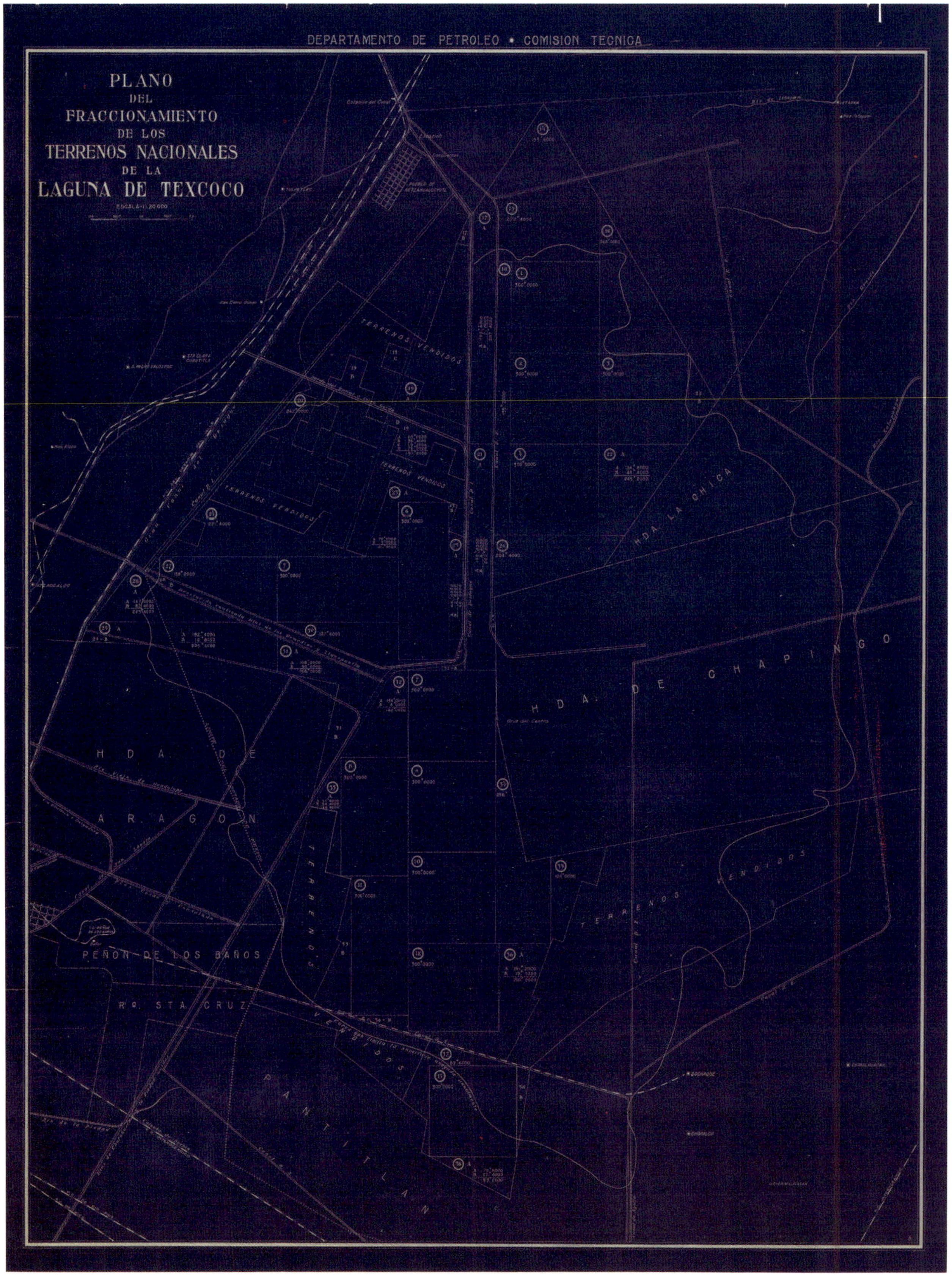

Fraccionamiento
de los terrenos nacionales de
la Laguna de Texcoco

Lago de Texcoco

Plano del Lago de Texcoco

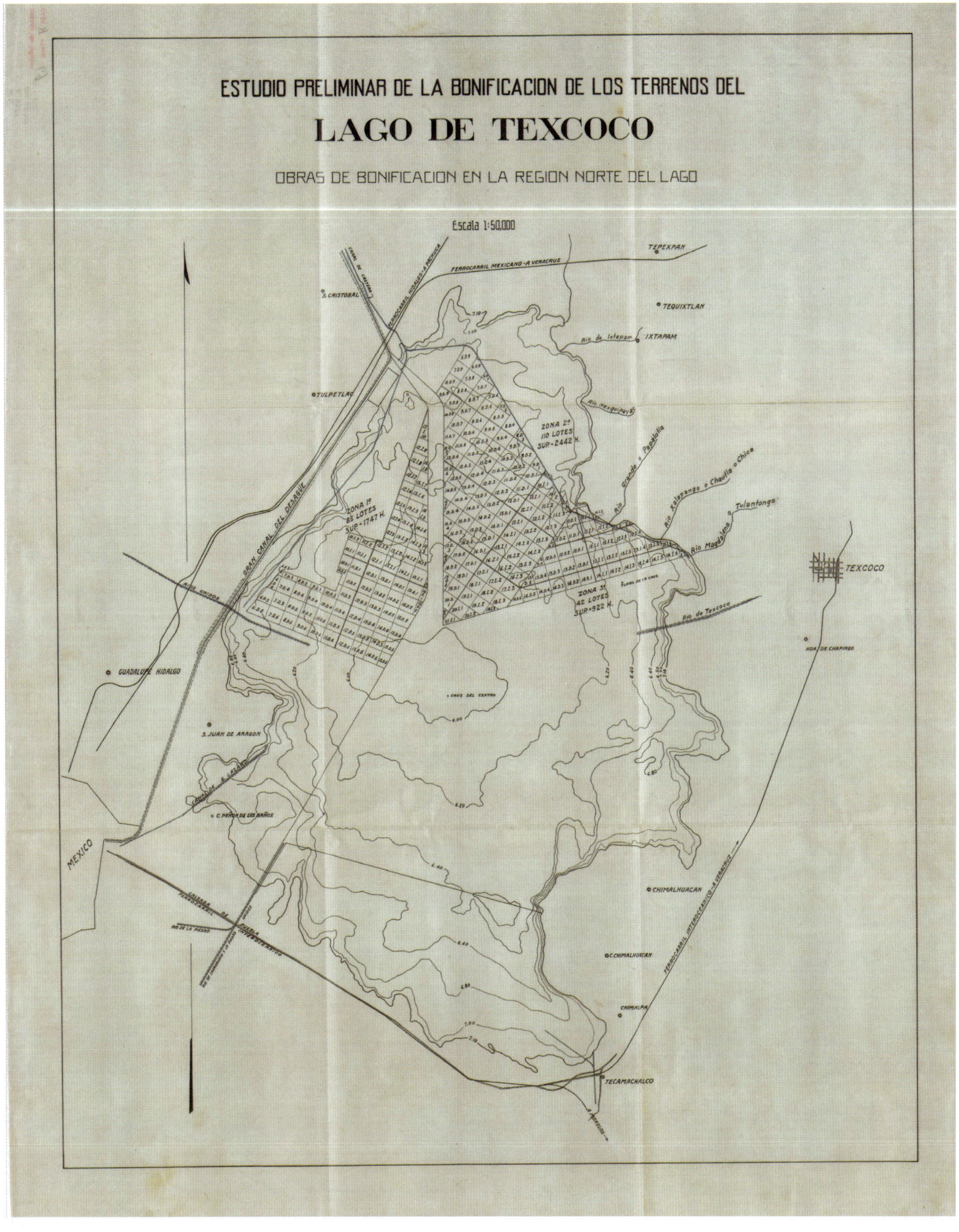

Lago de Texcoco

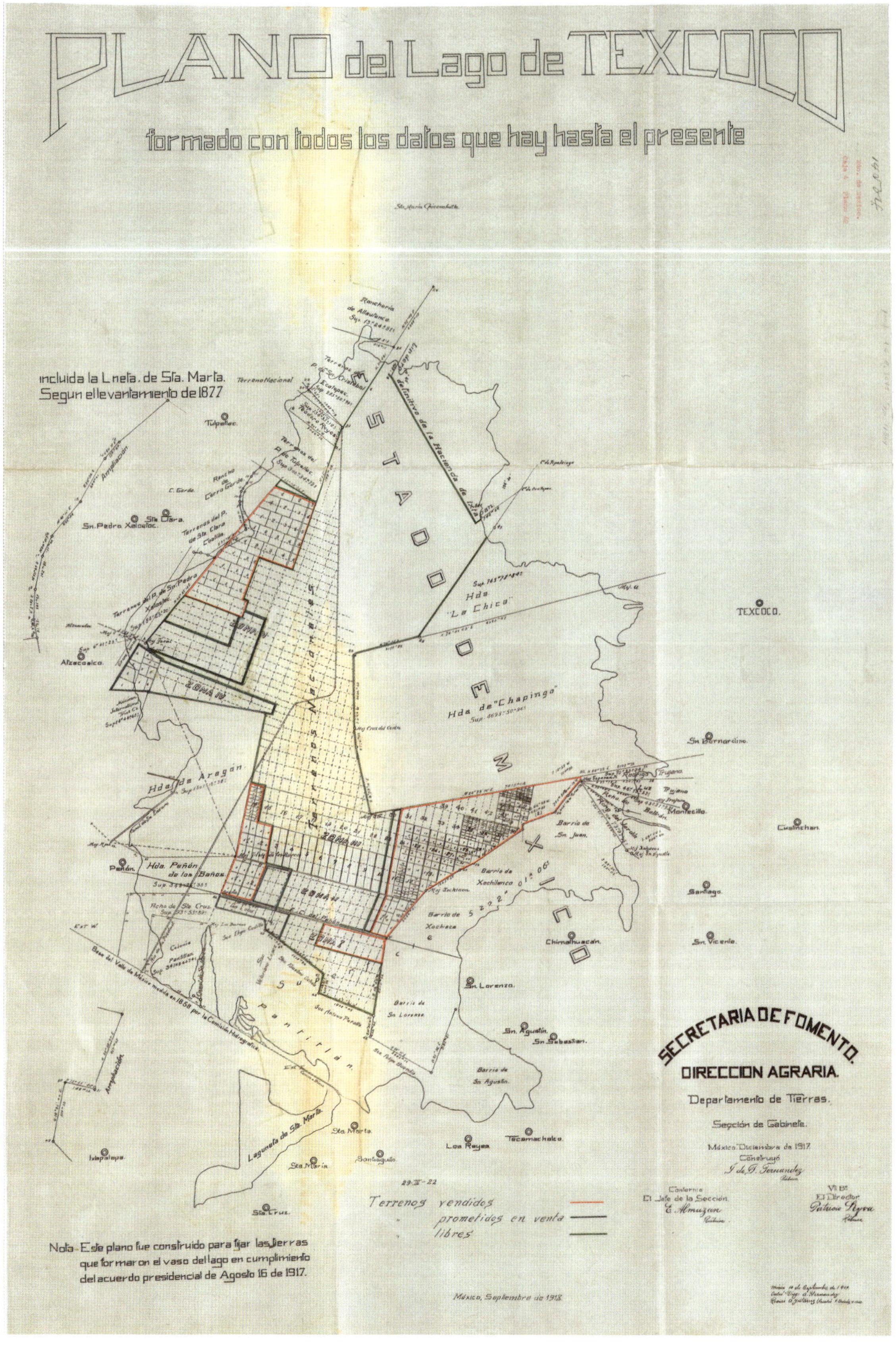

Plano del Lago de Texcoco

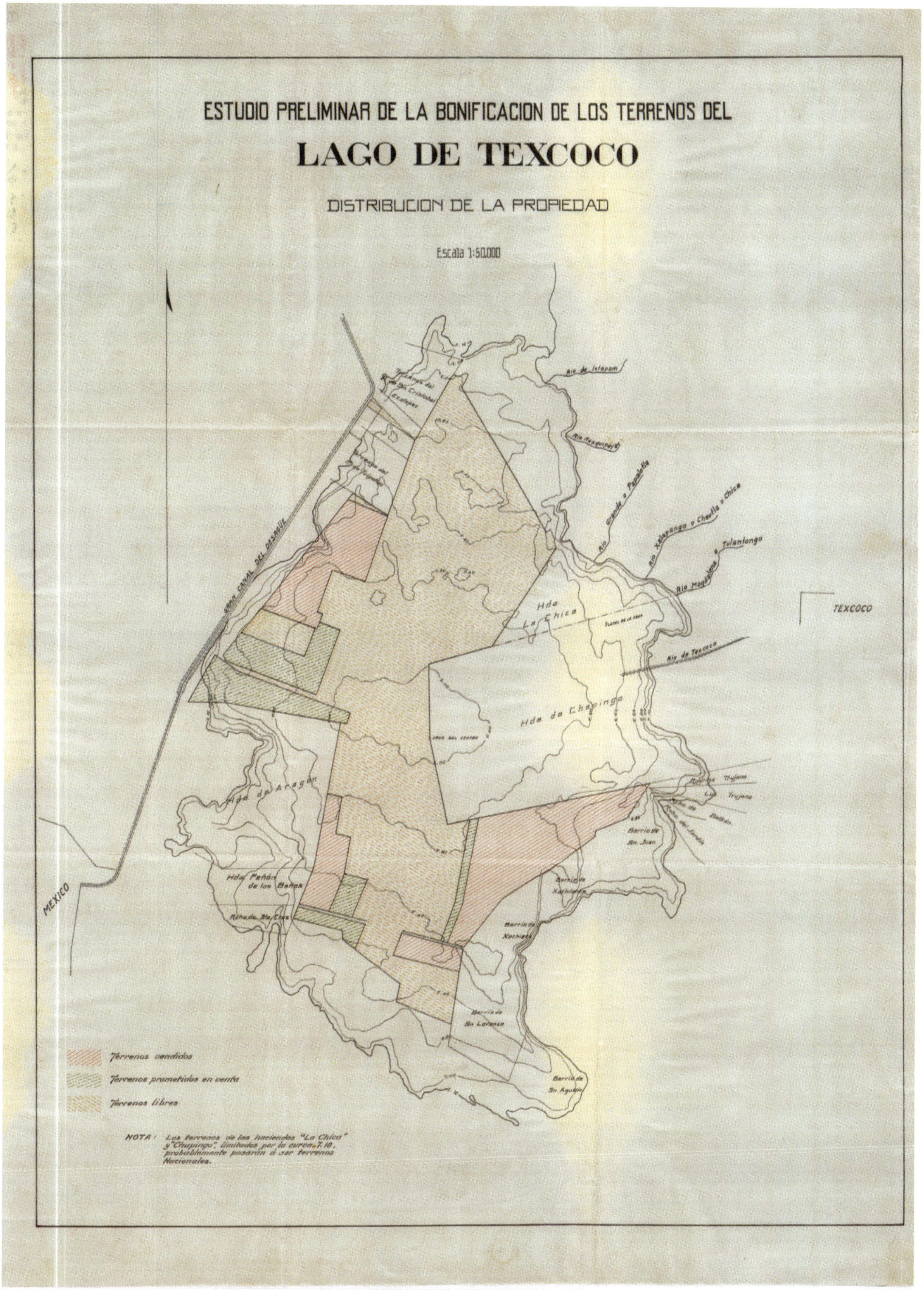

Lago de Texcoco

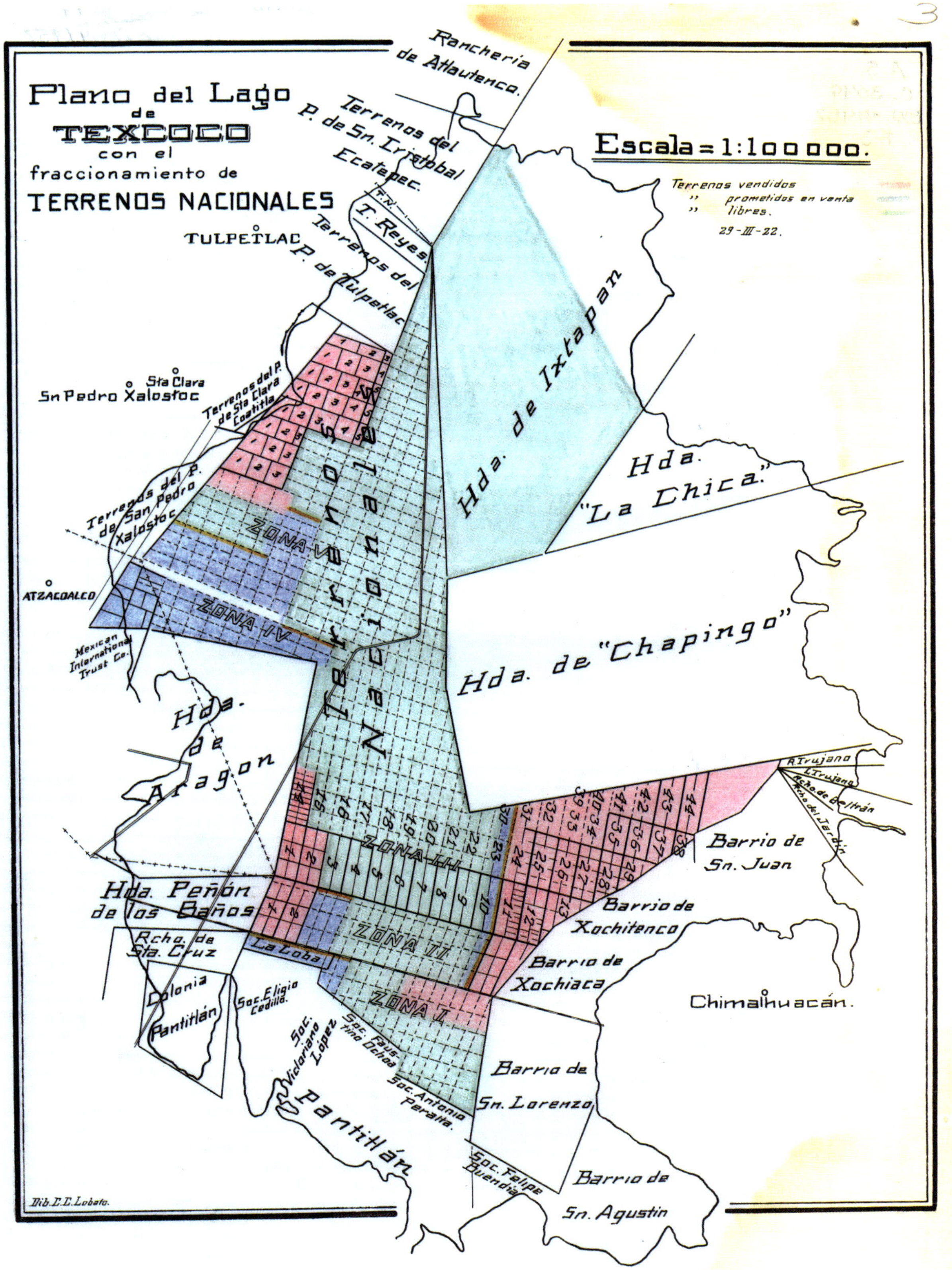

Fraccionamiento de los terrenos nacionales del lago de Texcoco

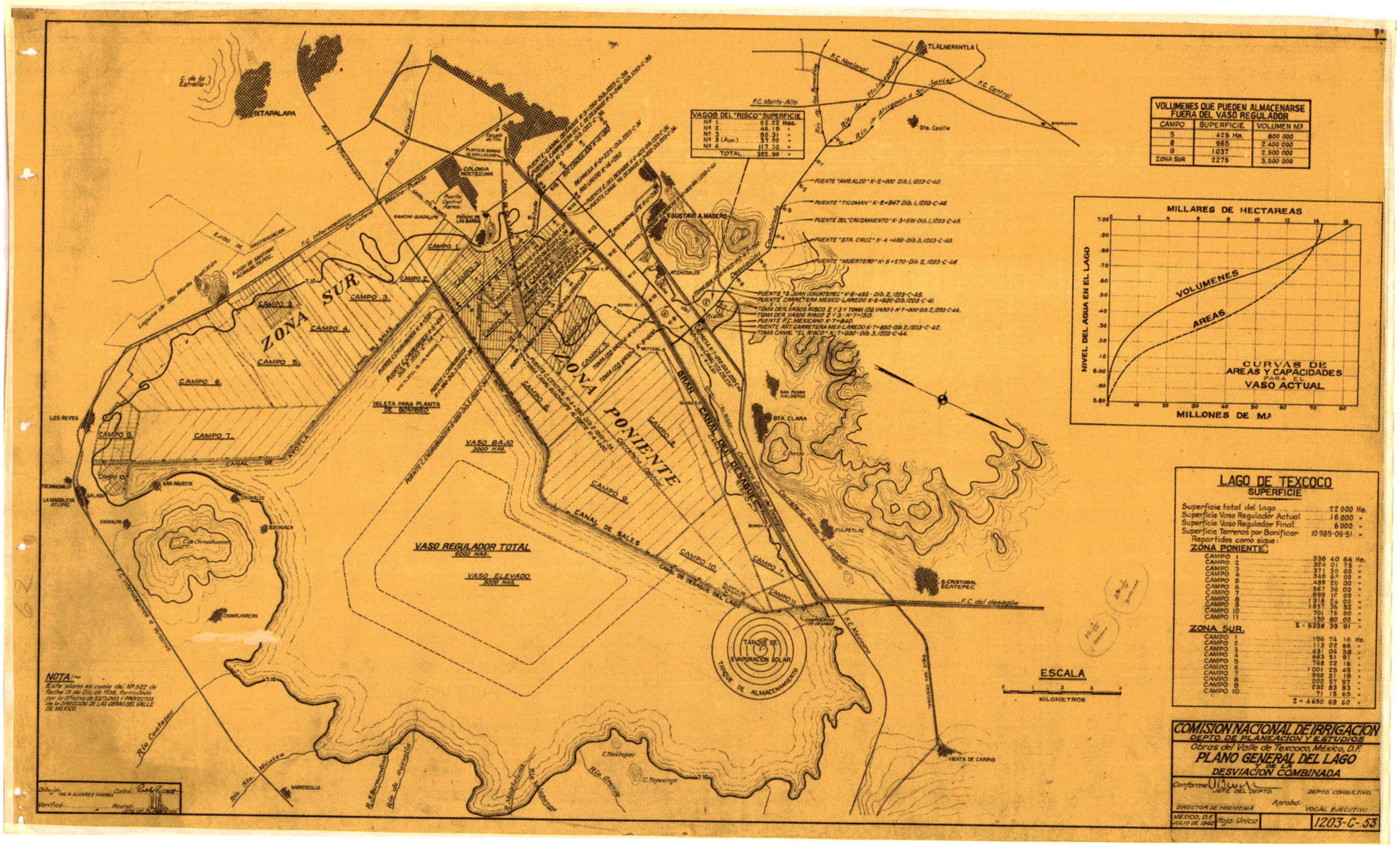

Lago de Texcoco

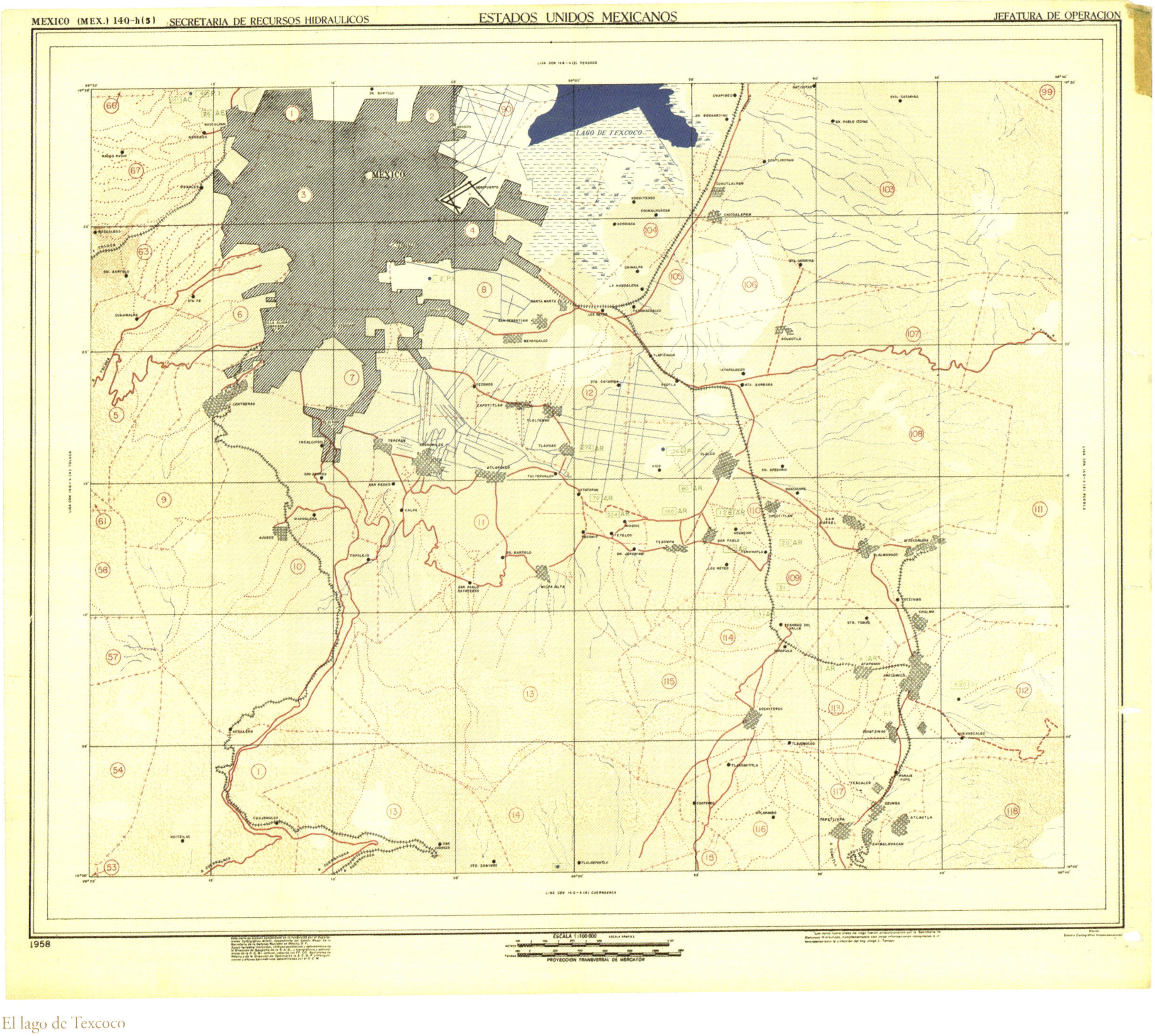

El lago de Texcoco

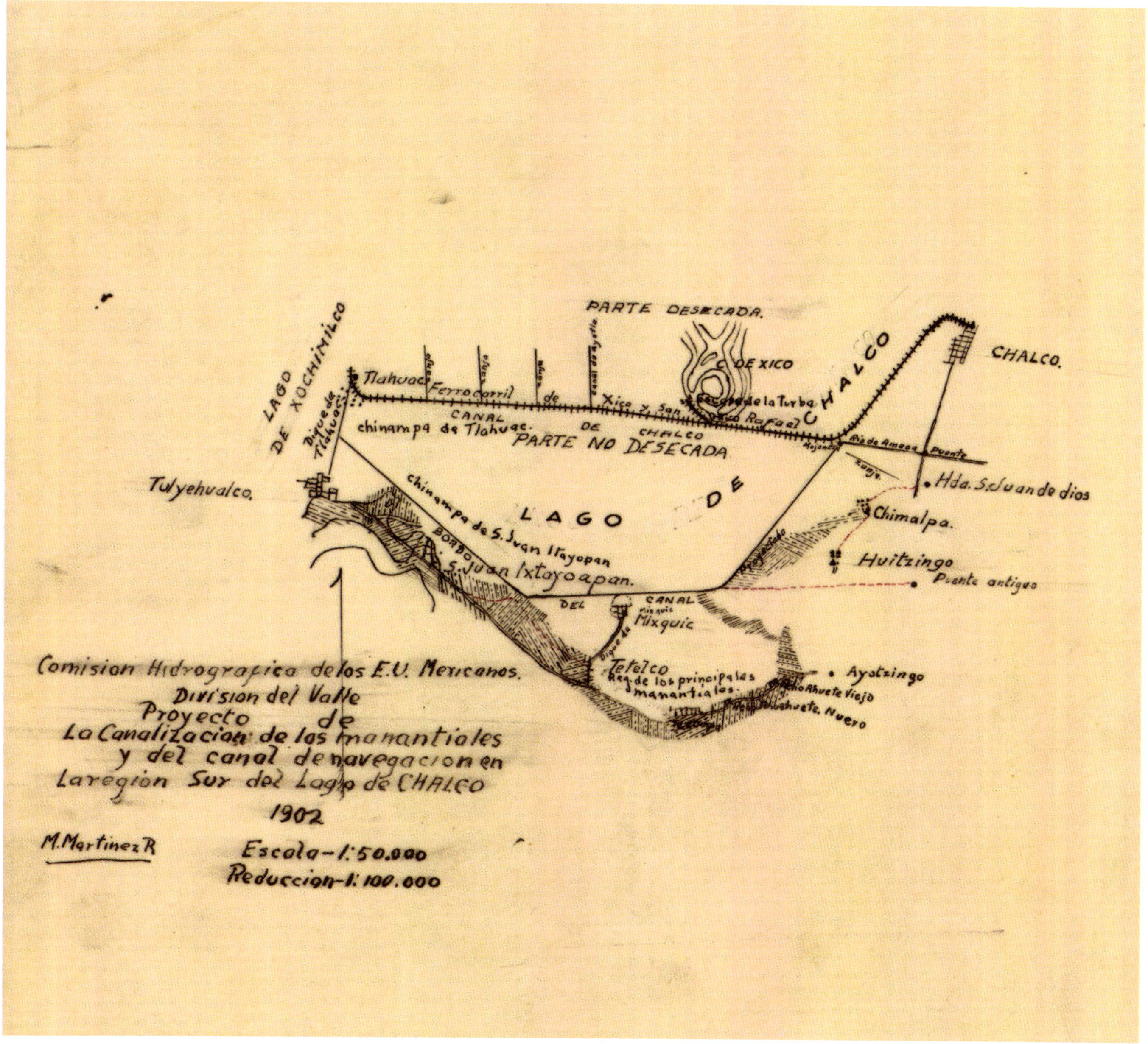

Lago de Chalco

Bibliografía e índices

Bibliografía

Archivos y hemerografía

AHA Archivo Histórico del Agua

AHEM Archivo Histórico del Estado de México

AHMO Archivo Histórico Municipal de Ocoyoacac

Gaceta de gobierno. Periódico Oficial del Gobierno del Estado de México

La Ley. Periódico Oficial del Gobierno del Estado de México

Bibliografía

Aboites Aguilar, Luis

1998 *El agua de la nación. Una historia política de México (1888-1946)*, México, CIESAS.

Aboites Aguilar, Luis y Valeria Estrada Tena (comps.)

2004 *Del agua municipal al agua nacional. Materiales para una historia de los municipios en México 1901-1945*, México, Centro de Investigaciones y Estudios Superiores en Antropología Social/Comisión Nacional del Agua-Archivo Histórico del Agua/El Colegio de México.

Alanís Boyso, José Luis

1995 *Cartografía colonial del Estado de México (siglos XVI-XIX)*, Toluca, Universidad Autónoma del Estado de México.

Albores Zárate, Beatriz Andrea

1990 "La producción lacustre en la historia del sur del Valle de Toluca" en Manuel Miño Grijalva (comp.), *Mundo rural, ciudades y población del Estado de México*, Toluca, El Colegio Mexiquense/Instituto Mexiquense de Cultura.

1994 "El modo de vida lacustre en el sur del Valle de Toluca. Su importancia histórica y sus implicaciones teóricas" en Carmen Viqueira y Lydia Torre (coords.), *Sistemas hidráulicos, modernización de la agricultura y migración*, El Colegio Mexiquense/Universidad Iberoamericana.

1995 *Tules y sirenas. El impacto ecológico y cultural de la industrialización en el Alto Lerma*, Zinacantepec, El Colegio Mexiquense.

2000 "Los pescadores de Techuchulco y el río Lerma" en Rosaura Hernández (coord.), *Cuadernos municipales* núm. 15, Joquicingo, El Colegio Mexiquense.

2002 "Ambiente y cultura lacustres en la historia del Alto Lerma mexiquense" en Brigitte Boehm Schoendubc, Juan Manuel Durán Juárez, Martín Sánchez Rodríguez y Alicia Torres Rodríguez (coords.), *Los estudios del agua en la cuenca Lerma-Chapala-Santiago*, Zamora, El Colegio de Michoacán/Universidad de Guadalajara.

2006 “Una travesía conceptual: del Matlatzinco al valle de Toluca” en *Anales de Antropología*, vol. I-40, México, UNAM-Instituto de Investigaciones Antropológicas.

Andrews, J.H.
1998 “Definitions of the word ‘map’, 1649-1996”, disponible en www.maphist.nl (consultado el 20 de febrero de 2013).

Aguilera, Carmen
1992 “Cartografía indígena” en *Cartografía histórica del encuentro de dos mundos. Madrid-México*, Madrid, Instituto Geográfico Nacional de España/Instituto Nacional de Estadística, Geografía e Informática de México.

Antochiw, Michel
2000 “III. La visión total de la Nueva España. Los mapas generales del siglo XVIII” en Héctor Vargas Mendoza (coord.), *México a través de los mapas*, México, UNAM/Plaza y Valdés.

Arce, José Luis *et al.*
2009 “La cuenca del Alto Lerma: espacio físico e influencia del vulcanismo” en Yoko Sugiura Yamamoto (coord.), *La gente de la ciénaga en tiempos antiguos. La historia de Santa Cruz Atizapán*, México, UNAM-Instituto de Investigaciones Antropológicas/El Colegio Mexiquense.

Ayuntamiento de Toluca
2000 *Historia de los servicios de agua potable, drenaje y saneamiento en el municipio de Toluca*, Toluca, H. Ayuntamiento de Toluca 1997-2000/Organismo Descentralizado Agua y Saneamiento de Toluca.

Bassols-Batalla, Ángel
1967 *La división económica regional de México*, México, Universidad Nacional Autónoma de México.

Bataillon, Claude
1969 *Las regiones geográficas en México*, México, Siglo Veintiuno Editores.

Benavides Mendoza, Adalberto *et al.*
2010 *Tratado de Botánica Económica,* Moderna, Sinaloa, Universidad Autónoma Agraria Antonio Narro.

Birrichaga Gardida, Diana
2002 “Reconstrucción histórica de los sistemas hidráulicos de Texcoco, siglo XIX” en *Boletín del Archivo Histórico del Agua*, Nueva Época, año 7, núm. 20, pp. 11-20.
2005 “La administración local de aguas y tierras en Texcoco (1825-1856)” en *Los usos del agua en el centro y norte de México. Historiografía, tecnología, conflictos*, México, Universidad Autónoma de Zacatecas.
2007 “Modernización del sistema hidráulico rural en el Estado de México (1935-1940)” en *La modernización del sistema de agua potable en México, 1810-1950*, Zinacantepec, El Colegio Mexiquense.

Bistráin, Pablo
1953 *Desecación y drenaje de terrenos*, México, Secretaría de Recursos Hidráulicos.

Camacho Pichardo, Gloria
2005 “Los motines y la centralización de las aguas en el Estado de México (1870-1900)” en Guadalupe Zamudio y Gloria Camacho (coords.), *Estado de México: experiencias de investigación histórica*, Toluca, Universidad Autónoma del Estado de México.
2007a *Agua y liberalismo. El proyecto estatal de desecación de las Lagunas del Alto Lerma, 1850-1875*, México, CIESAS/Conagua/Archivo Histórico del Agua.
2007b “Las fuentes de agua en la ciudad de Toluca (1824-1850) o de cómo se introdujo el agua a las casas: ¿higiene o confort?” en Diana Birrichaga Gardida (coord.), *La modernización del sistema de agua potable en México, 1810-1950*, Zinacantepec, El Colegio Mexiquense.

Cámara de Diputados

2003 "El agua y los centros de población" en www.diputados.gob.mx (consultado el 6 de marzo de 2012).

Carabias, Julia y Rosalva Landa

2005 *Agua, medio ambiente y sociedad. Hacia la gestión integral de los recursos hídricos en México*, México, UNAM/El Colegio de México/ Fundación Gonzalo Río Arronte.

Carrascal Galindo, Irma Eurosia

2007 *Metodología para el análisis e interpretación de los mapas.* Temas selectos de geografía de México, III. Métodos y Técnicas para el estudio del Territorio, México, UNAM-Instituto de Geografía.

Castañeda de la Paz, María

2006 *Pintura de la peregrinación de los culhuaque-mexitin (Mapa de Sigüenza): análisis de un documento tenochca*, México, El Colegio Mexiquense/Instituto Nacional de Antropología e Historia.

Castañeda González, Rocío

2007 "Higiene o negocio. Cambio y protesta social en relación con el sistema de abasto de agua en Toluca (1830-1880)" en Diana Birrichaga Gardida (coord.), *La modernización del sistema de agua potable en México, 1810-1950*, Zinacantepec, El Colegio Mexiquense.

Castro Domingo, Pablo

2004 "Aguas Calientes: conflicto y continuidad en Malinalco, Estado de México" en *Boletín del Archivo Histórico del Agua*, Nueva Época, año 9, núm. 28, pp. 44-52.

Chávez Cruz, María del Carmen

2005 "Entre el ayuntamiento y el gobierno federal. El arrendamiento de los manantiales Las Fuentes, Jocotitlán, Estado de México, 1916-1932" en *Boletín del Archivo Histórico del Agua*, año 10, núm. 30, pp. 20-29.

2007 "Administración local del agua: reglamentos del agua en Atlacomulco, Estado de México, 1868-1916" en *Boletín del Archivo Histórico del Agua*, año 12, núm. 36, pp. 22-36.

Cirelli, Claudia

1997 "La transferencia de agua: el impacto en las comunidades origen del recurso. El caso de San Felipe y Santiago", tesis de maestría en Antropología Social, México, Universidad Iberoamericana.

Commons, Aurea

2002 *Cartografía de las divisiones territoriales de México, 1519-2000.* Temas selectos de geografía de México, I. Textos monográficos, México, UNAM-Instituto de Geografía.

Corona de la Peña, Claudia

2010 "El trasvase de agua a la ZMVM desde la Cuenca del Cutzamala, centralización y rezago regional" en Primer Congreso de la Red de investigadores sobre el agua, 18 y 19 de marzo.

Cotler, Helena y Ángel Priego

2004 "El análisis del paisaje como base para el manejo integrado de cuencas: el caso de la cuenca Lerma-Chapala" en Helena Cotler (coord.), *El manejo integral de cuencas en México. Estudios y reflexiones para orientar la política ambiental*, México, Secretaría de Medio Ambiente y Recursos Naturales/Instituto Nacional de Ecología.

Craib, Raymond B.

2000 "VI. El discurso cartográfico en el México del Porfiriato" en Héctor Vargas Mendoza (coord.), *México a través de los mapas*, México, UNAM/Plaza y Valdés.

Esparza, René, Rita Reséndiz y Arnulfo Embriz
2000 *Catálogo de mapas, planos, croquis e ilustraciones históricas de restitución y dotación de tierras y ampliación de ejidos del Archivo General Agrario*, México, Registro Agrario Nacional/Archivo General Agrario/CIESAS.

Espinosa Pineda, Gabriel
1996 *El sistema lacustre de la cuenca de México en la cosmovisión mexica*, México, UNAM.

Fabila, Alfonso y Gilberto Fabila
1951 *Ensayo socioeconómico del estado*, México, Talleres Gráficos de la Nación, 2 vols.

García Sánchez, Magdalena y Alberto Aguirre Anaya
1994 "El modo de vida lacustre en la Cuenca del Alto Lerma: un estudio etnoarqueológico", tesis de licenciatura (arqueología), México, ENAH.

Gobierno del Estado de México
1999 *Horizontes del Agua en el Estado de México*, Naucalpan, Gobierno del Estado de México, Secretaría de Desarrollo Urbano y Obras Públicas/Comisión del Agua en el Estado de México.

Gómez Escobar, María Consuelo
2004 *Métodos y técnicas de la cartografía temática*. Temas selectos de geografía de México, III. Métodos y Técnicas para el estudio del Territorio, México, UNAM-Instituto de Geografía.

Gómez Moreno, Raúl Ángel
2004 *Guía de proyecciones cartográficas*, México, Instituto Nacional de Estadística, Geografía e Informática.

Gómez Reyes, Yudmila Irazú
2011 *Vivir donde nace el agua. El movimiento social mazahua en Villa de Allende, Estado de México*, Zinacantepec, El Colegio Mexiquense.

González Orihuela, Aldegundo
1964 "Organización de los agricultores y distribución de la tierra para la formación y organización de los distritos de riego" en *Ingeniería Hidráulica en México*, México, Secretaría de Recursos Hidráulicos, enero a junio, vol. XVIII.

Guasch y Saunders, Juan Carlos
2007 "El Sistema Cutzamala" en David Korenfeld y Alexander Naime (eds.), *El agua ciclo de un destino*, Toluca, Gobierno del Estado de México/Biblioteca Mexiquense del Bicentenario.
2012 "Sistema Cutzamala sólo al 58 por ciento de su capacidad" en www.excelsior.com.mx, 19 de febrero (consultado el 24 de febrero de 2013).

Guerrero Crespo, Claudia y Gabriel Francia García
2001 "Las obras de drenaje de la cuenca de México y el túnel de Tequixquiac" en *Boletín del Archivo Histórico del Agua*, año 6, núm. 19, pp. 27-32.

Harley, John Brian
2005 *La nueva naturaleza de los mapas. Ensayos sobre la historia de la cartografía*, México, Fondo de Cultura Económica.

Hernández López, Óscar (ed.)
1999 *Horizontes del Agua en el Estado de México*, Toluca, Gobierno del Estado de México-Secretaría de Desarrollo Urbano y Obras Públicas/Comisión del Agua del Estado de México.

Huerta, María Teresa
1978 "Isidoro de la Torre: el caso de un empresario azucarero. 1844-1881", Ciro F.S. Cardoso (coord.), *Formación y desarrollo de la burguesía en México S. XIX*, México, Siglo XXI.

Humboldt, Alejandro von
1987 *Ensayo político sobre el reino de la Nueva España*, México, Porrúa.

INEGI
1992 *Cartografía histórica del encuentro de dos mundos*, Madrid-México, Instituto Geográfico Nacional (España)/Instituto Nacional de Estadística, Geografía e Informática (México).
2000 *Información geográfica hacia el tercer milenio*, México.

Instituto Nacional de Ecología
2009, "Priorización y recomendaciones de acciones de conservación en las subcuencas del sistema Cutzamala", México, www. inecc.gom.mx (consultado 10 julio de 2014).

Iracheta Cenecorta, María del Pilar
2001 "La villa colonial de Toluca y el abasto de agua" en *Boletín del Archivo Histórico del Agua*, Nueva Época, año 6, núm. 19, pp. 9-17.
2007 "Del agua de los religiosos a la del ayuntamiento: el proceso de secularización en Toluca (1814-1861)" en Diana Birrichaga Gardida (coord.), *La modernización del sistema de agua potable en México, 1810-1950*, Zinacantepec, El Colegio Mexiquense.

Jiménez Cisneros, Blanca Elena
2003 "El agua en el Valle de México. Un problema para más de 18 millones de personas" en *Páramo del campo y la ciudad*, Órgano de Difusión del Centro de Estudios Sobre Marginación y Pobreza del Estado de México, año 1, núm. 1, pp. 26-32.

Junta Directiva del Desagüe del Valle de México
1902 *Memoria Histórica, Técnica y Administrativa de las Obras del Desagüe del Valle de México, 1449-1900*, publicada por orden de la Junta Directiva del Mismo Desagüe, México, Tipografía de la Oficina de Estampillas.

Kroeber, Clifton B.
1994 *El hombre, la tierra y el agua. Las políticas en torno a la irrigación en la agricultura de México 1885-1911*, México, Instituto Mexicano de Tecnología del Agua/ Centro de Investigaciones y Estudios Superiores en Antropología Social.

Lane Rodríguez, Marci
1994 "Estudio preliminar sobre la reconstrucción del sistema de riego en la región de Texcoco" en Carmen Viqueira y Lydia Torre (coords.), *Sistemas hidráulicos, modernización de la agricultura y migración*, México, El Colegio Mexiquense/Universidad Iberoamericana.

Lanz Cárdenas, José Trinidad
1982 *Legislación de aguas en México: Estudio histórico-legislativo de 1521 a 1981*, tomo II, México, Consejo Editorial del Gobierno del Estado de Tabasco.

León Portilla, Miguel
1997 "La cartografía como patrimonio cultural" en *El patrimonio nacional de México II*, Enrique Florescano (coord.), México, Consejo Nacional para la Cultura y las Artes/FCE.
2000 "Los mapas y el siglo XX mexicano" en Héctor Vargas Mendoza (coord.), *México a través de los mapas*, México, UNAM/Plaza y Valdés.
2005 "Cartografía prehispánica e hispanoindígena de México" en *Estudios de Cultura Náhuatl*, vol. 36, pp. 185-198.

Luna Parra, María Angélica
2003 "Desarrollo social integral. El agua: elemento estratégico de igualdad" en *Páramo del campo y la ciudad*, Órgano de Difusión del Centro de Estudios Sobre Marginación y Pobreza del Estado de México, año 1, núm. 1, pp. 4-12.

Martínez Treviño, Alice Zahí
2007 "Fundamentos jurídicos e históricos y ambientales del movimiento mazahua por la defensa del agua", tesis de licenciatura en Ciencia Política, México, Universidad Autónoma Metropolitana-Iztapalapa.

McGowan, Gerald L.
1990 *Geografía político administrativa de la Reforma*, México, El Colegio Mexiquense/Instituto Nacional de Estadística Geografía e Informática.

Medina González, Gabriela y Diana Birrichaga Gardida
2007 "Alcances y limitaciones en la irrigación en el Estado de México, 1900-1930" en *Boletín del Archivo Histórico del Agua*, Nueva Época, año 12, núm. 36, pp. 44-58.

Mendoza Vargas, Héctor
2000a "Las opciones geográficas al inicio del México independiente" en Héctor Mendoza (coord.), *México a través de los mapas.* Temas selectos de geografía de México, I. Textos monográficos, México, UNAM-Instituto de Geografía/Plaza y Valdés.
2000b "Los mapas y el siglo XX mexicano" en Héctor Mendoza (coord.), *México a través de los mapas.* Temas selectos de geografía de México, I. Textos monográficos, México, UNAM-Instituto de Geografía/Plaza y Valdés.

Mendoza, Héctor y Carla Lois (coord.)
2009 *Historias de la cartografía de Iberoamérica. Nuevos caminos, viejos problemas.* México, UNAM-Instituto de Geografía/Instituto Nacional de Estadística, Geografía e Informática.

Memoria del Sistema
1958 *Memoria del Sistema Hidroeléctrico "Miguel Alemán" de la Comisión Federal de Electricidad*, México, Comisión Federal de Electricidad.

Menegus Bornemann, Margarita
1995 "La desamortización de bienes comunales y municipales en el Valle de Toluca (1800-1854)" en *Siglo XIX Cuadernos de Historia*, IV: 12 (mayo-agosto), pp. 7-27.

Moncada, José Omar
2009 "Construyendo el territorio. El desarrollo de la cartografía en Nueva España" en Héctor Mendoza y Carla Lois (coords.), *Historias de la cartografía de Iberoamérica. Nuevos caminos, viejos problemas*, México, UNAM-Instituto de Geografía/Instituto Nacional de Estadística, Geografía e Informática.

Montes de Oca Vega, Mercedes y Dominique Raby *et al.*
2003 *Cartografía de tradición indígena*, México, UNAM/AGN.

Musset, Alain
1996 "De Tláloc a Hipócrates. El agua y la organización del espacio en la Cuenca de México (Siglos XVI-XVIII)" en Alejandro Tortolero Villaseñor (coord.), *Tierra, agua y bosques: historia y medio ambiente en el México central*, México, Centro Francés de Estudios Mexicanos y Centroaméricanos/Universidad de Guadalajara/Instituto de Investigaciones José María Luis Mora.

Niederberger, Christine
1976 *Zohapilco. Cinco milenios de ocupación humana en un sitio lacustre de la Cuenca de México*, México, INAH (Colección Científica).

Noguez, Xavier
2002 "Los códices de tradición náhuatl del centro de México en la etapa colonial" en C. Arellano, P. Schmidt y X. Noguez (coords.), *Libros y escritura de tradición indígena: ensayos sobre los códices prehispánicos y coloniales de México*, México, El Colegio Mexiquense/Universidad Católica de Eichstät.

Noriega, Joaquín
1980 *Estadística del Departamento de México. Formada por el Ministerio de Fomento, y presidida por el Sr. Joaquín Noriega de septiembre de 1853 en que comenzó sus trabajos, a febrero de 1854 en que los concluyó*, México, Biblioteca Enciclopédica del Estado de México.

Oñate Villareal, Abdiel
1984 "Banca y agricultura en México: La Caja de Préstamos para Obras de Irrigación y Fomento de la agricultura, 1908-1926", tesis de doctorado en Historia, México, El Colegio de México.

Orive Alba, Adolfo
1970 *La irrigación en México*, México, Grijalbo.

Orozco y Berra, Manuel
1862 "Memoria para la carta hidrográfica del Valle de México" en *Boletín de la Sociedad Mexicana de Geografía y Estadística*, 9, pp. 337-512.
1881 *Apuntes para la historia de la geografía en México*, México, Imprenta de Francisco Díaz de León.

Palerm, Ángel
1973 *Obras hidráulicas prehispánicas en el sistema lacustre del Valle de México*, México, Instituto Nacional de Antropología e Historia/Secretaría de Educación Pública.

Palerm-Viqueira, Jacinta
2004 "Prólogo: Reglamentos de aguas y *reglamentación* de aguas de propiedad nacional" en Jacinta Palerm Viqueira (coord.), Israel Sandre, Benito Rodríguez Haros, Nora Duana Caletteet (eds.), *Catálogo de Reglamentos de Agua en México. Siglo XX*, Colegio de Postgraduados/Archivo Histórico del Agua/Centro de Investigaciones y Estudios Superiores en Antropología Social/Comisión Nacional del Agua, CD.
2006 "Organizaciones autogestivas para el manejo del agua" en *Agronuevo*, año 2, núm. 11, Secretaría de la Reforma Agraria, pp. 71-90.
2008 "Distritos de Riego en México, algunos mitos" en *Boletín del Archivo Histórico del Agua*, año 13 enero-abril 2008, núm. 38, pp. 50-70.

Patrick Encina, Geraldine Ann
2007 "Ecología y cultura lacustres en Almoloya del Río. Hacia el manejo sustentable de Chiconahuapan, un remanente de la Laguna de Lerma, Estado de México", tesis de doctorado en Ciencias Sociales, Zinacantepec, El Colegio Mexiquense.

Perló Cohen, Manuel y Arsenio González Reynoso
2005 "Conflictos sociales y gubernamentales en la región hidropolitana del centro del país" en Sergio Vargas y Eric Mollard (eds.) *Problemas socio-ambientales y experiencias organizativas en las cuencas de México*, Jiutepec, Instituto Mexicano de Tecnología del Agua.

Quiroz Martínez, Roberto
1931 "México. Sus elementos de riqueza" en *Irrigación en México*, Órgano oficial de la Comisión Nacional de Irrigación, México, vol. III, núm. 3, pp. 268-288.

Ramírez de Alba, Horacio
1991 *La construcción en el Estado de México: un estudio técnico con referencia histórica*, México, El Colegio Mexiquense.

Rebert, Paula
2000 "Los ingenieros mexicanos en la frontera: cartografía de los límites entre México y Estados Unidos, 1849-1857" en H. Mendoza (coord.), *México a través de los mapas.* Temas selectos de geografía de México, I. Textos monográficos, México, UNAM-Instituto de Geografía/Plaza y Valdés.

Rode, Guillermo

1931 "Proyecto de riego, entarquinamiento y desagües de la fracción baja de Chapingo" en *Irrigación en México*, México, Órgano oficial de la Comisión Nacional de Irrigación, vol. III, núm. 3, pp. 216-223 y núm. 4, pp. 331-347.

Rodríguez Haros, Benito, Rocío Rosas Vargas y Héctor Ruiz Rueda

2010 "Las juntas de aguas: Búsqueda de un modelo de administración y operación de sistemas de riego" en *Ra Ximhai*, mayo-agosto, año/vol. 6, núm. 2, Sinaloa, Universidad Autónoma Indígena de México/ Mochicahui, pp. 295-301.

Romero Lankao, Patricia

2002 "Agua en el alto Lerma. Experiencias y lecciones de uso y gestión" en Brigitte Boehm Schoendube, Juan Manuel Durán Juárez, Martín Sánchez Rodríguez y Alicia Torres Rodríguez (coords.), *Los estudios del agua en la cuenca Lerma-Chapala-Santiago*, Zamora, El Colegio de Michoacán/Universidad de Guadalajara.

Rojas Rabiela, Teresa

1998 *La cosecha del agua en la Cuenca de México*, México, CIESAS.

______ (coord.)

1995 *Presente, pasado y futuro de las chinampas*, México, Centro de Investigaciones y Estudios Superiores en Antropología Social/Patronato del Parque Ecológico de Xochimilco.

______, Rafael A. Strauss y José Lameiras

1974 *Nuevas noticias sobre las obras hidráulicas prehispánicas y coloniales en el Valle de México*, México, Instituto Nacional de Antropología e Historia.

______, José Luis Martínez Ruiz y Daniel Murillo Licea

2009 *Cultura hidráulica y simbolismo mesoamericano del agua en el México prehispánico*, México, Instituto Mexicano de Tecnología del Agua/Centro de Investigaciones y Estudios Superiores en Antropología Social.

Ruiz Naufal, Víctor Manuel

1993 "Cartografía histórica del Estado de México" en *Atlas General del Estado de México*, volumen I. México. Instituto de Información e Investigación Geográfica, Estadística y Catastral/Gobierno del Estado de México.

2000 "La faz del terruño. Planos locales y regionales, siglos XVI-XVIII" en *México a través de los mapas*, Héctor Vargas Mendoza (coord.), UNAM/Plaza y Valdés, México.

Ruiz de Velasco, Felipe

1937 *Historia y evoluciones del cultivo de la caña y de la industria azucarera en México, hasta el año de 1910*, México, Publicaciones de Azúcar.

Saldaña Vélez, Francisco

1962 *Geografía de México*, México, Editorial Esfinge.

Salitchev, Konstantin

1979 *Cartografía*, La Habana, Editorial Pueblo y Educación.

Sánchez Colín, Salvador

1993 *El Estado de México: su historia, su ambiente, sus recursos*, México, Instituto Mexiquense de Cultura.

Sánchez Esquivel, Paola

2012 "Las aguas pueblerinas: administración del agua para riego en el ejido de Paredón, Almoloya de Juárez, 1946-1975", tesis de licenciatura en Historia, Toluca, UAEMex-Facultad de Humanidades.

Sandoval Forero, Eduardo y Juan Carlos Patiño

2000 *Cartografía automatizada para la investigación de regiones indígenas*, Toluca, UAEM.

Sandre Osorio, Israel

2005 "Introducción" en Israel Sandre Osorio, *Documentos sobre posesión de aguas de los pueblos indígenas del Estado de México, siglos XVI al XVIII*, México, CIESAS/ Archivo Histórico del Agua/El Colegio Mexiquense.

2006 "Entre industrias y fraccionamientos: el legado del desarrollo urbano-industrial en Cuautitlán, Estado de México" en *Boletín del Archivo Histórico del Agua*, Nueva Época, año 11, núm. 32, pp. 5-22.

2009 "Reforma Agraria y distribución de las aguas del río Tepotzotlán, Estado de México, 1898-1935" en Aquiles Omar Ávila Quijas, Jesús Gómez Serrano, Antonio Escobar Ohmstede, Martín Sánchez Rodríguez (coords.), *Negociaciones acuerdos y conflictos en México, siglos XIX y XX. Agua y tierra*, Zamora, El Colegio de Michoacán/CIESAS/Universidad Autónoma de Aguascalientes.

SARH

1978 *Características de los Distritos y Unidades de Riego*, IV tomos, México, Secretaría de Agricultura y Recursos Hidráulicos, Subsecretaría de Agricultura y Operación, Dirección General de Distritos y Unidades de Riego, Departamento de Formulación y Control de Programas.

1970 *Regiones Hidrológicas*, México, Secretaría de Recursos Hidráulicos-Dirección de Hidrología.

1973 *Boletín Hidrológico*, núm 50, México, Secretaría de Recursos Hidráulicos-Dirección de Hidrología.

Soustelle, Jacques

1993 *La familia otomí-pame del México central*, México, Centro de Estudios Mexicanos y Centroamericanos/Fondo de Cultura Económica (Sección de obras de Historia).

Sugiura Yamamoto, Yoko

1998 *La caza, la pesca y la recolección: etnoarqueología del modo de subsistencia lacustre en las ciénegas del Alto Lerma*, México, UNAM-Instituto de Investigaciones Antropológicas.

Tamayo, Jorge

1960 *Geografía moderna de México*, México, Librería Patria.

1962 *Geografía general de México*, México, Instituto Mexicano de Investigaciones Económicas, 4 tomos.

Tamayo P. de Ham, Luz María Oralia y José Omar Moncada

2001 "La Comisión de Límites de México y el levantamiento de la línea divisoria entre México y Estados Unidos, 1849-1857" en *Investigaciones Geográficas, Boletín del Instituto de Geografía*, UNAM, núm. 44, pp. 85-102.

Torres, Blanca

1984 *Historia de la Revolución Mexicana: Hacia México en la Segunda Guerra Mundial*, México, El Colegio de México, t. 19.

Tortolero Villaseñor, Alejandro

1994 "Haciendas, pueblos y gobierno porfirista: los conflictos por el agua en la región de Chalco" en Carmen Viqueira y Lydia Torre (coords.), *Sistemas hidráulicos, modernización de la agricultura y migración*, México, El Colegio Mexiquense/Universidad Iberoamericana.

1996a *Tierra, agua y bosques: historia y medio ambiente en el México central*, México, Centro Francés de Estudios Mexicanos y Centroaméricanos/Universidad de Guadalajara/Instituto de Investigaciones José María Luis Mora.

1996b "Presentación: historia, espacio y medio ambiente en el México Central" y "Los usos del agua en la región de Chalco, 1893-1913: del Antiguo régimen a la gran hidráulica" en Alejandro Tortolero Villaseñor (coord.), *Tierra, agua y bosques: historia y medio ambiente en el México central*, México, Centro Francés de Estudios Mexicanos y Centroaméricanos/Universidad de Guadalajara/Instituto de Investigaciones José María Luis Mora.

2000 *El agua y su historia. México y sus desafíos hacia el siglo XXI*, México, Siglo XXI.

Trujillo, Mario
1996 "Producción fabril y medio ambiente en las inmediaciones del Valle de México, 1850-1880" en Alejandro Tortolero (coord.), *Tierra, agua y bosques. Historia y medio ambiente en el México central*, México, CEMCA/UdeG/Instituto Mora.

Tyner, Judith A.
2010 *Principles of map design*, N.Y., The Guilford Press.

Universidad Autónoma del Estado de México
1996 *La evolución cartográfica en la ciudad de Toluca*, Toluca, Universidad Autónoma del Estado de México.

Uribe Salas, José Alfredo y Eduardo Miranda Arrieta
1995 *Las utopías del Balsas. Historias de una propuesta regional de comunicación interoceánica*, Morelia, Universidad Michoacana de San Nicolás de Hidalgo.

Vargas Martínez, Gustavo
2000 "I. La Nueva España en la cartografía europea, siglos XV-XVI" en *México a través de los mapas*, Héctor Vargas Mendoza (coord.), México, UNAM/Plaza y Valdés.

Vargas Velázquez, Sergio y Nohora Beatriz Guzmán Ramírez
2002 "Agricultura campesina en la gran irrigación: crisis y transformación socioeconómica en el sistema de riego Tepetitlán" en Brigitte Boehm Schoendube, Juan Manuel Durán Juárez, Martín Sánchez Rodríguez y Alicia Torres Rodríguez (coords.), *Los estudios del agua en la cuenca Lerma-Chapala-Santiago*, Zamora, El Colegio de Michoacán/Universidad de Guadalajara.

Vargas Velázquez, Sergio y Eric Mollard (eds.)
2005 *Los retos del agua en la cuenca Lerma-Chapala*, México, Instituto Mexicano de Tecnología del Agua/Instituto de Recherche pour le Développement.

Velasco, Alfonso Luis
1980 *Geografía y estadística de la República Mexicana*, México, Geografía y Estadística del Estado de México, edición facsimilar de la de 1889, México, Biblioteca Enciclopédica del Estado de México.

Velázquez, Gustavo
1973 *Quiénes fueron los Matlatzincas*, México, Biblioteca Enciclopédica del Estado de México.

Viqueira, Carmen y Lydia Torre (coords.)
1994 *Sistemas hidráulicos, modernización de la agricultura y migración*, México, El Colegio Mexiquense/Universidad Iberoamericana.

Ward, Henry George
1985 *México 1827*, México, Secretaría de Educación Pública (Lecturas Mexicanas, 73).

Winckell, Alain y Michel Le Page
2004 "Algunas relaciones entre cambios naturales, efectos antrópicos y degradación ambiental en la cuenca del río Lerma" en Helena Cotler (coord.), *El manejo integral de cuencas en México. Estudios y reflexiones para orientar la política ambiental*, México, Secretaría de Medio Ambiente y Recursos Naturales/Instituto Nacional de Ecología.

Young, Eric van
1992 *La crisis agraria y rebeliones populares de la Nueva España, 1750-1821*, México, Alianza.

Índice de ilustraciones y láminas

Introducción

PRIMERA PARTE

La cartografía mexicana, del arte a la ciencia

Toluca. Toluca, Huichila, Santa Ana Atipac, Metepec, San Gerónimo y San Pedro, 1798. AGN, 977/1185.3. Tierras, vol. 1 471, exp. 1, cuad. 3, f. 190. 27

Durante la colonia, la cartografía fue una disciplina muy cultivada. MMOB-172, CGE-7 251-B. 28

Mapa del Estado de México de 1852. MMOB-1 724, CGE-7 251-A. 30

Carta general del Estado de México a finales de porfiriato. MMOB-2 361, CGE-7 251-A. 32

Carta Táctica de Jaltenco. Servicio Geográfico Militar. MMOB-428, CGE-7 251-A. 35

Emblema religioso en un mapa colonial (detalle). 36

Escala en leguas en un mapa colonial. MMOB, MOB-1 163, CGE-7 251-B. 37

La necesidad de una representación simbólica ha desarrollado una semiótica gráfica. MMOB-2 361, CGE-7 251-A (25). 38

La cartografía y la historia en el Estado de México

Quautlalpan. Tepuaxo, Xola y Tepotzotlan, México (1552). AGN, 978/0434. Tierras, vol. 2 719, exp. 8, f. 18. 40

La producción de mapas por lo regular tiene un fin utilitario y práctico. Mapa de Al Idrisi del siglo XI. Fernand Braudel, *La Mediterranée, Lépace et l'historie*, París, Arts et Metriers Graphiques, 1977. 42

Cuando Hernán Cortés solicitó información a Moctezuma acerca de los tributarios, éste entregó una nómina en la que aparecían los pueblos sometidos. Quautlalpan, Tepuaxo, Xola y Tepotzotlan, México (1552). AGN, Quautlapa, Tepuaxaco y Xola, Tepotzotlán. Edo. de México, 978/0435. Tierras, vol. 2 719, exp. 8, f. 20. 43

Mapa del pueblo de Jilotepec y sus alrededores. Temascaltepec y Xilotepec, 1579. AGN, 978/0504. Tierras, vol. 2 723, exp. 18, f. 206. 44

Nueva Carta de México en 1814. MMOB-231, CGE-7 251-A. 46

Tenango. Edo. de México, AGN, 978/0457. Tierras, vol. 2 719, exp. 38, f. 1. 47

Carta Geográfica del Estado de México. MMOB-2 245, CGE-7 251-B. 49

La región de Tultitlán en 1727. Tultitlán, Tacuba, México, 1727, AGN, Sitio Tlachititlan; Santa María Magdalena; Xilotepeque. Edo. de México, 978/1772. Tierras, vol. 1 652, exp. 6, f. 10v. 50

Pueblo de Malinalco. San Simón Malinalco, México, 1578, AGN, San Simón Malinalco. Edo. de México, 978/1195. Tierras, vol. 3 670, exp. 6, f. 10. 51

Toluca en el siglo XIX. MMOB-849, CGE-7 251-A. 52

Estudios sobre los recursos hídricos en el Estado de México

La ciudad de México y sus lagunas. MMOB-356, 7 251-A. 54

El proyecto porfirista buscaba la modernización de la agricultura. MMOB-2 654, CGE-7 251-A-25. 57

Proyecto de desagüe de las lagunas de Lerma. AHA, AS, caja 2 923, exp. 40 503, f. 1. 58

Plano de la ciudad de Toluca. MMOB-870, CGE-7 251-A. 60

El antiguo lago en Lerma. AHA, AS, caja 2 923, exp. 40 503, f. 4. 61

Detalle de las obras prehispánicas en la laguna de Texcoco. La ciudad de México y sus lagunas. MMOB-356, CGE-7 251-A. 62

Sistemas de riego de pueblos y haciendas en los valles de México y Toluca

Los proyectos hidráulicos liberales y porfirianos

La cultura lacustre en el Alto Lerma mexiquense

La irrigación en el Estado de México, 1900-1940

Distritos de Riego en el Estado de México, 1946-1992

El Sistema Cutzamala. Origen, auge y ocaso de un sistema de abasto de agua

La industrialización y el nuevo paisaje hidráulico

Conclusiones

Láminas

Xilotepec. Edo. de México, 1784. AGN, 977/1487. Tierras, vol. 2 162, exp. 1, f. 56. 226

San Jerónimo Amanalco, Sinacantepec. Edo. de México, 1755. AGN, 979/1147. Bienes Nacionales, leg. 450, exp. 44, f. 9. 227

Cuatepec, Zacualpa. Edo. de México, 1727. AGN, 977/1200. Tierras, vol. 1 510, 1ª. pte., exp. 3, f. 33. 228

Plano de la ciudad de Lerma. MMOB-10 882, CGE-7 251-A. 229

Plano de Ozumba, alrededores. MMOB-11 540, CGE-7 251-A. 230

Pueblos de Chimalhuacan, San Vicente Chicoloapan y Santiago Cuautlalpan. MMOB-10 882, CGE-7 251-A. 231

Pueblos de Ayotla, Tlapacoya, Huitzitzingo y Cuauzingo. MMOB-11 540, CGE-7 251-A. 232

San Lucas Atoltomaloya, Tustepec y San Gerónimo Aculco. Edo. de México, 1611. AGN, 978/0944. Tierras, vol. 3 029, exp. 8, f. 7. 233

Plano de Texcoco. MMOB-2 516, CGE-7 251-A-01. 234

Chiconahutla. MMOB-273, CGE-8 251-A-25. 235

Colonización de México. MMOB-717-7 251-A. 236

Colonización de México. MMOB-717-7 251-B. 237

Plano de la ciudad de Toluca, 1854. MMOB-850-7 251-A. 238

Proyecto del Departamento de Toluca. MMOB-241-7 251-A. 239

Plano de la ciudad de Toluca. MMOB-870-7 251-A. 240

Plano de la ciudad de Toluca, 1883. MMOB-21 075-A1-25. 241

Plano de la ciudad de Toluca, 1920. MMOB-2 371-B-25. 242

Mapa del distrito de Toluca. MMOB-2288, CGE-7 251-B. 243

Plano de la ciudad de Toluca, 1904. MMOB-2 495, CHE-7 251-A. 244

Terrenos de Jesús M. Díaz, 1923. MMOB-1 254, CGE-7 251-B-01. 245

Plano de la hacienda El Jazmín. MMOB-10753-CGE-7251-A. 246

Río Chontalcotlán. AHA, AN, caja 917, exp. 11 571. 247

Río de Almoloya. AHA, AH, caja 982, exp. 12 583, f. 2. 248

Esquema del río Solano, 1929. AHA, AN, caja 1 281, exp. 17 178. 249

Ferrocarril Xico San Rafael. MMOB-CGMEX-V12-38-25. 250

Cuenca hidrográfica del río San Juan Teotihuacan. MMOB-11 551, CGE-7 251-A. 251

Esquema del río Solano. AHA, AN, caja 1 281, exp. 17 178. 252

Orígenes del río Cuautitlán, 1922. AHA, AN, caja 18, exp. 212, f. 89. 253

Localización de los manantiales en los municipios de Tonatico e Ixtapan de la Sal. AHA, AN, caja 841, exp. 10 442. 254

Arroyo de Loma Blanca, municipio de Almoloya de Juárez. AHA, AN, caja 982, exp. 12 585, f. 1. 255

Aprovechamiento de las agua del río Taquimilpa, municipio de Villa Guerrero. AHA, AS, caja 1956, exp. 29 330, f. 95. 256

Plano esquemático del Valle de México. AHA, AS, caja 2 766, exp. 39 699. 257

Canal de Huehuetoca y río de Cuautitlán. Edo. de México, 1774. AGN, 979/0243. Fuente: Fomento Desagüe, vol. 3, f. 19. 258

Canales de la comunidad, distrito de Temascaltepec. MMOB-2 507, CGE-7 251-C. 259

Plano del vaso de Texcoco, 1906. AHA, AS, caja 3 048, exp. 41 923, f. 1. 289

Fraccionamiento de los terrenos nacionales de la Laguna de Texcoco. MMOB-12 191, CGE-7 251-A. 290

Lago de Texcoco. MMOB-20 529A-10-25. 291

Plano del Lago de Texcoco. MMOB-2 516L, CGE-7 251-B. 292

Lago de Texcoco. AHA, AS, caja 2 559, exp. 35 719. 293

Plano del Lago de Texcoco. AHA, AS, caja 3 045, exp. 41 869. 294

Lago de Texcoco. AHA, AS, caja 3 049, exp. 41 949, f. 1. 295

Fraccionamiento de los terrenos nacionales del lago de Texcoco. AHA, AN, caja 3 049, exp. 41 952. 296

Lago de Texcoco. MMOB-CGMEX-V12-62-25. 297

El lago de Texcoco. MMOB-CGMEX-V14-82, CGE-7 251-A. 298

Lago de Chalco. MMOB-20 529A-2. 299

Índice onomástico

Índice toponímico

Cartografía hidraúlica del Estado de México, se terminó de imprimir en septiembre de 2016, en los talleres gráficos de Impresos Vacha, S.A. de C.V., ubicados en Juan Hernández y Dávalos núm. 47, colonia Algarín, delegación Cuauhtémoc, Ciudad de México, C.P. 06880. El tiraje consta de 2 mil ejemplares.

Para su formación se usó la familia tipográfica *Adobe Garamond Pro*, de Robert Slimbach, de la fundidora Adobe Systems Inc. Coordinador de la Cartografía Hidráulica de México: Martín Sánchez Rodríguez. Supervisión editorial: Patricia Delgado González. Diseño editorial: Guadalupe Lemus. Diagramación: Guadalupe Lemus y Rosa María Manzo Mora. Corrección tipográfica: Angélica Maciel y el autor. Supervisión en imprenta: Luis Alberto Martínez.